도해
탄약백과사전

Ian V. Hogg

Quantum
Books

A QUANTUM BOOK.

This book is produced by
Quantum Publishing Ltd.
6 Blundell Street
London N7 9BH

This edition printed 2003

ISBN 1-86160-728-8

QUMANIN

Printed in Singapore by
Star Standard Industries Pte. Ltd.

7쪽

신관 소켓, 포탄의 탄 테에 가볍게 부착된
나무 머리와 포탄의 탄저에서 추진 장약으로
신관 화염을 증가시키기 위해 구멍 뚫린
작은 화약 알갱이로 채워진
중앙 화염관을 보여주는
박서(Boxer) 유산탄 폭탄의 납.

목 차

머리말

포병인들에게는 자신들의 화기는 포가 아니라 포탄이다. 그리고 "포는 단지 포탄을 생산시설에서 표적까지 전송하는 마지막 단계일 뿐이다"라는 오랜 격언이 있다. 이는 적에게 원하는 영향을 가하도록 계획된 물건인 탄자, 포탄 및 폭탄 - 한 종류 또는 다른 종류의 발사체 - 을 발사하는 장치일 뿐이며 모든 화기에 동일하게 적용될 수 있다. 탄약이 없으면 아주 정교한 화기는 단지 값비싼 곤봉이거나 기껏해야 대검용 손잡이일 뿐이다. 또한 탄약이 없는 포는 장신구 이외에는 아무것도 아니다.

그러나 보통 탄약이 가장 중요하다고 여겨짐에도 불구하고 수령하고 장전하고 사격하는 과정에서 그리고 어떠한 이유로도 포가 고장이 난다면 사수가 그 이유를 모르더라도 사수는 상당히 낙담한다. 아직도 탄약은 의당 매혹적인 대상이다. 효용성이 다한 많은 무기들은 적용되는 탄약을 재설계한 것만으로 부활하여 새로운 수명을 갖게 된다. 그리고 많은 무기들이 새롭고 향상된 탄약에 의해 높아진 효과를 갖게 된다. 화기 뿐 아니라 그에 적용되는 탄약도 완벽하게 이해하지 않으면 화기를 완벽하게 이해하기란 불가능하다.

14세기에 화기가 처음 등장할 때부터 탄약이 존재해 왔음에도 불구하고, 처음 400년 동안은 발전이 꽤 정적인 상태로 있었다. 포 설계가 어떤 발전을 보여 주기 시작한 것은 19세기에 산업혁명이 활발해지고서 였었다. 그리고 이러한 발전은 탄약의 향상에도 영향을 주었다. 1880년대와 1890년대의 설계자와 제작자의 활동은 20세기 초의 남아프리카와 러일전쟁에서 그 효과를 보여주었다. 이러한 전쟁은 1914-18년의 전쟁 기간 동안에 사용되어진 개선과 혁신을 이끌었다. 그리고 당시에 탄약 발전에 커다란 추진력을 제공한 것은 이러한 전쟁들이었다. 예를 들면 군용항공기의 도입은 첫 번째 항공 폭탄을 가져왔지만 또한 이러한 폭탄들을 떨어뜨리는 항공기에 대해 사격할 특수 탄약의 개발을 이끌었다.

제1차 세계대전 기간에 이룩한 발전은 1920년대와 1930년대에 강화되고 정제되어 제2차 세계대전이 전개될 때 표준 탄약 형태가 되었다. 그렇지만 다시 한 번 더 군 전술과 기술에서의 발전은 새로운 형식의 전쟁과 새로운 형태의 탄약을 가져왔다. 전차에서의 개선은 대전차 발사체에서의 개선을 불러왔고, 높이 비행하는 항공기는 새로운 형태의 폭탄과 신관, 휴대용 보병 대전차 무기는 전차 등을 파괴할 수 있는 특수 발사체를 개발해야 했다.

이 책은 지면의 부족으로 탄약의 모든 면을 포함할 수 없다. 그러므로 우리 전쟁에 사용되는 기본적인 사출 무기 피스톨, 소총, 기관총, 박격포, 화포 유탄 - 에 집중하였다. 우리는 많은 른 관심 분야를 - 지뢰, 어뢰, 항공 폭 및 미사일 - 무시할 수밖에 없었다. 러나 모든 탄약에 적용되는 일반적인 리는 이 책의 본문에서 설명되었다. 리고 여기에서 얻은 정보로 다른 형태 폭발 장치를 이해하는데 어려움이 없 것이다.

마지막으로, 노파심에서 하는 말로, 이 은 테러리스트용 안내서가 아니라는 을 지적하고 싶다. 여기에는 폭탄이 다른 형태의 탄약을 제조할 도면은 다. 그리고 삽화는 어떠한 백과사전이 제작자 팸플릿에서도 찾을 수 있다. 책에는 누구라도 테러를 시도할 것을 장하는 충분한 상세도가 포함되어 있 고 말할 수 없다. 탄약은 살상을 위 고안되었고 탄약은 완전히 색맹으로 탄약을 다루는 사람이 입고 있는 옷 구분하지 못한다. 그래서 기억해야할 은 절대 탄약을 다루어서는 안 된다 당신을 죽일 수 있다는 것이다.

이안 V. 호그, 1985

캐논 볼에서 카퍼헤드(COPPERHEAD)까지

캐논의 원리를 발견한 프라이브르그(Freiburg)의 불가사의한 수도승 "블랙 버톨드(Black Berthold)"를 보여주는 조각. 이 설화가 매력적일 수는 있지만, 버톨드 슈와츠(Berthold Schwartz)라고 불린 수도승이 실존했었다는 증거는 없다. 그리고 그가 실행한 가공의 실험이 있었다고 여겨지는 날짜 이전에 캐논이 유용하게 사용되었다고 추론할 수 있는 많은 증거들이 있다.

우측: 왈더 드 마일메트(Walter Milemete)가 저술한 저명한 왕국의 의무(De Offici Regnum). 화기에 대해 언급한 문장이 없지만, 사본의 아랫부분에 있는 삽화가 발견되고 있는 원시 캐논을 명확하게 보여주고 있다 - 포구에서 화염이 돌출하고 있는 구근 포열(球根 砲身, bulbous tube)의 점화구가 뜨거운 강철을 들고 있는 사람에 의해 점화되고 있다.

"탄약-ammunition"이라는 용어가 고대의 농성도시(籠城都市) 안으로 캐타펄트(catapult)로부터 던져지는 돌, 포로들과 죽은 말들로 광범위하게 해석될 수 있지만, 이 단어는 보통 일종의 폭발 탄약을 의미하는 것으로 사용된다. 그러므로 탄약의 역사는 첫 번째 폭발물인 화약(gunpowder)과 함께 시작되어야 한다.

그러나 화약을 누가, 어디서, 언제 발명하였는지 역사 속에서 영원히 사라졌다. 이것은 여러 시대에 걸쳐 중국, 아랍 심지어는 아틀란티스의 사라진 부족에게서까지 그 기원을 찾아 왔었지만, 이들 중 명확한 증거는 없다. 중국은 확실히 유럽에 이러한 종류가 알려지기 오래전에 불꽃놀이와 같은 어떤 종류의 불꽃 성분을 가지고 있었다. 그러나 이것은 우리가 중국이 포와 화약을 아주 잘 만들었다고 알고 있는 것과는 반대로 중국인들이 포와 화약을 개발했다고 주장할 근거는 없다.

화약의 역사에서 첫 번째 확고한 이정표는 로저 베이컨(Roger Bacon)이 1242년에 저술한 *De Mirabili Postestate Artis et Nature*(기술과 자연의 놀라운 힘에 대해서)라는 제목의 출판물이라고 말할 수 있다. 베이컨은 철학적 주제에 대한 몇 가지 서적과 논문을 준비하고 있던 프란체스코 수도회의 수사였다. 이 책 중에서 베이컨이 폭발의 주제를 회피한 것처럼 보이는 문장에서, 그는 명백히 의미 없는 일련의 단어들을 포함하고 있다. 이것은 20세기 초에 영국 포병 장교인 하임(Hime) 대령이 그 대답을 발견할 때까지 수세기 동안 착오라고 무시되어 왔다. 문장을 재배열하고 구두점을 찍을 때 '초석 7할, 개암나무 가지 5할, 유황 5할을 취한다. 만약 당신이 이 기술에 대해 알지 못하면 천둥과 파멸을 부르게 될 것이다.'라고 읽을 수 있는 아나그람이었다. 만약 '개암나무 5할'을 목탄이라고 읽는다면, 이것은 화약에 대한 실행 가능한 공식이 된다.

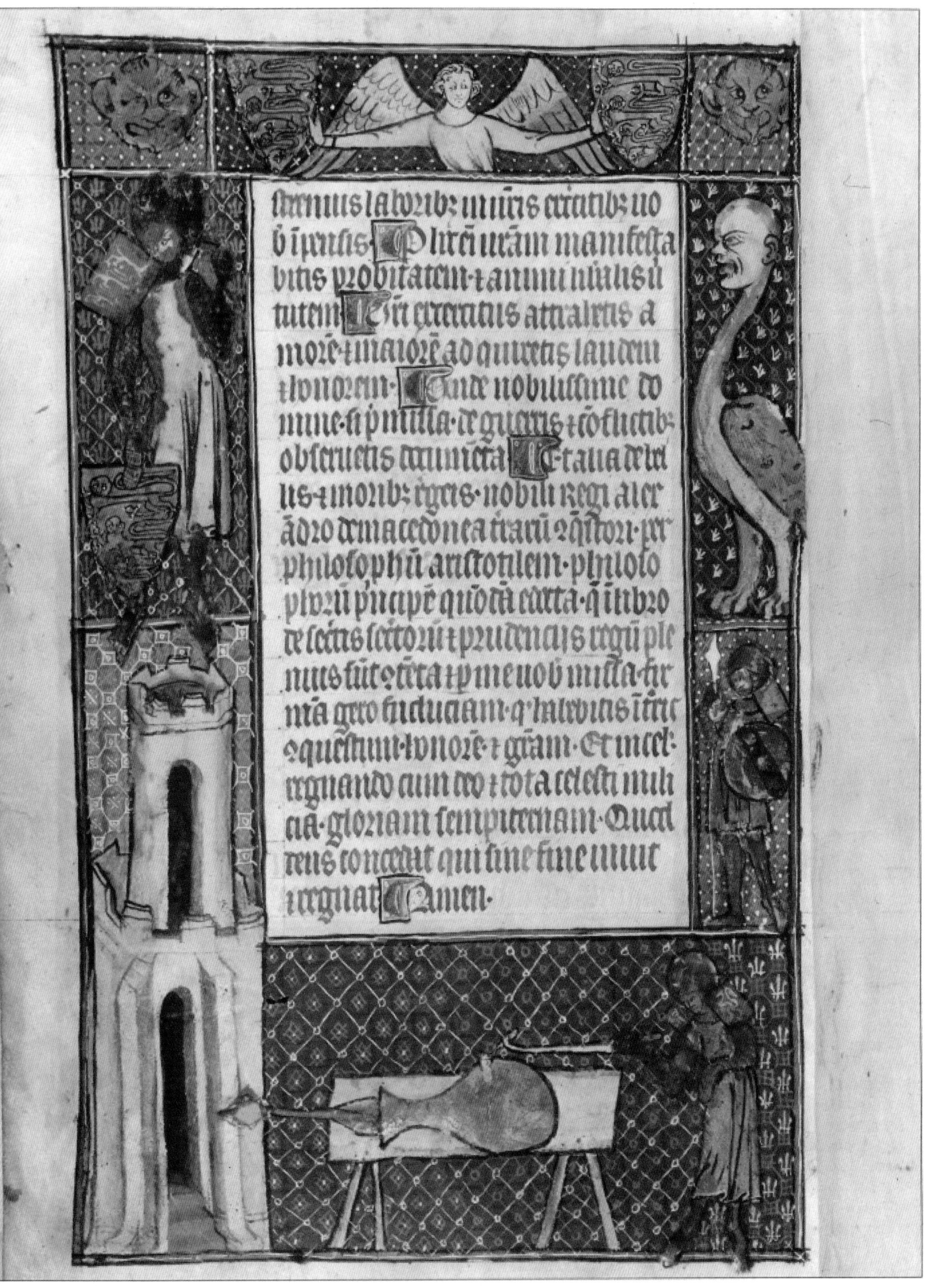

strenuus laboribus militaris exercitibus no
bis impensis. Plurimum vestram manifesta
bitis probitatem & animi nobilis vir
tutem. Sic exercitus armalis a
more & maiore ad quietis laudem
& honorem. Unde nobilissime do
mine. si premissa de guerris & conflictibus
observetis continue. Et alia de m.
lis & moribus regis nobili regi Alex
andro de macedonia tradita compositor per
philosophum aristotilem philoso
phorum principem quoddam certa in libro
de secretis secretorum & prudencijs regum ple
nius sunt contenta per me vobis missa. fir
mam gero fiduciam quod laboribus sive
conquestum honore & graciam. Et incel
regnando cum deo & tota celesti mili
cia gloriam sempiternam. Quod cel
rens concedat qui sine fine vivit
& regnat. Amen.

하지만 왜 아나그람인가? 폭로가 아니라면 왜 모든 세계인들이 화약에 대해 최초로 언급한 것이 베이컨임을 알고 믿을 수 있도록 평문으로 쓰지 않았는가? 왜냐하면 베이컨은 수사였으며, 1139년 제2차 라테란 공의회에서 군사적 목적으로 '인화성 합성물'을 만드는 자는 누구라도 파문될 것이라고 공표하였기 때문이다. 베이컨이 공개적인 선언이나 발표를 했다면, 그는 생명을 잃었을 것이다. 실제로는 여러 가지 주제에 대한 솔직함 때문에 1257년 옥스퍼드의 강단에서 제거되어 파리의 수도원으로 보내졌고, 거기서 다음 10년 동안 보이지 않았다. 그 후 1266년에 그는 교황을 위해 철학적 지식에 대한 적요서를 저술하도록 요청받고 옥스퍼드로 복귀하여 강의를 재개할 수 있도록 허락을 받았다. 교황에게 제출된 논문집 중에 하나는 *Opus Tertius*란 제목이 있고, 이 사본 중 하나가 1909년 파리의 국립도서관(Bibliotheque Nationale)에서 발견되었다. 이 사본의 인용문 한 줄이 흥미롭다.

> *타오르는 섬광의 일정한 불의 혼합물에서 그리고 그들이 만드는 소음으로 초래된 공포, 놀라운 결과를 아무도 막거나 견딜 수 없다. 언급될 수 있는 간단한 예로서, 몇몇 장소에서 알려진 분말로 만들어진 소음과 불꽃은 목탄, 유황과 초석으로 구성되었다. 이 분말의 양이 사람의 손가락 굵기보다 작아 양피지에 싸이고 점화될 때, 눈을 멀게 할 만큼의 화염과 귀를 멀게 할 만큼의 소음으로 폭발한다. 만약 더 많은 양이나 더욱 단단한 재질로 만들어진 용기가 사용된다면, 폭발은 더욱 거칠고 소음은 전혀 참을 수 없을 것이다.... 이러한 합성물은 우리가 원하는 거리면 어디에서도 사용될 수 있다. 그래서 조작자는 소음과 화염으로부터 상처를 입지 않지만 반면에 이것을 쓰는 사람에 대항하는 사람은 혼동으로 가득 찰 것이다.*

베이컨은 합성물을 발견했다고 선언하지 않았지만, '몇몇 곳'에서 이것이 사용되었다고 언급하여, 1266년까지 이 물질이 일반적인 지식으로 알려 졌으며, 그는 단지 그 사실을 이야기하고 있는 것을 암시하고 있다.

그러면 우리가 화약이 1242년에 처음 시작되었고 1266년까지 일반적인 지식이라고 알려졌다고 추측할 수 있다면, 다음에 일어나는 의문은 언제 어디서 이것이 처음 포에서 무언가를 추진하기 위해 적용 되었는가 이다. (분명히 이것은 포와 함께 사용될 때까지 '화약'이라고 불리지 않았다. 그 이전에 정확하게 무엇이라고 불리었는가가 또 다른 풀리지 않는 미스터리다.)

여기서 아주 신속하게 결말을 내려야 하는 많은 가짜 주장과 전설이 있다. 가장 많이 되풀이되는 것 중 하나는 프라이브르크의 신비한 수사인 블랙 버톨드(Black Berthold)이다. 전설에 의하면, (그리고 1643년의 미술조각으로 지지를 받는) 어느 날 주철 용기에 담은 얼마간의 분말로 실험하여 버톨드는 장약을 점화하고 뚜껑을 날려 보냈다. 그리고 이것으로부터 관에 장약을 넣고 탄을 추진하는 원리를 추론하였다. 매력적인 전설이지만, 첫째로, 버톨드 슈와츠가 실존했다는 증거가 없다. 둘째로, 그 장면을 조각한 사람은 1380년이라고 했는데, 그 이전에 캐논이 유용하게 사용되었다는 것을 보여주는 증거가 많다.

한 가지 어려운 점은 중세의 보고서에서 '포병-artillery'이란 용어를 사용한 것이다. 이것은 종종 '포-guns'란 의미를 갖지만, 이 용어는 포가 출현하기 전 수세기 동안 카타펄트와 다른 전쟁 장치들과 연관되어 사용되었고, 포로 전이된 것은 고문서에서 발견되지 않는다. 조사할 시간을 낭비하게 되는 많은 오해하기 쉬운 보고서들이 있다. 첫 번째, 1326년에 쓰인 실재하는 기록이 플로렌스의 '공동 생활체, 야영지, 영토 방어'용 황동 캐논과 철제 탄환에 대해 언급하고 있다.

이 보다 1년 앞서 월터 드 밀레메트(Walter de Milemete)가 쓴 유명한 문서인 *De Officiis Regnum*에 캐논의 발사를 설명하는 그림이 있다. 그림은 어떠한 글로도 설명되어 있지 않지만, 뜨거운 철을 든 사람이 점화하고 있는 총구에서 화살이 돌출된 구근의 관을 보여주고 있다.

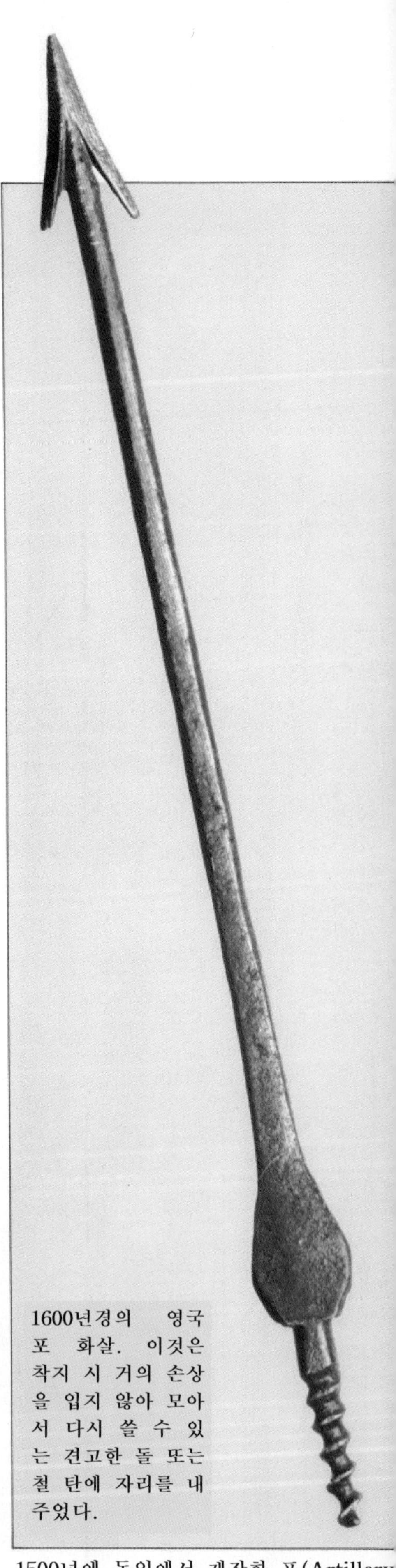

1600년경의 영국 포 화살. 이것은 착지 시 거의 손상을 입지 않아 모아서 다시 쓸 수 있는 견고한 돌 또는 철 탄에 자리를 내주었다.

1500년에 독일에서 제작한 포(Artillery – 막시밀리언 황제와 그의 캐논 제작자

H B

대략 1450년의 화약 제
이 판화는 재료를 가는
을 보여준다. 모래시계에
목한다. 내용물은 고정된
간동안 함께 갈아야 한다.

옛 기록에서, 우리는 발사체를 추진하데 사용된 화약으로 구성된 첫 번째 :약-ammunition'과 발사체 자체는 볼이 화살이 모두 될 수 있다는 것을 알 수 다. 화살은 잘 알려져 있었고, 당시의 병들은 화살 축 둘레의 가죽을 접합제로서 캐논의 포열에 빈틈없이 맞도록 함으써 자신들이 알고 있는 형태의 비상체를 로운 시스템의 사출장치에 적용하려 하다. 그러나 화살을 만드는 것은 숙련된 업이었고, 캐논 발사체로 화살을 사용하 것은 헛된 일이었다. 그래서 돌 또는 로 주조한 단단한 구술의 사용으로 전환는 명백한 단계가 있었음이 틀림없다. 것들은 착지 시 손상되지 않고 폐품으로용 될 수 있었고, 깨끗하게 할 수 있고 복해서 사용할 수 있는 장점이 있었다.)면에 화살은 한 번 사용하여 수리할 수을 만큼 손상될 수 있었다.)

렇더라도 이러한 형태의 발사체는 오랫안 살아남았다. 정부에 복귀한 프란시 드레이크(Francis Drake)경은 1588년 3 30일에 자신의 배에 비축된 물품 중에 포-화살에 대해 언급했다.

탄환은 처음부터 선호되었다. 사실, 플렌스에서 사용된 철탄환에 대한 언급은 당히 주목할 만하고 포가 아주 작았다는을 암시한다. 이에 대한 논쟁은 포와 화 모두의 강약에 관련되었다. 마일미트의 림은 재질이 황동임을 암시하는 색의 청을 보여주고 있다. - 당시에 청동 주물술에 대해 잘 이해하고 있다는 조리 있 가정. 그러나 이것은 고가이며 대형 포 대한 요구가 발생하여, 다른 방법, 즉 속 쇠띠와 로프로 단단하게 묶은 철제 각으로 포열을 만드는 방법을 채택하였. 이는 저렴하고 만들기 쉬웠지만, 주물열만큼 강하지 않았다. 그렇지만, 이와 시에, 본래의 화약은 오늘날의 기준으로 때 약한 원료여서 포와 그 화약은 덜 는 더 잘 일치하였다. 그렇더라도 이러 포 중 하나에 무거운 철제 탄환을 넣는과 그 뒤에 있는 장약 분말을 발화시키 것은 큰 문제였다. 탄환의 무게는 움직에 대해 저항하였고 그래서 분말의 폭발 포 내에서 심각한 압력을 만들어내기 쑤였고 포를 쉽게 파열시키기도 하였다. 일한 크기의 돌 탄환은 훨씬 가볍고 - 제 탄환 무게의 약 1/3 - 더 신속하게 직여 그러한 위험한 압력의 발생을 일으

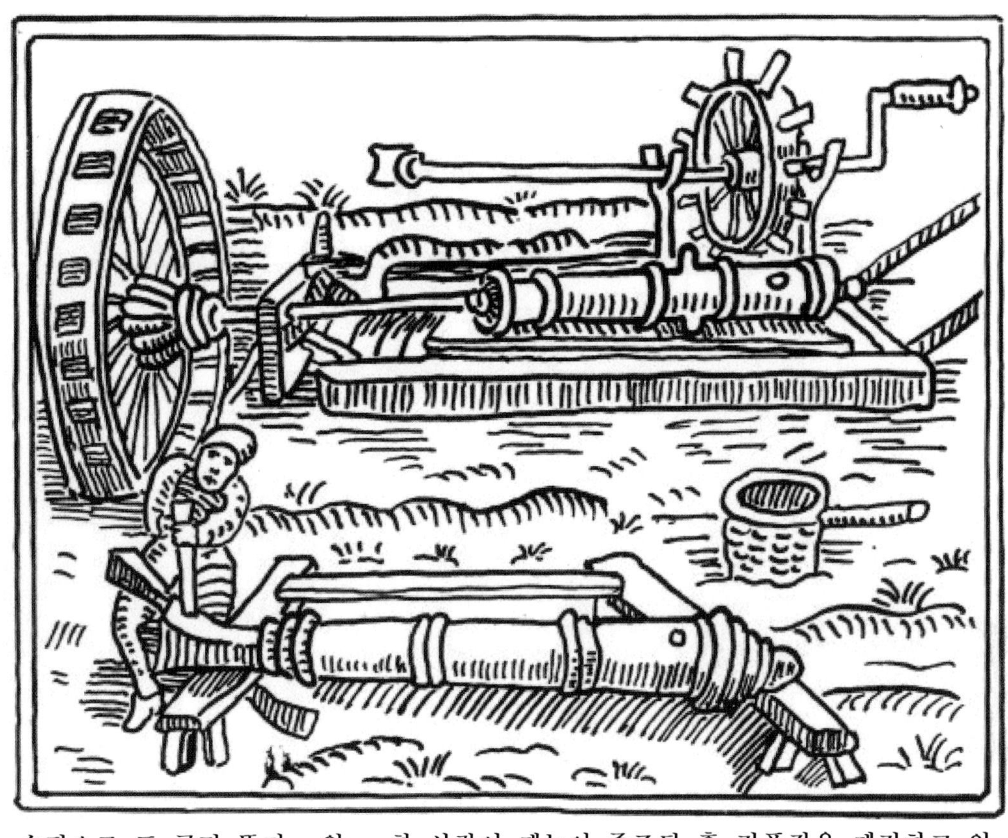

수평으로 포 구멍 뚫기. 앞 - 한 사람이 캐논이 주조된 후 거푸집을 제거하고 있다. 뒤 - 물레바퀴가 포열 내부에 구멍을 뚫고 있다.

키지 않았다.

또 다른 요점은 당시의 화약은 공식에 의해 취약해질 뿐 아니라 제작에 의해서도 취약해졌다. 베이컨의 공식은 41%의 초석, 29.5%의 유황과 29.5%의 목탄이었고, 의심할 여지없이 이 당시의 재료는 순도가 그다지 높지 않았다. 현대의 화약은 75:10:15의 비율로 아주 높은 표준 순도를 함께 사용한다.

초기 화약은 내용물을 분리하여 곱게 갈아서 섞었고 그 후에 손으로 혼합하였다. 이 불순한 화약은 통에서 간단하게 국자로 떠서 부정확하게 포에 부었다. 여기서 이 혼합물을 약실에 넣고 견고히 하여 점화 불꽃이 동시에 화약 전체를 발화하기 위해 이 점화불꽃이 미세한 덩어리 전체로 신속하게 퍼지는 어려움이 있었다. 이것은 불확실한 행동, 매 발사마다 상이한 동력을 만들었고 얼마간의 장약이 여전히 타고 있거나 연소되지 않은 채로 포구 밖으로 분출되었다는 것을 의미하였다. - 이것은 철 및 납과 비교하여 화약 값이 어마어마하게 고가일 때 심각한 결점이었다.

화약의 주요 결점은 습기에 대한 민감성이었다. 초석은 습기를 빨아들였으며, 14세기와 15세기의 기록은 축축한 화약에 대한 불평이 가득하다. 화약을 사용할 수 없어 군의 위력이 전투에 투입되기 전에 떨어진다는 것은 심각한 문제였다. 1372년에서 1374년에 영국 화약을 건조시키기 위한 장작단의 구매에 대한 기록이 있다. 1459년의 스코틀랜드 기록은 밀랍을 바른 천 자루에 화약을 보관했다고 언급한다. 1759년에 영국 해군이 부족한 화약 때문에 포탄이 프랑스 함선에 닿지 않는다는 불평을 그레나다가 했다고 보고했다.

또 다른 단점은 이동시간이 길어지는 동안에 수레에 매단 포열이 튀었을 때, 여러 가지 화약 성분들이 분리되는 경향이 있어 무거운 유황이 가벼운 초석 아래로 가라앉는 것이었다. 이 문제에 대한 해결책은 일반적으로 세 가지 성분을 분리해서 운반하고 전투가 시작되기 전에, (이것이 위험한 모험이었지만) 현장에서 혼합하는 것이었다.

첫 번째 개량은 그 장소를 정확히 구별내해기가 어렵고 화약의 기원만큼 오래되었다. 그러나 처음 1429년에 언급한 프랑스

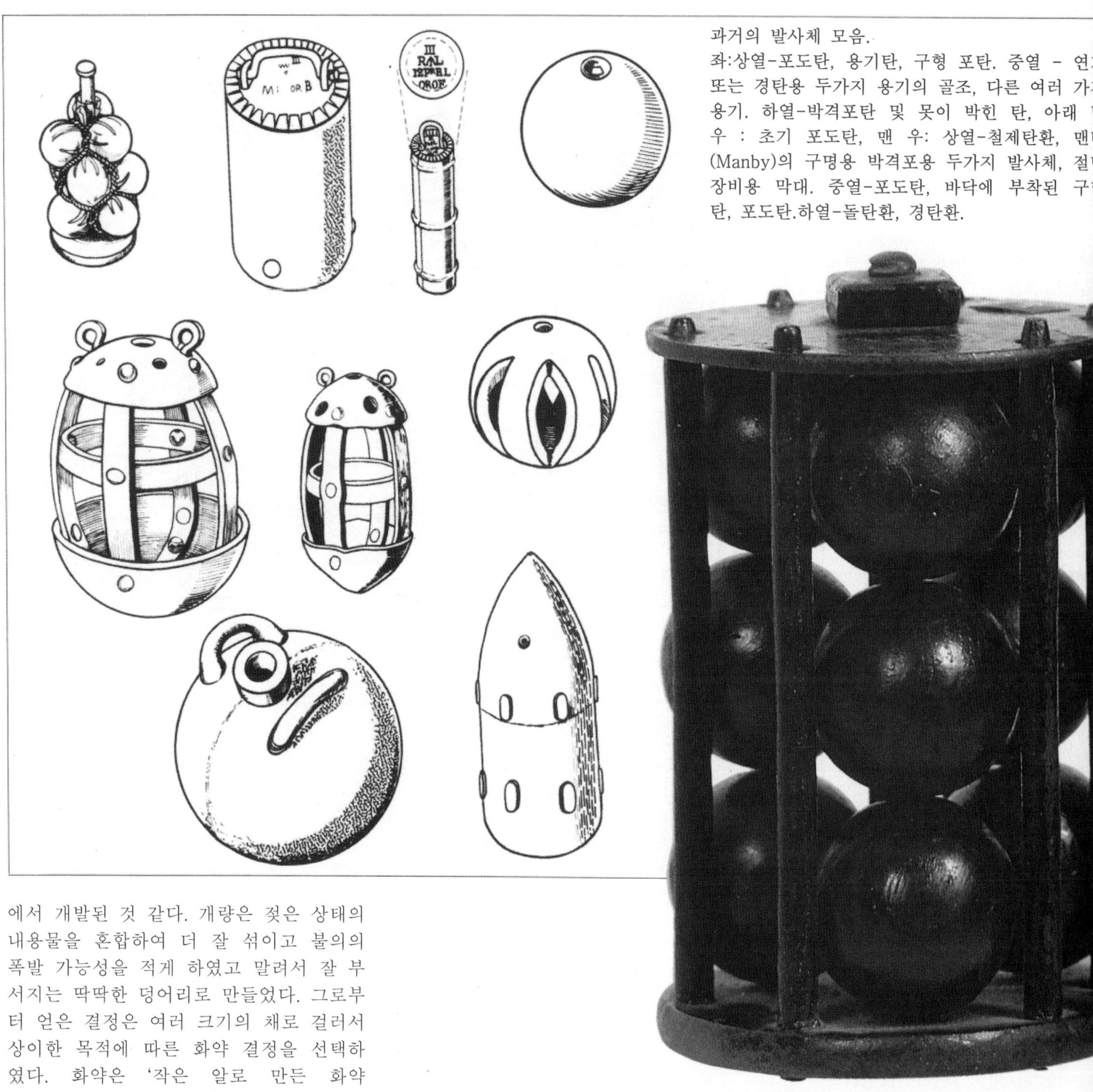

과거의 발사체 모음.
좌:상열-포도탄, 용기탄, 구형 포탄. 중열 - 연기 또는 경탄용 두가지 용기의 골조, 다른 여러 가지 용기. 하열-박격포탄 및 못이 박힌 탄, 아래 및 우 : 초기 포도탄, 맨 우: 상열-철제탄환, 맨비(Manby)의 구명용 박격포용 두가지 발사체, 절단 장비용 막대. 중열-포도탄, 바닥에 부착된 구형 탄, 포도탄.하열-돌탄환, 경탄환.

에서 개발된 것 같다. 개량은 젖은 상태의 내용물을 혼합하여 더 잘 섞이고 불의의 폭발 가능성을 적게 하였고 말려서 잘 부서지는 딱딱한 덩어리로 만들었다. 그로부터 얻은 결정은 여러 크기의 채로 걸러서 상이한 목적에 따른 화약 결정을 선택하였다. 화약은 '작은 알로 만든 화약 -corned powder'라고 불렀고, 본래의 것을 뛰어 넘는 장점을 보였으며, 그 후에 서펀타인 화약(Surpentine Powder)이라고 알려지게 되었다. 과립 형태는 화염이 장약에 더욱 쉽게 퍼지게 하였고, 더욱 확실하고 일정한 연소를 만들었다. 그래서 알갱이로 만든 화약은 서펀타인과 동일한 양에서 1/3배 더 강력하다고 간주되었다. 이것은 또한 습기에 덜 민감하였고, 운반시 더 이상 분리하지 않았으며, 사격 후 포강에 잔여물과 탄매가 훨씬 적게 남았다.

개량의 본질은 이러한 장점들은 어떤 결결점이 없이 획득되지 않는다는 것이다. 두 가지 주요한 본질은 알갱이로 만든 화약은 강력하여 오래된 포를 파열시키는 경향이 있었다. 그리고 관련된 제작 방법 때문에 이것은 훨씬 비쌌다는 것이다. 결과로 알갱이로 만든 화약이 일반적으로 채용되기에는 얼마간의 시간이 소요되지만, 포가 새로운 화약으로 완전한 이점을 얻을 만큼 충분히 강하기 위해서 캐논의 개발에 박차를 가하는 효과를 내었다. 철 주조 캐논이 16세기 중반에 나타나기 시작했고, 다음 300년 동안 표준 양식으

머물렀다.
약에 있어서 대부분의 문제는 초석(질 칼륨)의 사용에 집중된다. 19세기 중반 지 유일한 공급원은 자연 매장물 이었 며, 유럽에서 이것은 귀했다. - 물질은 하 동굴, 지하실, 마구간에서 주석으로 면이 덮인 채로 발견되었다. 주요 매장 물은 동방에 있었고, 동양의 상인들은 곧 자신들 물자의 가치를 깨닫고 그에 맞게 가격을 정하였다. 유럽에서 각 정부는 모든 가능한 공급원을 보존하려고 시도하였고 그래서 동방에 대한 의존을 줄였다. 프랑스에서 '초석 국장'이 1540년에 임명되었고 모든 마구간, 비둘기장, 헛간, 양사에 들어가 초석을 채집할 권한이 주어졌다.
17세기 초에 동인도 회사가 영국에 초석을 수출하기 시작했고, 서리(Surrey)에 자신들의 화약 공장을 건설하였다.

1663년의 회사 설립 강령의 갱신에 대한 협정 중 매년 병기 위원회에 500톤의 초석을 공급하도록 하는 요구가 있었다. 그러나 상인들은 그 수년 전에 화약의 수익성을 재빨리 깨달았다. 1340년에는 아우그스브르크(Augsburg)에 화약 제작소가 있었고, 1344년에는 스판다우에 하나가 있었다. 영국군이 처음 사용한 화약은 대륙으로부터 수입하였다. 이 수입은 엘리자베스 1세 재위 중에 화약의 제조에 대한 특허 발행을 시도한 스페인의 위협적인 태도가 있을 때까지 수년간 지속되었다. 1555년에 제작소가 로더히드(Rotherhithe) 근처에 출현하였고 다른 것들이 줄을 이었으며, 1561년에 공장이 월쌈 수도원(Waltham Abbey)에 건설되어 왕립 화약 공장으로 발전하였으며, 20세기에는 왕립 병기 공장이 되었다.

발사체로는 돌이나 철주조 탄환이 유지되었다. 추진 장약은 초기의 포수들 사이에서 논쟁 거리였으나 돌탄의 1/9 무게로 다소간 의견이 맞은 것 같다. 포의 힘이 강력해지면서 장약이 1/5 또는 1/4까지 증가하였고, 이 규칙은 철탄환에 미쳤는데 무게의 차이로 커다란 발사체에는 자동적으로 무거운 장약을 생산하였기 때문이다.

단단한 탄환에 대한 유일한 대체는 대인용을 단거리 수단으로 사용된 '랑그리지(langridge)'이었다. '랑그리지'를 간단히 사용하는 것은 장약과 솜뭉치를 채우고 다시 발사 될 때 상처를 줄 수 있는 모든 것으로 - 편자 못, 돌, 자갈, 금속 조각, 부싯돌 등 어떤 것이든 - 포열을 채워 넣는 다는 것을 의미하였다. 이것은 무서운 부상자 제조기였다. 후에 이것을 편리한 용기에 넣으려는 생각이 고안되었고, 그 결과는 '케이스 탄(case shot)'이라고 알려졌으며, 15세기 중반의 콘스탄티노플 방어 중의 기록에 처음 나타났다. 한 가지 대안 방법은 랑그리지와 천 자루를 채워 장전하기 전에 끈으로 묶는 것이었다. 이 묶음은 자루를 부풀게 하여 포도송이와 유사해져서 천 자루에 있는 탄이 '포도탄'이 되었다.

장약의 점화는 처음에는 마일미트 필사본에 의해 입증된 것처럼, 뜨거운 철을 이용하여 실행하였지만, 뜨거운 철은 전장에서 취급하기 불편한 기구이고, 더욱 양

폴란드의 왕 스테판 바토리(Stefan Batory 1553 – 88). 적열(赤熱) 탄과 코사크인을 군에 편성하였다.

호한 방법이 곧 출현하였다. 포에 약실 위로 고운 화약이 똑똑 떨어져 뜨거운 철이나 새로이 발명된 대체품인 '신속 화승(Quickmatch)'으로 폭발할 수 있는 '구멍(Vent)'이 만들어졌다. 신속화승은 간단하게 초석 용제에 적시고 나서 고운 화약에 감아 말린 끈이었다. 이것이 점화되면 매우 신속하게 연소되고, 한 발의 끈이 포 구멍에 삽입되어 포 사격 시 효과적임을 증명하였다. 불행히도 이것은 구멍에 탄매를 남기는 경향이 있었고, 새로운 신속 화승이 사용될 수 있도록 주기적으로 청소하기 위해 구멍을 넓힐 필요가 대두되었다. 일부 포수들은 고운 화약이 장전에 필요한 횟수를 줄이고 탄매를 없애는 방법임을 알았기 때문에 자신들의 화약 뿔상자에서 고운 화약을 사용할 것을 고집하였다.

그래서 뜨거운 철을 교체하기 위해 '느린 화승(Slow Match)'이 고안되었다. 이것은 두껍고 화약을 필요 없게 하여 불을 붙일 때 전혀 타지 않고 천천히 연소한 것을 제외하면 '신속 화승'과 유사하였다. 이것은 불을 붙이고 공기 중에 빙빙 돌려서 되살 나게 할 수 있고 긴 장대나 도화간(導火桿-linstock)에 부착하여 포 구멍에 가까이 댈 수 있었다.

발사체에서의 첫 번째 진정한 혁신 1573년에 독일인 포수장(Master Gunn 인 짐머만(Zimmermann)이 '모자탄-I shot'을 발명하면서 시작되었다. 이것 반은 화약과 함께 모자(hat)가 채워진 실린더이고, 나머지 반은 머스킷 탄환로 채워졌다. 짧은 길이의 신속 화승 용기의 바닥에 있는 구멍을 통해 통과다. 포에서 탄이 격발되면서 신속 화승 발화되고, 용기 내부에 있는 화약을 연시키고-발사하여 머스킷 탄환을 폭발시 사방으로 뿜어냈다. 이것은 약 1km(60(드)의 사거리를 가져서 백병전 거리 내 도달하기 한참 전에 적군의 힘을 줄이 아주 효과적인 방법이었다.

그 후 얼마 되지 않아 1579년에 폴란드 왕 스테판 바토리가 적열 탄 사용 규칙 제정하였다. 가열된 점토의 구슬들이 타펄트에 자주 사용되었고 짚으로 만 지붕에 불을 지르기 위해 도시 안으로 져졌지만, 포에 적용하는 것은 서서히 현되었다. - 포수에게 직면한 문제를 려하는 것은 놀라운 것이 아니었다. 처 에 적열 철 주조 구슬을 화약의 장약로 미는 것을 예상하는 것은 매력적이 않았지만, 결국 스테판 바토리의 혁신 먼저 건조한 천 뭉치를 화약의 상부 위 박아 넣고, 두 번째로 물먹은 천 뭉치 넣은 후 적열 탄이 포구 안으로 넣고 어 적열 탄이 젖은 천 뭉치를 말리기 에 가능한 신속하게 포수는 발포하였다 단단하거나 뜨겁거나 차가운 탄은 다양 효과가 있다. 도시 또는 요새의 성과 은 견고한 표적에 대한 발사체는 방어 에게 심각한 손상을 입힐 수 있었다. 투지에 있는 개인에 대해서는 신뢰성 덜 하였다. - 당시의 어깨를 마주하고 2, 제 3 전열이 뒤쪽에서 밀고 있는 밀 전열에서는 힘들었지만, 기민한 병사 날아오는 탄을 보고 뛰어올라 피할 수 었다. 더욱이 단단한 탄은 착지 시 즉 자신의 에너지를 모두 잃지 않고 충격 불규칙한 방법으로 상당한 거리를 구르 가볍게 튀며 부딪치는 것은 무엇이나 상을 주는 충분한 에너지를 갖고 있었 확실히 포수가 선호하는 표적은 조준 포나 화약의 성능 또는 탄이 비행할 오류가 적은 아주 가까이 밀집한 대형 며, 이 탄은 조밀하지 않은 밀집대형과

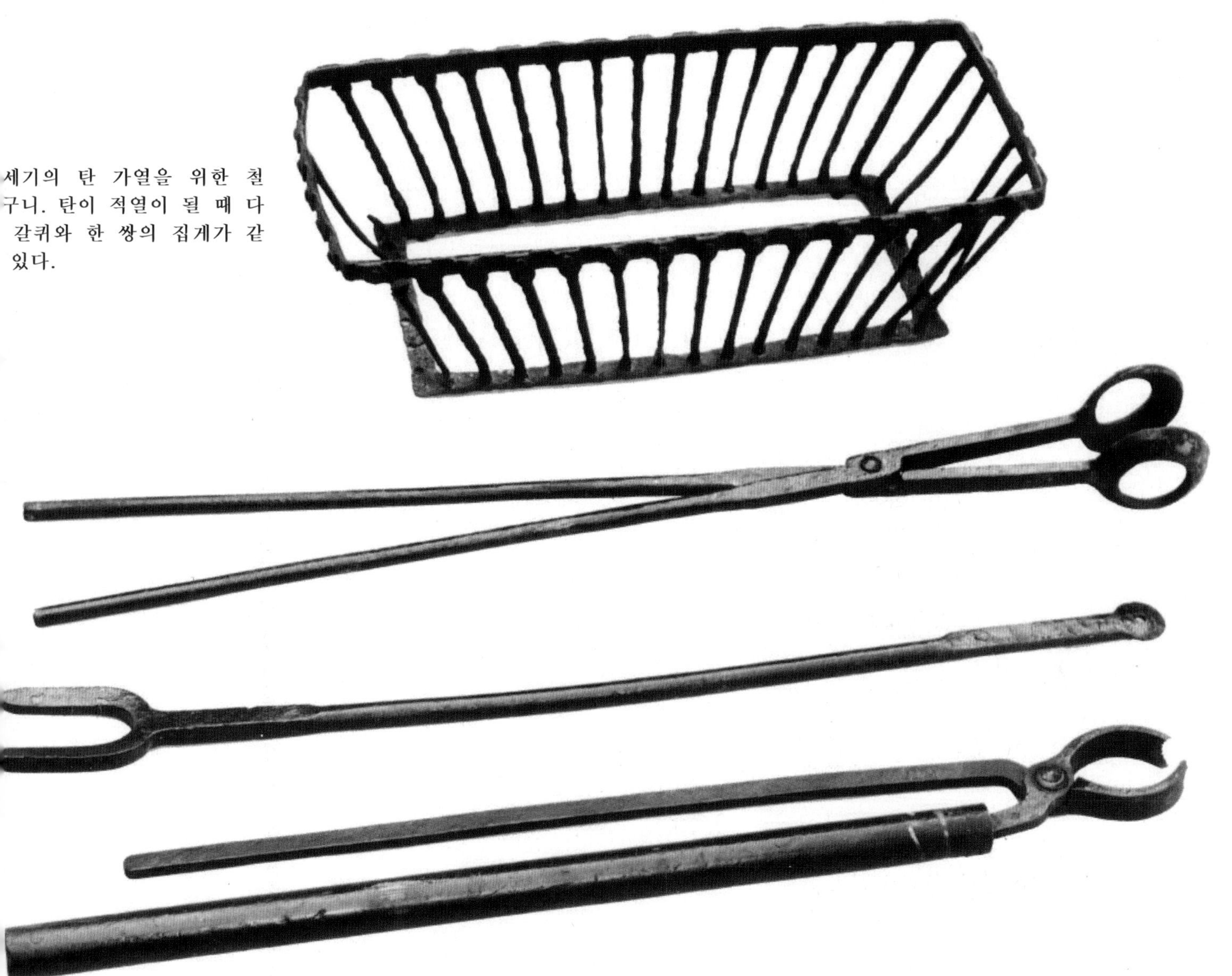

세기의 탄 가열을 위한 철 구니. 탄이 적열이 될 때 다 갈퀴와 한 쌍의 집게가 같 있다.

적의 취약성에 의해 무력해 질 수 있다. 러나 포의 초기시절부터 이 폭발 효과 어느 정도 가지고 있어 표적에 대한 욱 커다란 파괴력을 가진 발사체를 꾸 히 찾는 사람들이 있었다. 그러나 기술 문제가 많이 있었다. 첫째로 폭발성 충 물은 정확한 위치에서 폭발되어야 했다. 번째로 폭발은 포로부터 발사되는 충 력에 의해 전투 활동에 충격을 주어 적 신 포와 포수를 죽이는 커다란 위험이 었다.

번째, 적당히 성공적인 폭발 포탄이 21년경에 베네치아에서 출현하여 발사 었다. 포탄은 중공(中空) 반구 형태의 동 두개를 철테로 접합하였으며 반구 하나에 리벳으로 접합한 철판 관 내부 있는 한 발의 신속 화승으로 구성된 관이 있다. 내부는 조잡한 화약의 작약 로 채워졌다. 발사체는 유탄(granata 또 grenade)라고 알려지게 되었으며, 이것 화약 결정이 석류(pomegranate)의 씨 앗처럼 생겼다고 생각되었기 때문이었다. (포탄-shell이란 단어는 후에 독일어 Schall 즉 '껍데기 또는 나무껍질 외부'란 단어에서 생겼다.) 이것은 분말 장약 쪽으로 신관과 함께 단포열 박격포에 장전되어 포탄을 추진하기 위해 장약에 불을 붙일 때, 신관도 불이 붙게 되었다. 신관은 줄곧 연소하여 포탄의 비행이 끝날 때쯤에 화약 충전물을 발화시켜 포탄을 파열시켜 조각냈다.

물론 직무는 위험으로 가득 찼다. 포탄의 구조는 반구 간의 단단한 결합보다 느슨한 경향이 있었고, 장약의 불꽃은 반구를 관통하여 포 내부에서 포탄을 파열시켰다. 또는 신속 화승이 철관을 전체적으로 차지하지 않을 수도 있어, 화염이 지나갈 수 있는 공간을 남겼다. 또는 신속 화승의 선택 및 제작이 불완전할 수 있어 화승이 아래로 발화하여 포탄이 포구를 떠날 때 포탄을 폭파할 수도 있었다. 어떤 경우에도, 결과는 포수들에게 인기가 없었으며 포탄은 15세기에 결코 전쟁 물품으로 일반화되지 못했다.

17세기가 되어서야 포탄이 유럽에서 널리 보급되었다. 지연된 이유는 단순하게 정확하고 편리한 짧은 시간 간격 측정 방법이 출현할 때까지 정확한 신관이 없는 실용적이지 못한 장치였기 때문이었다. 1670년대에 첫번째 회중시계가 출현했을 때 마침내 문제가 해결될 여지가 있었다.

포탄용으로 개발된 신관은 간단하고 충분한 장치였다. 너도밤나무의 경사진 원통(단단하고 불침투성의 결정 때문에 선택되었다)의 중앙에 구멍을 뚫어 화약 성분과 알코올로 채웠다

포의 강선 피치에 직각인 청동 징이 있는 포구장전 포탄

적당한 농도로 다져진 이것은 비교적 천히 연소하였으며, 신관의 나무 몸체 면 거리에서 구분되었다. 신관은 물리적 로 나이프에 의해서 적절한 거리에서 리고, 포탄의 구멍 안으로 넣어진다. 사 이 되면 장약에서 나온 화염이 노출된 약의 외부 도화선 끝에 불을 붙여 포탄 충전물에 불을 붙일 때까지 완전히 연 한다. 흥미롭게도 현대 신관의 설정은 전히 다른 방법으로 실행되지만 '신관 자른다— to cut the fuze'란 표현을 현 의 일부 포병부대에서도 여전히 사용하 있다.

신관 발화 방법은 여전히 문제였다. 장 쪽으로 신관과 함께 포탄을 장전하는 이 한 가지 방법이고, 다른 방법은 두 지 구멍으로 포를 사용하는 것이었다. 나는 신관을 점화하는 구멍이고, 다른 나는 작약을 점화하는 구멍이다.(상상 수 있는 아주 드문 시스템이다.). 그리 세 번째 방법은 신관과 함께 포탄을 포 쪽으로 장전하여 발사하기 직전에 한발 느린 화승과 함께 포구를 통해 약실로 려가서 신관을 발화하는 것이다.(나중 시스템이 불을 붙여야 하는 불행한 사 에게는 인기가 없는 것으로 평가될 수 다.) 그러나 약 1740년에 갑자기 어떤 려지지 않은 천재가 포구 쪽으로 포탄 신관과 함께 장전될 충분한 공기층이 탄 주위에 있고, 포탄 주위를 흐르는 장 화염에 의해 여전히 충분히 불이 붙을 있다는 것을 깨달았다. 장전되는 동안 기가 그 아래로 들어가지 않게 하기 위 포탄이 포의 포강 보다 약간 작아야 하 필요성으로부터 생긴 그런 공간이었다. 리고 그곳으로 공기가 빠져나가고, 화염 통과할 수 있었다. 그래서 '단발 사격 18세기 중반에 유행이 되었다.

발명가들이 추구한 또 다른 바람직한 과는 포탄 내에 소이물질을 사용하는 으로 물건에 불을 붙이고, 야간 전투 중 조명을 제공하였다. 여러 가지 수단들 먼스터주(Munster)의 군주 겸 주교 (prince-bishop) 크리스토퍼 반 갤런 군 복무하고 있던 포수장(Master Gunner) 1672년에 '카커스-carcass'를 발명할 때 지 시도되었지만 거의 성공하지 못하였 카커스는 천과 끈으로 싸인 구형 철 골 였으며. 초석, 유황, 베네치아 송진, 수

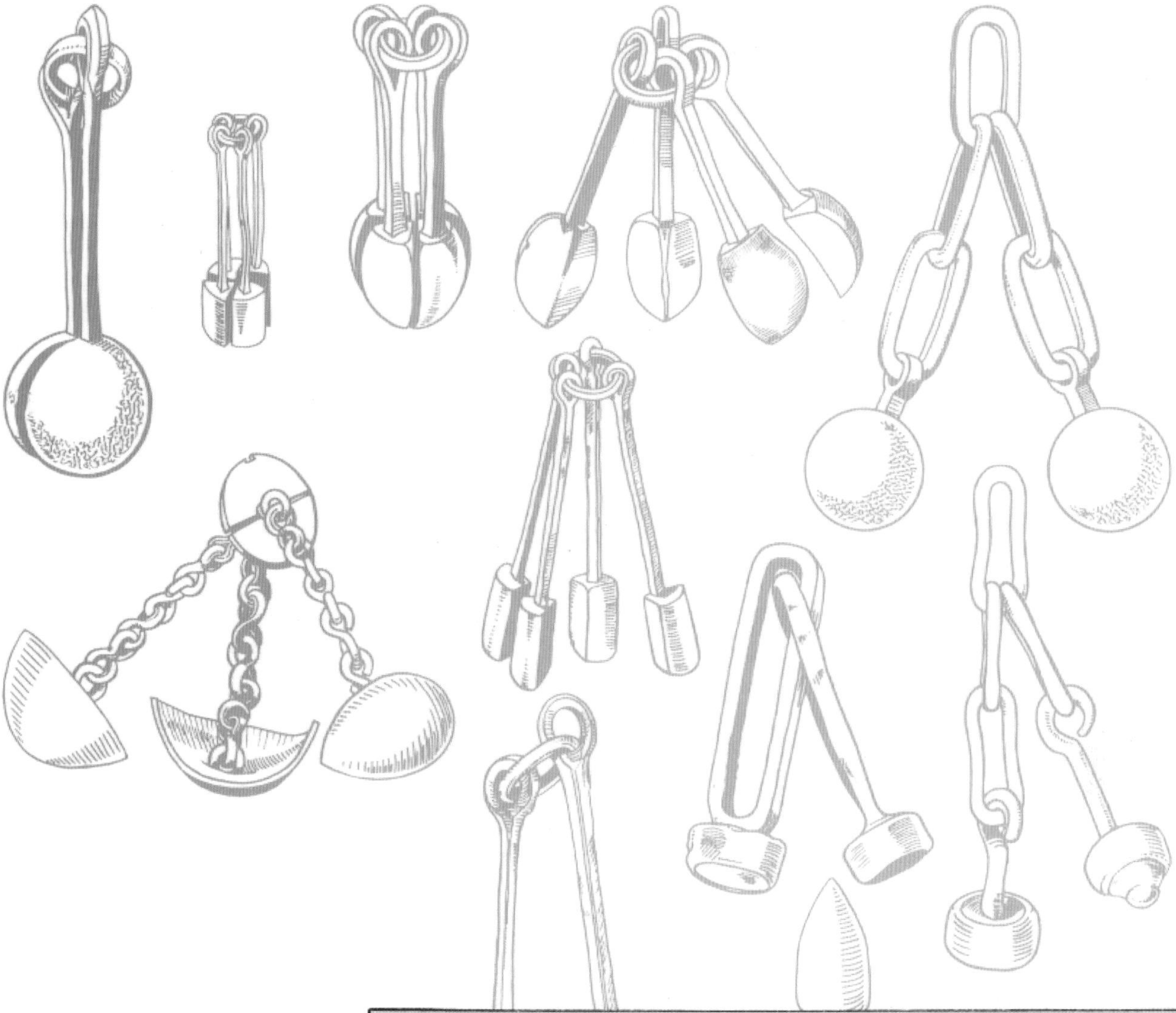

: 특히 해군에서 장구 절단용으로 사용된 논용 여러 가지 형태의 확장탄

우: 초기의 경탄. 신관은 몸통에 감겨 고 비행 시 연소하였다.

: 로프로 투척하는 초기 형태의 유탄.

(獸脂)와 수지(樹脂)의 혼합물로 채워졌 . 정상 형태의 신관으로 발화되는 이 약한 합성물은 산산이 파열하여 사방으 불타는 액체를 흩뿌렸다. 그 성분 때 에 이것은 표면에 달라붙어 표면을 점 하기도 하였고, 물에 지나지 않는 불순 을 다루기 어렵게 하였다. 실제 유일한 점은 각 카커스에 최대의 내용물을 채 기 위해 구조가 약간 무른 것이었다. 의하지 않으면 내용물 뒤에서 발화되는 약의 충격으로 포강 내에서 내용물이 무 쉽게 폭발하였다.

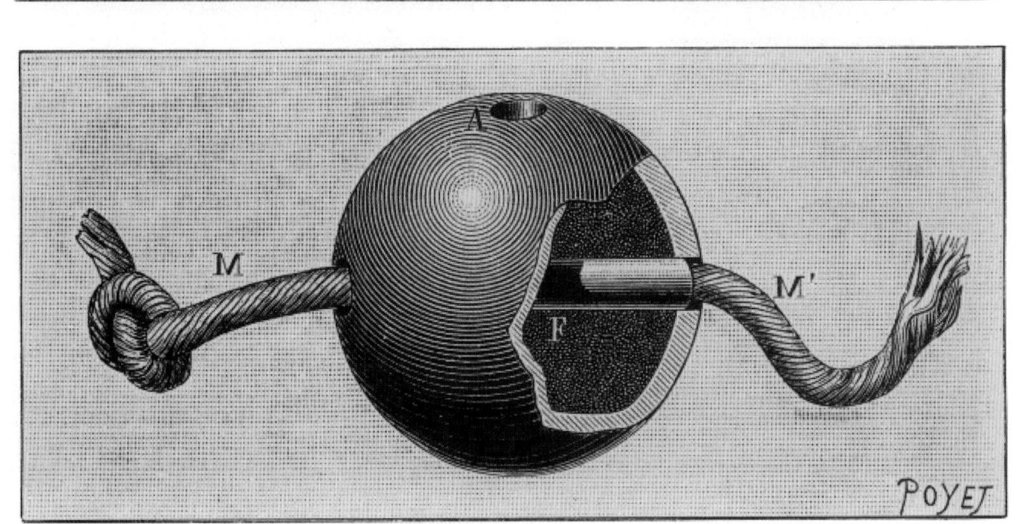

대략 1800년경의 캐논 탄환 주조. 우측에 있는 사람이 캐논 탄환을 둥글게 하기 위해 주조 자국을 절단하고 있다.

그 결과, 장약을 줄이고 두꺼운 토탄(土炭) 다발 또는 장약의 상부에 유사한 흡수성 물질을 채워 폭발과 카커스 사이의 조절판 역할을 하도록 하였다.

17세기에 출현한 카커스의 한 변종은 동시대의 서류에 의하면, '연소하는 동안에 유독하고 너무 많아서 참기가 불가능한 연기를 앞으로 투사 한다'는 '연기 탄(Smoke Ball)'이였다. 연기 탄의 내용물 - 초석, 석탄, 송진, 타르, 수지, 톱날, 천연 안티몬과 유황- 때문에, 이것은 명백한 주장처럼 보이며, 아마도 이것은 화학전의 선구자로 기록될 것이다.

그래서 화약과 다양한 발사체를 충분히 보급 받은 상태의 포병을 두고, 우리는 잠시 동안 14세기로 돌아가서 개발의 두 번째 행인 파지 무기용 탄약을 추적하기로 한다. 캐논이 처음 나타났으며, 얼마 후에 나타난 '핸드곤(Handgonne)'은 화기에 방향과 지지를 제공하기 위해 사수의 팔 아래 에 끼워 넣을 수 있는 나무 통널에 장착된 동시대 캐논의 간단한 축소 형이었다. 디자인이 점차 더욱 다루기 쉬 크기로 다듬어졌고, 견착식 무기와 파 용 무기, 두 부분으로 나뉘어 졌다. 각 은 총구 장전 개념이 변하지 않고 발 단계를 거쳤다.

헨리 Ⅷ세의 초기 포미 장전포의 폐쇄기.

명의 머스킷 총병이 서펀타인 발화장치를 갖춘 아퀘버스를 휴대하고 있다. 이 발품은 사격 시 사수가 양손으로 단단하게 화기를 고정할 수 있도록 해주었다.

기간의 소화기 탄약의 역사는 간단하 납탄과 화약의 역사이며, 두 가지 모 일단 16세기에 형태가 완성되어 많이 하지 않았다는 점에서 비교적 빈약하 . 유일한 중요 변화는 당연히 화약이 니라, 포의 역사에 대한 문제인 발화 식에 있었다. 그럼에도 불구하고 그 역 는 결국 구형 탄약으로 이끌었고, 문제 대한 이해는 왜 해결방법이 바람직한 이해하기 위해 필요하다.

번째 소화기는 당대의 캐논 사격 방법 취했고, 이것을 확대했다. '핸드곤'은 수의 팔 아래에 통널을 끼워 당시에는 준장치 같은 것이 없었기 때문에 한쪽 향이나 다른 방향으로 조준하고 구멍 으로 천천히 타들어가는 화승을 손으로 서 화약에 도화선을 달았다. 경험은 곧 사될 때 양손으로 화기를 꽉 쥐는 것이 람직하다는 것을 보여주었고, 아주 빨 '서펀타인 발화장치(Serpentine Lock)' 발명되었다. 간단하게 화승을 고정하고 있는 전방 끝과 사수에 의해 당겨지기 편리한 위치에 후방 끝이 있는 통널 위에서 ∑자형 금속 조각이 회전하여 사수가 총을 견고하게 잡고 있을 동안에 구멍으로 화승을 내린다.

서펀타인 발화장치는 화승식 발화장치로 다듬어 졌고, 여기에서 기구는 총의 측면에 있는 작은 판에 고정되었고, 용수철과 걸쇠에 의해 제어되었다. 화승을 고정하고 있는 암은 뒤로 당겨져서 사수가 밀어서 푸는 스터드에 의해 용수철에 고정되고 스터드를 풀면 화승이 전방으로 튀어 구멍으로 이동한다. 발화장치가 측면에 있기 때문에, 화승은 구멍을 변경하여 총열의 측면 밖으로 튀어나와 유리(遊離)된 화약이 흩뿌려질 수 있는 팬 안에서 마무리됐다. 동시에 화기의 형태가 바뀌었다. 일반적으로 오늘날에도 인지할 수 있는 형태의 개머리판이 출현하였다.

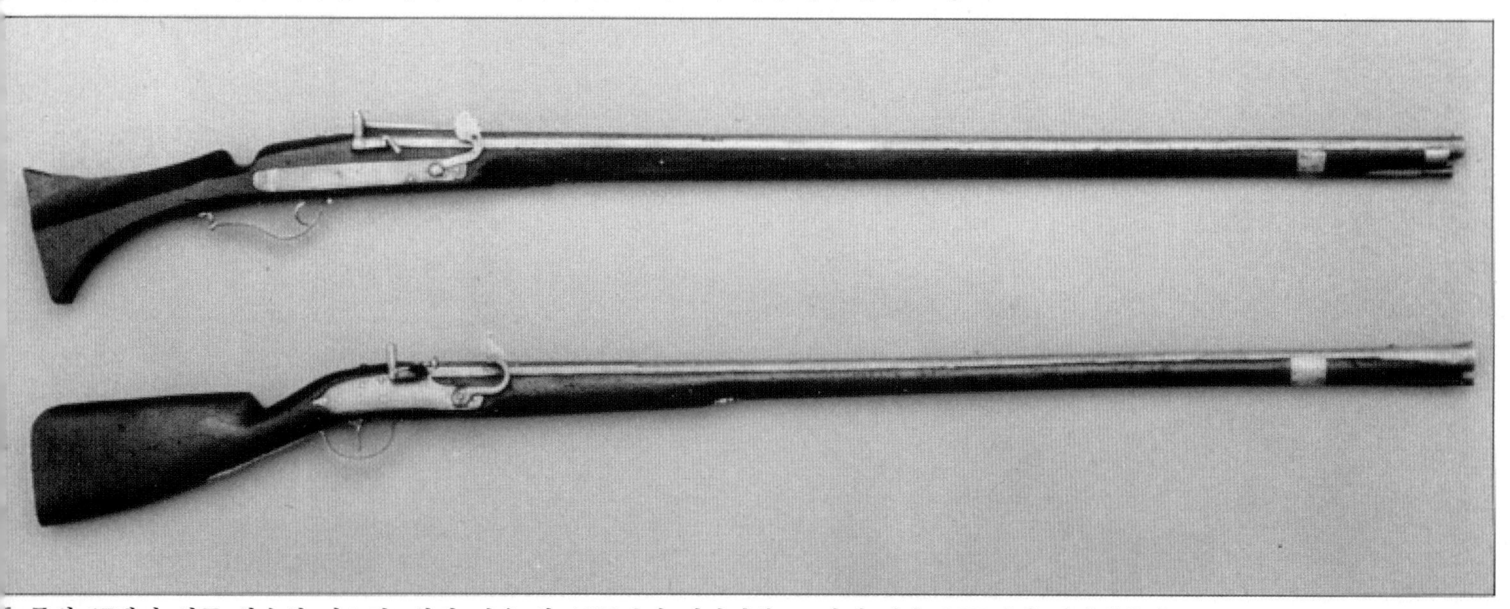

종의 17세기 영국 화승식 머스킷. 위의 것은 약 1630년에 제작되었고, 아래 것은 1690년에 제작되었다.

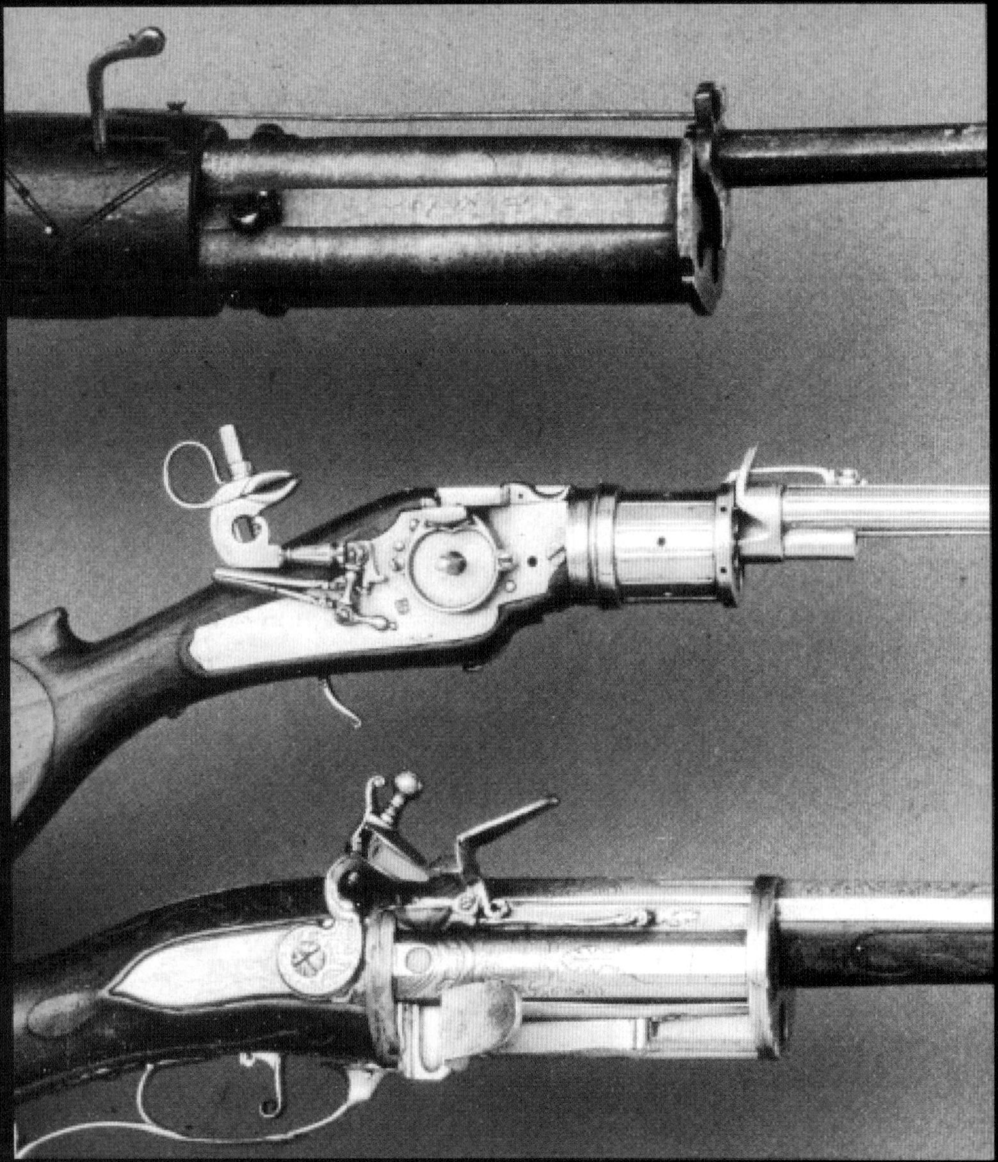

새무얼 콜트(Samuel Colt)에게 영감을 준 총들(위로부터 아래로) : 인도 화승식, 윤수(輪燧) 발화장치, 수석(燧石)식 발화장치, 1770년의 짧은 머스킷.

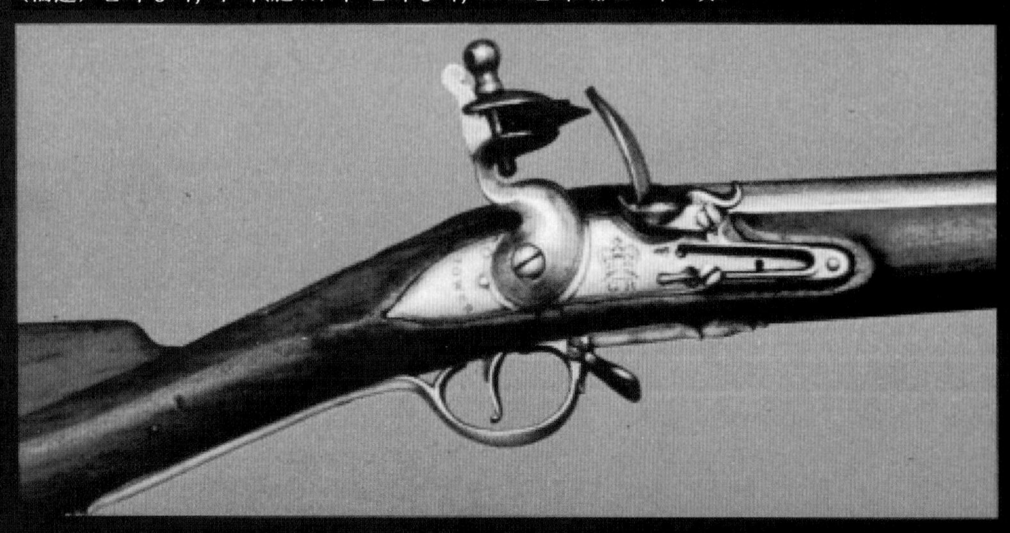

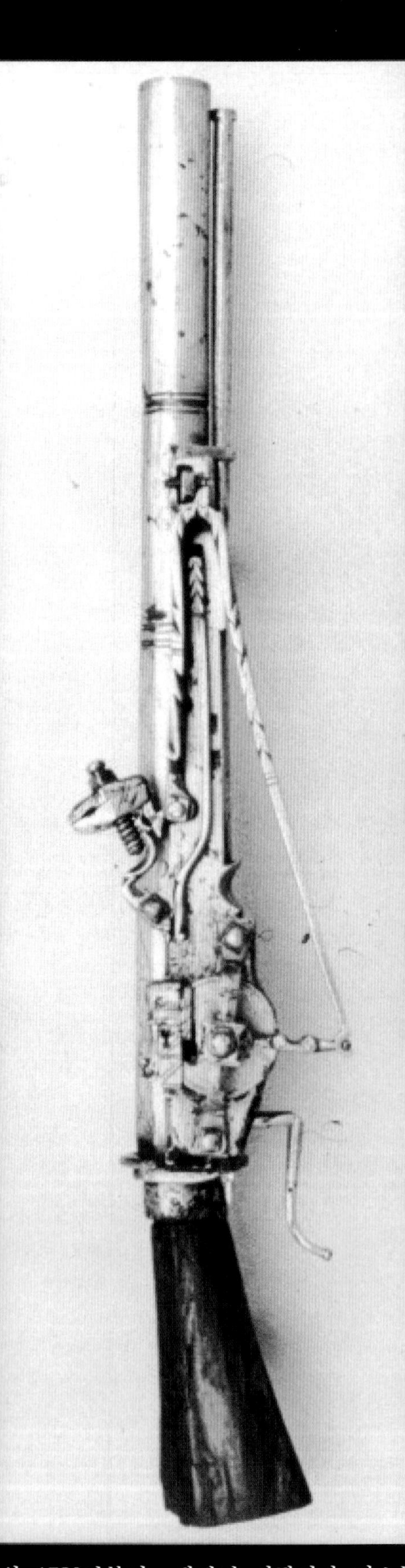

약 1520년부터 발달된 이탈리아 피스톨
이것은 초기 윤수(輪燧) 발화장치 디자
이다. 방아쇠울이 없는 방아쇠에 주목.

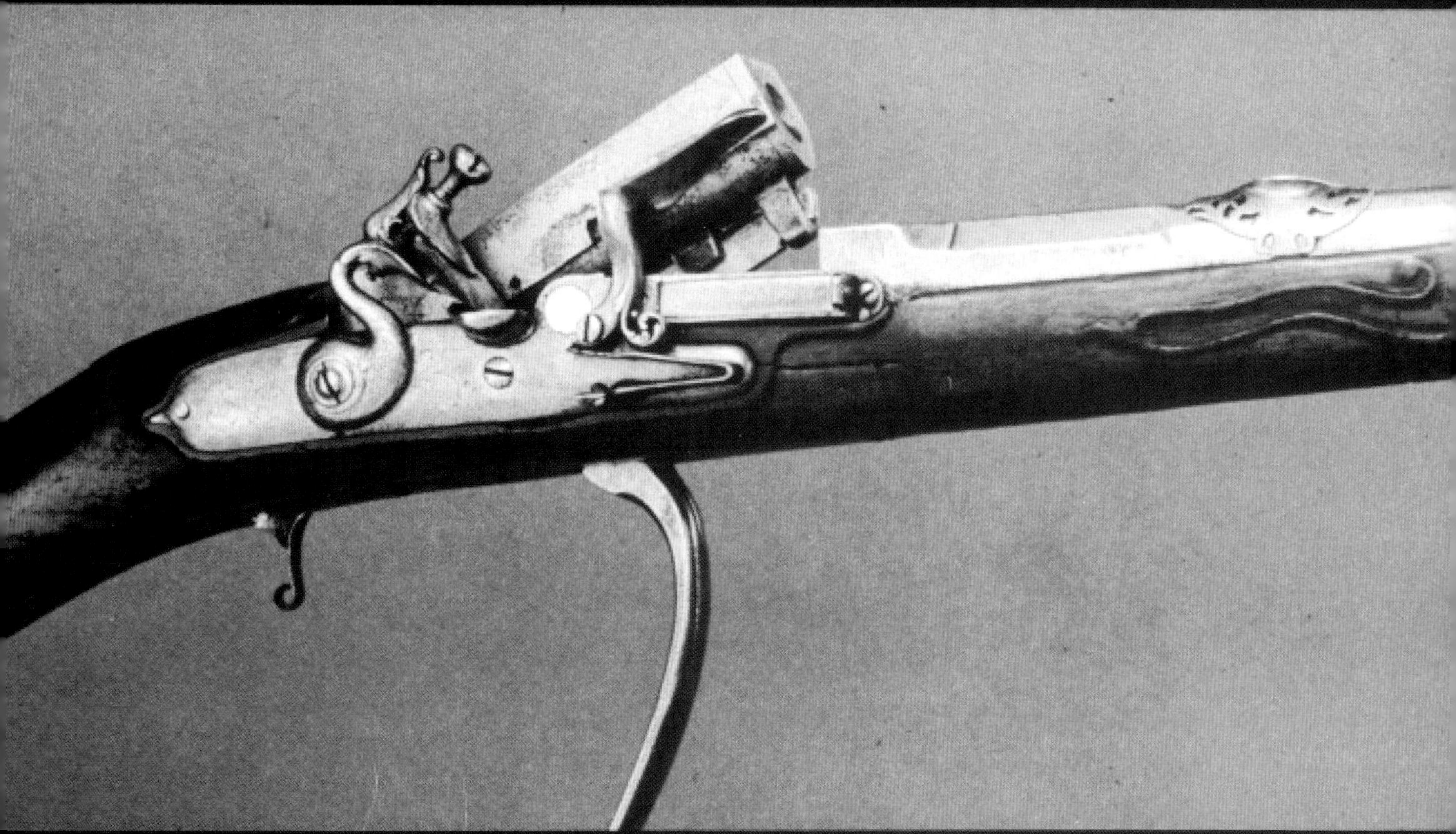

: 비쉘(Birchell)의 수석식 총미장전총

아래 : 미끄럼 격발장치가 있는 초기 연발총

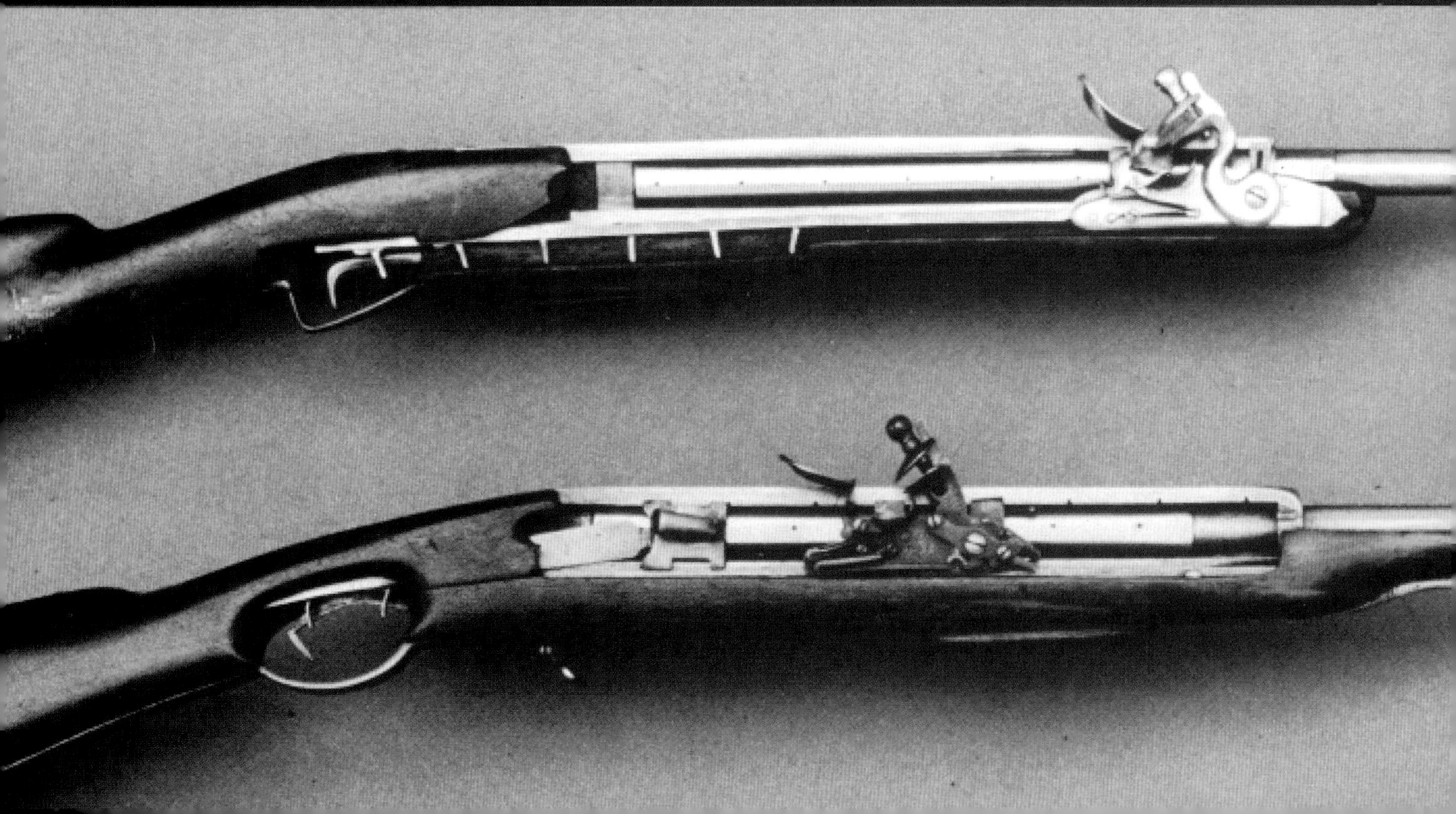

1805년에 처음으로 충격식 시스템을 개발한 레버런드 알렉산더 포시드(Reverend Alexander Forsyth).

화승식 총이 나타난 이후, 먼저 감기거나 당겨지는 용수철에 의해 구동되는 울퉁불퉁한 윤수를 사용하는 윤수격발장치가 약 1500년경에 발명되었다. 방아쇠가 당겨지면 바퀴가 회전하여 그 표면이 숫돌 조각과 접촉하여 불꽃이 화약 팬 안으로 향한다.

약 50년 후 수석식 발화장치가 출현하였다.(처음에는 '스냅 발화장치-snap lock'이라고 불렀다). 이 기계장치로 부싯돌이 격철(擊鐵)의 턱에 견고하게 고정되고 방아쇠에 의해 풀리면 전방으로 움직이고 신중하게 고정된 강철 조각에 부딪혀서 필요한 불꽃을 만들어낸다. 나중에 약간의 정련으로 이것은 소화기 탄약 시스템에서 기술적 발전의 절정이 되었다. 그리고 19세기까지 유일한 발화 방법이 되었다.

이런 모든 시스템은 세련되지 않았고, 사고가 발생하기 쉬웠다. 팬은 개발 초기에 뚜껑 - 습기를 제거하고 느슨한 화약이 날아가거나 그렇지 않으면 움직이는 것을 방지하려는 노력- 이 부착되었다 팬 뚜껑은 나중에 부싯돌이 부딪히는 강철로 구성되어 타격은 불꽃을 만들고 노출된 화약에 팬을 개방하는 두 가지 기능을 수행하였다. 사실, 모든 장전 업무는 사고에 크게 노출되어 있었다. 화약은 총열 아래로 이동해야 했고, 탄이 삽입되어 때려 박히고, 빠지거나 화약에서 구르는 것을 방지하기위해 화약마개를 추가로 박아야 했다. 느슨한 화약은 팬과 구멍 안으로 뿌려져야 했고, 부싯돌은 정확하게 준비되어야 했으며, 격철(擊鐵) 턱 안에 적당하게 설치되어야 했다. 소화기가 모두 작동했다는 것은 주목할 만했다.

수석식 화기에서 항구적인 요소 하나는 방아쇠를 당기고 총을 실제 폭발하는 사이에 분명한 휴지(休止)기가 있다는 것이다. 수석식 발화장치가 격발되는 것을 주시하면 하나하나의 상태를 구분할 수 있다. 먼저 부싯돌이 팬을 점화하고 나서 두 번째로 파편이 발생하고 총의 발사가 이어진다. 만약 이러한 지연이 병사에게 불편하면 사냥꾼들에게는 단연 상처가 깊을 것이다. 부싯돌과 팬의 첫 번째 불꽃에서 많은 사냥감이 놀라서 완전히 사격선을 피할 수 있는 휴지기간 동안에 충분히 멀리 도망갈 것이다.(특히 우선적으로 사수의 조준이 불량하다면).

스코틀랜드 벨엘비에(Belhelvie)의 장관인 레버런드 알렉사더 포시드가 많은 생애를 더 나은 분말 장약 발화 방법 개발에 헌신하도록 한 것은 이러한 부싯돌 발화장치 총의 짜증나는 특징이었다. 1805년에 그는 공이치기가 떨어지면서 타격할 때 폭발하며, 강한 화염을 내는 뇌산수은과 염소산칼륨의 혼합물을 이용해 첫 번째 충격식 시스템을 개발했다. 공이치기로 부싯돌의 격철(擊鐵)을 대신하고, 포의 약실 안으로 이끄는 구멍의 주둥이에서 떨어지는 화약의 작은 분량을 정하여 포시드는 실제적으로 동시적인 시스템을 생산하였다. 그는 병기 위원회에 이 개념을 제안하였지만, 1807년에 위원회는 이것을 거절하였다. 포시드는 정식으로 특허를 얻고 유명한 총기제작자인 제인스 퍼디(James Purdey)와 협력하여 사냥용 충격식 총을 생산하기 시작하였다. 1842년에 많은 논쟁 끝에 그는 이제는 자신들만이 사용하는 아이디어로 전유하고 있는 병기위원회로부터 상금 £200를 받았다. 그가 1843년에 죽은 뒤에 총 £1,000가 추가적으로 그의 유족들에게 지급되었다.

화약을 담고 위치시키고 발화시키는 여러 가지 방법들이 시도되었다. 결국 최 로 인정되는 것으로 개발된 시스템은 리 모자의 모형처럼 보이는 작은 구 캡에 화약을 위치시키는 것이었다. 모 의 '꼭대기'에 조심스럽게 누르고 한줌 유약(柚藥)으로 그곳을 안전하게 하 모자는 방수가 되고 빠질 수 없었다. 러고 나서 총의 구멍은 공이치기와 나 한 '니플(Nipple)'이라고 부르는 나사 있는 중공(中空) 관으로 마무리한다. 이 설치되고 개방된 끝이 니플 위로 려가면 공이치기가 풀렸을 때 공이치 가 낙하해 캡과 화약을 눌러서 뭉개 불꽃이 구멍 아래로 내려가 약실안으 들어가서 분말 장약을 발화한다.

1840년까지 충격식 시스템이 수석식 화장치를 거의 완전히 대체하였다. 18 년에 영국이 이것을 채택하였고, 미국 1842년에 채택하였으며, 그 때까지 거 모든 군에서 이것을 채택하였다. 사냥 야에서의 채택은 더욱 빨라서 1845년 지 않은 수석식 총이 사용되고 있었지 무시해도 괜찮았다. 많은 총기 제작자 이 나머지 총들이 그대로 남아 있었 때문에 단지 격철(擊鐵)과 팬 대신 공이

파리의 페이지 마우시어(Page Moutier 만든 이중 총열 충격식 산탄총으로 186 사우드 켄싱톤 박람회에서 소개되었다.

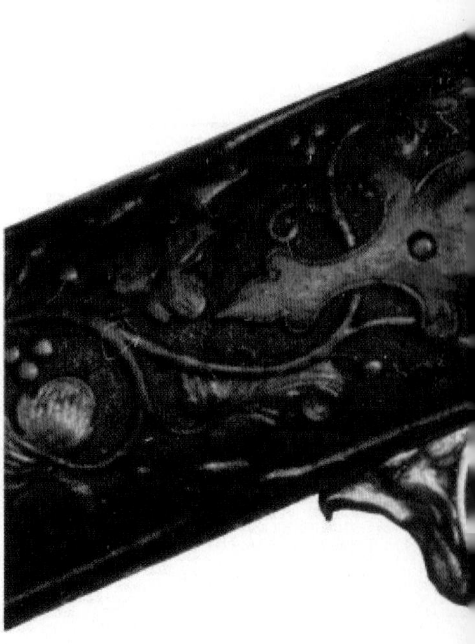

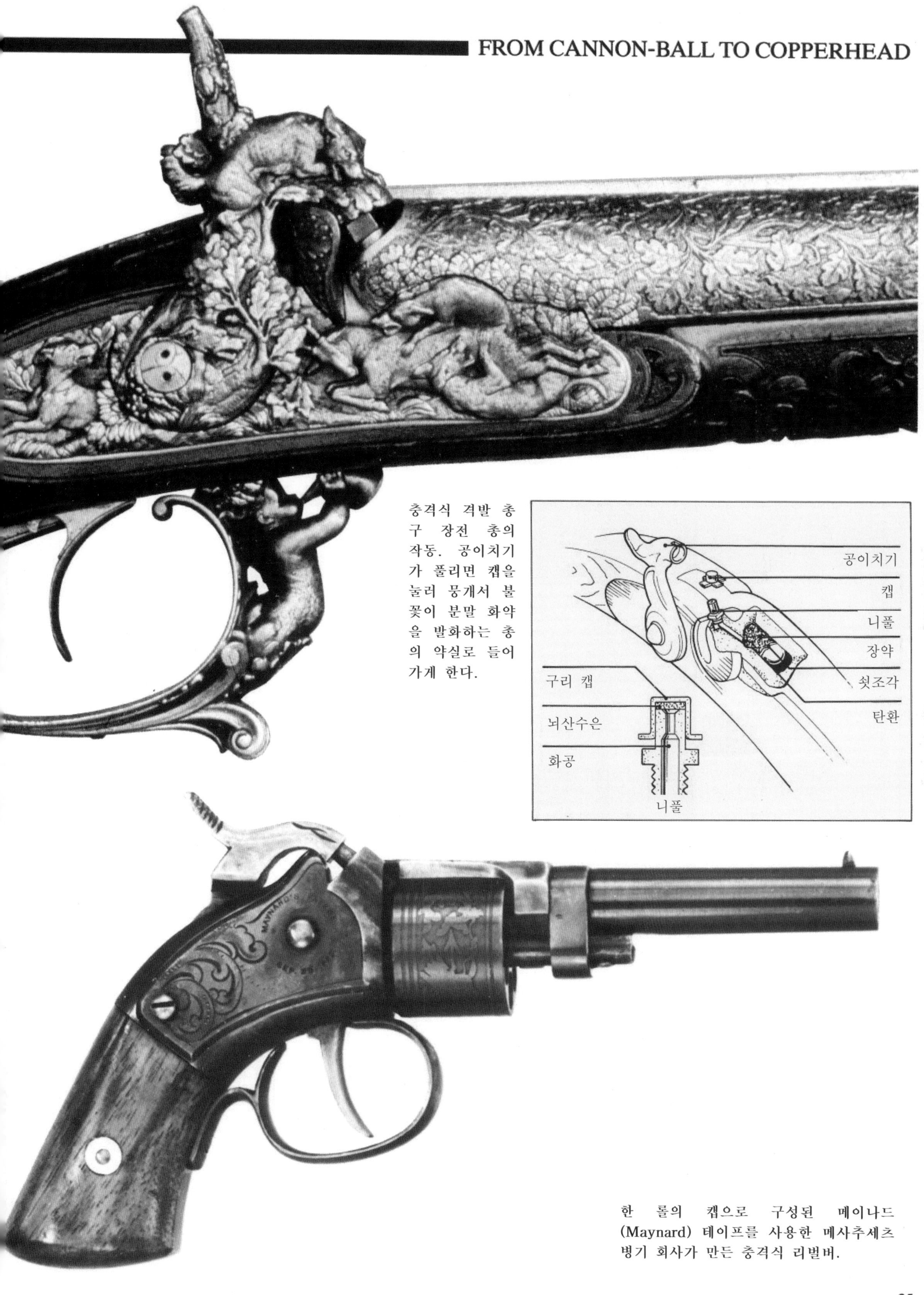

충격식 격발 총구 장전 총의 작동. 공이치기가 풀리면 캡을 눌러 뭉개서 불꽃이 분말 화약을 발화하는 총의 약실로 들어가게 한다.

한 롤의 캡으로 구성된 메이나드(Maynard) 테이프를 사용한 메사추세츠 병기 회사가 만든 충격식 리벌버.

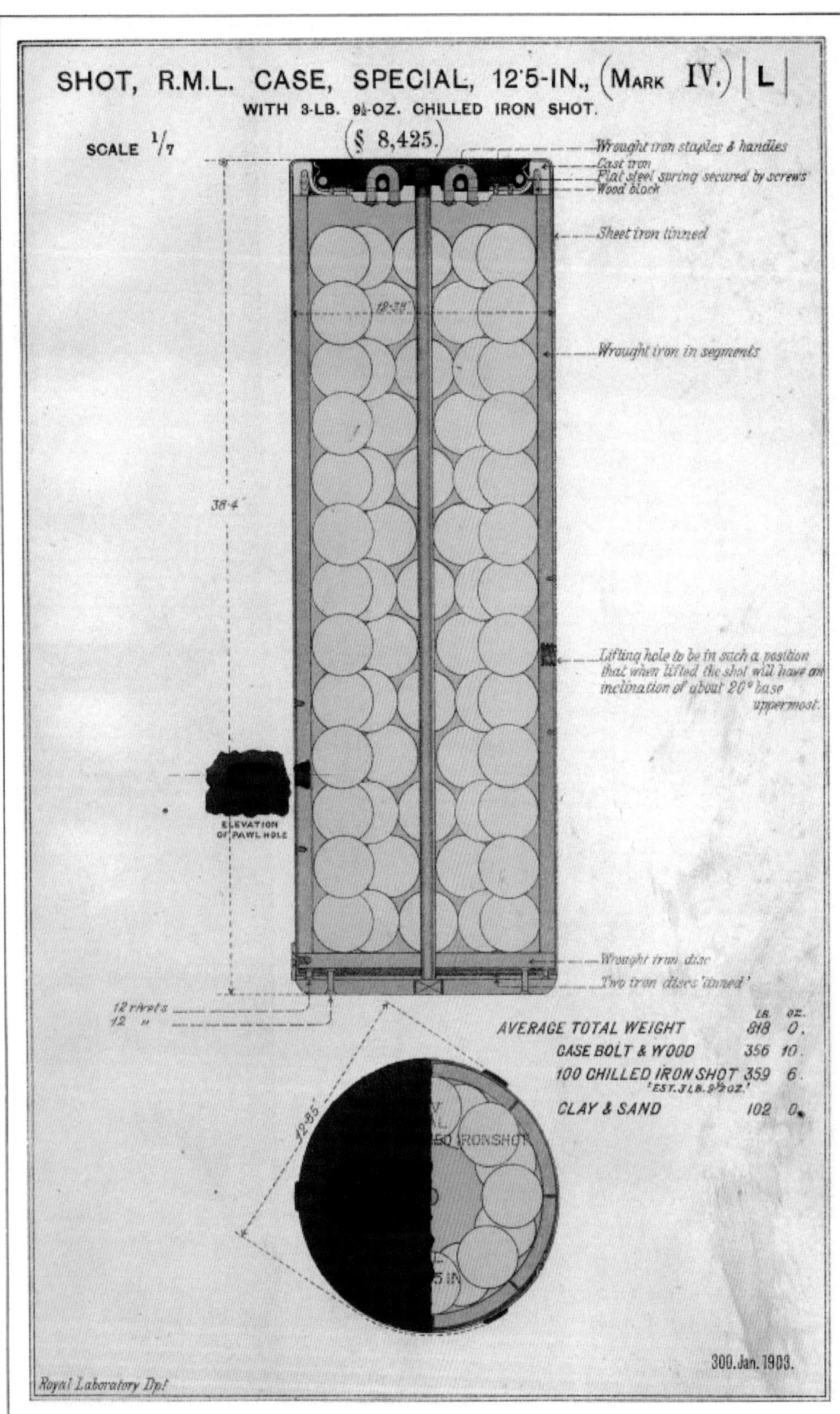

원통 탄의 초기형. 도해는 탄을 채우는 방법을 보여 준다

그러므로 화기에 뇌관을 다는 편리한 방법은 동일한 편리한 장전 방법을 요구하였으며, 이때까지 총구 아래로 그때그때 화약을 뿌리던 방법은 특히 군용에서 미리 만들어진 카트리지에 의해 광범위하게 압도되었다. 카트리지는 정확한 분말장약과 탄환을 포함하고 있는 종이 관이었다. 장전을 하려면 종이를 찢어서 화약을 포장으로 쏟는다. 그리고 종이는 구겨서 리테이닝 뭉치로서 화약 위로 넣고 포가 어떻게 디루어지는지 그리고 화약이 약실과 발화 장치 부근에 남아있는지 확인한다. 탄환을 총구에 밀어 넣어 꽂을대로 장전했다. 공이치기가 격발 준비되고 캡을 니플에 위치시키면 화기는 사격 준비가 된 것이다.

도입된 이래 파지용 무기의 표준 발사체가 된 구(球)형 납탄은 확실한 결점이 있었다. 가장 큰 것은 거리상으로 부정확한 것이었다. 탄환이 총열 아래로 내려갈 수 있으려면 화기의 총강 내부보다 작은 직경이어야 했다. 그래서 사격이 실시되면 총열 위로 전진할 때 벽과 벽에서 튕기는 경향이 있었다. 비행 시에는 탄환이 뚫고 가는 공기에 의해서 저지당했고 어느 각도에서 보던 동일한 크기였기 때문에 (이것은 전혀 공기역학적이지 않았다.) 바람의 영향은 전혀 일정하지 않았고 자동안정장치가 없었다.

가장 통상적인 방법은 총의 총열에 강선을 만드는 것이었다. 총강에 일련의 나선형 홈을 파서 탄환에 회전을 줄 수 있었다. 그리고 이것은 일정한 방향을 유지하는데 도움이 된 회전 안전화를 제공하였다. 그렇지만 탄환이 강선에 꽉 물리기 위해서는 이제는 강선의 솟은 부분('격장-land'이라고 알려진)의 직경보다 약간 커야 했다. 탄환을 장전하기 위해 망치로 쳐야 했다. 그래서 날아갈 때 홈을 타고 갔다. 이러한 망치질은 보통 연한 납탄을 변형시켜 공기 중을 비행할 때 상한 모양의 탄환 때문에 강선으로부터 얻은 정확도를 일반적으로 잃는 결과를 낳았다. 분명한 해결법은 품목들을 다시 만들어 탄환이 장전 시에는 총강직경보다 작지만 발사 전에 약간 더 큰 직경으로 확장되게 하는 것이었다. 이것을 달성하기 위해 어떤 특정 전략 목표가 설정되었다.

초기 원형 원통탄 또는 유산탄. 납탄환과 작은 중앙 작약으로 채워진 중공 캐논 볼보다 약간 더 컸다.

기 시스템 중 하나는 총열의 총미 끝에 립 기둥을 세우는 것이었다. 탄환이 총로 떨어지면 이 기둥의 끝에서 멈추었, 장약이 기둥 주위와 탄환 아래에 분포었다. 꽂을대에 의한 약간의 격심한 충이 기둥 쪽으로 탄환을 밀고 바깥쪽으로 장시켜 강선에 물리게 한다. 사격 시, 탄은 강선과 물려서 아주 잘 비행한다.

러고 나서 탄자의 모양이 변경되면 장약 폭발이 확장에 사용될 수 있다는 것을 부 실험자들이 알았다. 그래서 처음으로 족한 첨두가 있는 원통형 탄자가 채택되다. 이 탄자의 탄저는 비교적 얇은 '가장리-skirt'를 남기기 위해 바깥쪽으로 도내었다. 그리고 도려내진 곳은 단단한 속 원뿔체로 채웠다. 장전이 되면, 탄자 강선 내부로 미끄러져 내려갔고, 일반인 방법으로 장약과 화약마개에 놓이게 다. 장약이 점화되면 가스가 갑자기 폭하여 금속 원뿔체에 압력을 가했고, 이은 차례로 연한 납 가장자리에 압력을 해 강선의 바깥쪽으로 힘을 가해 탄자가 도를 갖도록 하였다. '원통형 첨원체(尖體)' 모양은 더 양호한 비행 특징을 부하고 발명가 보다는 장려자의 이름을 딴 '미니에 탄자- Minié Bullet' 는 곧 전계적으로 군용으로 채택되었다. 영국 육이 채택하려 하였지만 금속 컵에 불만을 졌다. 이것은 너무 비싸지만 너무 사소서 제작할 수 없었으며 사실은 특허료 불과 관계가 있었다. 그래서 영국은 원리에 있어서 미니에와 유사하였지만 탄저를 확장시키는 방법이 더욱 간단한 자신들의 탄자를 채택했다. 가스에 의해 추진되고 값비싼 금속 원추체와 동일한 확장을 달성하고 소총 총열에 손상을 훨씬 덜 입히는 단단한 진흙 마개를 사용하였다. 그러므로 1850년대까지 주요 군대의 보병은 장사거리에서 상당히 정확한 보통 약 .5 구경인 무거운 탄자를 발사할 수 있는 강선 총구 장선 머스킷으로 무장하였다. 이것은 전장에 혁명을 가져왔다.

우 : 원형 유산탄 통. 작약이 얇은 금속 격판으로 탄자와 분리되었다. 나무 탄저가 추진 장약으로부터 면 상부에 박서 신관을 고정한다.

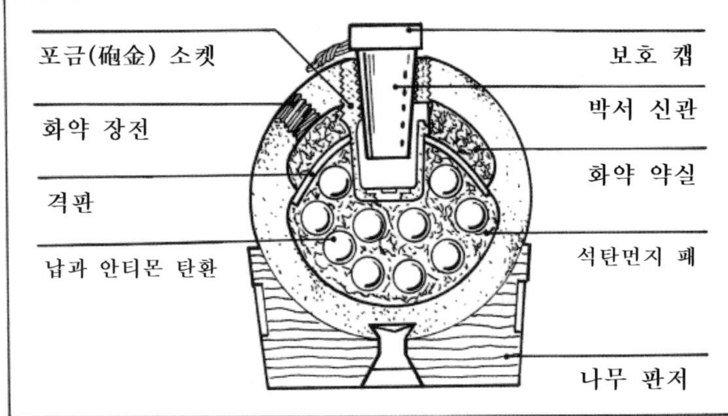

아래 우 : 확장 '미니에' 탄자를 사용하는 총구 장전 소총용 카트리지.

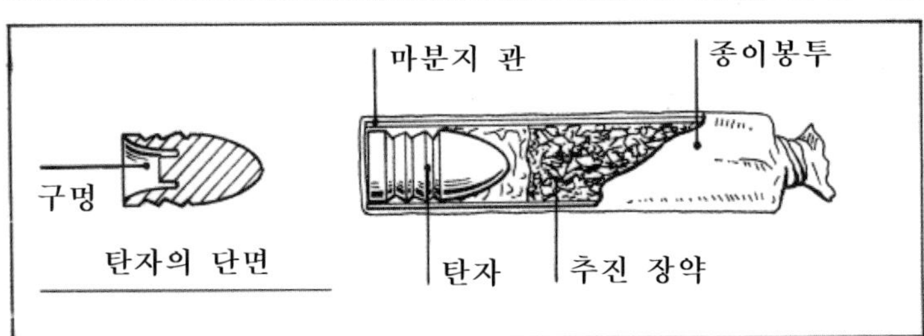

처음으로 보병이 포병의 사거리를 뛰어넘을 수 있게 되었다. 당시의 활강총은 지난 2세기 동안 거의 향상이 되지 않았지만, 소총은 아주 큰 진보를 하였고 캐논은 더 이상 전장의 주인이 아니었다. 수년 동안 전술 원리였던 약 450미터 전방의 적을 전체적으로 보면서 전투에 사용된 포는 적보병이 포수가 보병집단에게 사격할 수 있는 것보다 더 많은 사격을 포수에게 할 수 있었기 때문에 아주 위험하였다. 포병을 근본적으로 변화시켜야할 시기가 온 것이다.

탄약 중에서 당시의 포병에게 완전한 재앙을 방지할 것은 오직 한 가지뿐이었다. 이것은 발명가인 헨리 슈래프넬(Henry Shrapnel) 대령의 이름을 딴 유산탄(Shrapnel shell)이었다.

이 발사체는 제공될 수 있는 단단한 캐논 볼보다 더욱 정확하게 장거리에서 보병을 죽일 수 있는 방법으로 개발되었다. 18세기 말경 지브랄타 공성전에서 마르지에(Mercier)라는 대위가 적당한 크기의 곡사포로부터 박격포탄 발사를 실험하였다. 이것은 짧은 신관이 부착되고 줄어든 장약으로 발사되어 적 보병의 상공에서 폭발하여 파편을 빗발처럼 퍼부었다.

공성 작전 후 슈래프넬(중위)은 아이디어 향상 작업을 착수하여 1784년에 '구형 원통 탄'을 생산하였다. 이것은 머스킷 탄환과 화약 충전제를 포함하고 있는 얇은 강철 탄환이었다. 나무 신관이 삽입되고 완전히 연소되면 화약을 점화하여 원통을 박살내고 사방으로 머스킷 탄환을 날렸다. 슈래프넬의 개념은 발사체가 폭발하기 전에 적에게 도달하여 '케이스 탄의 사거리를 확장시키는' 것이었고 그래서 케이스탄의 효과를 재연하여 이 효과의 위치를 포구에서 적들 사이로 옮겨 놓았다.

슈래프넬 개발의 전체적인 요점은 강력한 폭발을 얻기 위해 포탄에 가능한 한 많은 화약을 간단하게 밀어 넣지 않았다는 것이다.화약의 양은 신중히 낮게 유지되어 화약이 하는 것은 포탄, 즉 폭발당시에 포탄의 전방 운동으로부터 얻은 속도를 가진 탄을 개방하는 것이 전부였다. 많은 시험과 시도 후에 1792년에 공식적으로 공인되었지만 1852년 그의 발명가를 기리기 위해 '유산탄 포탄-Shrapnel shell'이라고 공식적으로 명칭을 바꾸 전까지 '구형 원통 탄'이라고 알려졌다.

하지만 샤프넬은 차치하고, 포병은 보 의 새로운 우위를 극복할 방법이 거 없었다. 그러므로 포제작자들은 급하 캐논에 강선을 만드는 방법을 취했고 욱 중요한 것은 적절한 발사체를 개발 는 것이었다. 견착식 화기처럼 납의 확 속성을 이용할 가능성은 없었다. 개념 이 시간이 지남에 따라 제안되었다. 182 년 보군 제1연대의 크롤리(Croly) 중위 포열에 강선을 만들고 납을 씌운 탄환 사용할 것을 제안하였다. 후에 유사 개념이 1846년 스웨덴의 남작인 와렌 르프(Wahrendorff)에 의해 제안되었 1842년에 프랑스인 기사 투룰리 드 보 유(Treulle de (Beaulie)가 깊은 홈을 진 포와 홈을 타고 갈 징을 포탄에 박 것을 제안하였다. 그리고 1845년에 사 디아 군의 카발리(Cavalli)라는 소령이 개의 홈으로 된 강선을 가진 포와 이 맞는 두 개의 늑재(肋材)를 가진 포탄 제안하였다. 일부 일관성 없는 검사들 이러한 여러 아이디어로 실행됐지 1854년의 크림 전쟁 때까지 아무도 각 히 심각하게 실행하지 않았다. 그 후 자기 자금이 가용하게 되고 특히 장거 보병 사격과 직면하였을 때 병사들이 미를 나타내기 시작했다. 영국 정부는 국 포제작자인 헨리 랭카스터(Henr Lancaster)의 아이디어에 따라 많은 강 포를 보급하기로 결정하였다. 랭카스터 아이디어는 뒤틀린 타원형의 포강을 진 포를 만들고 발사체는 단면이 타원 이고 반대편은 비스듬히 평면이었기 문에 포강의 뒤틀림과 일치하였다.

포는 성공하지 못했다. 탄은 장전 시 격발 시 포강 내에 모두 박히는 경향 나타냈고 그 결과로 포강을 손상시키 곧바로 신속하게 약화된낮은 정확도 초래했다. 이들은 곧 취소되었고 군은 나은 개념을 찾아 나섰다.

뉴캐슬온타인의 변호사이며 기계공장 익을 통제하는 윌리엄 암스트롱(Willia Armstrong)이 한 가지 제안을 하였다.

전형적인 원통 탄의 예. 구성 성분을 보여주기 위해 절단되었다.

커만의 진흙에서 18파운더(무게 3톤 또 3,000kg)을 움직이는데 있어 아주 큰 려움을 강조한 크림 전쟁에서의 보고서 섬뜩함을 느껴, 암스트롱은 완전히 새 운 형태의 포를 설계하였다. 그의 목적 주로 무게를 줄이고 더욱 과학적인 방 으로 중량을 분산하는데 있었다. 동시에 는 포구에서 장전하는 대신 포미에서 전하는 포 개념을 도입하고 강선을 만 고 새로운 탄약을 개발하였다.

제작에 있어 암스트롱 시스템의 세부 장전 방식보다 이 역사적인 개요에서 중요하다. 장전 방식은 미래 개발에 대 혁명적이고 아주 중요하다. 포열의 후 끝은 일종의 상자로 마무리하고 위아 로 개방되어 후방 끝의 나사산이 있는 멍 반대편으로 포열 입구가 있다. 후방 을 이제는 '약실-chamber'이라고 한다. 사체가 구멍을 통해 장전되고 화약 약 인 추진 장약이 뒤이어 장전된 후 '구멍 각-vent piece'라고 하는 납작한 강철 각이 상자 상부로부터 떨어져 약실 후 을 폐쇄한다. 그리고 이것은 약실 쪽으 단단하게 박힌다. 그래서 상자의 구멍 통해 큰 나사를 감아서 가스가 새지 는 접합을 만들고 단단하게 감는다. 구 조각의 정면은 카트리지가 발사될 때 스 누출을 방지하기 위한 효과적인 밀 를 만드는데 도움이 되는 구리 판이 있

격은 구멍조각에 구멍을 만들고 상부가 (燐) 성분인 화약으로 채워진 거위 깃 인 '마찰 발화기-friction igniter'를 이용 여 실행한다. 뾰족한 금속 조각이 인 성 을 통과하고 급하게 떨어질 때의 격렬 은 인을 점화하고 - 거친 표면에 부딪 는 일반 성냥과 유사한 시스템 - 화약 불이 붙고 불꽃이 구멍으로 내려가 카 리지에 불을 붙인다.포는 몇 개의 얇은 으로 강선이 만들어졌다. 발사체는 납 으로 도금이 되었고, 더욱이 오늘날과 사한 모양이인 둥근 첨두가 있는 원통 었다. 포탄은 활강 약실에 위치하고 분 장약에 의해 폭발하여 움직이면 납 코 은 나머지 부분의 전면(기선부)에서 시 되는 강선으로 파고들어가고 포탄은 총 을 회전하면서 떠난다.

위 : 총미 장전 포를 발명한 윌리암 암스트롱 경.

아래 : 암스트롱 강선 총미장전 캐논의 기계장치

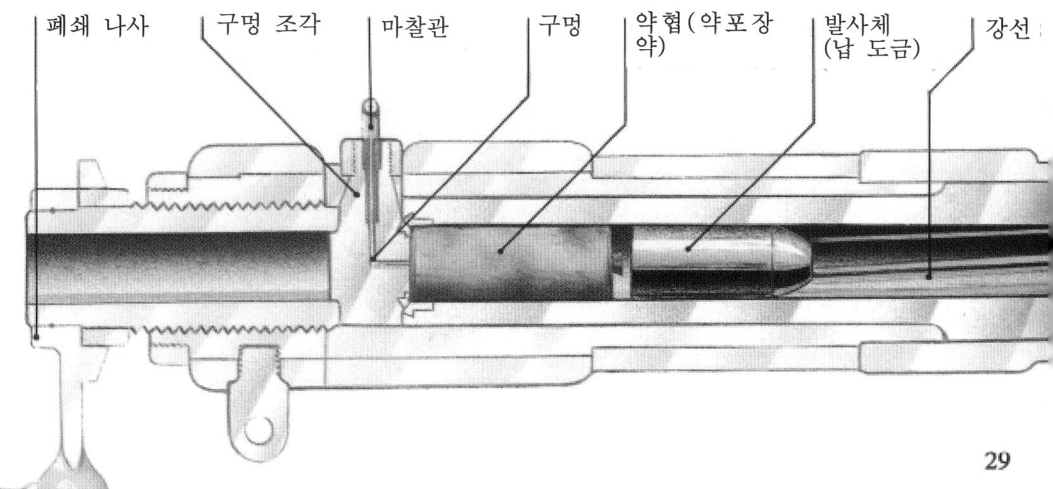

좌 : 글로와(Gloire), 첫 번째 프랑스 장선으로 영국에서 중포병 개발을 하도한 구조.

우 : 마찰 점화기 - 초기 거위깃털형의 랑형. 여기서는 대신에 구리관이 사용되다.

아래 : 글로와에 대한 영국의 대응은 워어(Warrior)였다. 이것은 영국의 첫 번 장갑선이다.

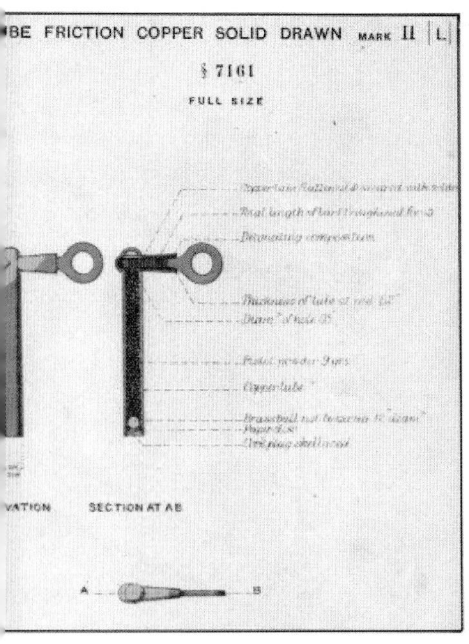

이는 암스트롱 포에 다른 어떠한 캐논과 비교하여도 놀랄만한 정확도를 제공했다. 그리고 도착 시 어떠한 자세도 가능한 캐논 볼과 달리 포탄이 표적에 첨두가 먼저 도달한다는 것도 의미했다. 암스트롱은 시한시관을 발명하여 이 기술적 걸작을 완성하였다. 시한신관은 화약의 길이에 의존하고 신관 몸체에 파여진 여러 가지 모양에 대해 화살 모양을 내기 위해 황동 캡을 간단하게 뒤틀어서 조정할 수 있었다.

수천 문의 암스트롱 포가 1855년에서 1865년 사이에 영국 육군과 해군용으로 제작되었지만 갑작스런 포구장전으로의 복귀가 발생하였고, 이것은 현대 개혁에 대한 영국의 저항의 예로 종종 나타났다 사실, 이것은 영국 해군이 직면한 어려운 문제에 대한 심사숙고한 대응이었다. 프랑스 해군이 세계에서 처음으로 장갑 전함을 진수함으로써 문제를 야기했고 마침 나폴레옹 Ⅲ세가 프랑스 제국을 확장할 것에 대해 말하기 시작하면서 교전소문을 퍼뜨림으로써 조성하였다. 영국 해군은 즉각적으로 자신들의 장갑 선을 건조함으로써 대응하였지만 당면 과제는 이러한 장갑선을 파괴할 능력을 가진 포를 찾는 것이었다. 특별히 경화된 강철 탄과 함께 보급된 68파운더 활강포는 단거리에서 프랑스의 강철 장갑을 간신히 관통할 수 있었다. 그러나 그러한 방책은 광범위하게 포탄 발사 포로 무장한 프랑스 전함이 목재 영군 전함이 자신들의 장갑에 많은 영향을 주기 전에 산산 조각내어 항복시켰기 때문에 아무런 해법이 되지 못했다. 과거에 효과가 있던 것처럼 암스트롱 포는 폐쇄기 밀폐가 약하여 장갑에 충돌할 만큼 충분한 속도로 관통탄을 보낼 만큼 강력한 장약을 버틸 수 있었다. 유일한 해법은 많은 장약을 장전할 수 있고 고속으로 강한 발사체를 발사할 수 있는 힘찬 포구장전 포로 돌아가는 것이었다.

암스트롱 납코팅 포탄 - 우측에서는 리테이닝 노치를 보여주기 위해서 납이 제거되었다.

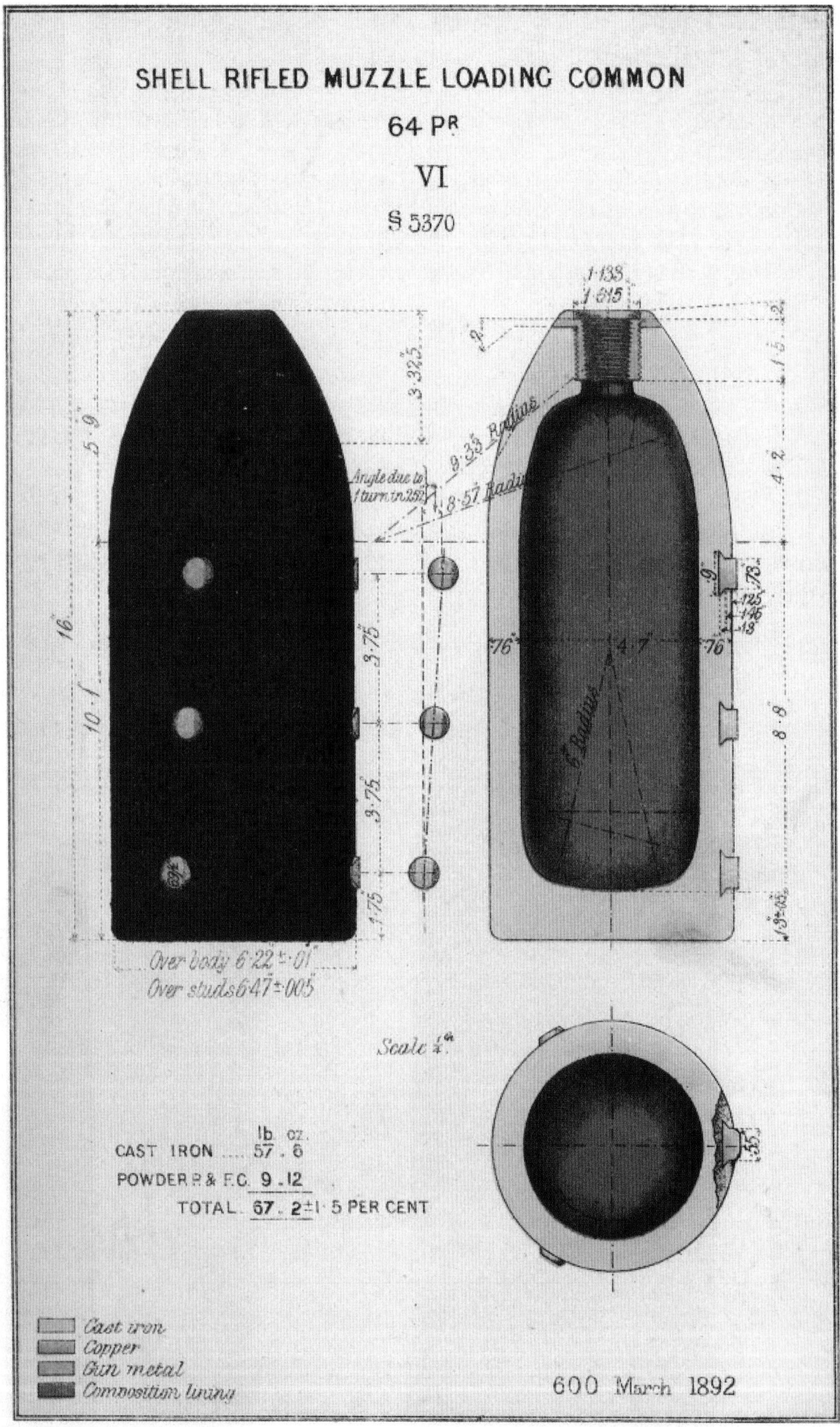

SHELL RIFLED MUZZLE LOADING COMMON

64 PR

VI

§ 5370

	lb.	oz.
CAST IRON	57	6
POWDER R.P. & F.C.	9	12
TOTAL	67	2 ± 1·5 PER CENT

Cast iron
Copper
Gun metal
Composition lining

600 March 1892

징박힌 64파운더 포탄 – 구리 징이 강선과 결합하여 포탄이 포열을 따라 올라갈 때 포탄에 회전을 준다.

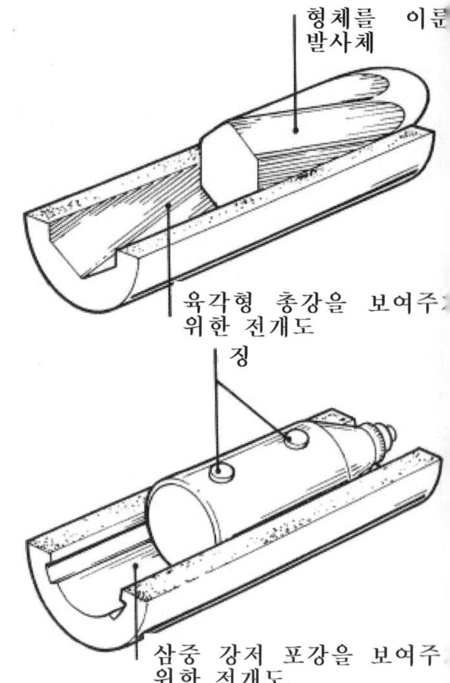

총구 장전 발사체에 회전을 주는 두 라이벌 강선 시스템. 위 : 암스트롱. 상부: 휘트워드.

그래서 적당한 디자인이 사용할 준비 되었다. 1863년 다른 영국 제작자인 셉 휘트워드(Joseph Whitworth)가 실로는 활강이지만 육각이며 포강에 뒤림을 준 새로운 강선 시스템을 제안다. 발사체도 측면에 각이 있어 뒤틀각과 똑같이 일치한 육각형이었다. 그 영국 포에 대한 암스트롱의 독점을 반했고 경쟁적 평가를 요구했다. 휘트워 포구장전 포, 암스트롱 포미장전 포 암스트롱 포구장전포가 경쟁에 선택되다. 그리고 암스트롱 포구장전 시스템 최고로 결정되었다. 암스트롱 포구장 포는 포강에 2개의 깊은 홈과 포탄에 한 3열의 금속 징을 사용하였다. 징 포탄이 포구로 들어갈 때 홈에 삽입되 포탄이 꽂을대로 장전될 때 아래로 타 내려가 사격될 때 다시 홈을 타고 올가 포탄에 회전을 주었다. 이것은 유한 랭커스터처럼 너무 자주 막혀서 불한 휘트워드 시스템에 반하여 간단하 신뢰성이 있었다. 그래서 암스트롱 포 장전 포가 신속히 물러가고 그 자리 RML(강선 포구장전 포)가 차지하였다떤 시스템이든, 한 가지는 확실하다. 캐 볼의 시대는 끝났고 길게 늘어진 탄 는 포탄이 이제 관례가 되었다. 그러나 제로 병사들에게 요구되어지는 방법으 기능발휘를 하기 위해 완벽하게 늘어 탄 또는 포탄은 서서히 진행되었고 간이 길고 값비싼 평가를 초래하였다. 리고 아직도 가끔 발생하는 것처럼 가 최선의 아이디어는 탄약 개발 본류 에서 왔다. 예로서 영국에서 관통탄을 택하였다.

60년대 후반에 가장 중요한 요구는 60 티미터(24인치) 또는 기부(基部)나 더 단한 티크 나무로 지지된 같은 두께의 조철을 관통하는 것으로 초기 장갑선 적용된 건조 방법이었다. 주철은 캐논 을 만드는 일반적인 재료였으며, 암스 롱의 포탄에까지 사용되었지만, 주철은 조 철장갑에 돌진하여 간단하게 박살 었다. 강철 포탄을 주조하려는 시도가 었지만 1860년대에는 제강(製鋼)을 완 하게 이해하지도 못하고 탄을 만들 완 한 강편(鋼片)을 균형 있게 생산할 능 도 없는 아직 초기 기술 단계였다. 더 이 물론, 강철이 비싸기도 하였다.

쟁이 복잡한 것은 장갑 파괴 방법에 한 논제에 대한 두 가지 학파-'랙킹 ıck-파괴)'파와 '펀칭(punching-타격)'파 의 견해가 있었던 것이다. '랙커(파괴)'는 저속으로 아주 큰 발사체를 발사 여 'rack(파괴)' 또는 장갑의 전체 구조 뒤틀리게 하여 장갑을 붕괴시켜 함선 내부를 노출시키고자 하였다. '펀처'들 장갑을 관통할 수 있는 고속의 가벼 탄을 발사하여 포탄과 장갑의 파편이 사체처럼 작용하여 장갑 뒤에 손상을 히게 하려하였다. 간단히 말해서, 랙커 은 장갑을 파괴하려고 애썼고, 펀처들 장갑이 무엇을 방호하는지 찾으려 했 . 대부분은 펀처들이 옳았고 랙커들이 렸다는 것을 증명하였지만 그들의 논 은 평편한 첨두와 둥근 첨두 발사체의 론에서 많은 시간을 낭비하였다

런 일들이 계속될 때, 18 경기병 의 리서란 대위 - 당시에는 과학적 적용 주목하지 않았다 - 가 반대로 실시한 두는 수냉식 철 주물로 그리고 나머지 체는 일반적인 모래 주물로 주조하는 족한 발사체를 고안하였다.

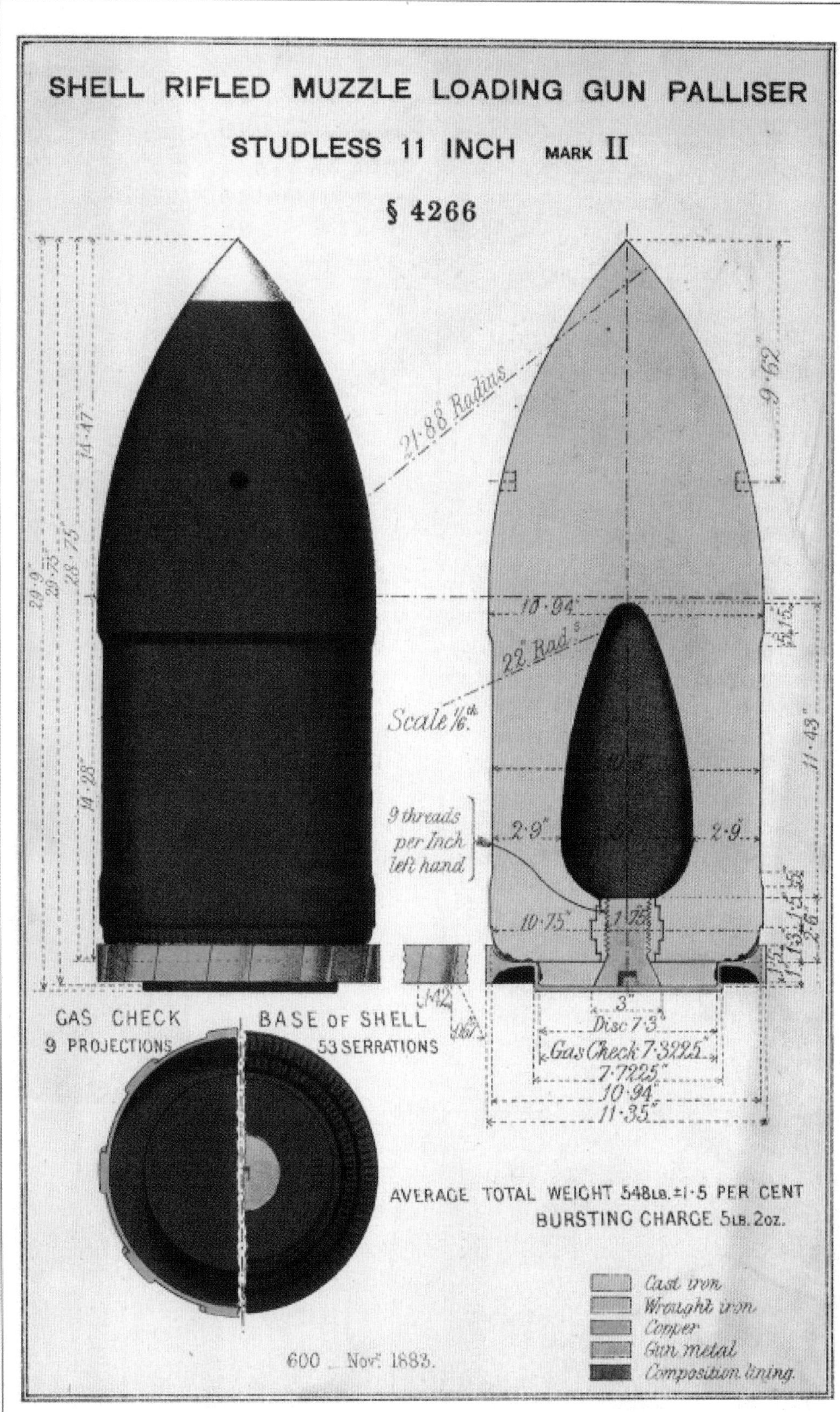

11인치 팰리서(Palliser) 포탄. 첨두는 첨두를 극도로 단단하게 만든 수냉 철 주형에서 첨두를 아래로 하여 주조되었다.

첨두를 빠르게 냉경(冷硬) 표면으로 만들어 포탄의 첨두를 완전히 단단하게 만들었고 이것이 가장 효과적인 발사체임을 증명하였다. 이는 신속하게 RML 포에 채택되었다. 이것은 칠레와 페루의 아주 짧은 전쟁이 일어난 1879년에 기록되었으며 칠레의 알미란트 코크레인(Almirante Cochrane)은 장페루의 우아스카르(Huascar)의 포탑을 관통한 9인치 팰리서 포탄을 발사하여 12cm(5.5인치)의 강철판, 32cm(13인치)의 티크니무외 반인치 이상의 강철을 관통하여 포탑을 지나 폭발하여 대부분의 승무원을 살상하고 포를 완전히 파괴하였다.

이런 종류의 더 얇은 표적용으로는 '일반' 포탄이 고안되었다. 이런 경우의 '일반'이란 용어는 '일반 표적(두꺼운 장갑 외의 모든 표적)'에 적용된다. 일반 포탄은 관통탄처럼 끝이 뾰족하였지만, 편강이나 단조강이었으며 조잡한 화약을 포함하고 있는 무명 약포로 채워졌다. 충전제를 채운 후, 포탄 바닥은 간단한 마개로 폐쇄되었다. 포탄이 표적을 강타하였을 때, 갑자기 저지된 비행은 화약이 전방으로 격렬하게 쏠리게 하고 개별 화약의 결정 사이의 마찰은 폭발을 일으키고 포탄을 파열시킨다. 포탄이 발사될 때 충전물이 격렬하게 저지되는 경향이 있다는 것이 사실이다. 그러나 화약 약포를 조심스럽게 삽입하여 구멍의 뒤쪽 끝에 박히 도록하여 보통 포탄이 조발(早發)하지 않도록 다루었다.

가장 큰 문제는 새로운 강선포에 유산탄을 적용한 것이었다.

우 : 1차 세계대전의 18-파운더 유산탄의 단면.

중앙 : 신관을 갖춘 18-파운더 유산탄 포탄.

맨 우 : 1870년대의 64-파운더 유산탄 포탄의 단면

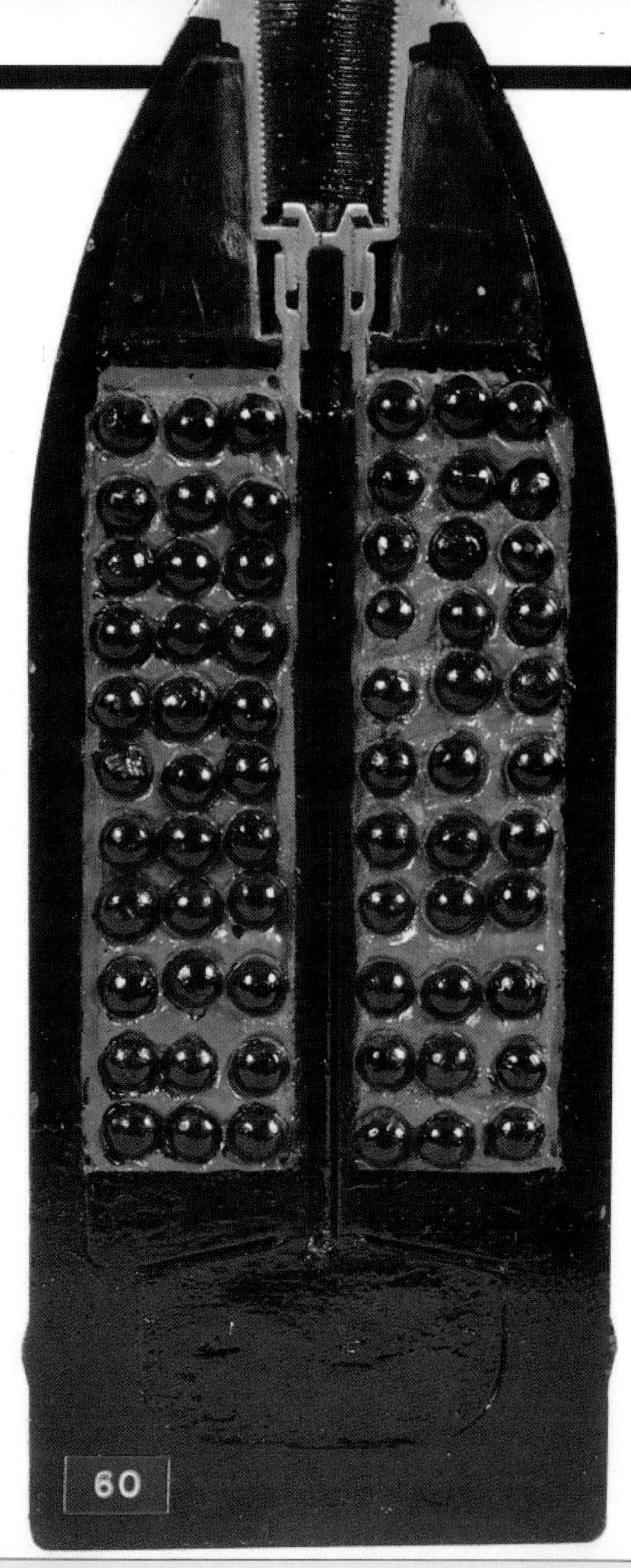

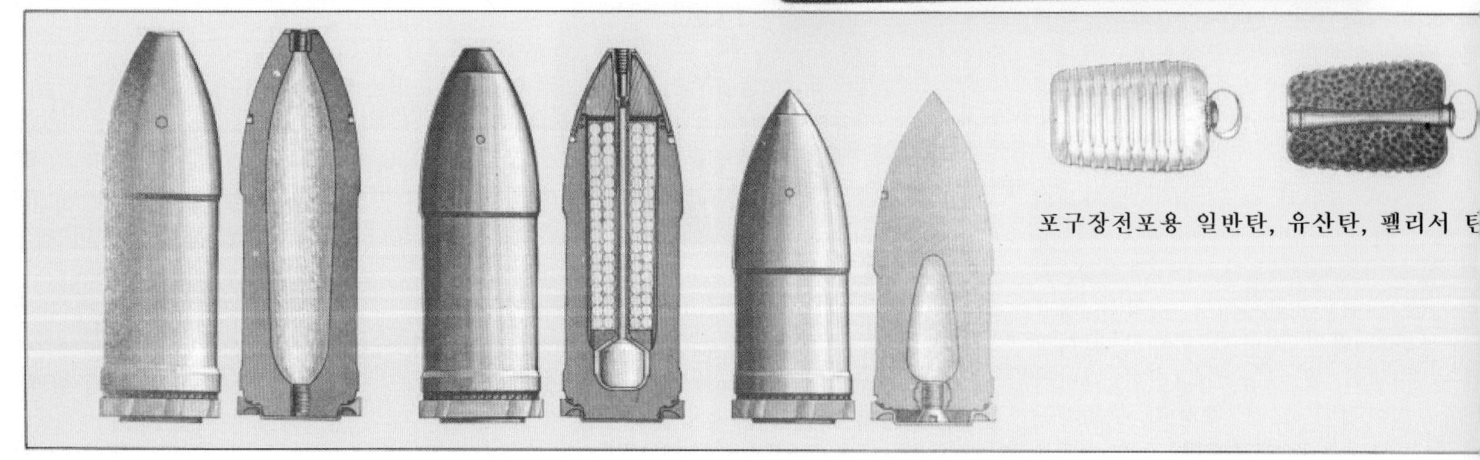

포구장전포용 일반탄, 유산탄, 팰리서 탄

결국, 울위치(Woolwich) 조병창(공식적인 탄약 공장)에 있는 왕립 실험국장인 박서(Boxer)대령이 포탄의 첨두가 탄체와 핀으로 약간 박혀 신관용 소켓을 고정하는 디자인을 개발하였다. 신관 아래에서 관은 화약으로 채워진 포탄의 탄저에 있는 챔버(chamber)로 내려간다. 이 챔버 위에는 느슨한 둥근 판인 '밀 판-pusher plate'이 있고 그 위에서, 중앙관 주위에 있는 포탄의 몸체의 공간을 차지하고 있는 것은 송진과 석탄먼지에 채워진 머스킷 탄환의 충전물이었다. 포탄이 발사되고 신관에 불이 붙으면 이후에 화약의 챔버를 폭발시키기 위해 중앙관으로 보내어지는 화염은 완전히 연소한다. 이 폭발은 밀판을 위로 올리고 그와 함께 탄환을 운반하여 차례로 핀을 절단하고 포탄의 머리를 탄체로부터 날려 버린다. 그 후 이것은 한쪽으로 떨어져 화약 폭발력이 모든 머스킷 탄환을 포탄 전방에 있는 펼쳐진 원뿔체 안으로 방출하여 포탄이 갖는 비행궤도를 따른다. 그래서 신관이 정확하게 설정되면 포탄은 약 13미터 위에서 파열할 수 있고 적에게 도달하기 전에 고속의 수십 개(또는 크기에 따라 수백 개)의 머스킷 탄환으로 적을 때릴 수 있었다. 대인 살상용으로서 유산탄은 경쟁할 대상이 없었다.

아래 좌 : 19세기 중반의 3개의 나무 시한신관.

아래 : 박서 시한시관의 구조를 보여주는 도해

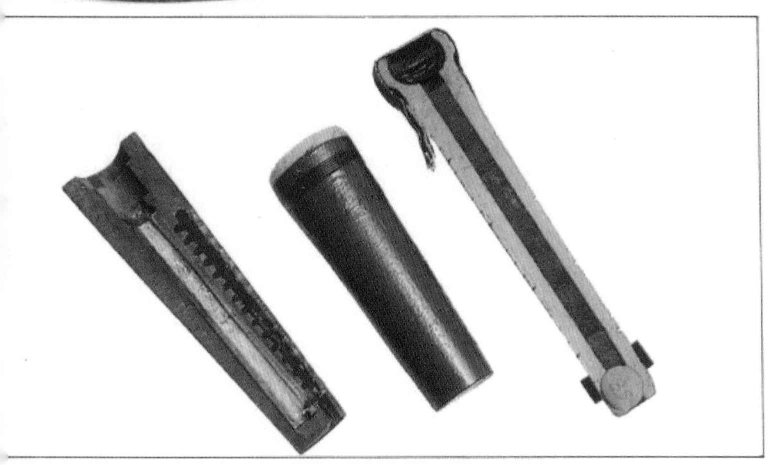

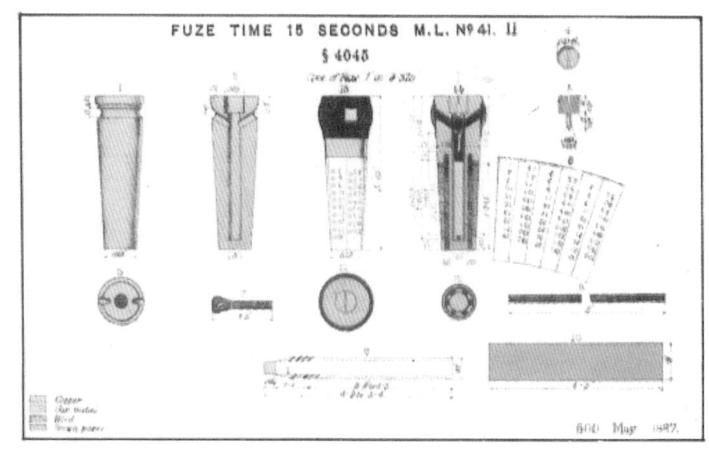

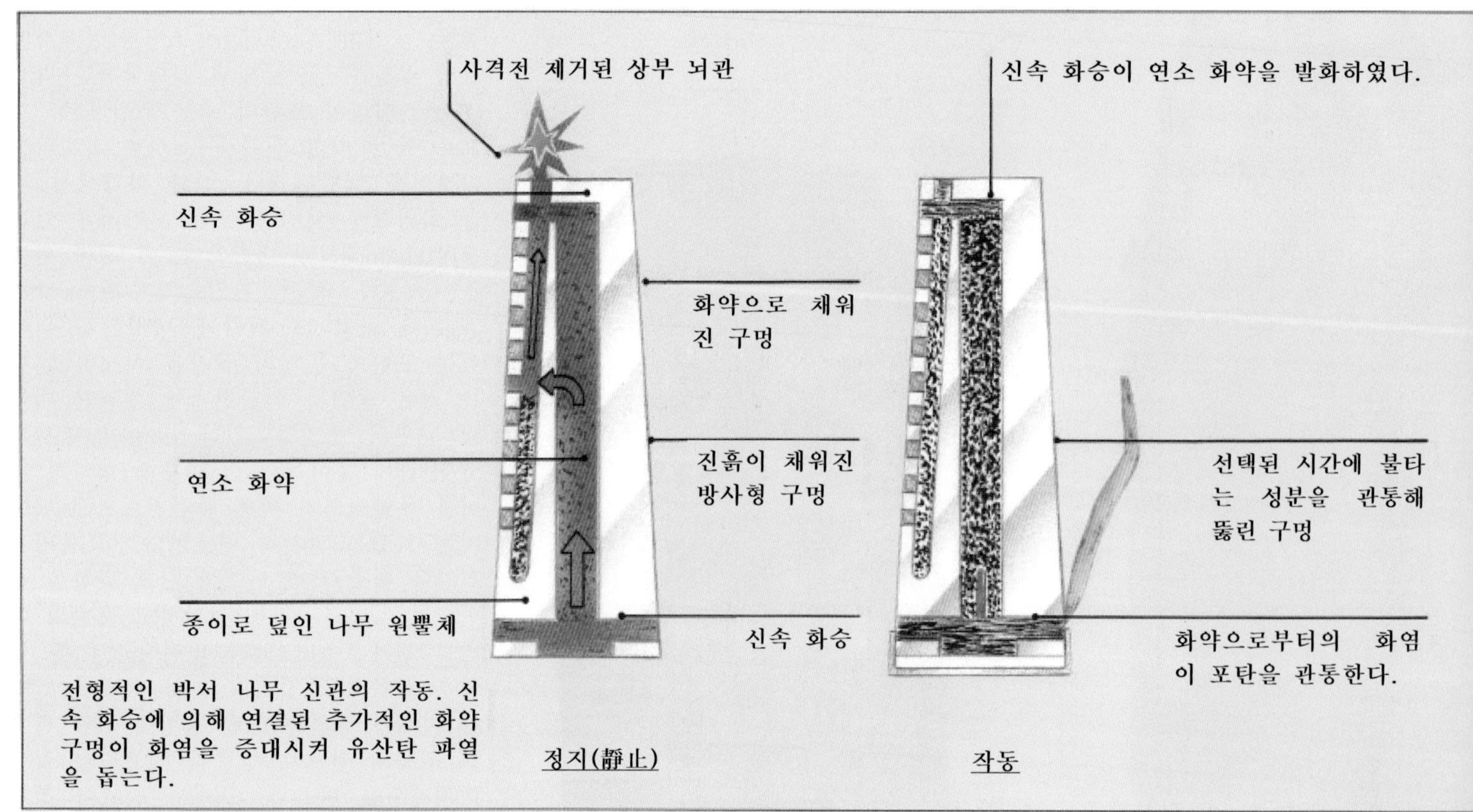

전형적인 박서 나무 신관의 작동. 신속 화승에 의해 연결된 추가적인 화약 구멍이 화염을 증대시켜 유산탄 파열을 돕는다.

이처럼 효과적인 포탄과 사거리와 힘이 향상된 포로, 구형 신관(연소 시간을 설정해야 하는)은 얼마간 효과가 없다는 것으로 평가되었다. 그러므로 박서(Boxer)는 새로운 양식을 설계하였다. 이것은 개머리판 목재의 경사진 마개였던 것에 한해서는 구형과 유사하였다. 그러나 이는 상당한 향상이었다. 중앙 구멍은 상부로부터 뚫렸고 서서히 연소하는 화약으로 채워졌다. 그 위는 신관의 상부에 있는 홈에 감긴 한발의 신속 화승이 있었다. 중앙 구멍과 나란히 그리고 신관의 측면과 벗어나 다른 여섯 개의 구멍이 바닥으로부터 뚫렸지만 상부에는 닿지 않았다. 더 많은 구멍이 측면으로부터 뚫려 이 여섯 개의 구멍을 연결하였고 전체 시스템은 화약과 니스로 칠한 종이로 덮인 신관으로 채워졌다. 측면 구멍의 위치는 잉크로 점을 찍어 표시했고 각 구멍은 시스템의 첨두에 있는 화약의 길이에 대응한 모양이었고 각각의 1/10인치는 시행 시 0.5초에 필적한다.

신관은 사격에 앞서 도래송곳으로 구멍이 뚫렸다. 선택된 시간을 얻기 위해 도래송곳은 요구되는 길이에 따라 구멍 안으로 들어갔고 중앙 구멍에 들어갈 때까지 내부 나무를 뚫는다. 그리고 신관은 포탄에 설치되고 포탄은 발사된다. 포탄 주위의 섬락(閃絡)은 머리에 있는 신속 화승을 발화한다. 이것은 중앙 구멍에 있는 서서히 연소하는 성분에 불을 붙인다. 차례로 이는 도래송곳이 구멍을 뚫은 곳에 도착할 때까지 지속적으로 연소한다. 그 결과 화염은 구멍을 통과하여 외부 구멍 중 하나에 있는 화약을 발화한다. 화약은 즉시 신관의 바닥까지 그 길이만큼 내려가고 포탄의 내용물을 점화한다.

신관에 불을 붙이는 섬락(閃絡)은 혼합 블레싱(mixed blessing)이다. 그러한 점에서 유용한 반면에 이것은 포탄 뒤에서 포탄의 속도를 더해 주기 위해 적용되어야할 소모성 에너지와 포탄이 그 길을 지나면서 포강의 강철을 깎아 버리므로 해서 포 자체에서 문제를 일으켰다. 로프 화약마개와 다른 효과가 없는 방법으로 실험을 한 후, '가스저지판-gas-check'이 포탄의 바닥에 볼트로 고정된 받침접시 형태의 구리판으로 고안되었다. 그 직경은 포탄 탄체보다 약간 작아서 포구 안으로 장전될 때 강선 내로 지나갔다. 장약이 그 위에서 폭발 면, 연한 구리가 가스에 의해 밖으로 가고 강선 안에 물려 가스의 누출을 폐시키고 모든 가스가 포탄을 추진하 데 충당하도록 한다. 이것은 총의 마 와 찢어짐을 상당히 개선하였지만 이 는 신관 발화에 실패하였다. 그래서 서는 첨두에 작은 공이와 뇌관을 설치 여 자신의 신관을 재설계하였다. 포탄 갑자기 가속되면 공이 핀이 뒤로 가 뇌관을 치고 이것이 중앙 화약 구멍 발화하였다.

지금까지 탄약 설계자들이 관심을 가 강선 포에서 가장 조건에 맞는 것은 탄의 첨두가 바르게 먼저 도착하는 이었다. 이것은 첫째로 포탄이 표적 충돌할 때 작동하는 충격, 충돌 또는 관에 적용할 가능성이 있다는 뜻이었 설계에는 아무런 복잡성도 없었다. 이 은 단지 공이와 뇌관이 있는 일반적 마개일 뿐이었으므로 충격 시 공이가 관 안으로 들어가 작은 양의 작약을 화하여 화염이 포탄으로 되돌아 가도 한다. 이런 형태의 신관과 함께 사용 포탄은 야전에서 대인 효과가 있었고, 요한 파편을 만들 인공적인 방법으로

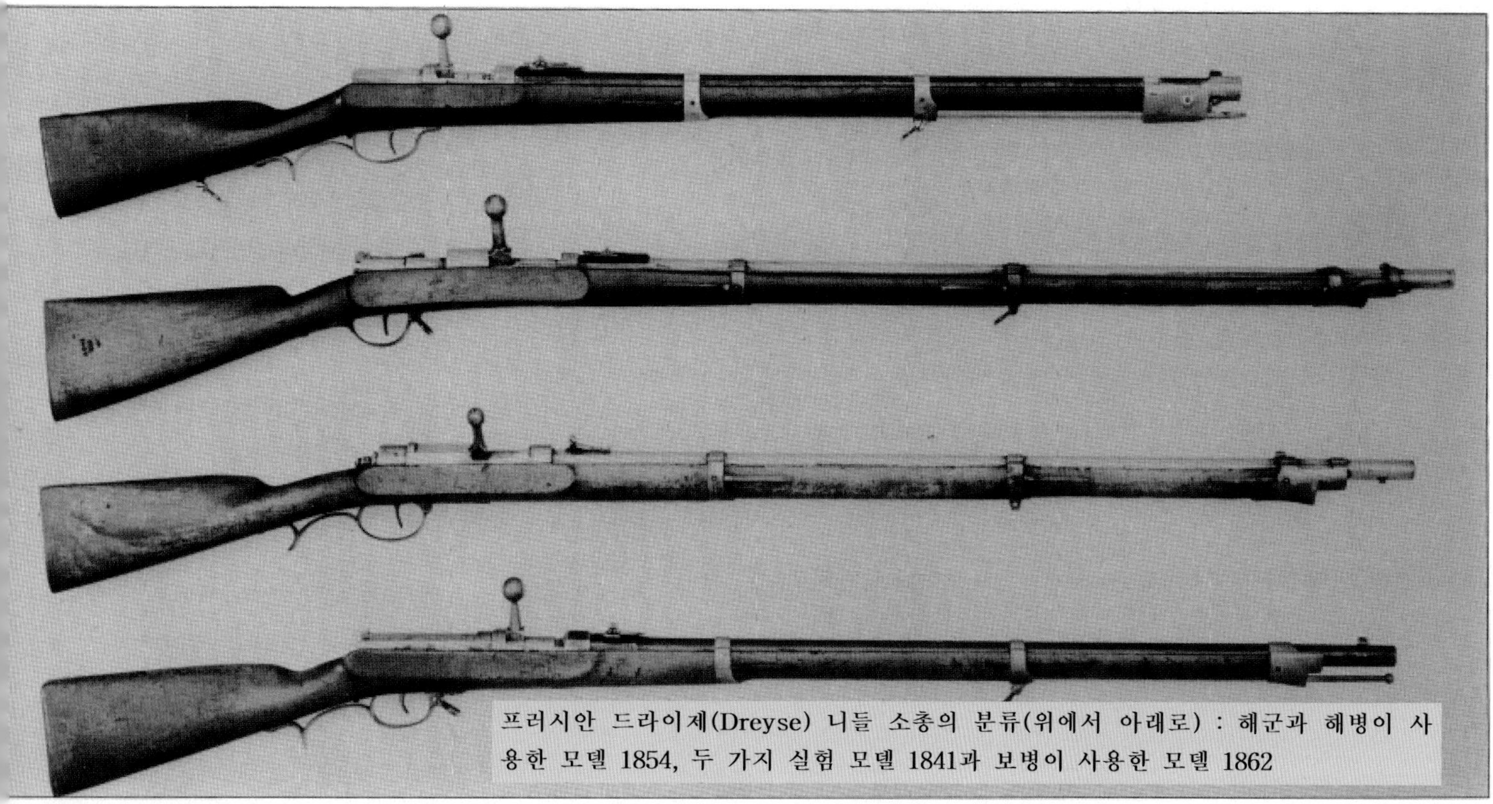

프러시안 드라이제(Dreyse) 니들 소총의 분류(위에서 아래로) : 해군과 해병이 사용한 모델 1854, 두 가지 실험 모델 1841과 보병이 사용한 모델 1862

된 탄통 내부의 화약 또는 탄통에 의해 조 탄통의 파열에 의지하였다. 한 가지 반적인 양식은 납 또는 아연에 싸인 일의 철 조각으로 만든 몸체에 있는 '링 탄'이었다. 그래서 중앙 폭발 작약이 발할 때 조각은 외부 탄통을 파열시키면서 모든 방향으로 산산이 폭발한다.

이 시점에서 포병은 보병에게 예전에 빼앗긴 위치로 다시 돌아간 것처럼 보일 수 있었다. 그리고 우리는 소화기 분야에서는 무슨 일이 벌어졌는지 알아보기 위해 소화기로 다시 돌아간다.

사실 총미 장전은 포병보다 소화기에 먼저 영향을 주었다. 독일 포제작자인 폰 드라이제가 몇 년 전에 프랑스인인 폴리에 의해 먼저 제안된 아이디어에 바탕을 둔 니들 건을 1838년에 발명하였다.

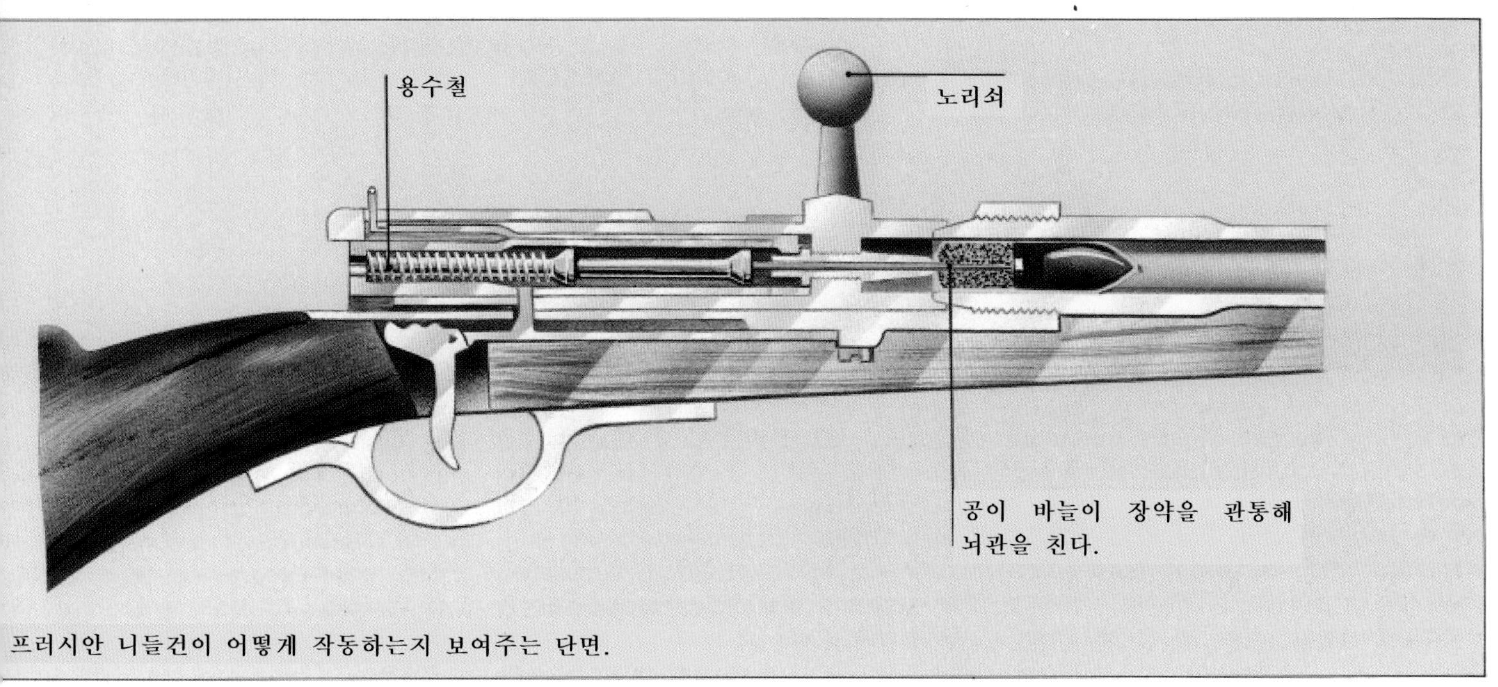

프러시안 니들건이 어떻게 작동하는지 보여주는 단면.

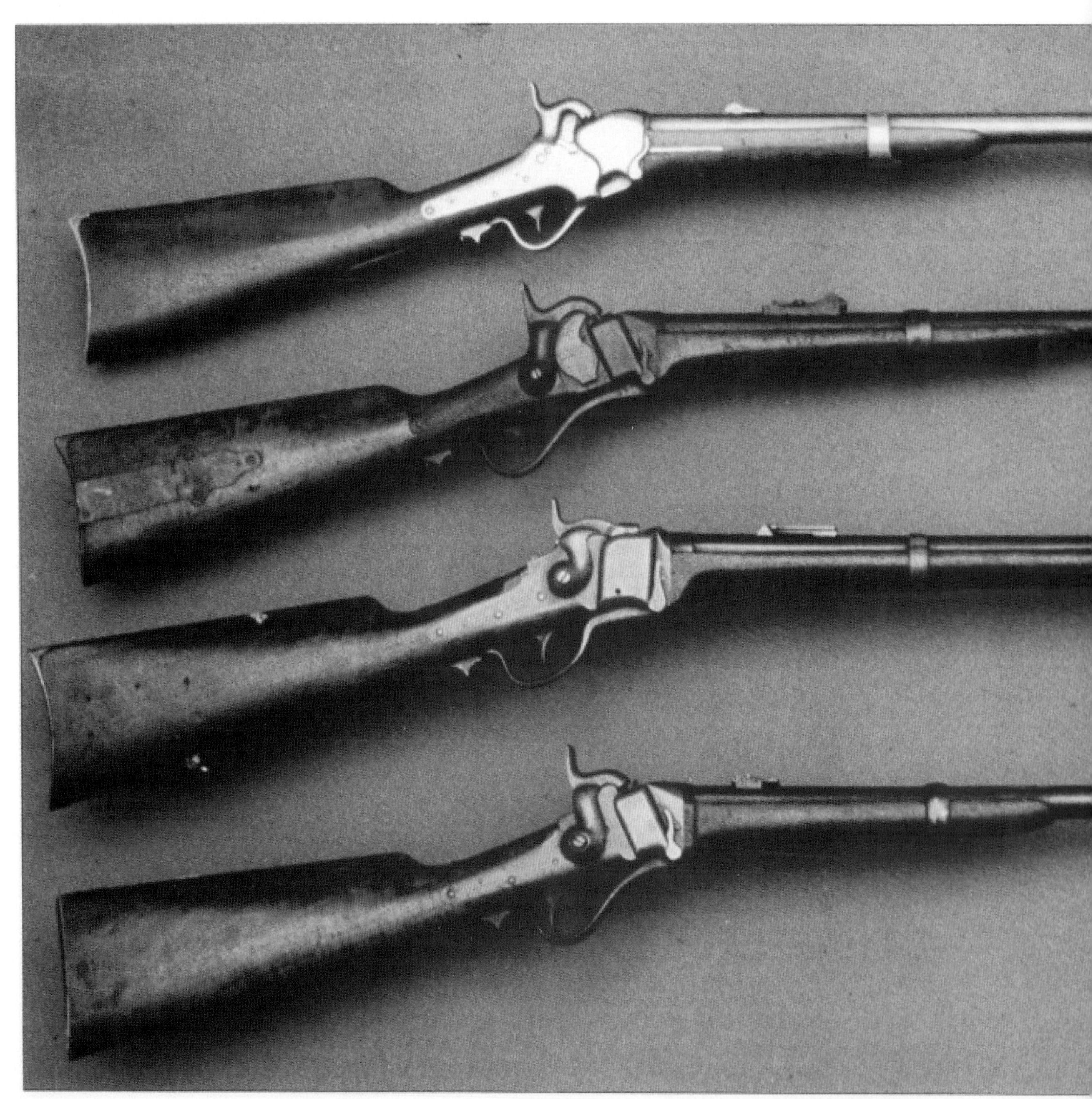

간단히 말해서, 총의 후방은 일반적인 현관 빗장처럼 작동하는 노리쇠에 의해 폐쇄되었다. 노리쇠가 전방으로 밀리면 노리쇠의 경사진 끝이 총의 약실 후방으로 들어가고 손잡이가 총몸에 있는 돌기 전방 아래로 회전하여 노리쇠를 날려서 열게 하는 폭발을 방지한다. 긴 용수철로 추진되는 바늘은 노리쇠 중앙 아래로 내려간다. 드라이제 카트리지는 탄저에 뇌관을 가지고 있는 원뿔형 탄자와 종이 화약 실린더를 포함하고 있는 종이 패키지로 구성되었다. 이것이 약실에 위치하여 노리쇠가 폐쇄된다. 방아쇠가 당겨지면 바늘이 전방으로 튀어나가 뇌관을 칠 때까지 카트리지를 통과하여 뇌관을 발한다. 이것은 분말 장약을 점화하고 두는 강선 총열 위로 추진된다. 노리쇠 다시 개방되고 공이가 격발 준비되어 로운 카트리지가 삽입되고 총구장전 이 준비되는 것 보다 훨씬 빠르게 총 다시 발사될 준비가 된다.

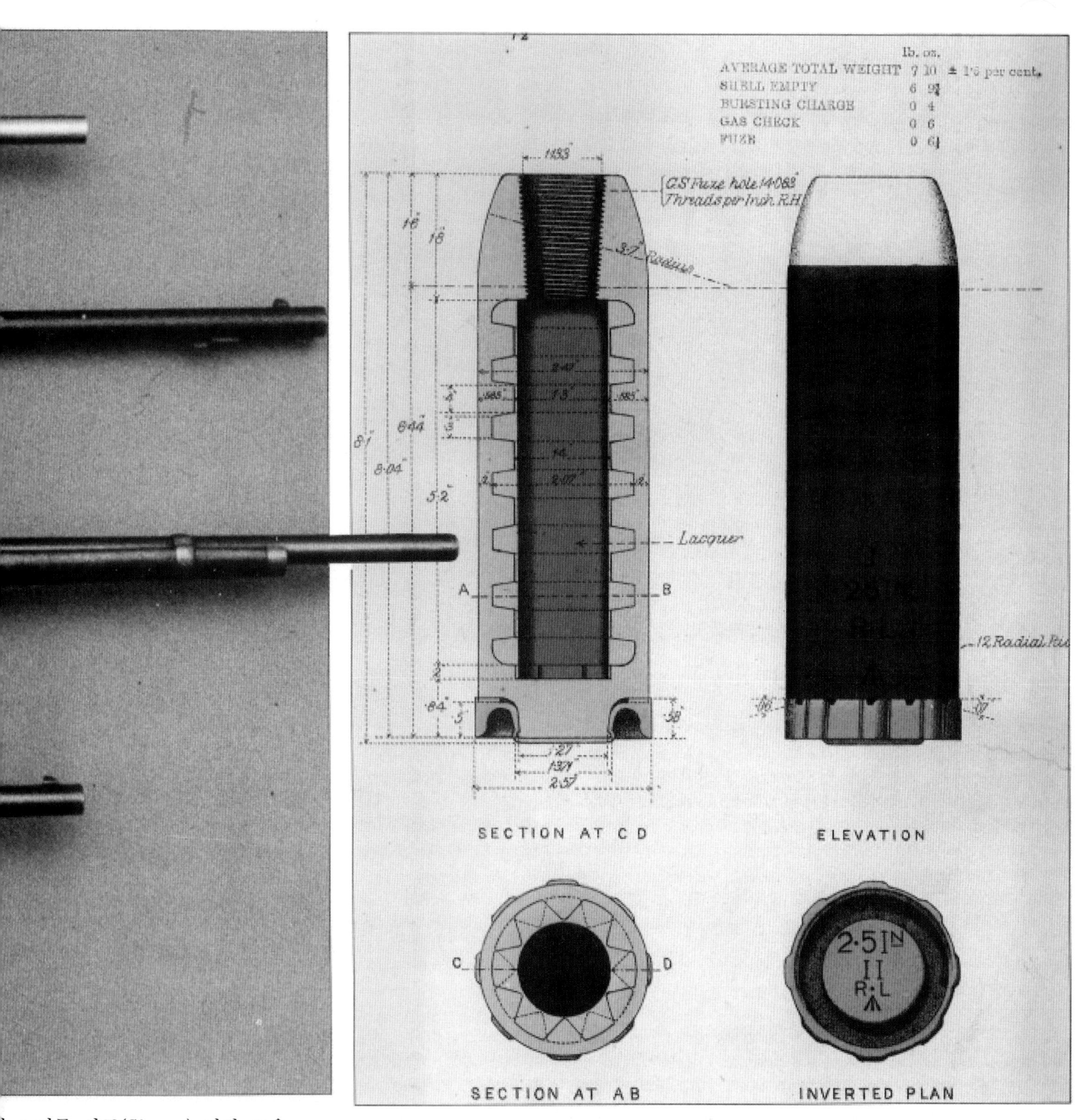

ㅣ : 미국 샤프(Sharps) 카빈 모음.
이 카트리지가 노리쇠 뭉치의 폐쇄
 인해 개방구 안으로 밀려들어간다.

ㅣ 우 : 총구 장전용 2.5인치 링 탄. 탄저
위의 융기가 총열 내부의 강선과 결합
다.

독일군이 지금까지 중에서 최고로 무서워하였던 프랑스군은 자신들의 최전선 반대편에서의 이와 같은 발전된 무기의 사조에 놀라서 유사한 것에 대한 개발을 착수하였다. 그것은 발명가의 이름을 딴 '샤스포-Chassepot'이었다. 샤스포도 또한 노리쇠 작용시스템을 사용하였고 노리쇠 전방 끝에는 두꺼운 고무 밀폐 링이 있었다. 카트리지는 뇌관이 카트리지의 뒤쪽 끝에 있어 공이가 카트리지 전체를 관통할 필요가 없다는 것만 제외하면 니들총용 카트리지와 유사하였다. 이 두 가지 무기 모두 결점이 있었지만 당대에는 효과적이고 굉장한 것이었다.

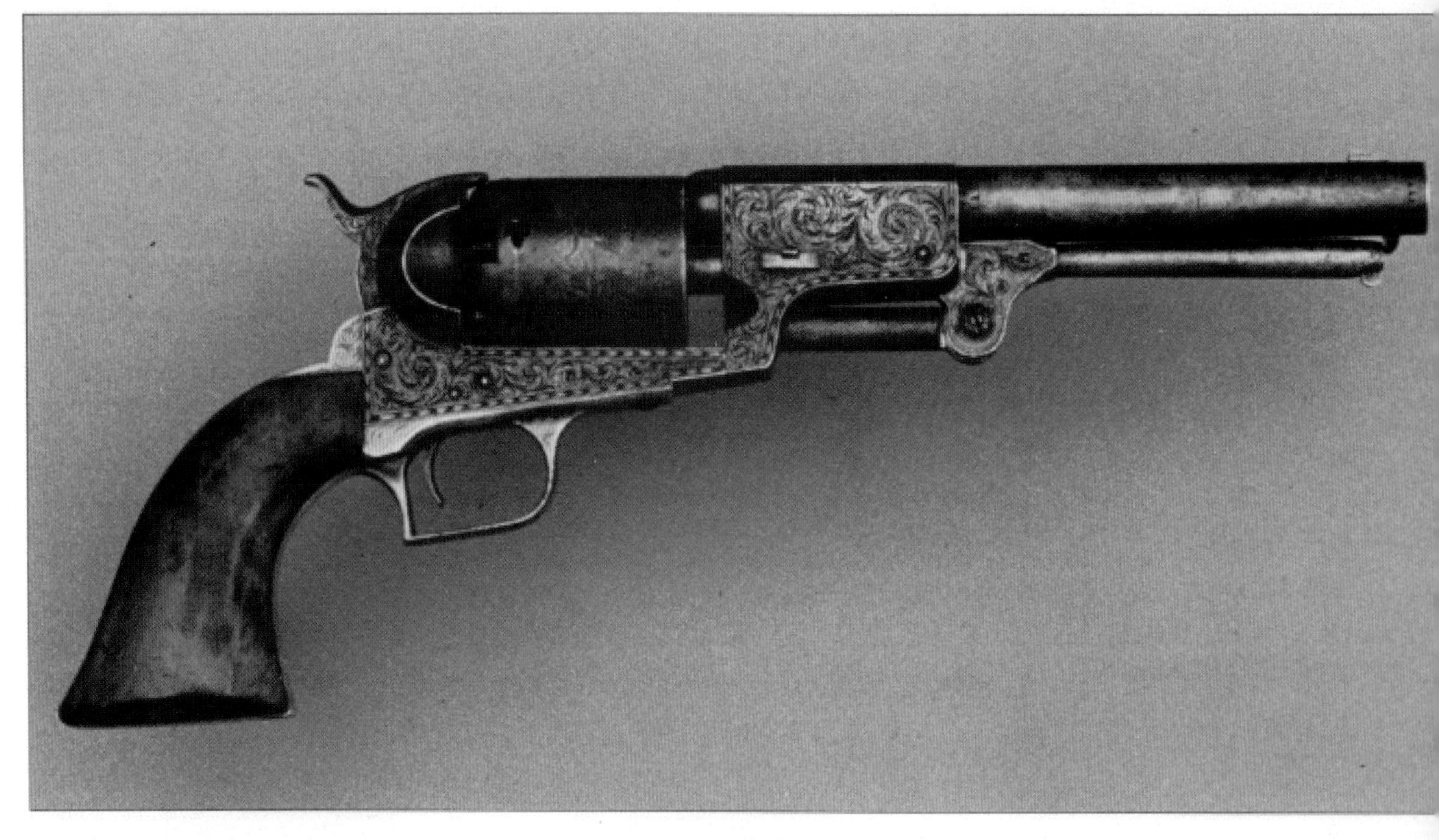

콜트 리벌버. 회전 실린더에 대한 사무엘 콜트의 종합특허권(master patent)의 걸작이다.

두 총의 성능은 프랑스와 독일이 1870년에 전쟁에서 만났을 때 많은 관심을 자극하였다.

미국의 샤프 카빈은 개머리판 아래에 있는 레버로 올리고 내리는 금속 뭉치를 사용하여 총미 밀폐에 대한 다른 접근을 보여준다. 일체형 종이 카트리지가 다시 사용되었고 약실에 장전되어 총미가 밀폐되었다. 노리쇠 뭉치가 올라오면서 종이 카트리지의 후방 끝을 얇게 베어내 약실 내부에 느슨하게 노출된 상태로 화약을 남긴다. 그리고 뇌관이 니플에 위치하고 공이치기로 격발되었다.(다시 말해서 샤프 카트리지는 드라이제와 샤스포처럼 일체형 점화장치가 없었다.)

이 기간(1850년대)의 또 다른 흥미있는 아이디어는 볼캐닉 소총(Volcanic rifle)으로 이는 나중에 아주 유명해진 스미스와 웨슨이라는 두 명의 미국인에 의해 개발되었다. 볼캐닉은 후방 부위에 화약으로 채워진 구멍이 있는 탄자를 사용하였으며 중앙의 구멍에 있는 마분지 뭉치로 폐쇄하였다. 탄자가 총미에 삽입되고 노리쇠 뭉치가 올라와서 폐쇄하였다. 뇌관은 총미의 니플에 위치하였고, 공이치기로 격발하였다. 화염은 화약마개의 구멍을 통해 지나가 화약을 발화하고 그 폭발로 총으로부터 탄자를 날려 보냈다. 아이디어는 좋았지만 총미 폐쇄는 실제적으로 이루어지지 않았고 탄자 내 화약의 양이 너무 적어서 볼캐닉은 빠른 속도를 얻지 못하였다. 이 문제를 해결하려는 수년간의 노력 끝에 스미스와 웨슨은 노력을 포기하였고 자신들의 관심을 더욱 가망성 있는 프로젝트로 돌렸다.

그들이 관심을 가진 것은 리벌버였다. 그 당시에 리벌버 실린더를 회전시키는 기계적 방법을 포함하는 종합특허권의 덕택에 새무얼 콜트가 리벌버 사업을 완전히 독점하였다. 그러나 특허는 1857년에 종료되었고 스미스와 웨슨은 새로운 디자인으로 사업에 뛰어들려 하였다. 뭔가 새로운 것을 찾다가 그들은 프랑스에서 발명된 새로운 장치- 금속 림파이어 카트리지-에 희망을 걸었다.

니들 건의 존재로 증명된 단일체 안에 탄자, 장약 및 뇌관- 등 모든 것을 설 하는 아이디어가 많은 실험가들을 유 하였다. 그러나 실패율이 높았는데 이 총미 밀폐와 관련된 문제 때문이었다. 국 1836년에 르파슈(Lefaucheaux)라 부르는 프랑스의 총기 제작자가 총열 꺾여 총미로부터 '풀릴 수 있는' 총을 안하였다. 이 양식은 오늘날 산탄총에 볼 수 있다. 그는 Houiller라고 하는 람이 설계한 대부분의 약협은 종이지 후방 끝에 짧은 황동 뇌관이 있고 전 에는 탄자가 있으며 분말 장약이 종 부위에 있는 일체형 카트리지를 사용 였다. 황동 끝부분 내부에는 뇌관이 으며 그 위에 짧은 핀이 정렬되어 있 황동 부위의 측면으로 돌출되었다. 카 리지는 총미에 장전되고 총이 밀폐되 서 총열 끝에 있는 구멍 아래로 핀이 나간다. 핀은 이제 공이치기에 의해 타 될 수 있도록 총열에 수직으로 선다. 타이 뇌관을 발사하여 장약이 폭발하고 자를 발사하여 황동 부위가 폭발로 인 약실의 벽 쪽으로 단단하게 확장된다. 래서 어떠한 가스도 후방으로 누출되지 도록 총미를 밀폐한다.

파이어(pinfire)' 카트리지는 총의 디자 과 야간 사격에 혁명을 일으켰다. 그러 이미 입안되고 있던 다른 디자인이 결 이것을 대체하였다. 플로베르(Flobert) 는 또 다른 프랑스인이 전방에서 림을 거하고 작은 납 탄자를 삽입한 충격식 관을 취하였다. 그리고 르파슈 총을 채 하였고 공이치기가 짧은 핀을 타격하고 어서 핀이 충격식 뇌관을 충격하여 탄 를 발사하도록 하였다. 이러한 무기는 명 작고 약했지만 실내 표적 사격용으 는 인기가 있음을 증명하였다. 플로베르 그 후 뇌관의 형태를 약간 변형시켜 이디어를 개량하였고 총열의 후방에 돌 된 비어져 나온 림(외륜)을 만들어 장전 카트리지가 적절한 위치에 고정되도록 였다. 림(외륜)은 접히고 구멍이 있으며 관 구성품으로 채워졌다. 플로베르는 나 지 관을 화약으로 채우고 전방 끝에 탄 를 위치시켰다. 그의 소총은 공이치기가 트리지의 림을 타격하고 총열 가장자리 대해 내부에서 성분을 으깨어 화약을 화하도록 설계하였다. 림파이어 카트리 가 탄생한 것이다.

미스와 웨슨은 이제 이 림파이어를 자 들의 리벌버에 적용하였다. 카트리지는 체적으로 구멍이 뚫린 실린더가 필요하 다. 구멍으로 인해 후방으로부터 장전이 수 있었다. 스미스와 웨슨이 이 장치에 한 특허가 있다는 것을 알았을 때 그들 특허를 사들여서 콜트 특허가 종료 되 마자 리벌버 제작을 지배하려고 하였다. 파이어 카트리지로 성공한 스미스 앤 슨 리벌버는 흥미를 자극하였고 특히 음 몇 년 동안 미국에서 많은 림파이어 체 디자인이 출현하였다.

러나 당시에 제작된 림파이어는 한 가 결점이 있었다. 그것은 비교적 압력이 은 경향이 있다는 것이었다. 만약 탄피 속은 상당이 연해야했기 때문에 림이 깨어지면 이것은 고압 카트리지와 반대 론이 났다. 왜냐하면 연한 림을 뚫고 폭 할 수 있기 때문이었다.

위 : 약협 안의 스미스앤 웨슨 리벌버. 그들은 1857 년의 콜트의 특허 종료로 미국에서의 금속 림파이어 카트리지를 도입하여 이용하였다. 이것은 꺽는 장치 (Breaking action)가 르파슈에 의해 고안된 반면에 Houiller라는 사람이 발명하였다

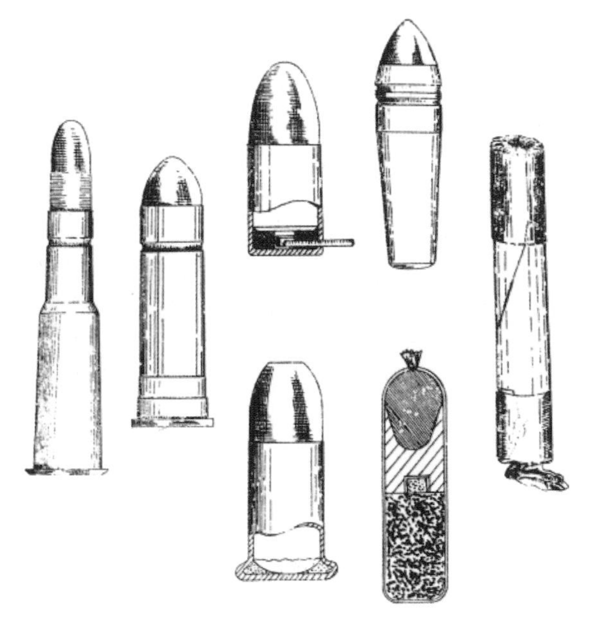

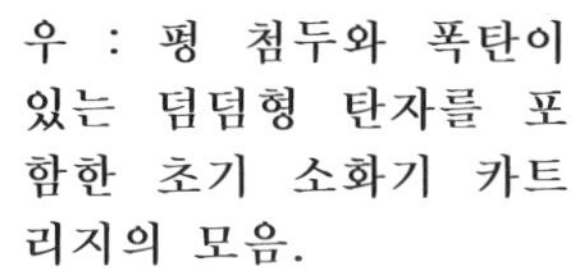

우 : 평 첨두와 폭탄이 있는 덤덤형 탄자를 포함한 초기 소화기 카트리지의 모음.

다음 과정은 사용되고 있는 충격 뇌관과 금속 카트리지를 취하여 두 개를 함께 결합하여 뇌관을 탄저 중앙에 위치시켜 공이치기나 공이로 뇌관을 타격하는 것이었다. 마지막 성공적인 디자인이 출현하기 전에 여기에 대한 몇 가지 개별적인 시도가 있었지만 약 1875년까지 센터파이어 금속 카트리지가 사용되었으며 파지 또는 견착식 화기의 표준 장전방법이 되었다. 이것은 센터파이어 양식에서 뇌관이 총미 폐쇄 시스템에 의해 후방으로부터 지지를 받기 때문에 어떠한 강한 카트리지도 만들 수 있게 되었다.

1870년대 후반까지 총미 장전 파지무기가 모든 종류의 외관 형태와 모든 종류의 메커니즘으로 출현하였고 포병 설계자들은 캐논에 대한 포미장전 가능성을 찾기 시작하였다. 암스트롱 시대 이후에 공학은 상당한 진전이 있었고 무거운 장약을 버틸 수 있는 충분한 힘을 갖는 포미를 만들 가능성이 있는 것처럼 보였다. 두 가지 시스템이 특별한 기대를 할 수 있도록 출현하였다. 첫째는 독일의 크룹(Krupp)에 의해 개발된 쇄전식 폐쇄기 뭉치이고 두 번째는 프랑스에서 나타난 막음 나사식 폐쇄기였다.

크룹 시스템은 포미가 측면 개방 상자형이 되는 한에 있어서는 암스트롱과 유사하지만, 암스트롱의 '구멍 조각-ven piece' 대신에 크룹 포는 측면으로 미끄러져 약실을 폐쇄시키는 강철 평판을 사용하였다. 가스의 누출을 막을 폐쇄기에 대한 여러 가지 아이디어로 실험후에 크룹은 소화기에서 성공을 증명한 금속 카트리지 약협을 채택하였다.

약 1800년경의 프랑스 포의 폐쇄기가 드 뱅(de Bange) 폐쇄기 나사를 보여주고 있다. 폐쇄기는 손잡이를 수직으로 회전시켜 나사산을 풀어서 개방한다.

좌 : 뒤쪽에 직립해 있는 크룹의 가장 큰 포인 80cm 철로포용 포탄과 카트리지 약협

아래 : 1870년의 스케치가 크룹 해안 방어포를 보여주고 있다. 탄약을 장전하기 위해 크레인이 필요하였다.

-중에 개발했음에도 불구하고, 그는 이 스템을- 그의 가장 큰 포인 2차 세계대 에서 7,100kg(7톤)짜리의 포탄을 발사한 물인 80cm 구경 철로포조차도- 몇 년 바꾸지 않았다. 이 무기에 사용할 금 카트리지 약협은 길이가 1.3m이며 직 이 96cm이고, 2,240kg의 장약을 채울 있었다.

음 나사식 폐쇄기는 더욱 어려운 공학 제를 만들어 내었다.(이것은 크룹이 일 작동 시스템을 취하면 그것으로부터 리를 유지한 한 가지 이유였다. 포의 후방 끝에는 매우 거친 나사산으로 절단된 약실 뒤쪽에 확장된 직경이 있었다. 그리고 이것은 가장자리를 껄쭉껄쭉하게 만든 나사산의 세로 부채꼴 톱니바퀴가 있다. 폐쇄기 뭉치는 결합된 나사산으로 만들어진 원통형이고, 다시 껄쭉껄쭉하게 만든 부분이 있어 약실과 폐쇄기가 그 길이를 따라 세 개의 평판 및 세 개의 나사산 부위가 있다. 만약 폐쇄기가 정열 되면 나사산 부분이 약실의 평평한 부분으로 미끄러져 들어가 폐쇄기가 포에 삽입될 수 있었다. 일단 완전한 깊이로 삽입되면 약실 끝에서 폐쇄되고 1/3회전을 하여 모든 나사산이 결합된다. 이것은 폐쇄기를 바깥쪽으로 밀려는 어떤 압력에도 저항할 수 있다.

문제는 이제 폐쇄기 뭉치와 약실 접합부의 밀폐에 놓여 있다. 초기 포는 폐쇄기의 전방에 짧은 강철 컵을 설치하여 해결하였다.이는 카트리지 뒤에서 약실로 들어가 카트리지 약협이 소화기 내부에서 확장되는 것처럼 동일한 방법으로 폭발에 의해 약실 벽에 단단하게 확장되었다.

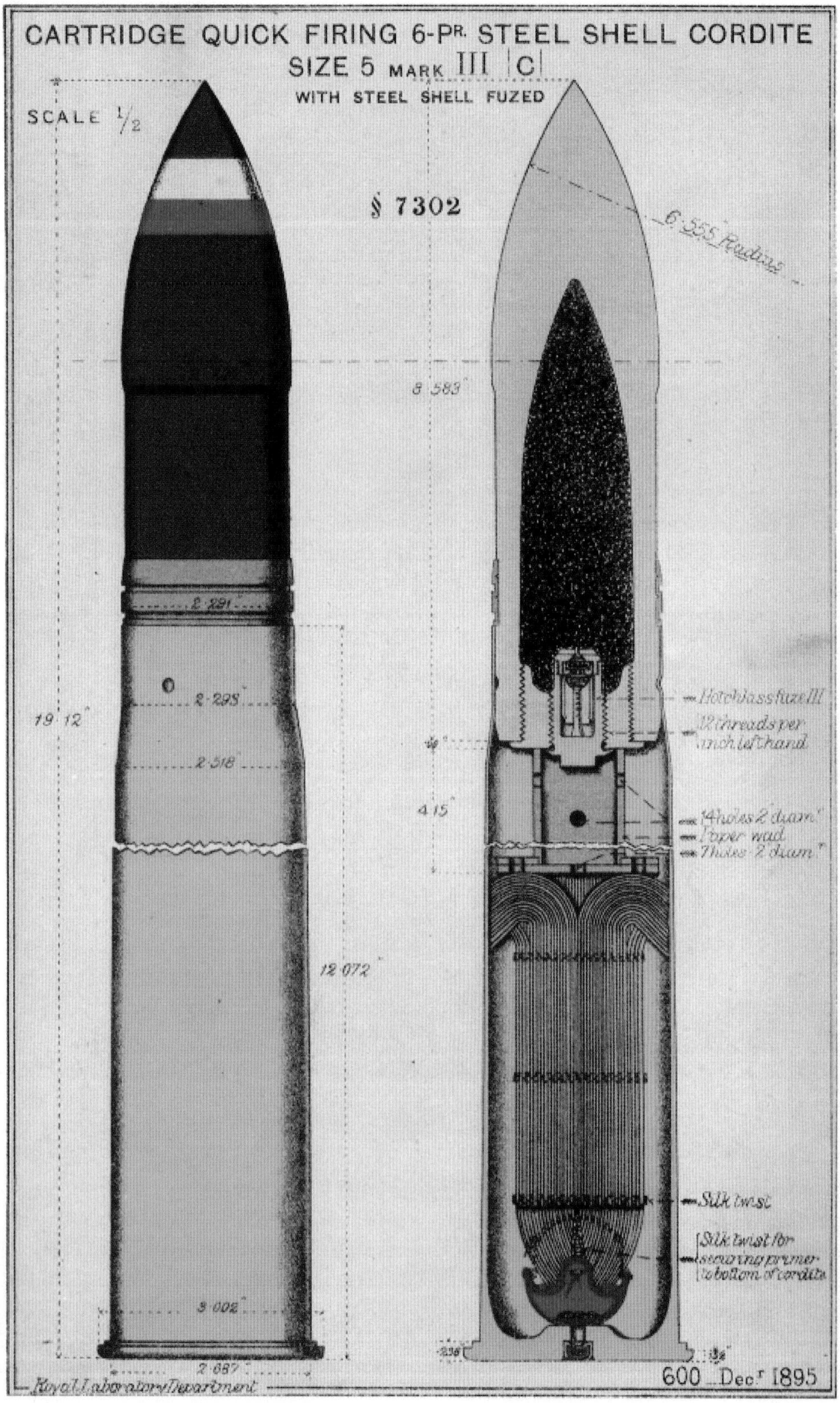

CARTRIDGE QUICK FIRING 6-PR. STEEL SHELL CORDITE
SIZE 5 MARK III C
WITH STEEL SHELL FUZED
SCALE 1/2
§ 7302
6·555 Radius
8·583"
2·281"
2·293"
19·12"
2·518"
4·15"
12·072"
3·002"
2·687"
Hotchkiss fuze III
12 threads per inch left hand
14 holes ·2 diam."
Paper wad
7 holes ·2 diam."
Silk twist
Silk twist for securing primer to bottom of cordite
Royal Laboratory Department
600 Decr 1895

중(重) 탄약의 고정 탄. 급속 사격 6-파운더 포탄 구조를 보여주고 있다.

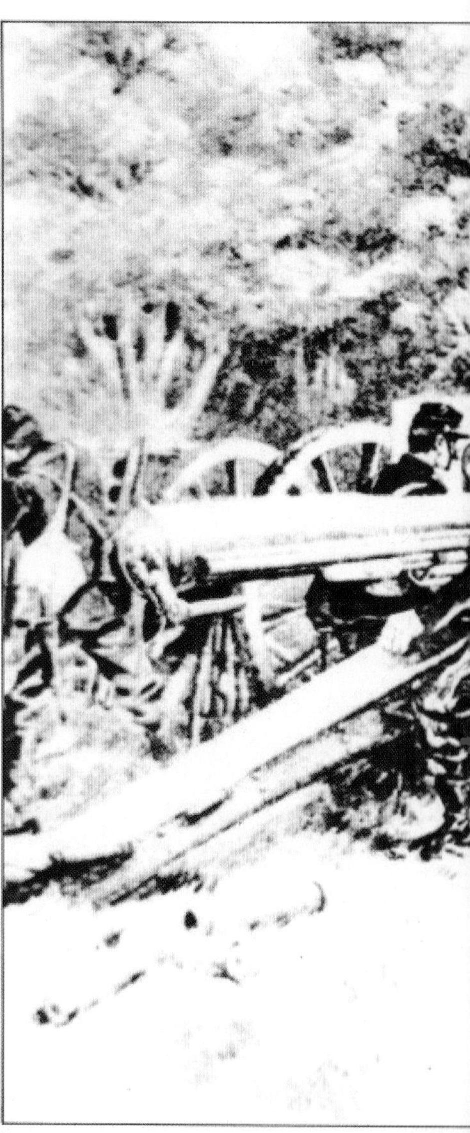

위 : 당대의 훈련 중인 프랑스 75mm 급사 포대의 스케치. 재장전 절차가 상당히 빠른 고정 탄.

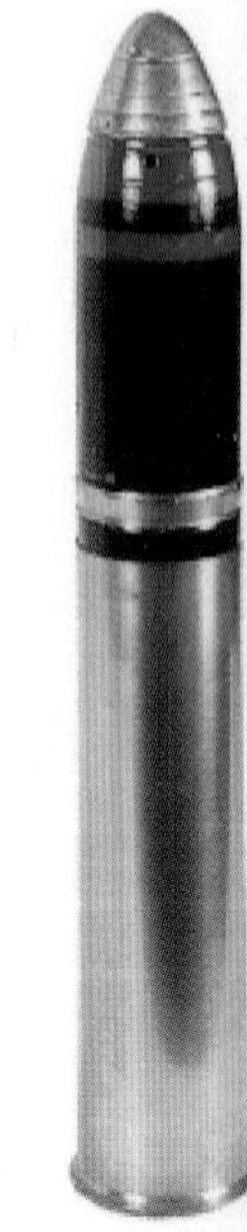

우 : 1차 세계대전에 광범위하게 사용된 13-파운더 기마포병용 고정 유산탄.

그렇지만, 경험은 곧 강철 컵은 뜨거운 가스로 빠르게 부식되기 시작할 뿐 아니라 폐쇄기뭉치가 열리고 닫힐 때 자주 쭈그러지고 휘어진다는 것을 알았다. 더 나은 아이디어가 또 다른 프랑스 설계자인 드 뱅(de Bange)으로부터 나왔다. 그는 폐쇄기 전방 끝에 기름과 탄성이 있는 석면 패드를 적용하여 '버섯형 강철 머리'로 고정하였다. 버섯머리의 줄기가 폐쇄기 뭉치를 통과하여 후방에 너트로 고정되었다. 여기에는 점화 화염을 수용할 구멍이 뚫려 있었다. 밀폐 패드는 버섯머리 아래에 설치되고 포가 발사되면 압력이 머리 후방을 밀어 패드를 약실의 측면에 밀폐되도록 바깥쪽으로 압착한다. 난해한 수학과 맞닥뜨리지 않는다 하더라도 패드에 적용되는 외부로의 압력은 포 안에 있는 내부 압력이 어떻든 항상 초과한다는 것을 보여줄 수 있다. 그래서 밀폐는 항상 보장된다. 주기적으로 정제된 드 뱅 시스템은 주요 구경 화포에 적용된 이래에 계속 사용되어왔다.

포병 탄에서의 다음 단계는 소화기 탄에서 일반적인 것처럼 단일체로 포탄과 카트리지를 결합하는 것이었다. 이것은 포탄을 장전하고 장전봉으로 민 후 그 뒤에 카트리지를 장전하는 대신 완전한 일체형 탄을 간단하게 삽입하여 신속하게 장전하는 포가 가능하도록 하였다. '고정 탄'을 사용한 방법을 채택한 첫 번째 포는 해군용 3 - 및 6 -파운더 포(1.85 인치- 및 2.224인치 구경)이였다. 이것들은 숙달된 승무원이 분단 최대 20발까지 사격할 수 있는 아주 빠른 사격율을 얻을 수 있는 장전속도를 가졌기 때문에 '급속 발사기 -quick-firers'로 알려지게 되었다. 이것은 또한 전함의 강철 갑판에 장착된 강철 장치대에 각각의 포가 단단하게 고정된다는 사실이 가능하였고 반동력이 배의 구조에 의해 흡수되었다.

동일한 원리가 야포에 적용되면, 그러한 높은 사격율은 사격시의 포가 반동력으로 뒤로 구르면 포수가 다른 탄을 발사하기 전에 포를 제자리로 돌려놓고 재장전해야 하는 이유로 획득할 수 없었다.

프랑스 육군은 이런 문제를 유명한 1897년의 75mm 포로 해결하였다. 이것은 포에 연결된 피스톤 로드가 있는 포열 아래에 유압실린더를 사용하였고, 반동시 이 실린더를 통해 포를 당겼다. 반동 동작은 오일에 의해 저항을 받았다.

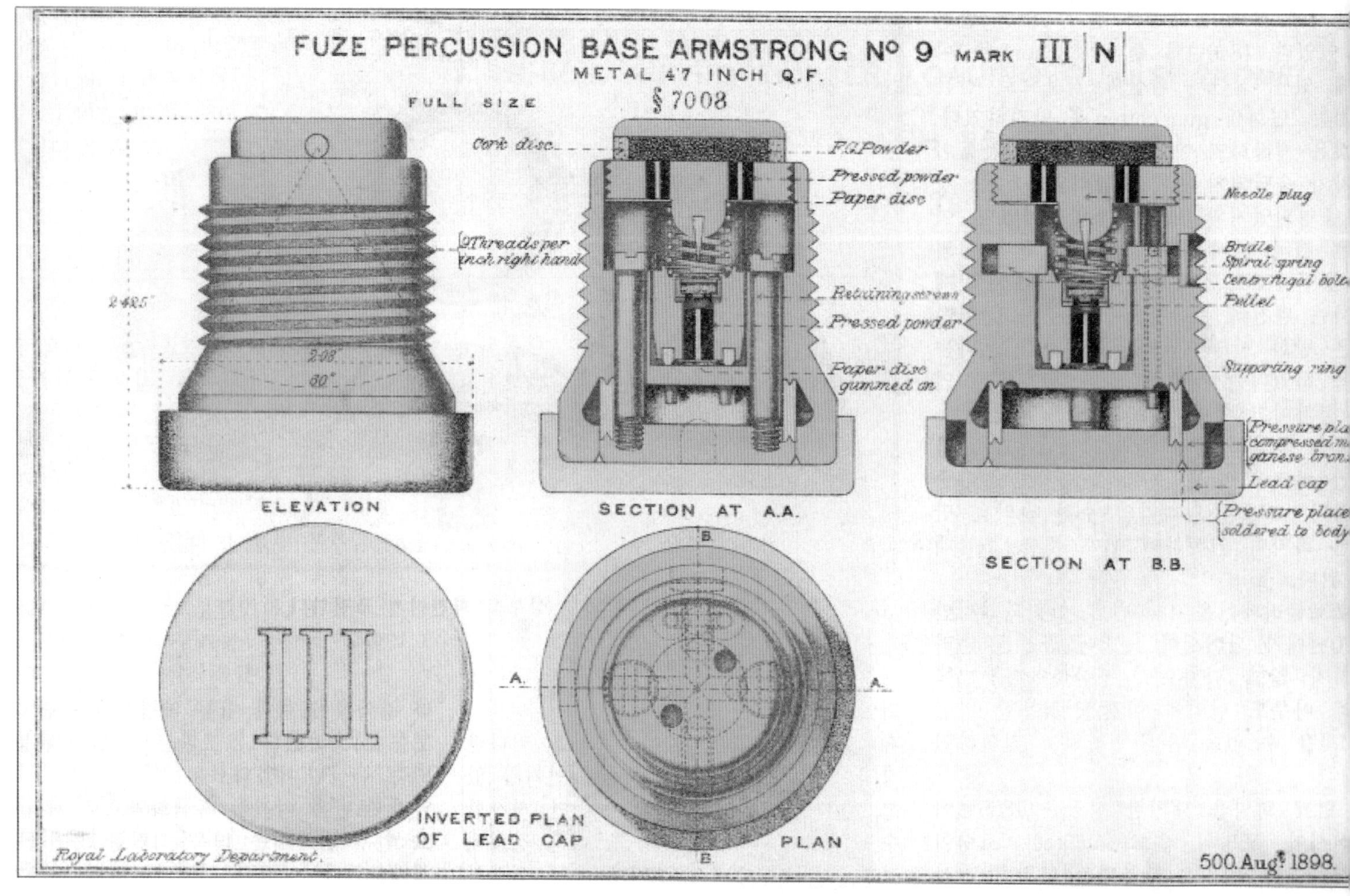

암스트롱 충격 탄저 신관

장전하기 전에 신관은 화살표가 조각된 수치에 정확하게 조정될 때까지 움직이는 하부 링을 회전하여 원하는 시간에 설정한다. 사격 시 공이가 뇌관을 쳐서 화약 도화선의 특정 지점에 있는 상부 링의 화약을 발화하는 화염을 만든다. 이것은 조심스럽게 조절되는 속도로 연소하여 도화선 끝으로 와서 링 바닥에 있는 구멍을 통해 아래로 나려가 신관 몸체의 도화선에 불을 붙인다. 그러고 나서 이것은 포탄이 기능을 하도록 하는 작약을 발화할 때까지 연소한다. 느슨한 링을 회전시키면 여러 가지 화염의 이동이 발생하기 전에 연소해야하는 한발의 화약 도화선의 길이를 변화시켜 신관의 운용시간을 조절한다.

1차 세계대전에 새로운 표적이 출현하여 탄약 분야에서 몇 가지 새로운 품목과 아이디어를 낳았으며 새로운 전술 개념이 특정 탄약이 작동될-것을 요구하였다. 첫 번째 혁신 중 하나는 수류탄이었다. 수류탄이 과거부터 있어왔지만, 이것은 보통 한발의 느린 화승 신관이 있는 소형 주철 박격포 포탄이었다. 신관에 불이 붙으면 포탄이 해자에 있는 어떠한 공격 부대도 분쇄하기 위해 성채의 성벽 위로 던져졌다. 이러한 전쟁이 쇠퇴하였을 때, 수류탄의 사용도 쇠퇴하였고 1904년의 러일전쟁이 되어서야 소량이 다시 사용되었다. 이것은 아이디어에 대한 조사를 이끌었고 1914년의 참호전에서 수류탄이 요구되었을 때, 아주 적은 디자인만이 존재하고 있었고 더 많은 것들이 곧 개발되었다. 흔히 있는 일이지만, 이러한 디자인이 생산되기 까지는 오랜 시간이 소요되었고 첫 몇 달 동안은 병사들이 모든 종류의 화약과 돌을 통조림 깡통과 빈 용기에 채워 넣고 짧은 길이의 신관을 부착하여 적에서 던졌다.

더 긴 사거리의 수류탄이 요구되었을 총유탄이 개발되었다. 첫 번째 디자인 서의 투척은 소총의 총열 안으로 삽입는 길고 가는 막대에 유탄을 장착하 실행되었다. 공포탄(탄자가 없는 탄) 총미에 삽입되고 화기는 약 45°로 올 져 카트리지를 발사하였다. 막대와 유 이 밖으로 날려 보내졌으며, 막대는 정화 꼬리로서 작동하였고 유탄은 100 내지 150m 사거리로 날아갔다. 불행도, 거의 1kg의 유탄을 총열 밖으로 어 올리려고 노력할 때 가스 압력에 한 갑작스런 저지는 종종 총열을 부분으로 부풀게 하고 막대 유탄 사격에 용되는 소총은 곧 쓸모없게 되었다.

스트(West's) 용수철 총은 유탄을 소 없이 발사하는 한 가지 방법이다. No 수류탄이 드로잉 암에 설치되면 '총' 발사 준비가 된다.

음 진행은 소총의 총구에 컵을 고정하 내부에 유탄 뒤에서 가스 저지판으로 동하는 둥근 판과 함께 유탄을 설치하 것이었다. 이제 공포탄이 충분한 가스 만들어 컵을 채워서 소총 총열에 어 한 손상도 입히지 않고 외부로 유탄을 려 보냈다. 그래서 이것은 여전히 탄자 사격하는데 사용할 수 있었다. 그러나 무거운 유탄을 사격하는 화기의 압력은 종종 나무부품을 느슨하게 하여 소총을 부정확하게 하였다.

다음에는 짧은 포열을 가진 포로 포탄을 하늘로 쏘아 올려 반대편 참호로 떨어트리는 참호 박격포가 나왔다. 독일 육군은 전쟁이 시작될 때 이미 디자인을 보유하고 있었지만, 고가이고 복잡한 포미장전 화기였다. 몇 가지 개인이 만든 디자인이 시험된 후에 윌리암 스토크스(William Stokes)라는 영국 공학자가 자신의 공장에서 직접 완성한 디자인을 제안하였다. 이것은 단순성의 진가를 보여주었다. 후방 끝에 근접하여 고정공이가 있는 포탄에 지지되고 간단한 양각대로 지지되는 활강 포열이었다. '폭탄'은 전방에는 개선

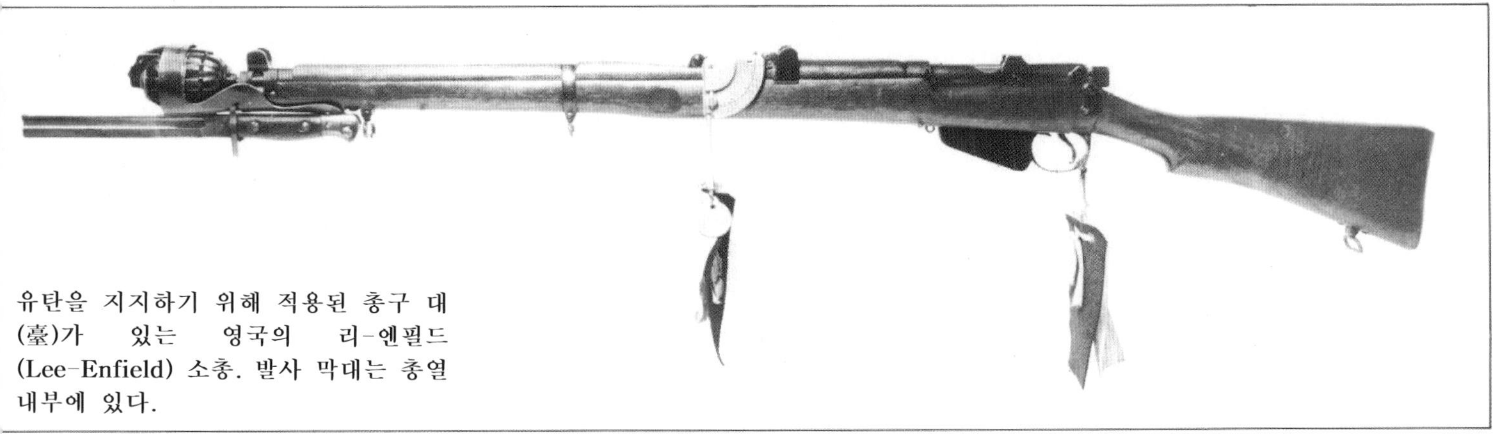

유탄을 지지하기 위해 적용된 총구 대(臺)가 있는 영국의 리-엔필드(Lee-Enfield) 소총. 발사 막대는 총열 내부에 있다.

된 수류탄 신관이 있고 후방에는 무연 화약으로 채워진 산탄 카트리지가 통과하는 구멍 뚫린 관이 있는 원통형 주철이었다. 이것이 관 아래로 떨어지면 산탄 카트리지 뇌관이 고정 핀에 충격되고 이어서 폭발이 폭탄을 관 밖으로 들어 올려 높은 비행궤도로 약 700m 추진시킨 후 거의 수직으로 적 참호 안으로 떨어뜨렸다.

전쟁용 항공기의 개발은 대공용 포에 대한 요구를 유발하였다. 이것은 상당한 문제로 골머리를 앓았다. 포수가 충분히 접근시키면 정상 유산탄 또는 폭약 폭탄으로 항공기를 다룰 수 있었다. 그러나 주요 문제는 표적에 관하여 포탄이 어디로 갈 것 인지 거의 알 수 없다는 것이었다. 첫 번째 요구는 포탄의 비행궤도를 표시하여 수정이 될 수 있도록 하는 것이었다. 그리고 이것은 예광탄의 개발로 이어졌다.

첫 번째 형태는 포탄의 주 폭약 충전제 아래에 있는 구획에 실린 액체를 사용하였다. 이것은 땜납으로 막은 바깥으로 향하는 작은 구멍을 가지고 있었다. 포탄이 발사되면, 포강을 따라 올라갈 때 생기는 마찰이 땜납을 녹이고 포탄이 공기 중에서 회전하면 검은 액체가 원심력에 의해 구멍 밖으로 던져지고 그 뒤로 공기 중에 검은 선을 남긴다. 상상할 수 있는 것처럼, 이것은 명료한 주간에는 충분히 양호한 시스템이었지만, 빛이 적을 때는 제한되었다. 그리고 곧 불꽃 예광탄으로 대체되었다. 이것들은 포탄 저에 나사로 고정된 관 안에 압축된 그네슘 합성물을 사용하였다.—장약에 나온 화염이 마그네슘에 불을 붙이고 것은 포탄이 공기 중을 지날 때 연소여 비행궤도를 표시하는 빛 줄기효과준다.

다음 문제는 대부분이 그렇듯이 포탄 표적을 잃게 되면 지상으로 다시 떨어기 쉬웠고 착지할 때 폭발하여 누구에든 불안감을 주었다. 충격 신관이 폐기고 시한 시관만이 사용되어 포탄을 잃버려도 설정된 시간이 끝날 때 공중에 기폭하게 한 것은 이해할 수 있다. 파은 사실 여전히 아래에 있는 사람들에로 떨어졌지만, 이것은 뇌관이 있고

: 일단의 독일 참모 장교들이 영국
9.45인치 참호 박격포를 포함하여
.획 장비를 검사하고 있다.

좌 : 긴 꼬리 날개 때문에 공뢰라고
리는 이것들은 참호 박격포에서 발사되
. 근거리에서 대량의 작약을 날려 보낸
.

- : 초기 영국 박격포, 비커스(Vickers)
.75인치 '테피 공-toffee apple'. 둥근 폭
은 박격포 포열 내부에 막대 꼬리를 가
고 있다.

충전된 포탄 보다 덜 해가 되었다. 그 후 시한 신관이 지상 표적에 발사되는 것과 다르게 대기 상층부로 발사되어 성능을 발휘하도록 하였고, 3년간의 힘든 작업과 수많은 시험을 거쳐 문제가 해결되었다.

모든 당대의 교전국들을 불시에 휩쓴 한 가지 사실은 현대 전쟁을 사로잡은 탄약에 대한 끝없는 욕구였다. 예를 들어 프랑스 육군용으로 야전 포탄에 대한 대체 프로그램은 하루에 3,600발의 생산을 요구하였다. 이것은 많은 것 같지만 프랑스는 전선에 1,200문의 포를 보유하고 있어 프로그램은 실제로 하루에 1문 당 3발을 의미하였다. 공장들은 포탄과 폭발물, 신관과 카트리지를 제작하기 위해 건설되어야 했고, 조립 공장은 그들을 모두 조립하였다... 그리고 보급이 소요를 따라잡는 데는 1년 이상이 걸렸다. 독일 육군은 다른 군보다 가장 심하게 휘말렸으며 1914년 말이 되기 전에 조차도 포탄에 설치할 폭발물 대체물질을 찾고 있었다. 답은 바로 가스를 사용하는 것이었다.

1915년 4월에 벨기에의 이프르(Ypres)에서 독일이 처음으로 영국에 대해 가스를 사용하였다고 종종 말하고 있지만 이것은 진실이 아니다. 가스의 첫 번째 사용은 1915년 동부전선에서 포탄에 실려 러시아에 대해 사용되었다. 이 포탄들은 브롬화 크슬린(xylyl bromide)를 채운 최루가스였지만 독일에서의 약간의 실패 때문에 어떤 효과도 얻지 못했다. 그들이 간과한 것은 러시아 겨울의 혹독함이었다. 가스는 딱딱하게 얼고 분산에 실패하였다. 다음 사용은 이프르에서 영국에 대해 실린더에서 살포한 클로르 가스로 더욱 효과적이어서 가스 무기의 첫 적용으로 종종 인용되고 있다.

좌 : 왕이 1917년 엘포(Helfaut) 포병 학교에서 가스탄을 검사하고 있다. 아래 : 노획된 독일 가스 폭탄의 단면. 우 : 독일 18cm 활강 발사기를 장전하고 있다. 맨 우 : 1차 세계대전에서 체펠린 비행선을 떨어뜨리기 위해 사용되고 있는 인탄두.

그러나 이러한 시작으로부터 가스전이 급격히 확산되었다. 전쟁 중인 3개 국군 모두가 여러 가지 직사포와 곡사포로 가스 포탄을 발사하였다. 참호 박격포 또한 폭탄에 많은 양의 가스를 채울 수 있게 된 이후 사용되었다. 가장 효과적인 장치는 영국의 '리벤스 발사기Livens Projector'였으며 13.6kg의 가스를 포함한 드럼을 적 참호로 발사할 수 있는 넓은 포열 박격포였다. 이런 발사기들은 영국 참호 뒤에 긴 열로 산개하여 동시에 발사를 하여 가장 짧은 시간에 최대 가스양을 날려 보냈다.

소화기탄도 역시 특정 문제에 응하여 개발되었다. 또 다시 첫 번째 요구는 기관총 사수가 대공 사격을 할 수 있는 탄두를 만드는 것이었고, 이것은 예광탄의 개발로 이어졌다. 1차 세계대전 초기의 주요 항공 표적은 체펠린 비행선이었고 체펠린을 공중에 떠 있게 하는 수소가스에 점화할 수 있는 소이 탄두에 대한 요구가 제기되었다. 이 개발은 특정 소이 탄두가 출현하였지만 알맞게 설계된 하나의 탄자가 두 가지 역할을 모두 하였기 때문에 예광탄 개발과 밀접하게 연관되어 있었다. 작은 크기의 소총과 기관총 탄두가 복잡한 신관 또는 충전제의 사용을 방해하였고 결국 결과는 인으로 채워진 하나 또는 두 개의 구멍이 뚫린 중공(中空) 탄두였다. 이 구멍들은 땜납으로 막혔고 초기 예광탄처럼 총강 내에서의 마찰에 의해 땜납이 녹고 비행 시에 회전에 의해 탄두 밖으로 인(燐)이 흐르게 되었다. 인은 공기 중에 노출되면 자연발화 하는 유용한 특성을 가지고 있어서 점화 시스템용 뇌관이 필요하지 않았다. 연소 물질 자체가 가스주머니를 관통할 때 수소를 점화하였다.

첫 번째 전차가 전장에 나타났을 때, 장갑을 관통할 탄자가 요구되었다. 해답은 재래식 구리 갑모 내부에 단단한 강철 탄심이 있는 탄자 형태로 나타났고 이것이 충격하였을 때 탄심이 구리를 뚫고 지나가 장갑판을 관통하였다.
인(燐)도 지상에 사용하여 연막을 제공하고 그 뒤에서 부대의 움직임을 은폐할 수 있도록 지상에 연막차장을 만들었다. 필요한 모든 것은 충분한 폭약을 포탄에 넣고 균열이 생기게 하여 개방하고 인이 공기에 접촉하도록 하여서 불이 붙어 진한 백색 연기를 만드는 것이었다. 건물이나 장비에 착지할 때 비행하는 인이 훌륭한 소이 물질을 만드는 것이 목격되기도 하였고 인체에 부딪혔을 때 극도로 고통스러운 물질을 추가적으로 만들어내었다. 가장 큰 결점은 인으로 채워진 탄약이 아주 조심스럽게 제작되어서 저장소에서 누출되지 않아야 한다는 것이다. 하나 이상의 탄약 집적장이 연막탄의 누출로 시작된 화재에 의해 파괴되었다.
포탄이 야간에 적에게 도달하는지 확인하기 위해 성형(星形) 포탄이 완성되었다. 이것은 보통 폭발하여 개방되고 지상에 충격하여 연소하는 하나 또는 두 개의 성형 불꽃을 방출하는 간단한 포탄으로서 수년 동안 하나 또는 그 이상의 형태로 존재하였다. 그러나 더 나은 결과가 공기 중에서 포탄을 연소시키고 낙하산으로부터 성형 불꽃을 공중에 띄워서 획득되었다. 그래서 서서히 표류하며 낙하해서 그 아래의 넓은 지역을 조명하였다.
전쟁 말기인 1918년에 탄약 개발이 실질적으로 중지되었다. 결국 살아남은 것은 전쟁이 끝날 때까지 사용되었고 모든 군의 개발은 대체적으로 완화되었다. 그리고 주요 활동은 전시 디자인을 모두 서둘러 조립하고 정제와 개량에 관심을 기울이는 것이었다. 이 기간 중의 몇 가지 중대한 개발 중 하나는 새로운 형태의 영국 발명 연막탄이었다. 백린탄은 제작이 간단하지만 연소열이 연기 주위의 공기를 뜨겁게 하는 기술적 결함이 있었다. 뜨거운 공기가 발생하여 연기를 잡아서 관측을 방해하는 낮게 깔린 연기 대신 빈공간이 있는 일련의 연기 기둥을 만들었다.

: 충격 시 균열이 생기게 할 만큼 충
한 폭약을 포함한 백린 연막탄. 공기
에 인을 노출시키고 있다.

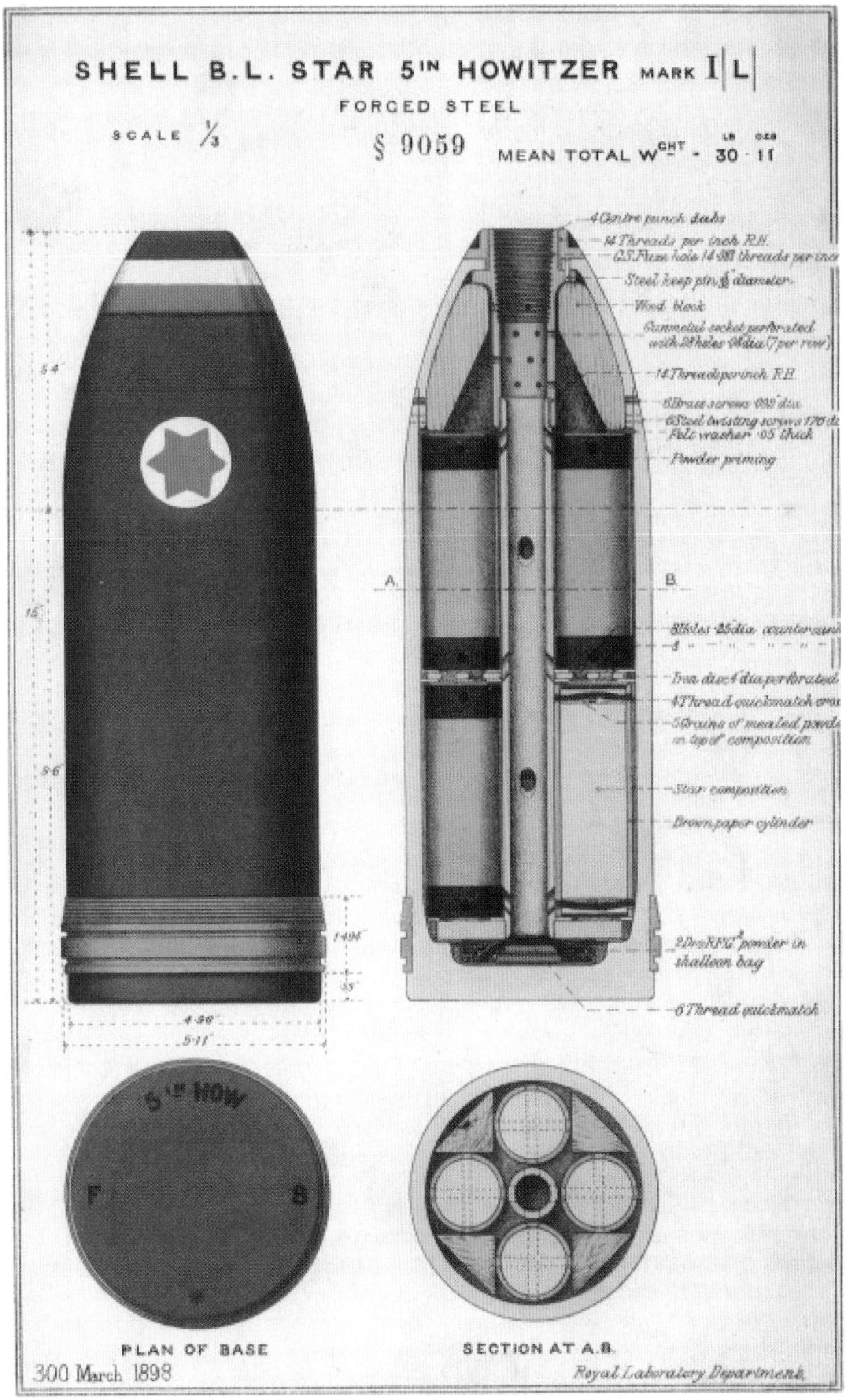

SHELL B.L. STAR 5IN HOWITZER MARK I|L

FORGED STEEL

SCALE ⅓ § 9059 MEAN TOTAL WGHT - 30 LB 11 OZS

PLAN OF BASE

SECTION AT A.B.

300 March 1898

Royal Laboratory Department

: 낙하를 느리게 하는 낙하산이 없는
기 형태의 성형(星型) 포탄의 구조.

새로운 개념은 hexachlorethane와 분말 아연에 바탕을 둔 연막 성분이 각각의 중심을 따라 통과하는 구멍 뚫린 관을 가지고 있는 통 안에 채워진 '탄저 방출'탄이었다. 이러한 산탄 3개 내지 4개가 포탄 몸체에 포장되고 밀판(pusher plate)과 화약 장약으로 덮을 수 있었다. 그리고 포탄의 탄저는 나사나 핀으로 고정되었다. 첨두에 있는 시한 신관이 적절한 시간에 추진 장약을 발화시켜 작약이 폭발하고 화염이 산탄의 중앙관을 통과하여 연기 성분에 불을 붙였다. 그러고 나서 폭발에 의한 압력은 산탄통 아래로 내려가 포탄의 기저를 파열시켜 개방하고 산탄통을 지상에 떨어뜨려 계속 연기를 방출하도록 하였다. 탄피는 피해 없이 계속 떨어지고 반면에 혼합물에 의해 발생한 연기가 식어서 두껍고 지속적인 연막을 만들기 위해 지상에 근접하여 쌓였다.

다른 주요 변화는 유산탄의 최종 폐기였다. 유산탄은 개활지에서 전진하는 밀집 부대에 최대 효과를 발휘하였지만 1914-18년의 전쟁은 광범위한 참호전와 엄폐 하에서 이루어 졌고 유산탄은 이러한 조건에서 거의 효과를 보지 못하였다. 고폭탄이 엄폐를 파괴하고 파편과 폭발로 살상하여 더욱 유용하였다. 그래서 고폭탄이 1930년대에 표준 포병 발사체가 되었다.

시한 신관의 운용에도 변화가 있었다. 1916년에 영국은 얼마간 손상되지 않은 독일 유산탄 파편을 노획하여 시계태엽 장치를 포함하고 있는 신관이 있음을 발견하였다. 이것은 완전히 감기면 60초간 작동하였고 설정된 시간의 마지막에 걸쇠가 풀려 기폭통을 격발해 포탄을 작동시켰다. 유사한 신관 개발 작업이 영국에서 시작되었지만 성공적인 디자인이 획득된 것은 1920년대가 되어서 이었다. 불행히도 이러한 장치의 대량 생산은 영국이 갖고 있지 않은 시계제조 산업을 요구하였다. 그래서 기술적 시한 신관은 시범용으로 아주 소량만 생산되었다. 이러한 장치가 생산된 것은 또 다른 전쟁이 발발하고 공적 재정이 완화되었을 때였다.

1930년대에, 많은 독일 장교들이 보병용 소총과 그 탄약의 형태에 의문을 갖기 시작하였다. 20세기가 시작될 즈음에 개발된 표준형 소총은 900미터 사거리 밖에서 정확하게 사격할 수 있는 능력이 있는 강력한 카트리지를 사용하는 화기였고 기관총에서는 2,700미터 까지 발사할 수 있었다. 그러나 전쟁에서 싸워본 병사에 대한 주의 깊은 조사와 기록에 대한 연구는 극소수의 병사만이 350미터 이상의 사거리에서 적을 볼 수 있었고 아주 드물게 450미터 이상의 사거리에서 소총 사격을 시도하였던 것으로 보였다. 사격하도록 설계된 힘(power)이 필요하지 않을 때 무거운 소총과 강력한 카트리지를 들게 하는 것은 비논리적으로 보였다. 독일인들이 말하는 것처럼 더 짧은 약협과 가벼운 탄자로 카트리지를 만들어 병사가 더 많은 카트리지를 휴대할 수 있는 것이 더욱 현명했을지도 모른다.

추론은 완벽한 것처럼 들렸지만 간단한 반대 이유는 독일이 수백만 개의 정상 크기의 카트리지를 보유하고 있고, 소총과 그 모든 탄약을 교체하는 것이 엄청나게 비쌌다는 것이었다. 그래서 몇 가지 디자인 작업이 '짧은 카트리지'에 이루어 졌지만, 아무 일도 일어나지 않았다.

1939년에 전쟁이 다시 발발하였을 때, 1918년에 마지막으로 사용한 동일한 무기와 탄약으로 많은 군이 전쟁에 참전하였다. 그렇지만 막후에서 집중적인 연구가 진행되어 전쟁 후기에 열매를 맺었다. 1939년에 병사들이 먼저 관심을 갖은 분야는 어떻게 전차를 멈추는가 였다. 대부분의 국가에서는 단단한 강철 탄을 발사하는 약 37~40mm의 소형 대전차포를 보유하였고 보병은 일반적으로 철갑 탄두를 발사할 수 있는 고강도 소총을 지급받았다. 그러나 전차 설계 방식이 진보하고 있었고 두께가 증가한 장갑을 다루는 것이 불가능하게 되는 것은 단지 시간문제일 뿐이었다. 장갑을 파괴하는 유일한 방법은 고속으로 매우 단단한 발사체를 발사하는 것처럼 보였고, 그래서 몇몇 설계자들이 간단하게 더욱 강력한 카트리지를 가진 포를 만들었다. 그러나 그들은 새로운 문제에 부딪혔다. 강철 탄이 초당 약800미터 이상의 속도로 단단한 표적에 명중하면 충돌의 충격 너무 커서 아무런 효과 없이 강철탄이 붕괴하였다. 이것을 방지하기 위한 한 가지 해결법은

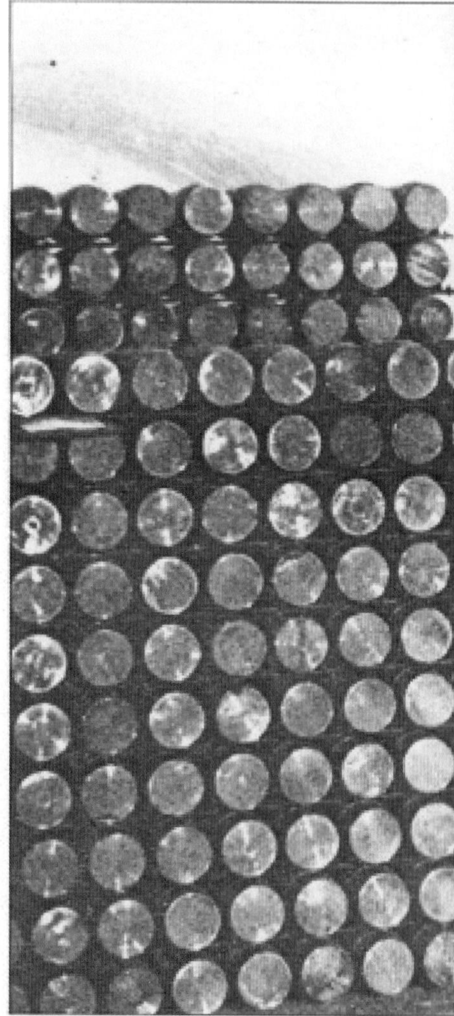

얼마간 충격 완충기로 작용하는 연강 으로 탄의 끝을 보호하여 탄의 끝이 통하도록 하는 것이었다. 불행히도 '관통 캡'용 최상의 형태는 양호한 비 형태가 아니었다. 그래서 얇은 강철 두 번째 '탄도 캡'이 전방에 설치되어 했다. 그러나 이러한 캡들은 단지 '파 속도'를 약간 높일 뿐이었고 문제는 다시 돌아왔다.

수백발의 155mm탄이 보급 준비되고 있는 미국 지하 포탄 저장소.

38년에 두 명의 불가사의한 스위스 남들이 스위스에 있는 여러 육군무관들에 장갑을 관통할 수 있는 '새롭고 강력 폭약'을 자신들이 가지고 있다고 발표였다. 그들은 시범을 공표하였고 육군관들은 자신들의 대사에게 보고하여 많 탄약 전문가들이 참석하도록 준비되었

범에서, 스위스인들은 장갑판에 총유탄 발사하였고 충분히 장갑판에 구멍을 었다. 그러고 나서 그들은 많은 돈을 급하였고 전문가들은 심사숙고하기 위 떠났다. 한 명 이상의 전문가가 분명 들이 본 것이 전혀 새로운 폭약이 아니 꽤 오래된 개념을 부활시켜 두 명의 위스인이 작동되도록 한 것이라는 것을 달았다. 개념은 1880년대에 몬로 Ionroe)라는 미국의 실험가가 면화약에 한 연구를 하여 강철판에 면화약 조각 설치하고 사격하면 강철에는 아무 일 발생하지 않는다는 것을 발견하였기 때문에 '몬로 효과-Monroe Effect'라고 불렀다. 그러나 만약 조각을 돌려 조각된 문자 'USN'(면화약을 만든 미 해군용)를 강철을 향하게 하면 문자가 강철 표면에 깊게 복사되었다. 이것은 폭약 과학자들 사이에서 위험한 장난으로 알려졌지만, 1914~1918년의 전쟁 기간 중에 이에 대한 연구가 있었음에도 아무도 실제적으로 사용할 상상을 하지 않았다. 이제는 스위스가 그렇게 한 것처럼 보였다. 그리고 여러 전문가들이 자신들의 실험실로 돌아가 한 쌍의 아마추어에게 추월당하지 않기로 판단하였다.

그들의 연구 결과는 1940년 말에 나타나기 시작하여 첫 번째 '성형(hollow) 작약' 탄으로 사용되었다. 총유탄과 포병 탄인 이 발사체의 원리는 첨두가 공동(空洞)이며 몸체는 원뿔형 또는 반구형의 외부로 구멍이 뚫린 속이 빈 공동 내부에 고폭탄 작약을 채우는 것이었다. 이 공동은 적당한 모양의 얇은 구리판과 정렬되고 신관이 공동과 라이너에서 가장 먼 끝에서 폭약을 기폭하기 위해 정렬되었다. 폭약을 통해 앞으로 나가는 폭발음파는 라이너를 붕괴시키고 공동 모양은 마분지처럼 강철 장갑을 뚫는 뜨거운 가스와 융해 금속의 매우 빨리 이동하는 분사 증기로 폭발을 집중시킨다. 75mm 포탄은 100mm 장갑판을 쉽게 파괴할 수 있었다. 구멍이 작지만 - 직경이 1.2센티미터가 이하 - 뜨거운 분사 증기는 전차 안으로 뚫고 들어가 연료 탱크, 탄약 및 승무원과 같은 치명적인 물체에 부딪치면 막강한 피해를 입혔다.

성형 작약 원리는 폭파 무기에도 적용되었다. 전쟁 중에 처음 사용된 것은 1940년에 벨기에를 공격하던 중 에방 에말(Eben Emael) 요새의 장갑 포좌를 뚫기 위해 그러한 폭약을 사용한 독일의 글라이더 공수부대에 의해서 였다.

성형 작약이 개발되고 있는 동안에, 불충분한 파괴(short-shetter) 문제를 해결하기 위한 노력이 계속되었고 독일은 전차를 공격하기 위한 재질로 텅스텐을 채택하기로 결정하였다. 그러나 텅스텐은 강철보다 두 배 무거웠고 완전한 길이의 텅스텐을 만드는 것은 불가피하게 저속을 만들어 관통을 방한다는 것을 의미하였다. 이러한 결점을 회피하기 위해 개발된 경사 포강포는 텅스텐 탄심과 압축이 가능한 가벼운 합금 몸통을 가진 탄을 발사하였다. 탄이 장전될 때 탄은 구경은 크고 무게는 가벼웠다. 경사진 포열을 내려가면 합금은 직경이 작고 작은 직경에 비해 무거운 포구로부터 나올 때까지 쥐어짜진다. 이것은 양호한 운반력을 주고 고속을 유지하도록 한다. 텅스텐은 전차에 명중되었을 때 파괴되지 않고 깨끗하게 관통하고 주변으로 도비(跳飛)하고 피해를 주기위해 내부에서 분쇄한다.

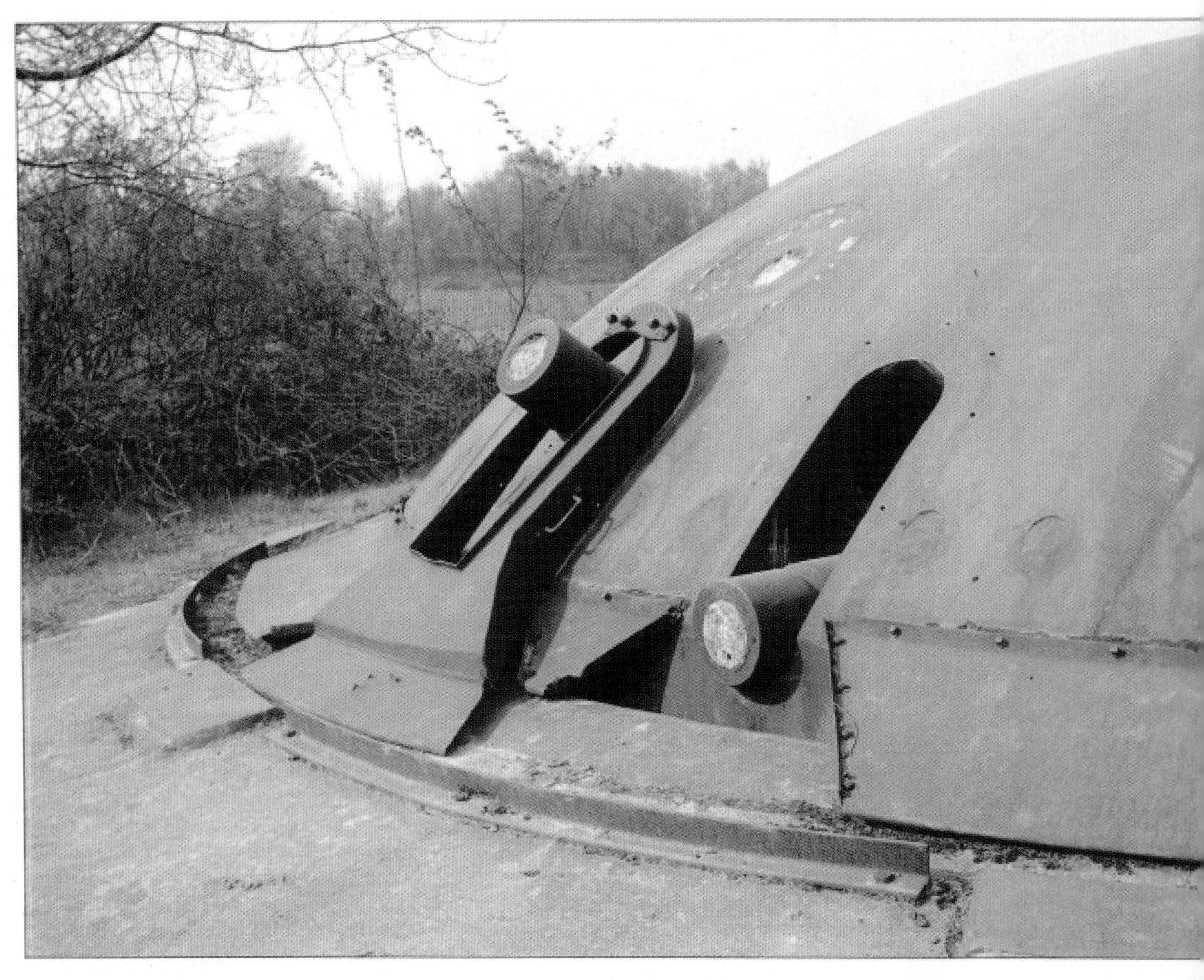

성형 작약으로 관통된 벨기에의 에방 에말(Eben Emael) 요새의 강철 포좌(砲座) 중 하나.

같은 문제에 직면한 영국은 여러 조각의 발사체를 설계하였다. 하나는 완전한 구경의 '탄저판-sabot' 또는 가벼운 합금 지지판으로 둘러싸인 텅스텐의 '하부 발사체'를 가지고 있었다. 장전 되면, 발사체는 표준 강철 탄보다 훨씬 가벼웠고 매우 고속으로 이동하였다. 구조는 탄이 포구를 떠나면 가벼운 합금 탄저판이 여러 개로 분리되어 떨어져 나가고 남은 하부발사체가 표적으로 날아간다. 이 '탄저 분리 철갑탄 - Armour Piercing Discarding Sabot' 발사체는 1944년에 출현하였고 전쟁 중에 가장 효능 있는 대전차 화기임을 증명하였다. 양호한 독일 디자인은 1943년 이후에 독일에 영향을 준 중대한 텅스텐의 부족을 극복하지 못했다. 그들은 텅스텐을 기계공구로 사용하거나 탄약에서 사용할 수 있었고 둘 중 하나를 선택해야 했으며, 기계공구가 승자가 되었다.

보병용으로 적합한 대전차 무기에 대한 탐색은 절망적이 되었다. 해답은 성형 작약 원리에 있는 것처럼 보였다. 이것은 전적으로 발사체에 있는 폭약에 의존하였고 사거리와 속도에 관계가 없었다. 이러한 형태로 나타난 첫 번째 무기는 영국의 'PIAT 즉, 발사기- Projector, 보병 -Infantry, 대전차-Ant-Tank'로 발사체를 발사하는 기발한 방법을 사용하였 총열을 사용하는 대신 이것은 두꺼운 철 봉 또는 '스피갓-spigot'을 사용하 다. 폭탄은 날개가 있는 긴 공동 꼬리 가졌고 추진 장약은 이 꼬리 내부에 었다. 폭탄은 스피갓 전방에 걸쳐 있 다. 방아쇠가 당겨지면 스피갓 로드가 탄이 있는 꼬리 안으로 들어가 카트리 를 격발하고 폭발이 폭탄을 스피갓 공중으로 보낸다. 성형 작약 탄두는 3 치 장갑을 관통할 수 있고 당시의 대 분의 전차를 충분히 다룰 수 있었다. 리고 무기의 사거리는 약 115미터였다. 지금쯤 이미 미국은 전쟁에 참전하였다

위 : 이스라엘 90mm APFSDS 탄.

두 가지 성형 작약. 좌측 것은 2차 대전 중에 일본 전차에 사용하기 위해 개발된 영국 3.7인치 베낭 곡사포. 우측 것은 1942년부터 1950년까지 영국 육군의 표준 대전차 화기인 PIAT 견착 사격 폭탄.

성형 작약 로켓을 갖춘 오리지날 미군 2.36인치 바주카(bazzoka).

1944년 노르망디에서 미군이 2.36인치 바주카를 사용하고 있다.

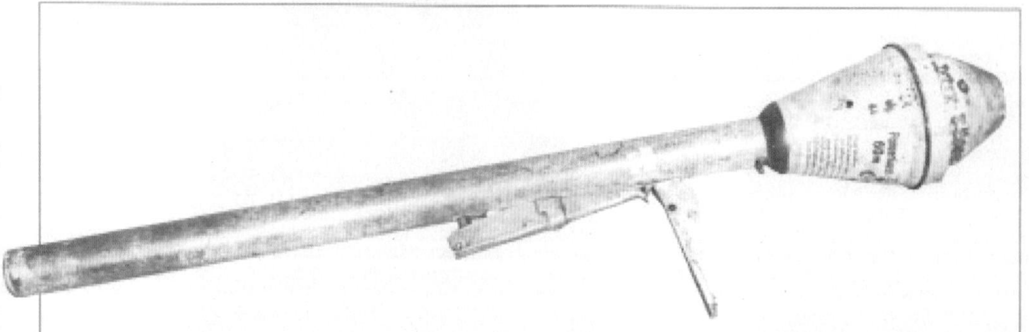

독일 팬저파우스트. 조준경이 방아쇠 뒤에서 방아쇠와 함께 직립해 있다. 후방 끝을 아래로 누르면 추진 장약을 결발하고 폭탄을 발사한다.

보병의 문제에 대한 그들의 공헌은 명이 어깨에 올려놓고 성형 작약 탄두 있는 짧은 로켓을 발사할 수 있는 가 운 관형태를 만든 것이었다. 이것은 유 한 '바주카'로 미국의 주 대전차 보병 기가 되었다. 많은 양이 러시아에 제 되어 독일에 빼앗겼다. 즉각적으로 독 은 자신들의 복제품인 *Panzseechreck*(차 테러-Tank Terror)을 실전에 사용 였다. 그러나 독일은 이런 성가신 무기 완전히 만족하지 않았고 그들은 사수 팔 아래에 밀어 넣을 수 있고 다량의 형 작약 탄두가 있는 유탄을 발사할 있는 훨씬 작은 크기의 *팬저파우스 (Panzerfaust)*를 고안하였다.

*팬저파우스트*는 로켓이 아니었다. 이것 독일의 무반동 원리의 마지막 개발품 하나였다. 포의 반동은 항상 극복해야 문제를 대표하였고 주요 구경에서 이 은 무겁고 복잡한 포가의 상부에 있 무겁고 복잡한 유압 제동 시스템을 의 하였다. 반동을 없애는 것은 포로부터 주 많은 중량을 제거하였다. 그리고 이 은 많은 발명가들의 목표였다.

첫 번째 성공적인 무반동포는 1차 세 대전 중에 미 해군 지휘관인 데이비 (Davis)에 의해 만들어 졌고 서로 도움 주고받는 두 개의 포로 간단하게 구성 었다. 사실 이것은 두 개의 포열에 하나 약실을 가지고 있었다. 하나는 일상의 사체를 잡고, 다른 하나는 유사한 중량 새 잡는 산탄과 그리스를 담고 있었다. 실 내에서 장약이 격발되면 이 두 '탄 대응탄'은 반대 방향으로 발사되었다.

러므로 두 포열은 동일하게 반동하여 자의 반동을 상쇄하였다. 데이비스 포 1918년에 대잠무기로서 대영 해군 항 근무 해상수상기에 장착되었지만, 전투 서 사용된 기록은 없다.

일은 과학적인 방법으로 이 대응탄 개 을 적용하였다. 그들은 탄과 대응탄에 한 질량과 속도의 결과가 동일하다면 응탄이 충분히 빠른한 아주 가벼울 수 다는 논리적 생각을 하게 되었다. 마 막 결과는 폐쇄기 뭉치 뒤에 있는 구 을 통해 극도로 빠른 속도로 제트가스 방출하여 포열로부터 포탄이 발사될 생기는 반동을 상쇄시키는 포였다. 이 한 '경포- Light Guns'는 아주 가벼운 량의 105mm 화력을 제공하였고 독일 수 부대를 무장하는데 사용되었다.팬저 우스트는 동일한 원리를 사용하였다. 것은 관이 전방으로부터 폭탄을 발사 는 소형 흑색 장약과 반동을 상쇄하는 방으로 배출하는 가스였다.

위 : 바르샤바 군사 박물관에 전시되어 있는 소련 82mm 무반동총.

아래 좌 : 무반동포용 탄약. 특징적인 구멍 난 약협에 주목.

아래 : 위장 위치에서 사격을 하는 영국 105mm 경포.

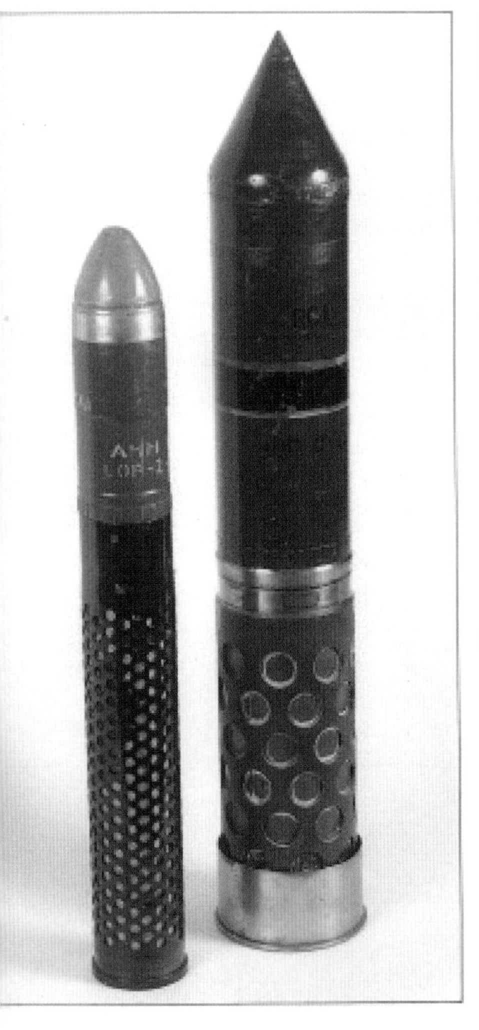

병사들을 괴롭히는 또 다른 표적은 항공기였다. 비행기는 체펠린 시대 이후 커다란 진보를 하였고 이제 높은 고도에서 아주 빠르게 비행할 수 있었다. 폭넓은 대공포들이 모든 교전국들에 의해 생산되었다. 그러나 포는 해결의 일부일 뿐이었다. 표적을 탐색하는 것이 주요 부분이었고, 이것은 레이더의 개발로 해결되었다. 마지막 부분은 가능한 한 항공기에 근접하여 폭발하는 포탄을 얻는 것이었다. 기계식 시한 신관은 대공사격용 표준형 신관이 되었다. 이것은 분말 연소 신관보다 높은 고도에서 더욱 정확하고 신뢰성이 있었지만 그렇다하더라도 신관에 정확한 시간을 설정하는 것은 어림짐작으로 숙련된 작업이었다. 표적으로부터 반사된 레이더 에너지를 수신하고 신호의 세기가 타격 거리 내에 포탄이 있다는 것을 표시할 때 이것에 반응신관을 만드는 것이 가능하게 된 것은 레이더에 관련이 있는 일부 영국 과학자들에게서 발생하였다. 실험으로 이론이 옳다는 것이 증명되었다. 그러나 이것을 만드는데 필요한 회로소자와 구성품이 너무 커서 어떤 발사체에도 맞지 않았다. 그러므로 그들은 새로운 개념으로 관심을 돌려 표적으로부터 레이더 신호를 받고 신호가 충분히 강할 때 포탄을 작동시키는 수신기와 함께 신관에 소형 무선 송신기를 설치하였다. 적합한 제조 공장이 영국에 없어서 1941년에 개념은 다른 몇 가지 기술적 비밀과 함께 미국으로 전해졌다. '근접 신관-Proximity Fuze'은 이스트만 코닥 회사(Eastman Kodak Company)에 의해 광범위하게 개발되었고 1943년 태평양에서 처음으로 사용되었다. 이것은 카미카제 자살 항공기에 대해 미국 군함을 방어하는데 값을 헤아릴 수 없음만큼 가치가 있음을 증명하였다. 그리고 이것은 1944년에 독일 비행 폭탄 공격에 대해 영국을 방어하는데 아주 유용하였다.

재래식 탄약으로부터 제공된 대부분의 가능성을 소모해버린 독일은 유도 미사일을 개발하기 시작하면서 새로운 분야에 돌입하였다. 알려진 대로 영국과 벨기에에 막강한 피해를 준 'V-무기'였다. 그렇지만, V-1 비행 폭탄과 V-2 로켓 사실상 유도무기가 아니었다. 이들은 초 방향이 주어져 무기 자체의 장치 일임되었다. 그러나 다른 무기들은 기 적으로 더욱 발전되었다. 폭탄을 떨어 린 항공기로부터 무선으로 제어되는 공 폭탄은 1943년 지중해에서 사용되 고 이탈리아의 전함 로마(Roma)를 침 시켰다. 범유도 대공 미사일은 전쟁이 나면서 전술 지대지 미시일과 유선유 내전차 미사일로서 개발되었다.

개발 방향은 전쟁 이후에 승전국에 의 착수되었다. 그리고 미국에서 개발된 자폭탄은 현재 실존하는 가공할 미사 병기를 생산하기 위해 이들과 결합되 다. 이러한 무기들의 개발은 광범위 전자와 물리 문제였다. 그리고 이들 탄약 측면은 비교적 재래식이다. 미사 용 고폭탄 탄두는 많은 면에서 포탄 닮았지만 그 크기가 예외적으로 획득 어야 할 복잡한 신관 설정과 파편 제 를 가능하게 하였다.

돌격 소총에 장착되어 사격준비가 된 현대 총유탄.

좌 : 현대의 전자로 인해 2차 대전 이후 축소된 근접신관.

아래 : 야포 포탄용 현대 기계식 시한 신관 두 개. 우측 것은 첨두에 충격 성분이 있다.

조준 소총과 영상증폭 야간 조준경이 장착된 영국 120mm 웜뱃(Wombat) 무반동포.

보병 소총용 짧은 카트리지에 대한 독일의 개념은 1943년에 7.92mm 특수 카트리지와 새로운 무기의 개발로 결실을 맺었고 마침내 '돌격 소총-assult rifle'이라고 불리게 되었다. 이 개발은 다른 국가들도 착수하여 오늘날 주요 군은 50여 년 전에는 우스운 생각이었던 짧은 카트리지와 구경을 가진 돌격 소총을 사용하고 있다. 그러나 또 다시 이 이야기는 실제 소화기 개발의 이야기가 된다. 오늘날의 5.56mm 카트리지는 60여 년 전의 7.62mm 또는 .30 카트리지와 크기만 다를 뿐이다. 그리고 본질적인 원리는 동일하다. 그렇지만 지난 20년 내지 30년에 새로운 크기가 탄약에 도입되었다. 이것은 유도 무기의 일부를 포병 포탄에 적용한 것이다. 과거에 포병 포탄은 일단 포구를 떠나면 전혀 통제할 수가 없었다. 오늘날 '원격 유도 탄'의 사용은 포병 운용에 있어 변화를 기대한다. 이제 곡사포에서 성형작약 탄을 발사하고 마지막 비행시간 수초를 제어할 수 있어 특정 표적을 타격할 수 있다. 표적 상공에서 폭발하여 레이더 기술을 사용하는 수많은 개별 '자탄'들이 표적을 탐색하고 자동으로 추적할 수 있는 곡사포 탄을 발사할 수도 있다. 이와 유사하게 장거리 로켓이 전진하는 기갑 부대 전
에 많은 지뢰를 살포하기 위해 발사될
도 있고 이렇게 해서 일단 부대가 저지
면 치명적인 자탄으로 폭격할 수도 있
탄 개발에 관한 이런 간단한 개관은 당
히 가장 중요한 개발 중 일부로 제한
다. 전체적인 내용을 설명할 필요가 있
개별적인 항목에 대한 상세한 수준으
들어갈 수는 없다. 그러나 이것은 탄
개발의 일반적인 경향을 보여주는데 주
적이 있다.

훈련용 카퍼헤드(Copperhead) 종말 유도 포병탄 - 포를 떠나면 용수철 핀이 튀어나온다.

탄약의 모든 것

A에서 Z까지

A

주(註) : 서술중의 이탤릭체 낱말은 당해(當該) 낱말이 다른 곳에 기재되고 그에 대한 참조가 있어야 한다는 것을 표시한다.

ACCELERATOR(액셀러레이터) : 레밍턴 무기 회사가 만든 *분리 탄저판(discarding sabot)* 소화기 탄약에 대한 상표 이름. 구경 .308 윈체스터와 .30-.60이 있다.

ANTIMONY(안티몬) : 탄자를 만들기 위해 납과 소량 혼합된 금속. 비율은 98퍼센트 납, 2 퍼센트 안티몬에서 90퍼센트 납, 10 퍼센트 안티몬으로 다양하다. 안티몬의 추가는 장전 및 발사 시 변형에 영향을 받지 않을 만큼 납을 충분히 강하게 하는 반면 나머지 연한 부분이 강선에 충분히 맞물린다.

ANVIL(발화금) : *뇌관(primer cap)* 또는 완성형 약협(cartridge case)의 구성품. *뇌관 화약(cap composition)*은 공이와 공이치기 사이에 물리고 발화금이 폭발하여 화염을 발생시켜 추진 장약을 발화한다.

발화금과 화염구 하나를 보여주기 위해 절개된 완성형 약협

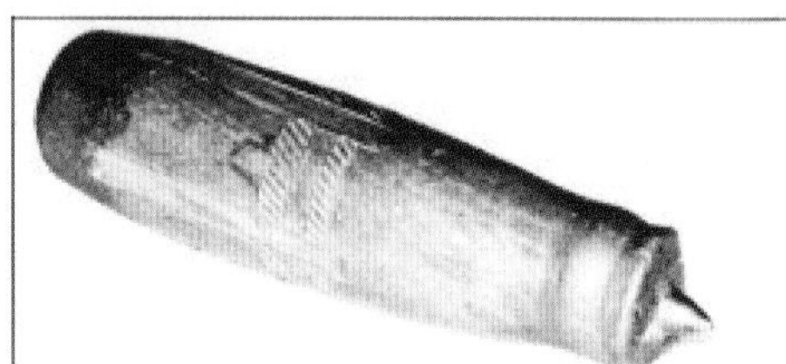

장갑에 의해 파괴된 AP 탄자. 평평한 피갑 첨두와 첨두를 통해 전방으로 구동되는 철갑 탄심을 보여주고 있다.

ARMOUR-PIECRING(철갑) : 경 강철 갑을 관통하기 위해 설계된 군용 탄자 형 이것은 납 슬리브로 둘러싸인 단단한 강 탄심으로 형성되었다. 이 구조 방법은 탄 에 전체 탄자가 정확한 비행에 대한 최적 모양을 가지고 있는 동안에 관통에 최적 첨두를 제공한다. 납 슬리브의 목적은 어 정도 탄자에 질량을 더하는 것이다. 그리 속도를 유지하게 되고 강선이 피갑 물질 결합될 때 통로를 만드는 피갑 아래 부 에 어느 정도 압력에 유연한 물질을 제공 다. 만약 납 슬리브가 없다면 결합은 곧 강철 탄심에 압력을 가하고 효과가 없게 것이다. 충격 시 납 슬리브와 피갑은 곧 탄심이 표적을 계속 통과할 때 저지된다. 부러진 납은 관통 시 탄자를 정열 상태 고정하기위한 지지대로 작용한다. 철갑탄 는 약 1903년에 먼저 비엔나의 로드(Ro 가 특허를 받았지만, 당시에는 이에 대한 용이 거의 없었다. 이것은 1914-1918년의 쟁 시 참호에서 총안으로 사용된 소형 방패에 대항하기 위한 저격수가 도입되었 때까지 무시되었다. 전장에 전차가 출현하 을 때, 전차가 철갑탄의 주요 표적이 되 다. 1939년까지 전차는 더욱 두꺼운 장갑 갖추게 되었고 광범위하게 소구경 화기 둔감해졌지만 철갑탄은 항공 전투에서 새 운 적용을 찾아 승무원과 항공기 부품을 호하기 위한 시도에 대항하였다. 오늘날 것의 주요 용도는 APC와 같은 경장갑 차 에 대한 사용이다.

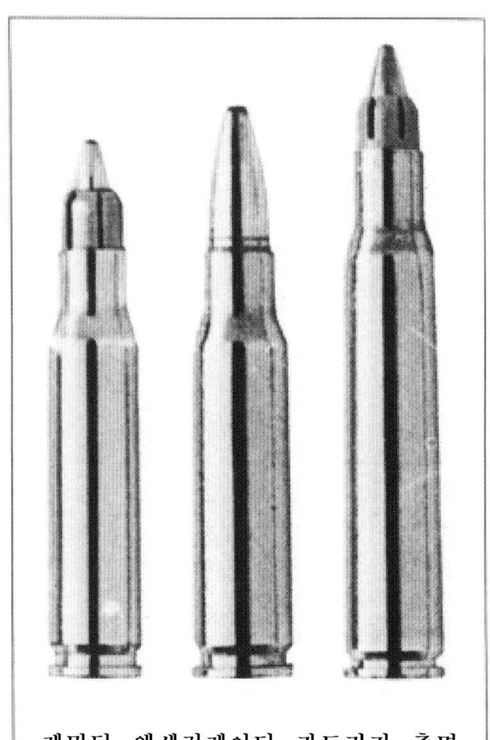

레밍턴 액셀러레이터 카트리지 측면. 재래식 소총 카트리지.

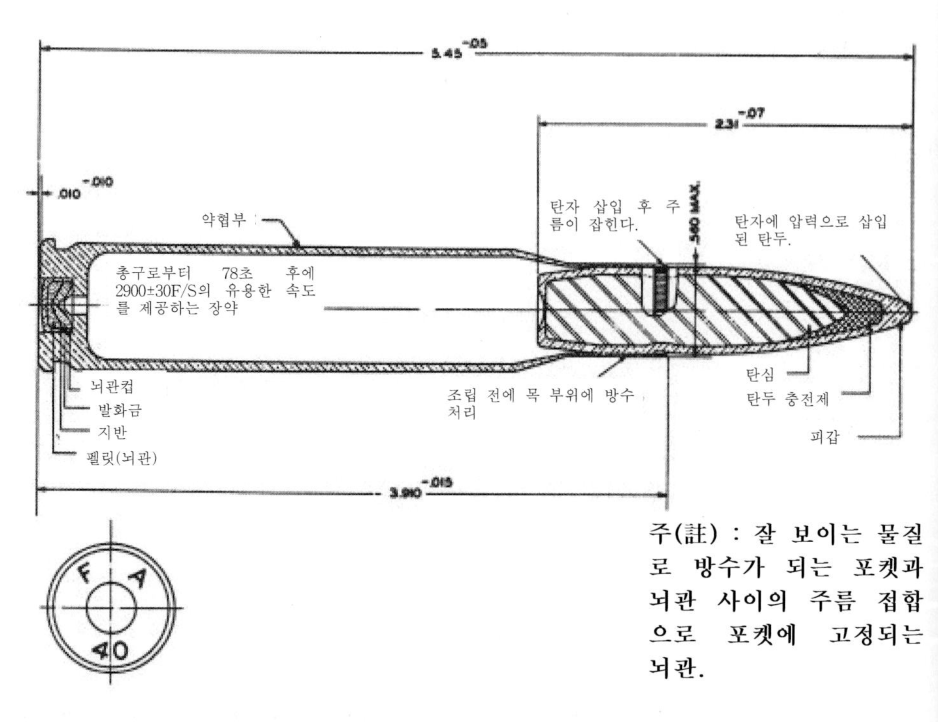

주(註) : 잘 보이는 물질로 방수가 되는 포켓과 뇌관 사이의 주름 접합으로 포켓에 고정되는 뇌관.

전형적인 볼 카트리지의 미국의 조립도.

B

ᅦ른 볼 탄자 : 좌에서 우로, 2개의 프 ᅡ THV, 금속 관통 경찰 탄자, 표준 n 파라벨럼 탄.

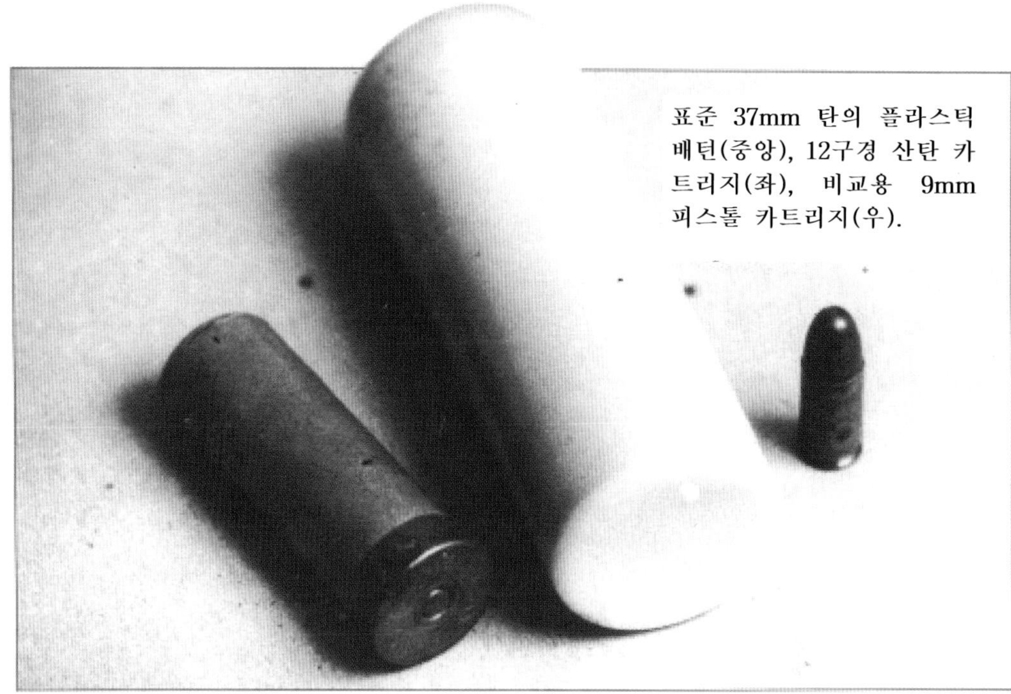

표준 37mm 탄의 플라스틱 배턴(중앙), 12구경 산탄 카트리지(좌), 비교용 9mm 피스톨 카트리지(우).

LL(탄) : 완전히 삽입된 군용 탄자를 설 ᅡ는데 사용되는 용어. 특수 탄자, 예를 ᅥ 철갑 또는 예광탄과 구분하기 위해 일 ᅮ적용과 대인용에 사용된다. 최초의 머 ᅵ용 탄자가 구(球)형이었기 때문에 부르 되었다.

.SE DRAG(탄저 항력) : 비행 시 탄자 공기를 헤치고 나가고 공기는 탄저에 도 ᅡ 때까지 탄자 측면으로 지나간다. 공기 변위에 의해 발생하는 저 압력 지역이 ᅡ 뒤에 생기고 기류가 이 지역 안으로 ᅳ돌이쳐 들어간다. 이것은 탄자의 속도를 ᅮ고 그 영향은 아음속 속도에서 가장 크 탄저항력은 탄저 쪽으로 탄자에 경사를 ᅥ 줄일 수 있다. *streamlined(선형)*참조.

BATON ROUND(바통 탄) : '고무탄-rubber bullet'으로 널리 알려진 탄의 정확한 명칭. 이것은 폭동 진압용 발사체이며, 일반적으로 12구경, 26mm 또는 37mm 폭동 진압 통에 적합한 크기의 평평한 원통형 고무 또는 플라스틱이며 초당 약 60미터의 저속 총구 속도와 약 100미터의 사거리를 획득하기 위해 저압 장약으로 발사한다. 의도된 대로 사격하면, 즉 25미터 이상 사거리에서 지상에 사격하면, 탄이 튀어 올라 폭동자의 하부 사지를 타격한다. 바통탄은 통증을 유발하지만 상처는 주지 않는다. 첫 번째 바통탄은 홍콩 경찰이 개발하였고 나무로 만들었지만, 이것은 지상에 부딪치면 깨지기 쉬웠고 파편은 부상을 유발한다는 것이 판명되었다. 그 후 나무 바통은 고무로 대체되었고 탄의 사용은 전 세계로 확산되었다. 고무 바통은 무차별적으로 튄다는 것이 발견되었고 반응을 더 예견할 수 있고 장거리에서 덜 도비(跳飛)하는 PVC형 플라스틱 바통으로 대체되었다. 대부분의 현대 디자인에서 발사체는 더 양호한 정확도를 주고 잘못 사용되었을 때 부상 가능성이 적은 버섯모양이다. 독일에서 사용된 디자인은 전방 끝에 결합된 4개의 조각을 가지고 있다. 비행 시, 조각은 바람 속으로 흘러들어가고 발사체는 거의 원통형이다. 충격 시 4개의 조각이 전방으로 날아가 십자형으로 전개하여 타격력을 분산시키고 바통이 심각한 부상을 주지 않도록 한다.

ᅢ 중인 소총 탄자의 순간 사진. 탄저항력(base drag)을 발생시키는 파장을 보여주고 있다.

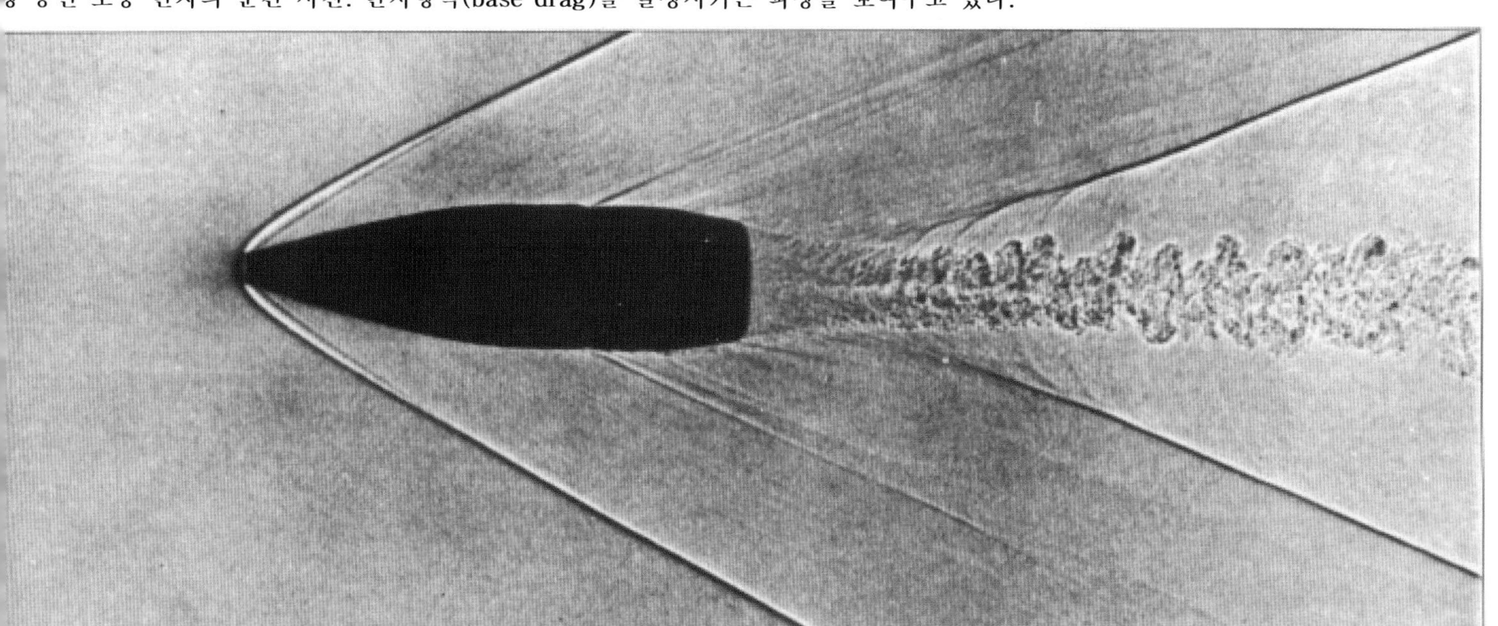

탄자 비행궤도의 3단계.

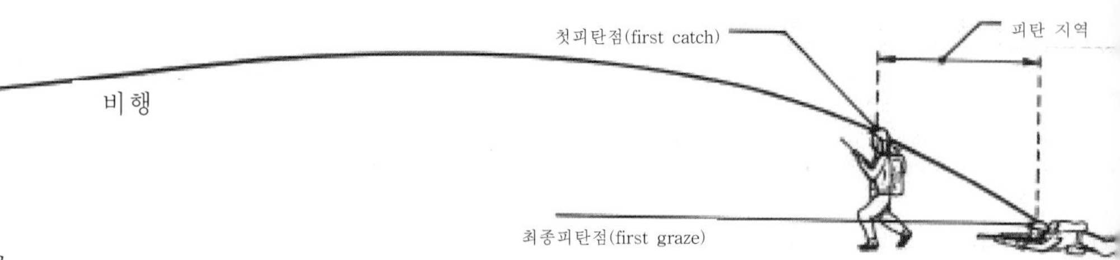

BEATEN ZONE(피탄 지역) : *첫 피탄점(first catch)*과 *최종피탄점(first graze)* 사이 탄자의 비행궤도 부분 즉, 사람 표적을 타격하기 위해 지상에 충분히 근접할 때의 비행궤도 부분.

프랑스 30mm 아덴/DEFA 캐논용 띠를 두른 약협이 있는 카트리지.

BELTED CASE(띠를 두른 약협) : 추출홈 바로 앞의 몸통 주변에 돌기가 솟은 띠가 있는 카트리지 약협. 목적은 2중으로 화기의 약실에 정확하게 발사체와 약협을 위치시키는 것과 고강도 추진 장약을 사용하기 위해 약협 후방을 강화하는 것이다. 보통 강력한 사냥용 소총 카트리지와 일부 군용 캐논 카트리지에서 발견된다. 이 고강도 카트리지를 재래식 12구경 산탄총에서 사용하는 것을 방지하기 위해 미 육군 근접 돌격 화기에 사용된 12구경 카트리지에 적용되기도 하였다.

BERDAN PRIMER(버단 뇌관) : 미 육군 병기국의 하이람 S. 버단 대령이 1860년대에 설계한 소화기 카트리지용 뇌관. 버단 뇌관 시스템의 독특한 특징은 발화금이 카트리지의 일부가 되어 발화금과 나란히 많은 화염공이 있어 점화불꽃이 뇌관실(cap chamber)에서 약협의 몸체 내부에 있는 추진 장약으로 갈수 있게 되었다는 것이다. 버단 뇌관은 거의 모든 군용 탄약과 사냥용 탄약의 광범위한 부분에서 사용된다. *박서 뇌관(Boxer Primer) 참조.*

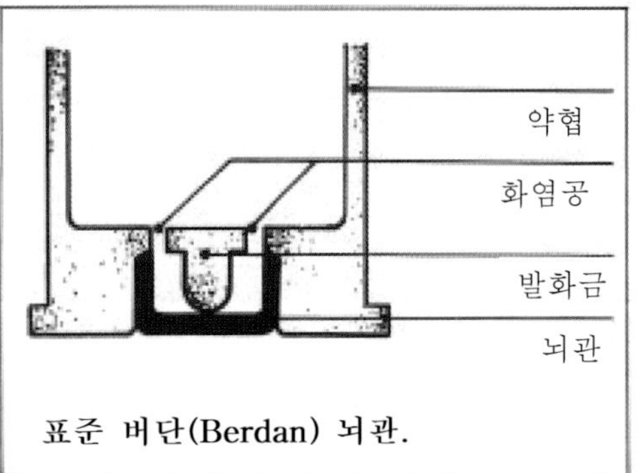

표준 버단(Berdan) 뇌관.

BLACKPOWDER(흑색화약) : 화약(gunpowder)이라고 알려진 합성물. 이것은 질산, 목탄, 황을 70:15:10으로 기계적으로 혼합하였고 역사를 통해 많이 변하였다. 물질들은 분리되어 고운 분말로 갈아서 축축한 상태로 혼합하였다. 그 결과물인 '덩어리-cake'는 말려서 으깬다. 그리고 결정들은 채로 걸러 크기에 따라 분류한다. 결정의 크기는 연소 속도에 영향을 미친다. 가장 작은 결정이 가장 빠른 연소를 만든다. 최상 등급의 같은 분말은 신관 성분과 발화장치 내에서 꽃불 제조에 사용된다. 일반적인 분말은 FFFFg(직경 약 0.017인치)에서 Fg(직경 약 0.069인치)로 분류되고 가장 작은 결정은 피스톨 탄약에 사용되며, 가장 큰 것은 소총, 산탄총과 캐논 탄약에 사용된다. 주로 발화장치의 구성품으로 흑색화약이 다른 등급의 탄약에 적용된다하더라도, 오늘날에는 구형 총이나 복제 총을 사용하는 도락가들만 소화기에서 추진제로 사용한다. 소화기 추진제로서 이것의 주요 결점은 많은 양의 흰색 연기를 만들고 단단한 연소 산물은 끈적끈적한 탄매로서 화기의 총열 내에 퇴적된다는 것이다.

BLANK CARTRIDGE(공포탄) : 사격 커다란 폭발음을 내도록 설계된 장약을 유한 탄자 없는 카트리지. 연극 공연, ga gods 훈련과 군사훈련에 사용된나. 흑색 약이 아주 빠르게 연소하여 빠른 속도로 스를 만들어 소음을 내기 때문에 카트리 는 종종 흑색화약을 함유한다. 군용 공포 은 동일한 효과를 얻기 위해 특정 등급 무연화약을 사용한다. 화약은 충전제로 카 리지 약협에 충전하고 약협의 입구는 주 잡거나 충전물 위로 접힌다. 그 결과 충전 는 빈번히 총구 밖으로 방출되고 부주의 취급 시 총으로부터 최대 5미터 거리까 피해를 입힐 수 있다. 군용 공포탄은 종 소총 탄창을 통하여 장전을 쉽게 하기 위 종이 또는 나무로 만든 모의 탄자가 있 오늘날 이러한 것들은 위험원인이 되며 련은 모두 중지된다. 오늘날의 군용 공포 은 종종 탄자를 흉내 내기 위해 약협 입 가 늘어나 접히지만 사격 시 총으로부터 떠한 방출물도 없이 찢어져 개방되도록 였다. 최근에 공포탄 카트리지는 첨두를 하게 한 플라스틱 재질로 만들고 압력으 찢어 어떤 단단한 물질도 방출되지 않도 했다.

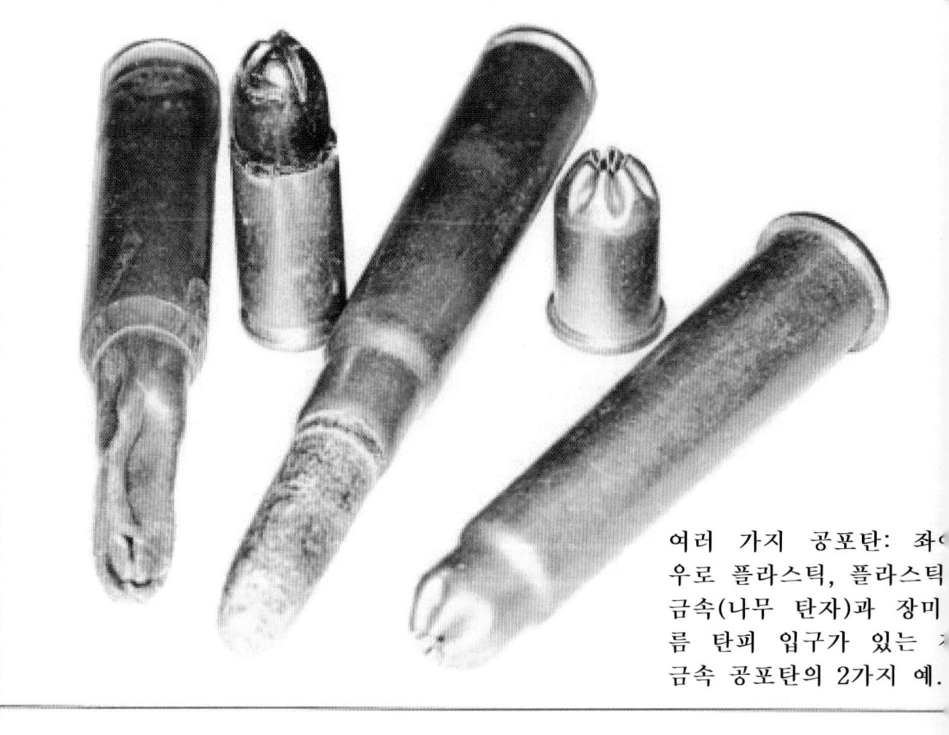

여러 가지 공포탄: 좌 우로 플라스틱, 플라스틱 금속(나무 탄자)과 장미 름 탄피 입구가 있는 금속 공포탄의 2가지 예.

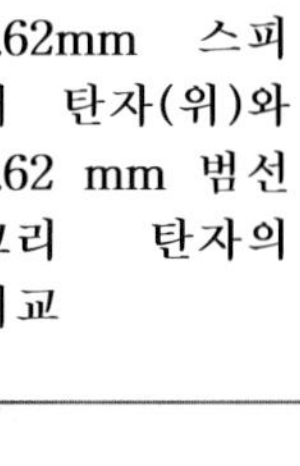
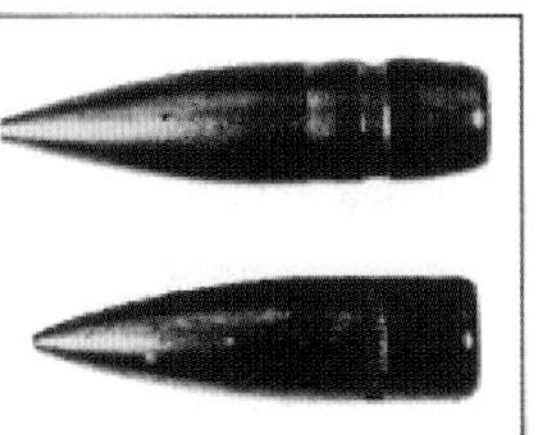

.62mm 스피
ㅓ 탄자(위)와
.62 mm 범선
고리 탄자의
ㅣ교

AT-TAILED(범선 꼬리) : 후방이 탄
ㅑ력을 줄이기 위해 경사진 탄자를 설명
ㅣ 위한 미국에서 사용되는 용어. 영국에
ㅡ '유선형'이라한다.

BOTTLE-NECKED(병목) : 약협의 직경이 탄자의 직경보다 훨씬 큰 카트리지 약협 모양을 설명. 약협의 전방 끝은 탄자를 보유하기 위해 급격히 줄어들었다. 이 형태는 비교적 짧은 카트리지에 커다란 내부 질량(추진 장약을 충전하기 위해)을 갖고자 하는 곳에 사용된다. 만약 약협의 측면이 직선이고 탄자와 동일한 직경이면, 동일한 질량을 보유하기 위해 더 길어야하고 이 길이는 화기의 메커니즘에 적합하지 않을 수 있다. 이 형태는 처음 1870-80에 군용 카트리지로 광범위하게 사용되었다. 특히 길고 가는 카트리지를 배제한 마티니 노리쇠 장치를 사용한 화기에 사용되었다.

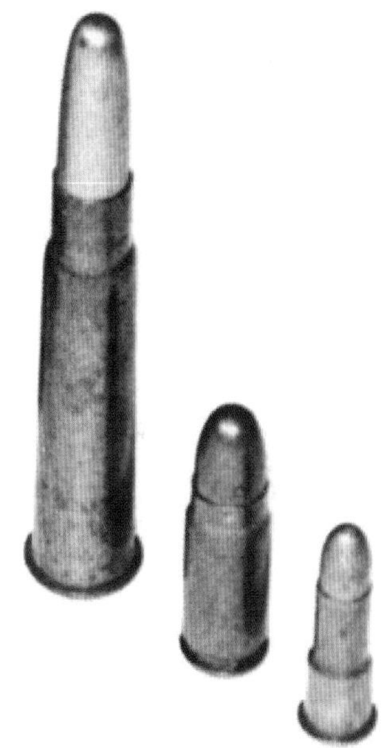

병목 카트리지 모음. 개념을 개척한 .455 마티니-헨리(좌)와 가장 작은 형태의 .23 모리스.

플라스틱 공포탄 모음. 9mm 피스톨에서 12.7mm 기관총까지.

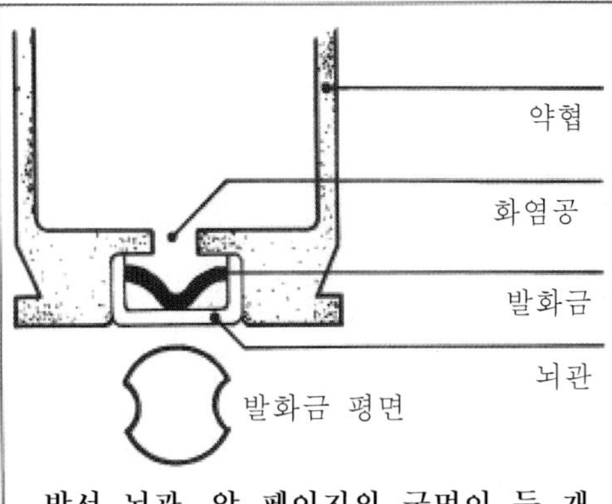

박서 뇌관. 앞 페이지의 구멍이 두 개 있는 버단에서 발견된 이러한 형태의 뇌관 조립체와 비교할 것.

BOXER PRIMER(박서 뇌관) : 울위치 조병창의 왕립 시험국 국장인 에드워드 M. 박 서 대령이 개발한 소화기 카트리지용 뇌관. 디자인의 중요한 특징은 발화금이 뇌관 조립체의 일부를 구성하는 분리 구성품이고 약협은 단일 뇌관 실에 중앙 화염구를 가지고 있는 것이다. 제조가 더욱 어렵지만, 이 형태의 완성 뇌관 유닛을 약협에서 쉽게 추출하고 (화염구를 통해 가는 봉을 밀어서) 새로운 완성 뇌관 유닛으로 교체할 수 있다. 발사된 약협을 재장전 할 때 훨씬 쉽게 사용할 수 있다. 그러므로 이들은 재장전이 가능한 상업용 탄약에서 발견되고 비록 과거에 재장전이 실행되었던 격리된 주둔지에 지급된 군용 탄약에 사용되었지만, 군용 탄약에는 드물다.

BUCKSHOT(녹탄(鹿彈)) : 산탄총 탄약에 사용되는 납 구슬. 사슴과 같은 커다란 사냥감에 최초로 사용된 것에서 이름이 시작되었다. 녹탄의 크기는 '0000'(직경 0.36인치, 1파운드에 98개 구슬)에서 'No. 4벅(buck)(직경 0.24인치, 1파운드에 344개 구슬)까지가 있다. 용어는 나라에 따라 상이하다. (미국에서)'00벅'은 영국에서 'SG', 캐나다에서 'SSG', 기타 국가에서 'B8', 독일에서 '포스텐(Posten) Ⅲ'로 알려졌고, 다른 크기는 유사하다. '000'은 전투 산탄총 탄약에서 군용 징진에 사용된다.

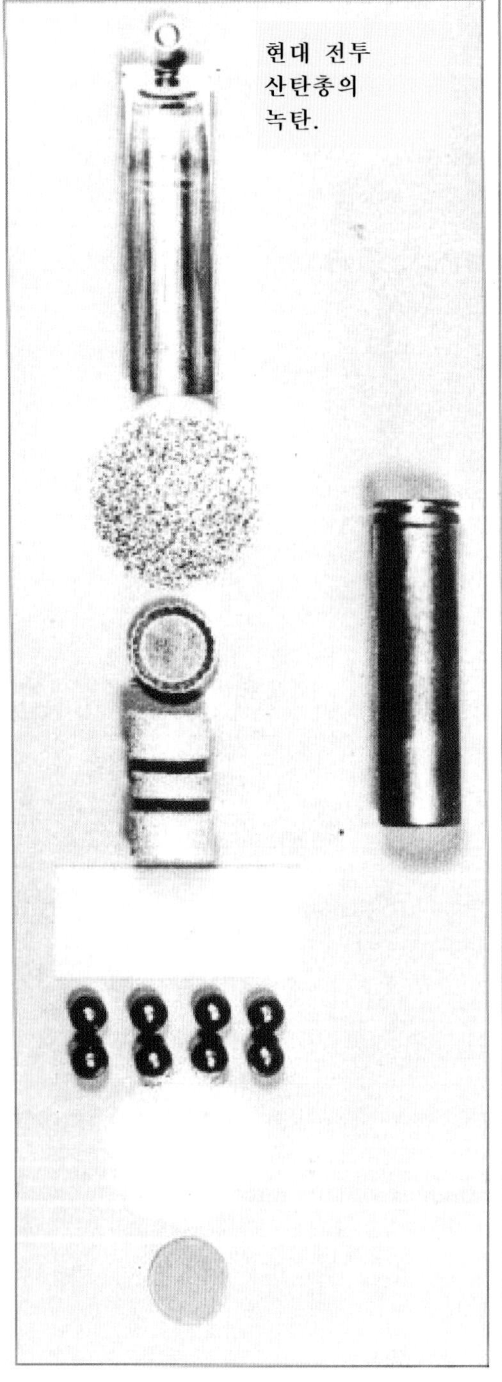

현대 전투 산탄총의 녹탄.

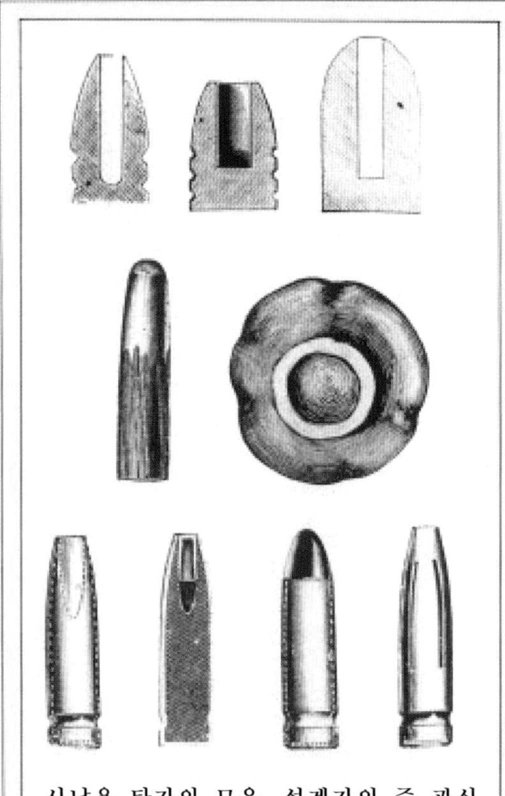

사냥용 탄자의 모음. 설계자의 주 관심은 파열과 버섯 효과를 만들어 가능한 한 빠르고 확실하게 사냥감을 죽이는 것이다.

BULLET(탄자) : 모든 소화기(최대 15mm까지 구경)에서 발사된 발사체에 대한 일반적인 용어.

리벌버 탄자는 보통 둥근 첨두이며 납으로 만들어 졌고, 반면 표적 사격용은 평평한 첨두를 선호한다. 현대 구조는 탄자의 후방부에 피갑을 입혔고, 납 탄심이 노출된 상태이다. 이것은 충격 시 사냥에 사용되는 중공(中空) 첨두 탄자처럼 변형이 훨씬 더 된다.

자동 피스톨용 탄자는 연한 첨두 탄자가 특히 훨씬 강력한 피스톨 형태에서 장전 절차 시 변형되는 경향이 있고 노리쇠 뭉치에 적절하게 송탄이 되지 않기 때문에 일반적으로 원뿔꼴이다. 가끔 둥근 첨두와 보통 피갑을 사용하였다. 더욱이 자동 피스톨의 속도는 일반적으로 리벌버 보다 빨라서 총강에 납 탄매가 상당히 남을 수 있다. 그래서 완전 피갑 탄과는 사용되지 않고 납탄두가 노출된 반피갑 탄자를 볼 수 있다.

소총 탄자는 원뿔꼴이고 유선형 또는 평평한 탄저이다. 군용 볼 탄자는 헤이그 협정(Hague Convention)에서 충격 시 변형되는 어떠한 탄자도 금지하기 때문에 항상 피갑을 입혔다. 군용 볼 탄자에 대해 최근에 5.56mm 구경에서 일부는 강철 탄심, 일부는 납 탄심을 사용하고 있지만 일반 구조 형태

30소총탄에서 15mm 기관총탄까지 다양한 형태와 모양을 보여주고 있다.

는 강철과 금속 도금 외피로 싸인 납/인몬 탄심이다. 이 혼합 구성은 비행 특성 심각하게 감소시키지 않는 탄심의 전방 철 부위 때문에 관통력을 향상시킨다.

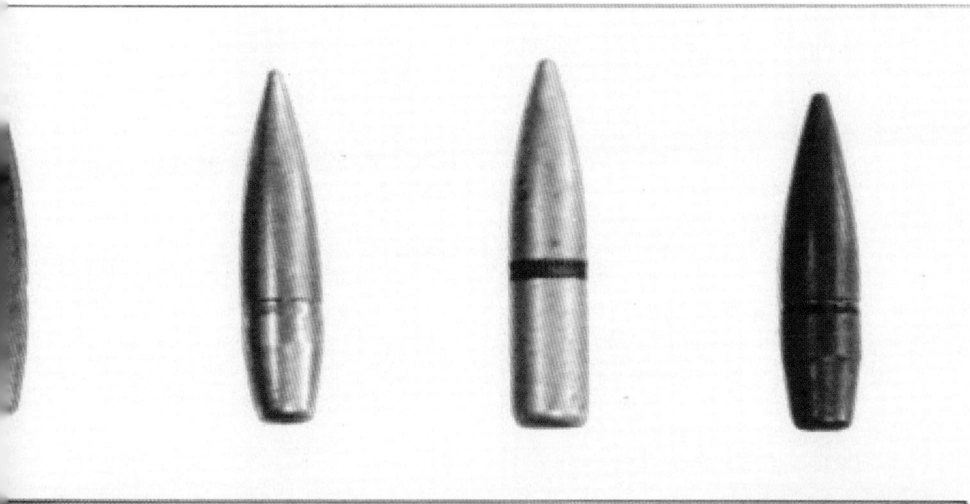

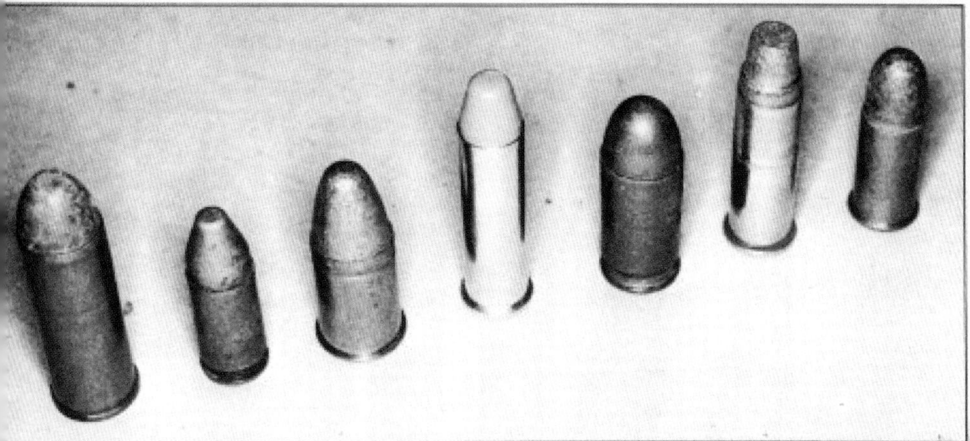

위 : 여러 가지 피스톨 탄자: 좌에서 우로, .45 콜트 솔리드 납. 9mm 루거 원뿔. .455 웨블리 납 원뿔꼴. .357KTW 테플론 피막 금속관통. .45 자동 피갑, .38특수 반화약마개 절단 및 .38 스미스앤웨슨 둥근 첨두 납.

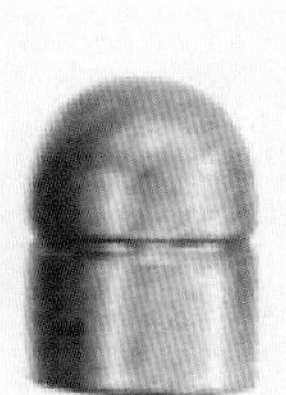

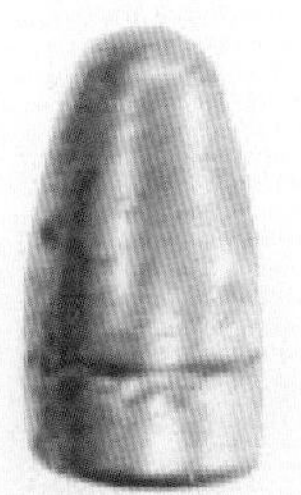

련의 5.45 소총 탄자는 피갑의 첨두 내부에 은 빈 공간이 있고 강철 탄심이 시작되기 에 충격 시 첨두가 접히는 것을 촉진하기 해 나타났다. 그래서 탄자는 표적 내부에서 선 경로를 갖게 되고 잠재적인 심각한 부상 준다.
른 전술적 적용 - 예광, 철갑, 등 -은 개별 인 탄두에 따라 다루어 졌다.

사냥용 소총 탄자는 피갑을 입힐 수도 있고 충격 시 더 양호한 변형을 위해 노출된 탄심 첨두를 가지고 있을 수도 있다. 모든 상업용 제작자들은 보통 변형을 제어하기 위해 노력하여 개발하고, 정확도와 일관성을 향상시키거나 마모를 줄이기 위한 탄자 구조에 대한 자신의 아이디어가 있다. 그들 대부분은 자신들의 목표를 달성하였다.

C

CANNELURE(딴띠 홈) : 탄자 또는 카트리지 약협 외부 표면에 형성된 홈. 납 탄자에서 딴띠 홈은 주유제를 채우기 위한 것으로 화기의 총열에 납 탄매를 줄이는데 도움이 된다. 이들은 보통 카트리지 약협 내부에 숨겨져 있다. 피갑(jacketed) 탄자에서 딴띠 홈은 단단하게 결합하고, 모양은 유사하지만 다른 탄자와 얼마간 상이한 탄자를 식별하거나 피갑과 탄심을 서로 얽히게 하기 위해 여러 가지로 사용하여 카트리지 약협의 입구 안에 압력을 가한다.
딴띠 홈은 식별 목적용 또는 화기의 송탄 시스템의 어떤 특정한 특징에 적합하도록 카트리지 약협 안으로 압력이 가해진다. 예를 들면 25mm 카트리지는 송탄 벨트 링크에 있는 돌기가 끼워지도록 견부 인근에 딴띠 홈이 있고 확실히 약협을 위치시켜 링크의 전방이나 후방으로 미끄러지지 않아 화기의 송탄로에 걸린다. 총이 발사되면 일정한 내부 압력이 딴띠 홈을 평평하게 펴서 격발된 약협에서 볼 수 없게 된다.

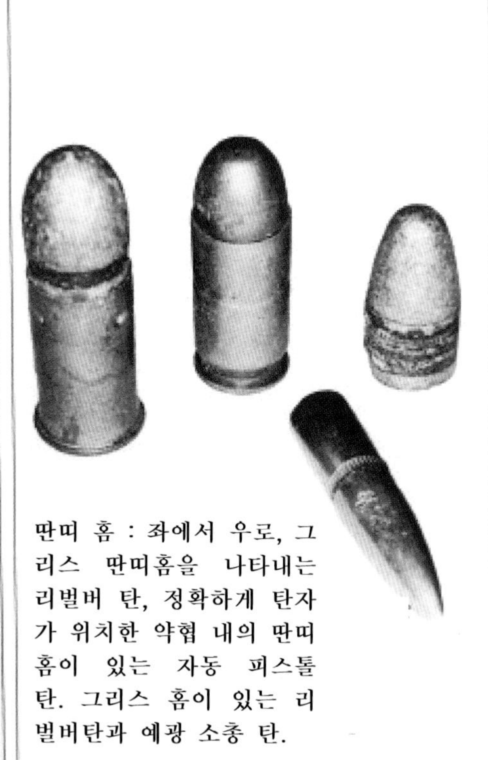

딴띠 홈 : 좌에서 우로, 그리스 딴띠홈을 나타내는 리벌버 탄, 정확하게 탄자가 위치한 약협 내의 딴띠 홈이 있는 자동 피스톨 탄. 그리스 홈이 있는 리벌버탄과 예광 소총 탄.

뇌관의 연금속(a), 발화금(b와 c) 및 뇌관화약(d와 e)을 보여주는 전통적인 뇌관.

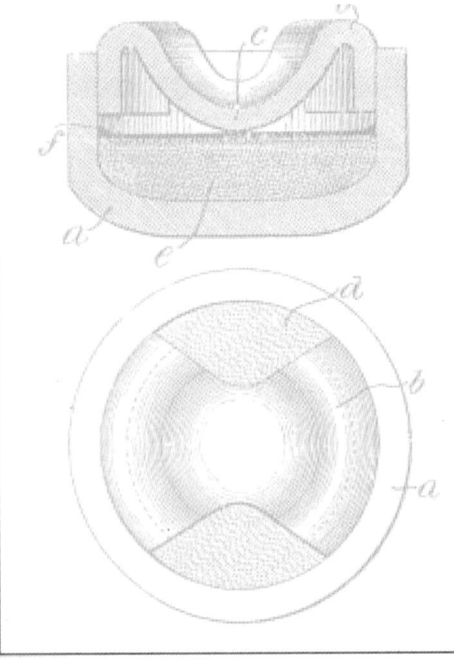

CAP(뇌관) : Primer라고도 함. 센터파이어 카트리지에 사용되는 발화시스템. 발화장치는 충격식 총구장전 화기에도 사용되었다. 오늘날 뇌관은 여러 가지 크기로 여러 가지 카트리지에 적용되며 *버단(Berdan)* 또는 *박서(Boxer)* 형식이 있다. 뇌관은 아연이나 구리 또는 두 가지 합성으로 구성되어 공이의 타격에 쉽게 변형되거나 전성(展性)이 있다. 금속 아래는 성분을 방수 처리하는 니스 층으로 밀봉되는 민감한 뇌관화약 층이다. 공이의 충격은 발화금 쪽으로 화약을 집어 그 결과 화염이 카트리지 몸통 안으로 들어가 추진 장약을 발화한다. 뇌관은 단단하게 접합되거나 (약협을 재장전하기 위해 뇌관을 제거할 수 있는 것이 바람직할 때) 뇌관 주위의 약협 금속을 짧게 하여 제자리에 고정하여 카트리지 약협에 유지된다. '막대대기-staking'와 '링만들기-ringing'가 일반적인 방법으로 두 가지다 소량의 약협 금속이 뇌관에 겹쳐서 제 위치에 고정한다. 이것은 운반 목적으로만 요구되며 약협 내의 초과 압력이 가끔 뇌리쇠 뭉치가 개방됨에 따라 뇌관이 밖으로 날려갈 수 있더라도 일단 총 내부에서 노리쇠 뭉치가 뇌관 뒤에 가깝게 접합되면 주 후방 움직임에 대해 뇌관을 지지한다. 약협과 뇌관 사이의 이음매는 '뇌관 고리-cap annulus'로 부르며 보통 방수 니스로 밀폐된다. 군용 탄약에서 이 니스는 종종 약협 내에 삽입된 탄자의 성질을 나타내기 위해 색이 칠해진다.

CAP COMPOSITION(뇌관화약) : 뇌관(cap 또는 primer) 안에 채워진 민감한 성분이며 공이에 의해 격렬한 타격을 받으면 화염으로 폭발한다.
초기 화약은 수은의 뇌산염, 연소산 칼륨과 안티몬, 황화물에 기초하였다. 첫 번째 것은 타격에 민감하고, 다른 두 가지는 폭발의 열과 화염을 증가시킨다. 그러나 이 화약은 결점을 가지고 있다. 폭발로 인한 수은염은 카트리지 약협의 황동을 부식시켜 약화시키고 다음 탄 장전에 적합하지 않게 한다. 그리고 질산칼륨은 화기의 총강 내에 퇴적되어 녹을 촉진시킨다. 흑색화약이 주 추진제이던 시대에는 화약 탄매 제거를 위해 필요한 청소로 염류를 제거하였기 때문에 거의 문제가 되지 않았다. 그러나 무연화약이 사용되면서, 손질이 덜 엄격해져서 염류가 알고는 것처럼 현실적인 문제가 되기 시작하다. 군용은 이것이 재장전을 거의 방해하않고 엄격한 훈련으로 총강을 충분히 손하였기 때문에 뇌산염 혼합물을 계속 사하였고 혼합물의 힘과 신뢰성이 더욱 중요게 되었다. 그러나 상업용 제작자들은 20기 초에 뇌산염 혼합물을 폐기하여 카트리황동과 녹 촉진에 영향을 주지 않는 납 스푼 산(styphnate)과 테트라젠(tetrazene) 기초한 성분으로 대체하기 시작하였다. 부하지 않는 화약에 대한 군용 적용은 늦었며 1950년대 후반이 되어서야 군용 뇌관 확실히 부식성이 없게 되었다.

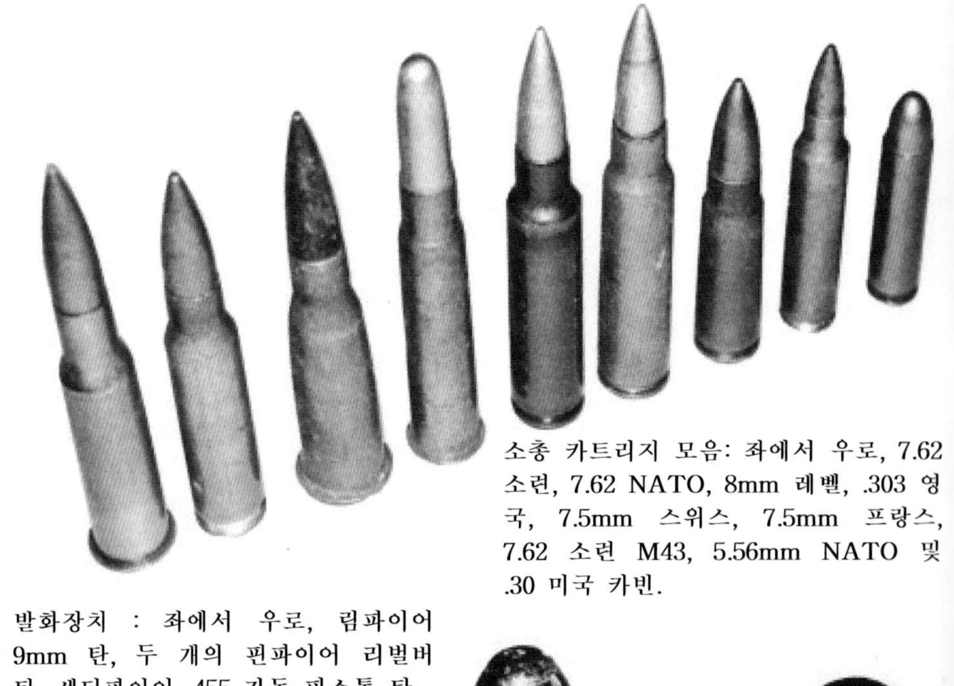

소총 카트리지 모음: 좌에서 우로, 7.62 소련, 7.62 NATO, 8mm 레벨, .303 영국, 7.5mm 스위스, 7.5mm 프랑스, 7.62 소련 M43, 5.56mm NATO 및 .30 미국 카빈.

발화장치 : 좌에서 우로, 림파이어 9mm 탄, 두 개의 핀파이어 리벌버 탄, 센터파이어 .455 자동 피스톨 탄.

CARTRIDGE(완성탄) : 특히 소화기 탄약에서 추진장약을 구성하는 완성탄의 일부. 완성탄 - 뇌관, 약협, 장약 및 탄자-에 대한 대치 용어.

CARTRIDGE BRASS(카트리지 황동) 70퍼센트의 구리와 30 퍼센트의 아연 혼으로 만들어진 전통적인 카트리지 약협. 성과 제작의 용이성 때문에 선택되었다.

위 : 무(無)림 및 세미림 약협의 예. 병목 약협은 무림이고, 직선 약협은 세미림이다. 맨 우측의 약협은 추출홈이나 어떤 종류의 림도 없는 1894년의 버그만 6.5mm이다.

아래 : .303 소총 카트리지 약협의 제작 단계. 황동 약협은 각 절차 사이에서 단련(열처리)되어야 한다.

것은 폭발하는 작약의 압력 하에서 약협이 장되도록 하고 약실 벽에 단단하게 점착하록 하여 그것으로 어떠한 누출 가스에 대서도 노리쇠 뭉치를 밀폐하고 이전 크기로 축하도록 하여 쉽게 추출될 수 있게 한다. 것은 또한 제작 후 즉시 유용한 산화 성질 갖고서 더 이상 부식과 산화가 되지 않도 금속을 덮는 보호 외막을 형성한다.

ARTRIDGE CASE(카트리지 약협) : 보 황동으로 된 금속 약협. 소화기 탄약에서 진제 용기를 형성한다. 약협은 다음과 같 다른 중요한 기능도 수행한다. 탄자를 화 의 총강에 대해 정확하게 위치시킨다. 탄를 지지한다. 발화장치를 지지하거나 포함다. 총이 사격될 때 추진제 가스의 불의의 출에 대해 노리쇠 뭉치를 밀폐한다. 추진가 축축하지 않도록 보호한다. 고속 사격의 뜨거운 약실 벽과 추진제 화약 사이에 연제 역할을 한다.

동이 전통적인 금속이지만 강철도 종종 사된다. 강철은 녹이 발생하지 않도록 외부을 씌워야 한다. 과거에 강철 약협이 황동는 아연 코팅되거나 보호막을 형성하기 위 화학처리 되었지만, 플라스틱 니스가 오날 일반적인 방법이다. 황동은 특히 재장이 적당하도록 상업용 탄약에 사용되고 강철은 전적으로 군용 탄약으로 제한된다. 플라스틱 재질은 여러 가지 경합금으로 시도되었지만 플라스틱이 훈련 및 공포탄에 광범위하게 사용되었고 재래식 카트리지에서는 거의 성공하지 못하였고 경합금 약협은 20-30mm 구경 범위의 일부 항공용 캐논 탄약에 사용되었다.

금속 약협은 일련의 압연 작업과 늘림 작업에 의해 제작된다. 두꺼운 원반이 황동 판으로부터 압연되고, 이것은 컵모양으로 형성된 후 몇 번의 늘리기 작업으로 원하는 길이보다 더 길게 확장된다. 금속에 존재하는 불순물을 함유한 이 컵의 입구는 절단되어 폐기된다. 그리고 탄저가 추출 홈 또는 림 및 뇌관 실로 구성된다. 뇌관 발화금과 화염공이 구성되고 약협은 필요시 정확한 크기로 목을 작게 한다. 마지막으로 정확한 길이로 정리되고 연마된다. 다이스를 통해 늘리면서 단련되는 경향이 있어 그 결과로 쉽게 부서지거나 금이 가기 쉽고 찢어지기 쉽기 때문에 대부분의 단계 간에 특정 온도로 약협을 열처리하고 통제된 비율로 냉각 시키는 것이 필요하다.

강철 약협은 유사한 방법으로 제작되지만 강철의 상이한 야금술적 속성은 약협의 두께와 금속의 분포가 황동약협처럼 동일하지 않다는 것을 의미한다. 황동 카트리지의 늘림으로 강철 약협을 만드는 것은 실용적이지 않다. 플라스틱 약협은 리벌버용 저압력 훈련탄으로 제한되지만 전체적으로 플라스틱일 수 있다. 더 일반적인 방법은 금속으로 탄저에 추출홈 또는 림을 만들고 거기에 플라스틱을 주조하는 것이다.

CASELESS CARTRIDGE(무탄피 카트리지) : 재래식 금속 약협이 사용되지 않는 카트리지. 대신 추진제는 접착제와 함께 혼합되어 필요한 모양이 될 수 있는 단단한 덩어리가 된다. 완전 연소물질로 만들어지는 뇌관은 이러한 추진제 덩이의 바닥에 접합되고 탄자는 전방 끝에 깊숙이 들어간다. 목적은 사격 후 탄피의 추출과 축출절차를 제거하여 화기의 작용 속도를 높이는 것이다. 또한 탄약의 무게(황동 또는 강철 약협은 무겁다)를 경량화하고 특히 전시에 모두 중요한 물질인 구리와 아연의 소요를 줄이는 장점이 있다. 그러나 결점도 있다. 이것은 노리쇠 뭉치를 밀폐하지 않아 화기에 있는 어떤 장치로 이 일을 수행해야 한다. 그리고 추진제와 총의 뜨거운 약실 사이에 '열 흡수-heat sink'를 제공하지 않아 재래식 추진제는 부적당하다. 현재의 가장 발전된 무탄피 카트리지는 헤클러&코흐의 G-11 소총용으로 헤클러 & 코흐

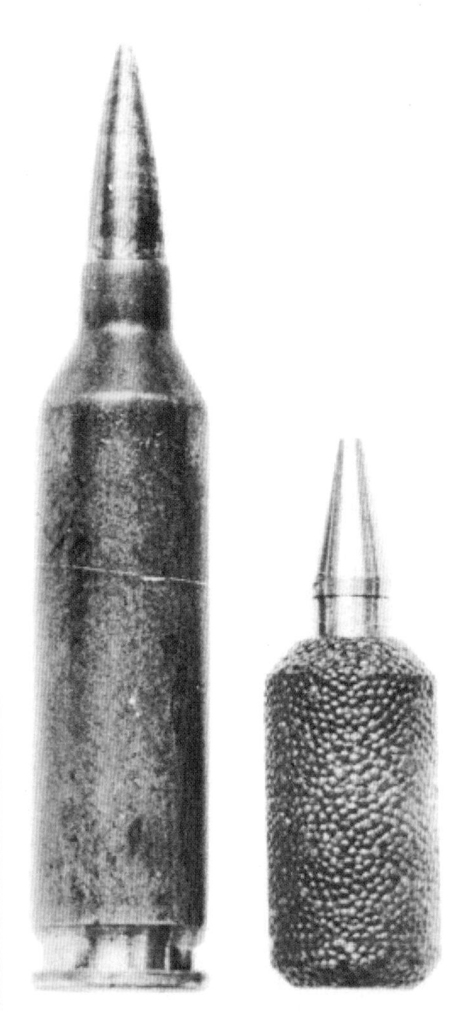

비교용 재래식 탄이 옆에 있는 시험용 무탄피 카트리지(우).

와 다이나마이트 노벨사가 독일에서 개발한 4.7mm형이고, 1990년대 초에 독일 연방군에 도입될 계획이었다. 이 카트리지는 재래식 니트로글리세린 합성물 보다는 추진제로서 적절한 고폭약을 사용한다.

CENTRE-FIRE(센터파이어) : *림파이어(rimfire)* 또는 *핀파이어(pinfire)*와 구분되도록 발화 뇌관이 탄저의 중앙에 위치한 카트리지 설명에 사용되는 용어. 초기 디자인에서 뇌관은 가끔 탄저 내부에 숨겨졌고 화기의 공이가 뇌관을 관통하기 위해 약협 금속을 변형시켰다. 이 형태는 당대의 림파이어 카트리지와 쉽게 혼동될 수 있었다.

CHARGER(장탄기) : 화기에 카트리지를 장전하기 위한 장치. 종종 '클립(clip)'으로 틀리게 부른다. 장탄기는 보통 화기의 탄창을 채울 만큼의 많은 카트리지의 림(외륜테)을 무는 용수철형 강철 클립이다. 화기의 작용 순서는 개방이고 장탄기는 지지대에 삽입되어 카트리지가 탄창 입구 위에 위치한다. 엄지손가락 압력으로 카트리지가 장탄기 밖으로 쓸려서 탄창으로 들어간다. 그리고 빈 장탄기는 제거된다. 보통 엄지손가락에 의해 실행되지만 노리쇠가 첫 번째 탄을 잠금 시킬 때는 화기의 장치로 실행한다.

장탄기와 클립 : 좌, 소련 시모노프 소총용 10발들이 장탄기. 우, 5발들이 리-엔필드(Lee-Enfield) 장탄기. 이들 사이에 있는 것은 미국 개런드(Garand) 소총용 8발들이 클립.

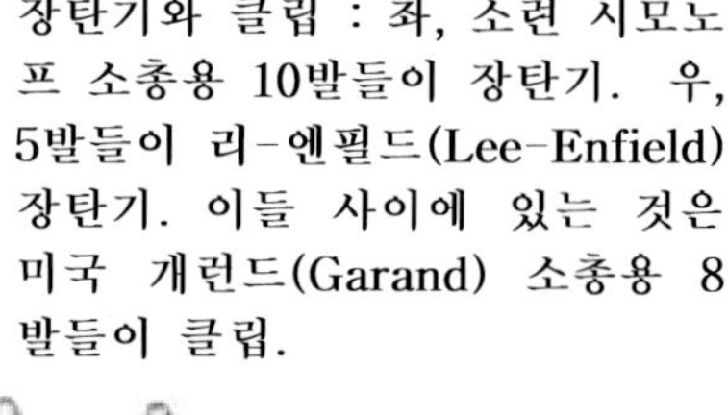

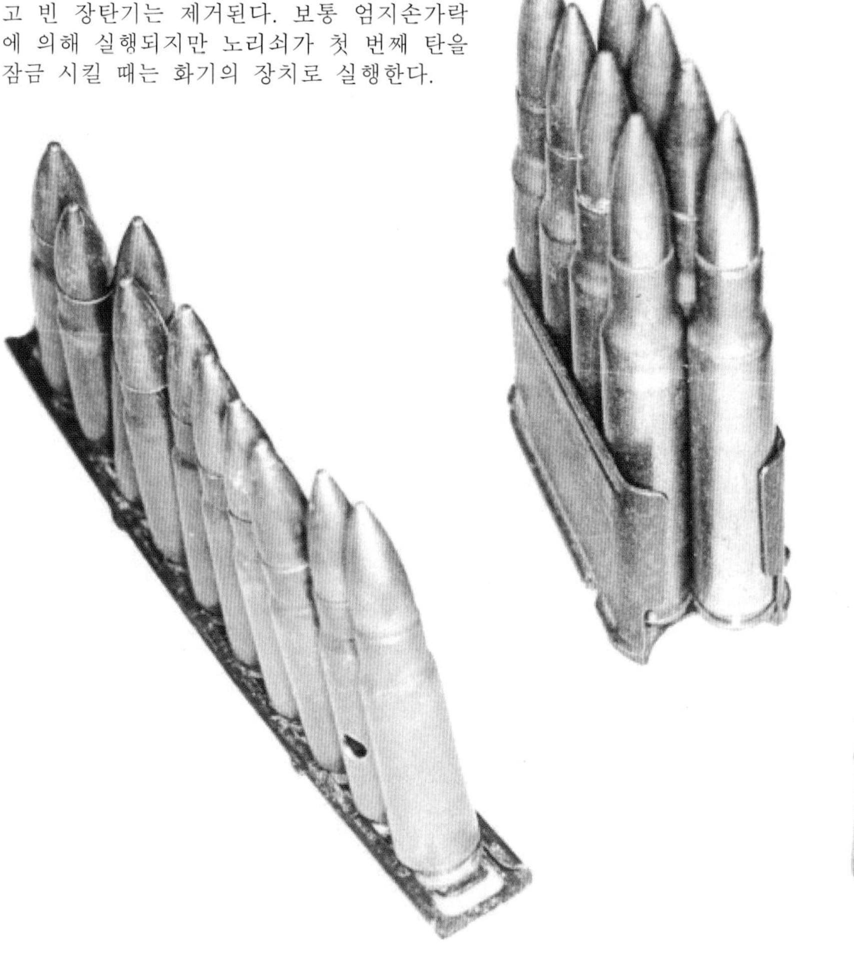

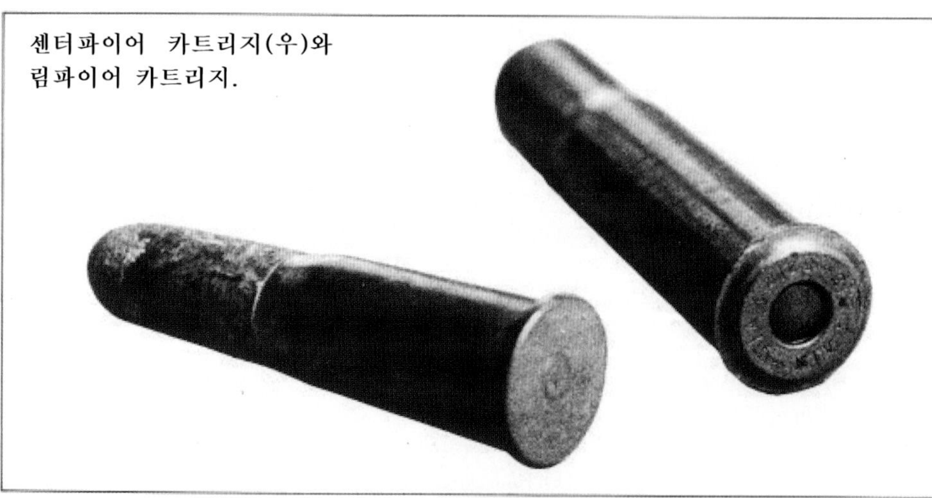

센터파이어 카트리지(우)와 림파이어 카트리지.

립은 소화기에 제한되지 않는다. 여기서 한 미군 포수가 경 대공포에 37mm 탄의 클립을 장전하고 있다.

LIP(클립) : 화기의 탄창 안에 카트리지를 전하기 위한 장치. 종종 *장탄기(charger)*와 동한다. 장탄기처럼 클립은 항상 탄창을 울 만큼의 많은 카트리지를 고정하는 용수 형 강철 틀이다. 화기의 작용 순서는 개방 고 완전한 유닛(클립과 카트리지)이 탄창 으로 넣어진다. 그리고 화기의 작용 순서 닫힘이고 첫 번째 탄이 약실 안으로 장전 다. 화기가 작동되면서, 밀대 암이 클립 안 마지막 탄이 장전되고 사격될 때까지 카 리지를 올린다. 그래서 클립은 탄창에서 출된다. 클립 장전의 중요한 특징은 클립 없으면 화기의 탄창은 작동하지 않는다는 이다. 그리고 느슨한 탄으로는 탄창을 밀 올릴 수 없다. 최근에 가장 잘 알려진 클 장전 무기는 미군의 개런드(M1) 소총이 다.

OMPOUND BULLET(복합 탄자) : 가벼 금속의 피갑이 있는 조밀한 금속 탄심으 둘러싸인 구조의 탄자. 목적은 적절한 중 량의 소구경 발사체를 획득하는 것이지만 화 기의 강선과 납이 맞물리지 않는다. 개념은 880년대 스위스의 루빈(Rubin) 소령에 의해 개척되었고 새로운 세대의 소구경 소총을 찾 고 있던 군 설계자들이 신속하게 채택하였 다. 그리고 상업분야로 이동하였다.

COPPER(구리) : 카트리지 황동의 성분. 뇌관용 재질로는 단독으로 사용된다. 화기의 내부 약실 또는 총강 압력을 측정하는 장치에서 소형 슬러그를 구성하는 데도 사용된다. 소화기 약협에서 압력은 많은 'Cup' 또는 '압력의 구리단위-copper unit of pressure'로 주어진다. 이 시스템은 특히 미국에서 널리 사용된다. 유럽에서는 보통 lb/in^2 또는 kg/cm^2처럼 직접 단위로 압력을 인용한다.

D

DARK IGNITION(무광 발화) : 추진 장약 화염이 먼저 지연 성분을 발화하고 난 후 예광제를 점화하여 예광탄이 보통 50-100미터 가량 화기로부터 떨어질 때까지 보이지 않게 되는 군용 *예광제(tracer)* 탄자 발화 방법. 목적은 첫째 예광탄두가 어둠에서 나타나 사수의 눈을 눈부시게 하는 것을 방지하는 것이고 두 번째로 적이 탄의 비행궤도를 역추적 하여 발사지를 찾는 것을 방지하기 위한 것이다.

DIGLYCOL POWDER(디글리콜 화약) : 필연적으로 *복기(Double Base)*이지만 그 안에 있는 니트로 글리세린이 디글리콜-이질산염, 트리글리콜-이질산염, 또는 메틸-트리메티롤 메탄-트리니트와 같은 질소 아스테르로 대체된 추진 화약. 화약은 단기보다 강한 힘을 주지만 이중 기저의 높은 화염 온도는 없다. 이것은 총열에 부식성 마모가 덜하여 화기의 수명이 더 길고 마찬가지로 총구의 화염을 줄인다.

두 가지 복합 탄자(7.62mm 소련 나강(Nagant) 리벌버와 .223 아말라이트(Armalite) 소총용 탄심과 피갑의 구조를 보여주고 있다.

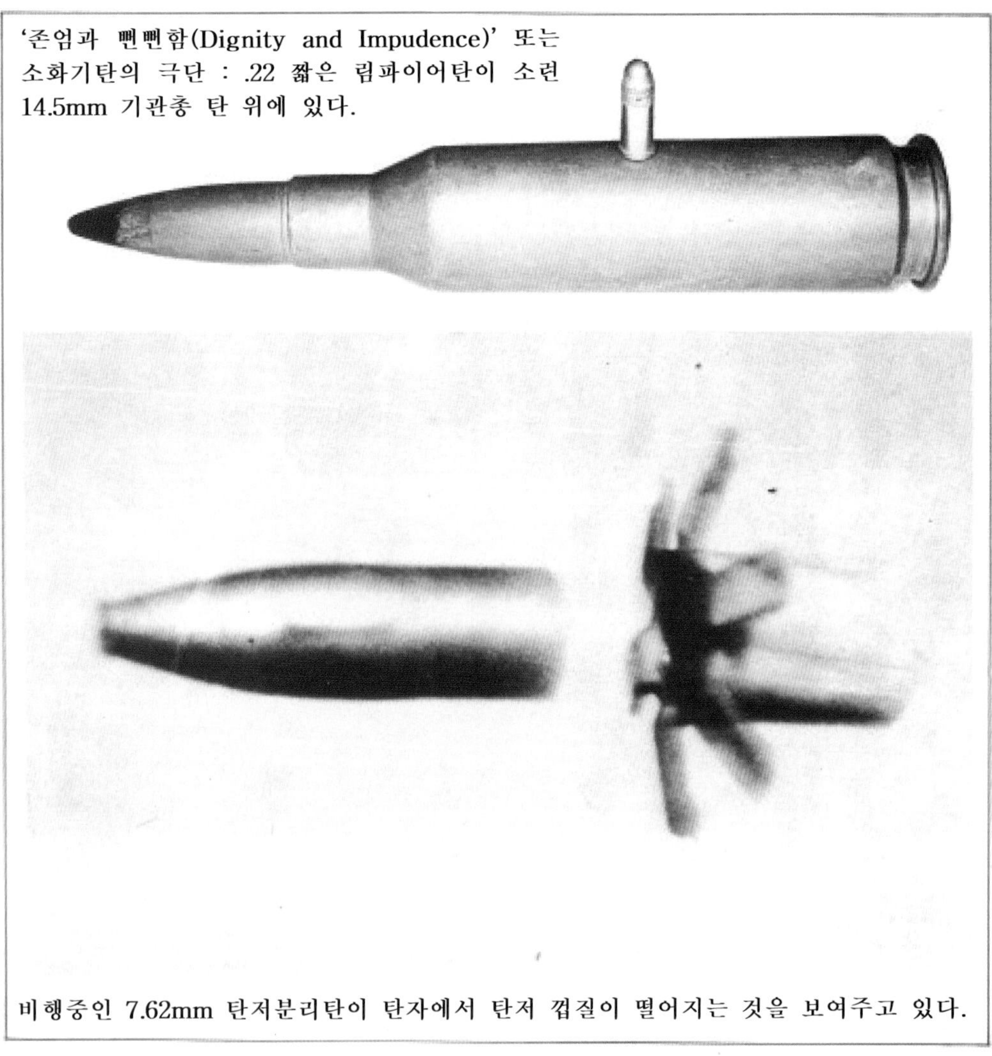

'존엄과 뻔뻔함(Dignity and Impudence)' 또는 소화기탄의 극단 : .22 짧은 림파이어탄이 소련 14.5mm 기관총 탄 위에 있다.

비행중인 7.62mm 탄저분리탄이 탄자에서 탄저 껍질이 떨어지는 것을 보여주고 있다.

DISCARDING SABOT(탄저판 분리) : 두 가지 유닛, 즉 하부 발사체와 탄저판으로 구성된 발사체. 하부발사체는 화기의 총강 보다 훨씬 직경이 작고 총강 직경의 탄저판에 의해 지지된다. 탄저판은 플라스틱이나 합금이며 완전한 발사체는 화기에 대한 재래식 발사체보다 훨씬 빠르다. 그러므로 사격 시, 신속하게 가속하여 높은 총구속도에 도달한다. 총구를 떠날 때, 원심력의 작용과 공기압은 탄저판을 하부 발사체에서 분리되어 지상으로 떨어뜨리고 하부발사체만 남겨 표적으로 날아가게 한다.

목적은 철갑탄일 경우에 탄자에 더 긴 사거리를 주고 주어진 사거리에서 더 큰 타격속도를 보장하기 위해 완전 구경 발사체에서 얻을 수 있는 것 보다 더 빠른 가능한 최고의 속도를 얻는 것이다. 현재에 상업용 탄저 분리 탄약은 미 육군이 최근에 두문자 SLAP으로 7.62mm와 .50인치 탄저분리 장갑탄을 공표한 반면 '액셀러레이터'란 이름으로 레밍턴사가 제작한다.

DOUBLE BASE(복기 추진제) : 주성분이 니트로-셀룰로즈와 니트로-글리세린인 추진제 형태. 니트로글리세린의 혼합 또 그러한 이유로 훨씬 뜨겁고 화기 총열의 강철을 보다 빠르게 녹여 버리는 높은 화염 온도 때문에 이것은 단기 추진제 보다 훨씬 강력하다. 영국군 추진제인 '코다이트-cordite'는 복기 추진제 중에서 가장 잘 알려져 있다.

복기 추진제는 오늘날 광범위하게 사용되지 않고 삼기 형태로 대체되었다. 다른 복기의 결점은 니트로글리세린이 분해되는 경향이 있어 장기간 저장 시 결국 순수한 형태로 유출된다.

DRIFT(편류) : 공기 중을 비행할 때 탄자의 측면 이동. 이동(코리올리 효과-Coriolis Effect)은 양쪽 측면에 상이한 공기 밀도를 만드는 탄자의 회전에 의해 발생한다. 탄자는 더 조밀한 지역으로 움직이려는 경향이 있다. 편류는 화기의 조준경을 설치하여 어느 정도 보정되지만 정밀한 조정은 보통 사수에 의해 이루어진다.

DRILL AMMUNITION(훈련탄) : 폭발분이 없고 군사 훈련병들이 장전과 화기 조작 연습을 하는 완전하게 비활성인 카리지. 가끔 정확한 용어는 다르지만 '모(더미)-dummy'라고 부른다. 훈련용 카트지는 작은 결점으로 검사를 통과하지 못 구성품, 폐기되어 활용되는 한번 격발된 성품으로 만들 수도 있고 또 비표준 물(경합금 약협과 나무 탄자)로 만들 수 있 뇌관실은 비었거나 화기의 공이 손상을 지하기 위해 플라스틱이나 고무마개로 채 질 수 있다. 카트리지 약협은 보통 구멍 뚫리고 *딴띠 홈(Cannelure)* 자국을 남기나 세로 홈을 파서 확실히 비활성을 구분 수 있다.

3개의 훈련용 소총탄: 좌, 영국 .303 리-엔필드(강철). 중앙, 독일 7.92 모제르(Mauser)(플라스틱). 우, 미국 .30스프링필드(Springfield)(황동 및 나무).

M-DUM(덤덤탄) : 1890년대에 소화기 창인 버티 클레이(Bertie Clay) 대위가 인 의 덤덤 조병창에서 고안한 탄자 형태. 이 는 납 탄심을 노출하기 위해 첨두에 뒤쪽 로 손질한 피갑이 있는 표준 .303인치 영 탄자로 구성되었다. 목적은 신속하게 변 되는 탄자를 획득하여 충돌시 강력한 충격 가하여 원주민 또는 다른 '미개한' 적을 복시키는 것이었다. 이것은 1898년 옴두만 ndurman) 전투에서 처음 사용되었지만, 사 피갑이 전체적으로 탄저를 덮지 않았기 문에 심각한 결점을 나타냈다. 탄심이 날 가 버려 강선에 피갑을 남겨 다음 탄의 장 을 방해하였다. 그러므로 디자인은 폐기되 첨두에 구멍이 뚫린 완전 피갑(풀자켓)이 고 짧은 금속관으로 채워진 '볼 마크Ⅲ all MarkⅢ'로 대체되었다. 이것은 동일한 장 효과가 있으며 소총에서 더욱 신뢰성이 었다.

09년에 헤이그 협정은 어떠한 확장 탄자도 용으로 사용하는 것을 금지하였고 덤덤탄 볼 마크Ⅲ는 퇴출되었다. 그 때 이후 확 탄자는 군대에서 사용하지 않았지만, '덤 이란 말은 특히 허가 받지 않은 방법(예 들어 납 탄자의 첨두를 십자로 절단하여) 로 원래 비확장 탄자를 변형시킨 확장 탄 를 설명하는데 막연하게 사용된다.

기갑인의 도구: 3개의 더미 카트리지가 있고 앞에 것은 화기의 마모를 측정하기 위한 '약실 게이지'이다.

투박하게 제작된 덤덤 탄자. 정상적인 납 리벌버 탄자를 절개하여 제작.

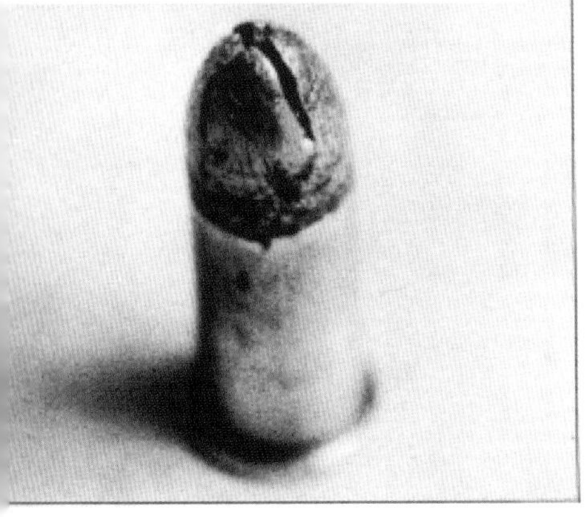

UMMY AMMUNITION(더미 탄약) : 련탄과 유사하며 두 용어는 자주 바뀌어 용된다. 그러나 영국에서 더미 탄약이란 어는 보통 화기의 점검을 할 때 정비자와 기 검사자가 사용하기 위해 정확한 치수 매우 조심스럽게 탄을 복제하여 만든 것 다.

UPLEX(이중) : *다중 탄자(multiple llet)* 카트리지에 대한 미국 군사용어. 60년대 초에 개발되어 베트남에서 광범위 게 사용되었다. 5.56mm와 7.62mm 구경으 제작된다.

2개의 실험용 미국 이중 및 삼중 볼 카트리지. X레이로 찍은 7.62mm 구경.

E

ENVELOPE(갑모) : 종종 '피갑-jacket'이란 단어와 바꾸어 사용된다. 그러나 엄밀하게 이것은 이러한 막이 사용되는 *피갑(jacket)*의 외부 금속 코팅을 의미한다. 이렇게 해서 도금금속으로 코팅된 연강 피갑이 도금 금속외피를 가졌다고 말할 수 있다.

EXPLOSIVE(폭약) : 폭약은 적절하게 발화되어 그 주위에 돌연하고 격렬한 압력을 발휘할 수 있는 물질이다. 이 압력은 폭약이 가스로 극도로 빠르게 분해되어서 만들어진다. 정상적인 대기압과 온도의 용적은 최초 폭발의 용적보다 수배 더 크다. 이 압력은 절차가 진행되는 동안에 유리(遊離)된 열에 의해 크게 강화된다.(*탄약에 관한 보고서-Treatise on Ammunition*, 1926)
폭약은 저폭약과 고폭약으로 분류된다. 저폭약은 아주 빠르게 연소하여 화염이 최대 초당 3,000미터 속도로 폭약에 퍼진다. 고폭약은 초당 10,000미터 이상의 속도로 기폭하거나 분자분열을 한다. 일반적으로 말해서, 저폭약은 화염에 의해 발화되고, 반면에 고폭약은 폭약을 기폭시킬 충격파가 필요하다.
화기에서 저폭약은 추진제로 사용되고 고폭약은 발사체에서 파열 작약으로서 사용에 제한된다. 그 때문에 고폭약은 소화기 탄약 분야에서 보기 힘들지만 작용 특성을 조절하거나 화학처리하여 기폭에서 연소로 전환하였고 그래서 저폭약으로 재분류된다.

EXPLOSIVE BULLET(폭발 탄자) : 두 가지 뜻을 가지고 있는 용어. 1899년의 헤이그 선언의 문맥에서 폭발 탄자는 인체 내에서 쉽게 확장되거나 펴지는 모든 '탄자'를 뜻하고, 군용 목적으로의 사용이 금지된다.
군용 사용에서 폭발 탄자는 충격시 기폭 하는 폭발 작약을 포함하고 있는 소화기 탄자이며 가시 화염을 방출하고 연기를 내뿜는다. 이러한 탄자는 장사거리 기관총에서 사용하기 위해 설계되어 탄자의 타격이 보이며 사격을 조정할 수 있다. 현재는 폭발 탄자는 대전차 포병 화기에 부착되어 조준 소총이나 기관총으로 사용된다. 조준 화기는 화기의 총열에 고정되어 탄자의 타격이 어떤 특정 사거리에서 발사체의 타격과 일치한다. 사수는 조준화기를 사격하여 조준을 조정하고 표적에 명중하도록 한다. 그리고 주화기를 사격하여 발사체가 탄자가 맞힌 곳에 타격하는 것을 확신한다. 이 시스템은 사거리측정 장치가 가용하지 않을 때 사거리의 판단 또는 바람에 대한 수정을 아주 신속하게 할 수 있게 한다. 이것은 현재 대전차 로켓 발사기의 사격통제에 적용되어 있다.

FIRST CATCH(첫 피탄점) : 서 있는 사람의 머리를 타격할 만큼 충분히 지상에 가깝게 낙하한 탄자 비행중의 지점. *피탄 지역(beaten zone)*의 시작.

FIRST GRAZE(최종 피탄점) : 지상 또는 엎드린 사람을 타격하는 탄자 비행중의 지점. *피탄 지역(beaten zone)*의 끝.

FLECHETTE(쇠화살) : 날개에 의해 비[행]중 안정화되는 다트(dart)형 단단한 발사[체]. 최초에 행군 부대를 공격하는 방법으[로] 1914-18년의 전쟁기간 중에 항공기에서 [지]상공격용으로 다량으로 투하된 커다란 [강] 다트(약 1피트 길이)를 설명하기 위해 사[용된] 이 용어는 소화기 발사체로 미 육군 소[형] 다트(약 2.54cm 또는 1인치) 개발용으[로] 1950년대에 부활하였다. 적용은 다양하[여] 어떤 것은 소총용 단일 발사체 장전용으[로] 어떤 것은 산탄총, 유탄발사기 및 포병 [화기]용 다중 발사체 장전용으로 시도되었다. [소]화기 적용에서 단일 쇠화살은 총상 내에[서] 탄저판에 의해 지지되어야 하며 이것은 [총]구에서 분리가 어렵게 된다. 쇠화살은 [단독으]로는 정확하지 않고, 치명성은 불규칙하[여] 계획은 폐기되었다. 산탄총 탄약의 다중 [장]전은 더 유용하고, 현재 12게이지 근접 [전투] 화기용 카트리지가 20개의 강철 쇠화살[로] 채워졌다.

FRANGIBLE BALL(무른 탄) : 금속[과] 도료의 압축 입자로 만든 볼 탄자의 형[태]. 항공기 사수용 훈련 탄자로 1939-45 전[쟁] 중 및 후에 미 육군과 공군에서 사용하[였]다. 다른 항공기에 사격할 때 탄자는 충[격]시 먼지로 분해되어 손상을 주지 않지만 [표]적에 페인트 표시를 남겨 포술훈련병들[을] 평가할 수 있다.

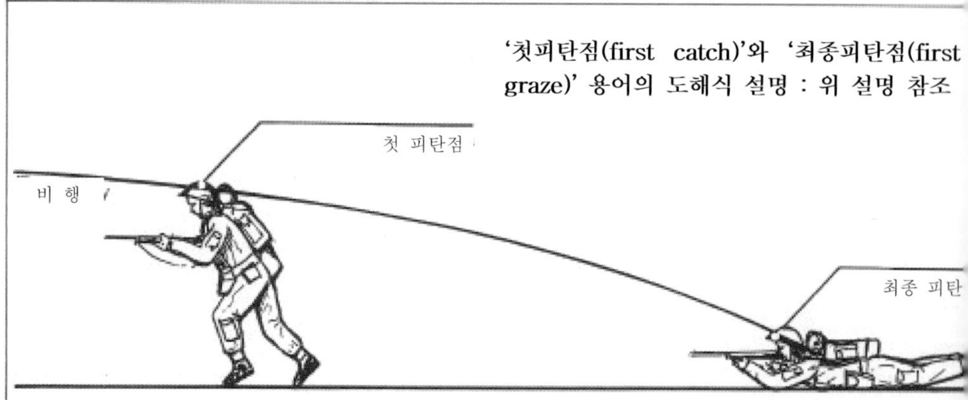

'첫피탄점(first catch)'와 '최종피탄점(first graze)' 용어의 도해식 설명 : 위 설명 참조

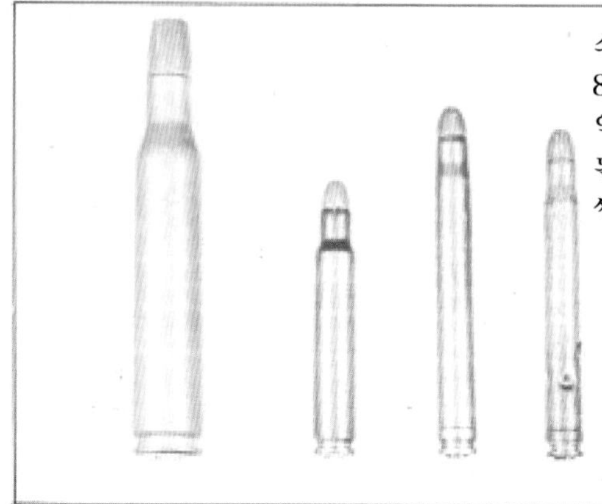
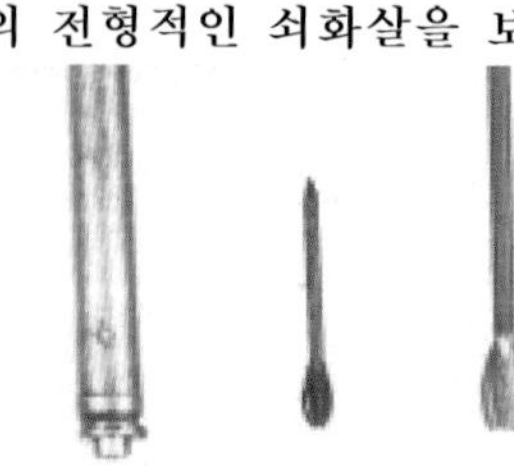

쇠화살(Flecchette) 탄 : 좌에서 우로 8.35mm 암론(Amron) 다중 쇠화살, 5.56m[m] 약협, XM 110 쇠화살, XM645쇠화살, 발사된 쇠화살 약협이 사격후 피스톤 뇌관과 [한] 쌍의 전형적인 쇠화살을 보여주고 있다.

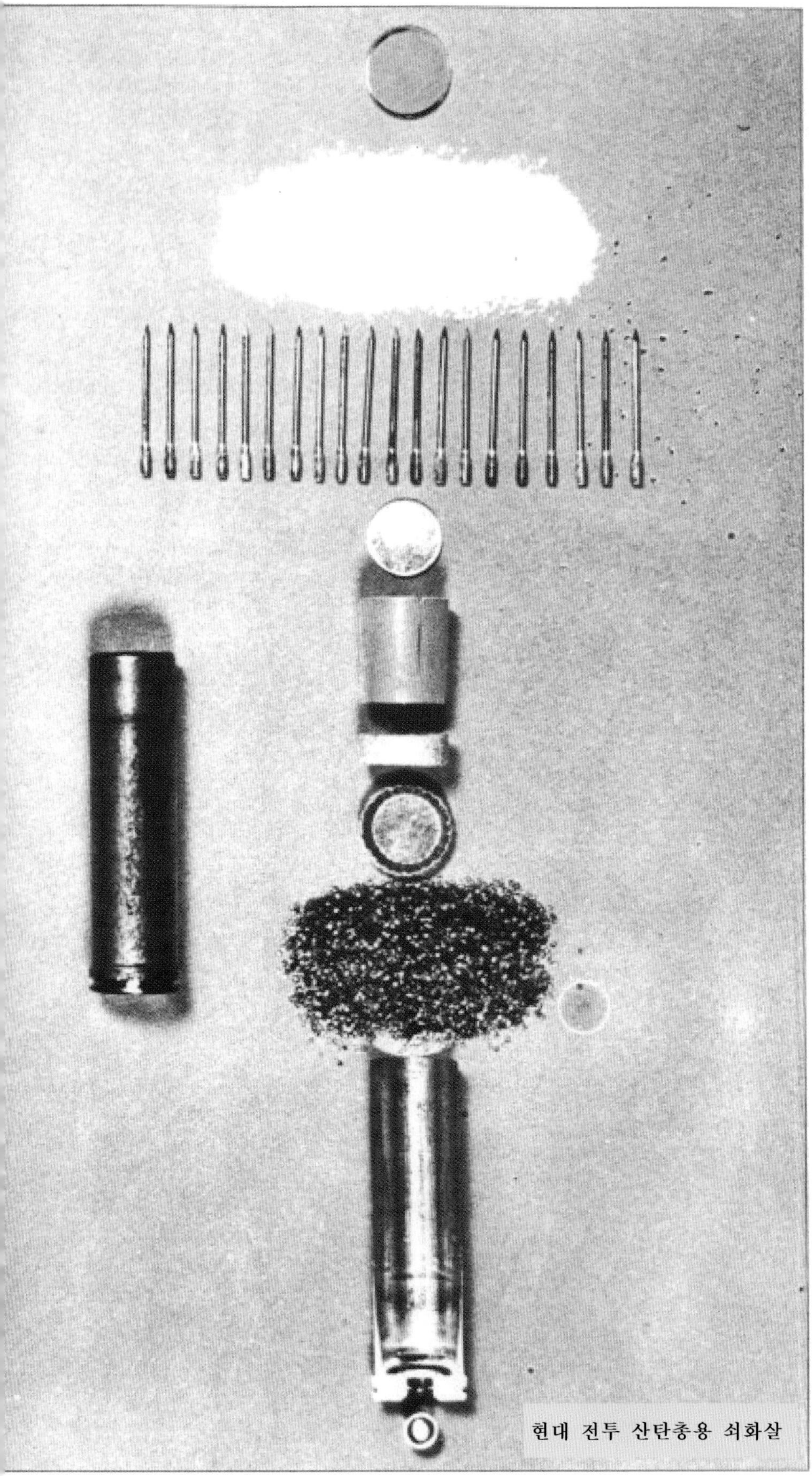

현대 전투 산탄총용 쇠화살

G

GILDING METAL(도금 금속) : 대략 90 퍼센트 구리와 10 퍼센트 아연의 합금. 탄자의 연강 피갑을 코팅하는데 사용된다. 부식으로부터 강철을 보호하고 탄자가 지나갈 때 소총 총열에서의 마찰을 적게 발생시키기 위해 사용된다.

GRENADE CARTRIDGE(유탄 카트리지) : 소총에서 유탄을 발사하기 위해 사용되는 *공포탄(blank cartridge)* 형태. 요구 조건은 매우 빠르게 다량의 가스를 발생시키는 것이지만, 흑색화약 공포탄만큼 빠르지 않다. 그러므로 유탄 카트리지는 일반적으로 신속하게 연소하는 무연 화약으로 채워진다. 유탄은 3가지 중 하나의 방법으로 발사될 수 있다. 소총의 총구에 부착된 컵에 유탄을 장전하거나, 또는 소총의 총구 위로 미끄러질 수 있는 중공(中空) 꼬리 유닛을 가지고 있는 유탄으로 첫 번째 방법은 더 이상 사용되지 않는다. 컵 발사기는 폭동 진압탄 사용으로 제한된다. 대부분의 현대 소총은 표준 유탄을 적용하기 위해 총구 외부에 두 개의 21mm 직경의 링 모양을 가지고 있다.
최근 훈련에서는 유탄 꼬리 유닛에 탄자 트랩을 설치하여 유탄 카트리지를 제거하였다. 이것은 표준 볼 카트리지의 사용을 가능하게 하고 유탄 카트리지를 장전한 후 유탄을 사격한 후 탄환을 재장전해야 하는 소총에서 총알을 제거해야할 필요성을 제거하였다. 이것은 또한 병사들이 유탄 카트리지를 휴대해야 하는 필요성을 제거하였다. 유일한 단점은 볼 탄자의 추진제 장전은 유탄 발사에 최적이 아니며, 그러므로 탄자트랩 유탄은 보통 특수 카트리지로 사격하는 재래식 형태와 동일한 사거리를 얻지 못한다.

유탄 발사 약협.

H

H-MANTEL(H-멘텔) : 전체 길이 중간쯤에 단단한 내부 구획이 있고 전방과 후방 구역에 탄심이 있어 탄자에 'H'형 구역을 주는 소총용 탄자에 대해 범용으로 사용되는 독일 용어. 전방 구역의 피갑은 후방의 것보다 얼마간 얇다. 목적은 충격 시 제어된 변형을 가지는 것이며, 전방 구역은 쪼개져 개방되고 탄자의 후방이 변형된다. 사냥용에만 사용한다.

HEADSTAMP(헤드스탬프) : 탄을 구분하기 위해 카트리지 약협의 탄저에 날인된 표시. 헤드스탬프에는 보통 구경과 제작자에 대한 정보가 있다. 상표명, 제작일자, 뱃치, 또는 로트 넘버, 약협 제작자에 대한 상세, 약협 금속 성분과 상표 또는 상징에 대한 상세를 포함할 수 있다. 군용 헤드스탬프는 종종 제작 공장을 은폐하기 위해 암호화되지만, 보통 제작년도와 구경이 솔직하게 표시된다. 상업용 탄약은 보통 제작자의 이름이나 상표와 구경을 표시한다. 헤드스탬프는 전문화된 과목이고 이 주제에 대한 서적이 많다.

HEEL BULLET(힐 탄자) : 카트리지 약협의 입구에 꼭 맞도록 후방부의 직경이 줄어든 피스톨 탄자. 나머지 탄자가 약협의 입구와 높이가 같다. 화기 약실의 카트리지를 위치시키기 위해 사용되는 약협의 입구를 막기 때문에 림 탄약에만 사용한다.

독일 7.92mm 모제르 약협에 보이는 전형적인 군용 헤드스탬프.

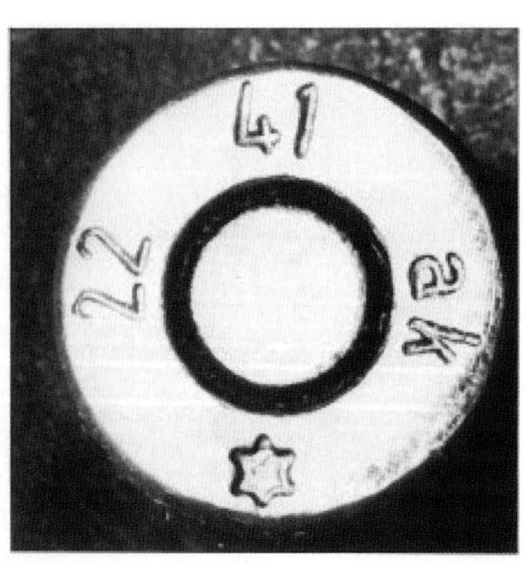

약협 압력 내부에 꼭 맞는 직경의 감소를 보여주는 힐 탄자.

HOLLOW POINT(중공(中空) 탄두) : 탄두가 약 2구경 깊이로 바깥쪽으로 구멍이 뚫린 탄자의 형태. 탄자의 첨두는 구멍 모서리에 피갑이 있을 수 있거나 납이 있을 수 있으며 만약 피갑이 있으면 구멍이 피갑 금속과 나란할 수 있다. 목적은 충격 시 표적을 타격할 때 중공(中空) 구멍내부의 공기 기둥의 압축의 결과로 탄자의 머리를 변형 - 또는 버섯머리 - 시키기 위한 것이다. 중공(中空) 탄두 탄자는 보통 단발로 사냥감을 죽이기 위해 사냥용에 사용된다. 이들은 재래식 탄자보다 훨씬 큰 '정지 힘'을 가지고 있고 대부분의 경찰이 사용이 금지되어 있지만, 가끔 경찰과 경비부대에서 사용된다. 중공(中空) 탄두 탄자는 헤이그 협약에 의해 군용으로 완전히 금지되어 있으며 이것은 보편적으로 감시되고 있다.

둥근 첨두, 스피처 및 연한 탄두 형과 비교된 .303 영국 중공(中空) 탄두 탄자.

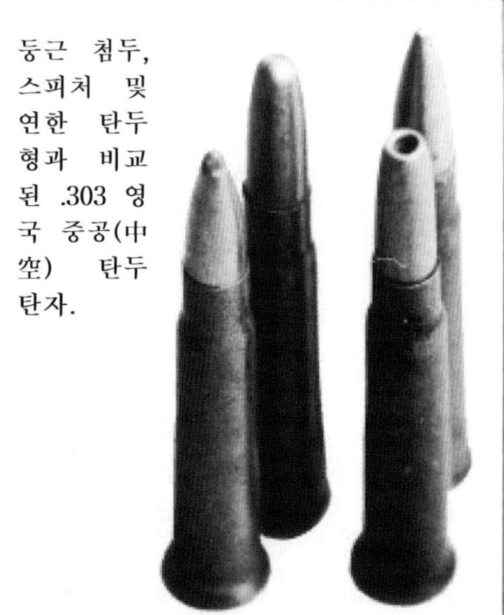

I

INCENDIARY(소이-燒夷) : 표적에 불 발생시키기 위한 군용 탄자의 형태. 지 임무에 사용될 수 있지만, 일반적으로 연 탱크를 점화하기 위해 항공 무장 사용으 제한된다. 가장 일반적인 구조는 탄심이 거되어 전방 절반은 공기와 접촉 시 자연 화 속성이 있는 백린이 채워진 공간으로 갑 탄자이다. 탄자가 충격 시 쪼개지면 이 유리(遊離)되어 막대한 발화가 발생한 이 방법은 견고한 표적에만 적용된다. 다 방법은 탄자 피갑에 구멍을 뚫어 탄자가 열 통과할 때 발생하는 마찰에 의해 녹 납으로 채운다. 탄자는 구멍으로 인을 유 하면서 총구로 나오고 탄자가 표적을 관 할 때까지 충분히 유출될 만큼의 양을 가 고 있다. 다른 방법은 탄자의 바닥에 인 함께 피갑으로 완전히 채워졌지만 필요 중량을 제공하기 위해 납 슬리브가 대어 녹기 쉬운 마개를 사용하는 것이었다.
인 탄약은 혐오감을 준다. 변하지 않는 은 누출되어 탄약 집적장에서의 많은 화 들이 이러한 누출에 원인이 있다. 1939년 서 1945년 기간 동안에 바륨 질산염의 소 성분과 분말화된 알루미늄과 마그네슘이 발되었다. 이들은 탄심이 없는 탄자의 전 끝에 채워져서 충격으로 피갑을 쪼개어 찰에 의해 성분을 점화한다. 소이탄의 효 는 예광제를 사용하여 얻을 수 있고 예광 와 소이 충전제 사이의 열은 아주 얇다. 이탄은 오늘날 소총 구경 화기가 더 이 항공기에서 일반적으로 사용되지 않기 때 에 일반적이지 않다.

J

CKET(피갑) : 탄심을 둘러싸고 있는 탄
ㅣ 외부 금속 구성품. 총강에 납 탄매를
ㅑ하기 위하여 사용된다. 이것은 강철, 도
금속으로 코팅된 강철이나 구리로 코팅
강철 또는 백통(cupronickel)으로 만들
있다. 선택은 전적으로 설계자에게 달려
ㅏ. 도금 금속으로 코팅된 강철이 오늘날
ㅕ위하게 사용된다.

L

AD(납) : 탄자 또는 탄자 탄심에 사용되
금속. 납은 작은 크기에 비해 양호한 중
ㅏ 밀도, 용융 및 주조의 용이성 때문에
ㅏ되었다. 납은 보통 작은 퍼센트의 안티
ㅏ 혼합하여 약간 더 강하게 하고 이렇게
ㅓ 탄자가 통과하는 동안에 주로 마찰에
ㅐ 녹는 납으로 총의 강선에 퇴적된 납 조
ㅣ '납 탄매'를 없앤다. 납 탄자는 높은 속
ㅡ 발생하지 않고 심각한 탄매를 발생하지
ㅣ 때문에 여전히 리벌러에 사용된다. 그
ㅏ 더 강력한 리벌버 중 일부는 구리 피갑
강선과 결합되는 반피갑 탄자를 사용한
피갑을 입힌 탄자는 납과 총열 사이에
높은 용융점을 가진 금속을 끼워 넣기 위
개발되었다. 최대 밀도를 얻기 위해 여전
납 탄심을 가지는 것이 바람직하다.

THAL BALL(리썰 탄) : 단일 구형 발
체가 사용되는 산탄총 카트리지에 사용되
영국 용어. 특히 2차 대전 중에 대인용으
사용하기 위해 자경단 회원에게 지급된
트리지 형태에 적용되었다.

UBRICATED BULLET(기름 바른 탄
) : 탄띠 홈에 그리스나 밀랍을 압착하여
름이 화기의 총강에 퇴적되는 납 탄자. 이
팅은 다음 탄의 이동으로부터 납 탄매를
애고 차례로 더 많은 코팅을 남긴다. 현대
름 바른 탄약은 탄띠홈과 카트리지 약협
부에 숨겨진 윤활제를 가지고 있다. 오래
디자인은 카트리지 약협 입구 전방에 기
을 노출시킨다.

12구경 산탄총용 프랑스 리썰 탄 약협.

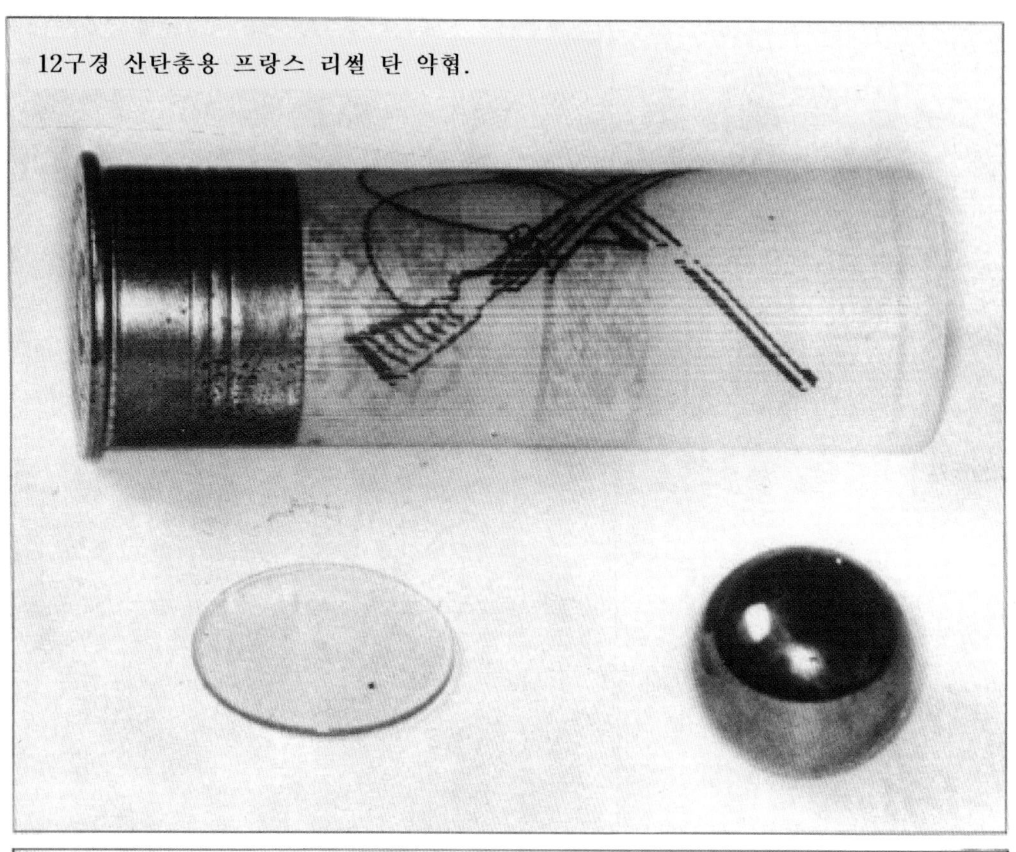

기름 바른 리벌버 탄자. 두 개의 탄띠 홈에 채워진 윤활 그리스.

M

MANSTOPPER(맨스톱퍼) : 영국 피스톨 및 총 제작자인 웨블리(Webley)가 개발한 리벌버 탄자에 대한 상표이름. 탄자는 첨두와 바닥에 반구형 홈이 있는 납/안티몬의 원통이다. 바닥 홈은 가스 압력으로 확장되고 총강에 탄자를 밀폐하고, 반면에 첨두 홈은 충격 시 펴져서 인간 표적에 대해 최고의 정지력을 주기 위해 버섯모양으로 탄자를 변형시킨다. .455웨블리와 사용되면 강력한 성능을 발휘하지만 모든 확장 탄자와 마찬가지로 1899년에 군용 사용으로 금지되었고 즉시 폐기되었다.

동일한 구경의 재래식 피갑 탄자와 비교된 .455웨블리 맨스톱퍼 탄자(좌).

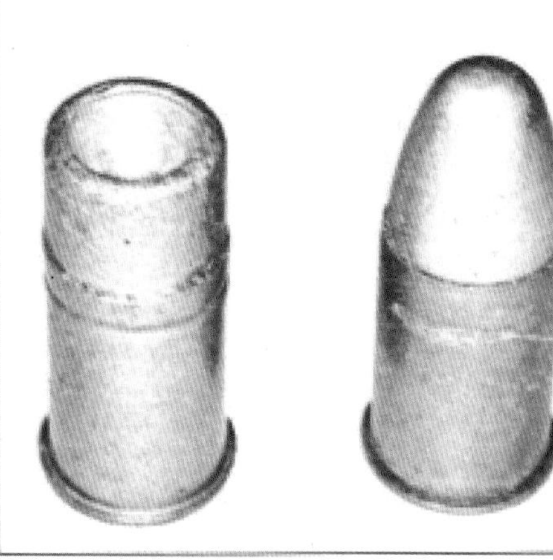

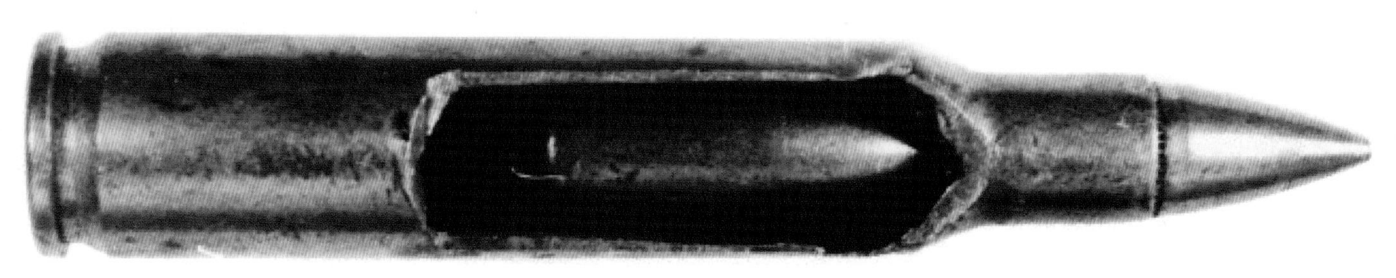

미국 7.62mm 다중 탄자 약협.

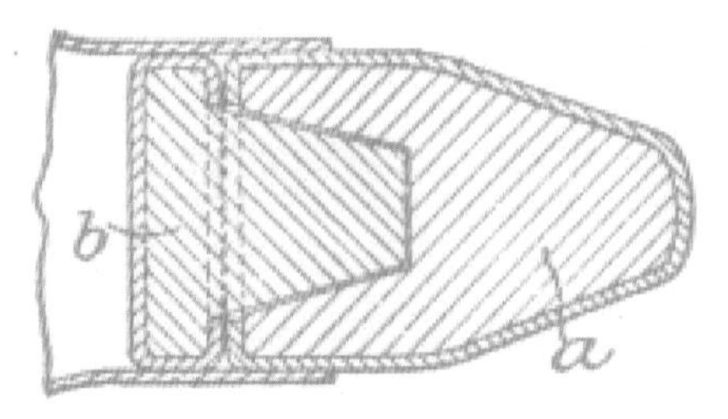

다중 탄자 카트리지에 대한 게오르그 루거(Georg Luger)의 1906년 특허.

MULTIPLE BULLET(다중 탄자) : 하나 이상의 탄자를 가지고 있는 카트리지 형태이지만 짧은 카트리지와는 다르다. 전형적인 다중 탄자 탄은 카트리지 약협 목에 한 탄자가 고정되어 있고 두 번째 탄자는 약협 내부에 보이지 않도록 숨어 있다. 아이디어는 새롭지 않고 게오르그 루거가 루거 피스톨용으로 이러한 카트리지에 대한 특허를 1900년대 초에 획득했다. 그리고 시간 간격을 두고 다시 출현하였다. 가장 최근의 발표는 미국에서 1950년대의 '발보-Salvo' 소화기 개발 프로그램에서였고 5.56mm와 7.62mm의 두 가지 탄자 카트리지가 개발되어 베트남에서 사용하도록 보급되었다. 목적은 급박한 교전에서 표적에 대한 더 양호한 명중률을 만들기 위해서 이다. 미국 다중탄자 디자인은 첫 번째 탄자의 바닥을 측면에 대해 인습적으로 직각으로 하였지만 두 번째 탄자의 바닥은 측면에 대해 약간 비스듬하게 하여 획득하였다. 첫 번째 탄자는 정상 비행궤도를 따르고 소총수가 조준한 곳으로 간다. 두 번째 탄자가 총구에서 나오면서, 가스가 한쪽 측면으로 누출하여 탄자를 첫 번째 탄자의 비행궤도로부터 약간 기울게 한다. 이것은 조심스럽게 처리되어 두 번째 탄자가 100미터 사거리에서 첫 번째 탄자 주위 25cm 원내에 맞게 되고 비율적으로 더 먼 사거리에서 더 큰 반지름이 된다. 이것은 특별히 성공하지 않았고 결국 폐기되었다.

MUZZLE ENERGY(총구 에너지) : 총구를 떠나면서 탄자가 부딪히는 힘. 총구 속도를 제곱하고 탄자의 중량을 곱한 후 원하는 측정 단위로 결과를 변환할 인자를 적용하여 계산한다. 미국에서 피트-파운드단위로 측정하고, 탄자 무게는 그레인(grain), 피트/초로 총구 속도로 표기하여 획득한다. 그리고 결과를 중력과 상이한 측정단위를 보정하는 인자 450,420으로 나눈다. 유럽에서는 줄(Joul)이 측정단위이고 미터/초로 총구 속도를 표기하고 탄자 무게는 그램으로 표기하고 인자 2,000을 더하여 구한다. 전환은 아주 간단하다 : 줄 x 0.74 = 피트-파운드이다.
총구 에너지는 ME 또는 E_0로 표시되고 '$_0$'은 총구로부터 거리 0을 표시한다. 그 외 비행궤도상에 어느 거리에서의 에너지도 동일한 방법으로 알려진 지점에서의 속도를 제공하여 계산될 수 있다. 그리고 'E_{25}'로 표시하고 숫자는 총구로부터의 거리로 미국에서는 피트로 유럽에서는 미터로 표시한다.

MUZZLE VELOCITY(총구 속도) : 발사체가 총구를 떠나면서 움직이는 속도. 피트/초 또는 미터/초로 측정된다. 피트 ÷ 3.28 = 미터. 총구 속도는 여러 가지 방법으로 측정되지만 소화기용으로는 속도 계수기에 전선으로 연결된 한 쌍의 광전자 셀이 사용된다. 탄자가 첫 번째 셀 위를 지나가면 계수를 시작하고 두 번째 셀을 지나면 계수를 멈춘다. 셀들 사이의 시간과 거리로 간단한 수학적 계산을 통해 속도를 산출한다. 그리고 이것은 '크로노그래프-chronograph'에 통합된 컴퓨터에 의해 수행될 수도 있다. 측정은 한정된 거리를 사용하기 때문에 실질적인 총구속도일 수 없지만, 숫자는 두 셀 사이의 중간 지점에서의 속도로 용인된다. 그러므로 공기저항과 중력 상실에 기반을 두고 계산하여 총구에서의 속도를 판단하는 것이 필요하다. 이러한 제한 때문에 많은 제작자들이 실제적인 크로노그라프 값을 인용하고 주어진 거리를 명시한다. 여 들어 V_0 대신 그들은 V_{25}를 총구로부터 미터 떨어진 곳에서 얻은 값으로 인용한 인용된 총구 속도는 화기의 형태와 속도 만든 총열의 길이를 명시한다. 각 카트리 는 추진 장약이 최대 힘을 발생시키는 최 의 총열 길이를 가지고 있다. 총열 길이 늘이는 것은 문제를 향상시키지 않고 미 하게 짧게 하는 것은 규정 비율에서 총 속도를 줄인다. 다른 한편, 리벌버와 동일 총열 길이의 자동 피스톨에서 사격되는 일한 카트리지는 리벌버의 실린더와 총 사이에 있는 가스 누출이 자동화기에는 기 때문에 자동화기용으로 더 높은 속도 발생시킨다. 총구 속도는 성능에 대한 유 한 길잡이지만 발표된 숫자는 어떻게 획 된 것인지 설명이 없는 한 조심스럽게 전 되어야 한다

NON-STREAMLINED(비유선형) : 바 이 몸통과 동일한 직경인 탄자. 즉, 이것 후방이 경사지지 않았다. 이런 형태의 탄 가 본래부터 가지고 있는 탄저 항력이 이 속 속도에서 발생하는 첨두 항력보다 덜 요하기 때문에 보통 고속 화기용 탄자에 발견된다. 예광제 또는 소이제의 방출을 능하게 하거나 제조를 쉽게 하기 위해 수 군용 탄자 (예광탄, 소이탄 또는 철갑 종)에서 발견될 수 있다.

O

VE(조형부) : 대부분 소총과 자동 피스 탄자의 첨두를 형성하는 합성 곡선에 대 기술적인 표현. '조형부'는 대부분의 사전 '뾰족한 아치'로 정의되고 이것은 탄자 굴곡진 탄두에 근접한다. 목적은 가능한 부드럽게 가장 양호한 압력 분배를 제공 모양으로 탄두 안으로 평행한 벽들을 게 하는 것이다. 긴 실험적인 연구가 조 가 일반적인 용도에 최적의 모양임을 킨다. 조형부의 만곡은 아크 중심이 있 곳에서 곡선의 시작으로부터의 거리로 될 수 있다. 그리고 이 측정값은 구경에 진다. 굴곡은 굴곡의 중심이 탄자의 견 마주보고 있는가 아니면 그 뒤에 있는 따라 '간단'할 수도 있고 '복잡'할 수도 .

P

PINFIRE(핀파이어) : 발화 뇌관이 카트리지 약협 내부에 숨겨져 있고 나머지 공이가 솟아오른 카트리지 형태. 이러한 약협 측면으로부터의 공이 돌출과 총 약실은 장전될 때 공이가 화기에 직립으로 서도록 하여 낙하 공이치기에 의해 타격될 수 있는 V자 모양의 새김 눈이 있다. 이 타격은 공이를 뇌관 안으로 밀어 넣어 장약을 발화한다. 이것은 1830년대 프랑스에서 산탄총 탄약에서 시작되었고 나중에 피스톨 탄약으로 확장되었다. 이것은 공이를 밖으로 불어낼 고압 탄약에는 적당하지 않았다. 일반적으로 1880년대까지 *림파이어(rimfire)*와 *센터파이어(centerfire)*로 대체되었다. 핀파이어 탄약은 1930년대까지 소량이 제작되었으며 여전히 마주칠 수 있다.

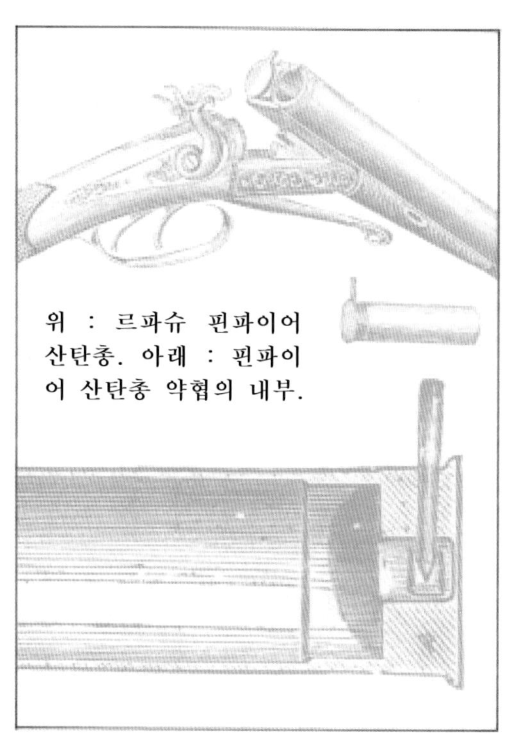

위 : 르파슈 핀파이어 산탄총. 아래 : 핀파이어 산탄총 약협의 내부.

유선형 탄자 모음. 가장 큰 것은 1880년대의 .450 마티니-헨리(Martini-Henry) 소총용이다.

PLASTIC AMMUNITION(플라스틱 탄약) : 플라스틱 성분을 사용하는 모든 소화기 탄약을 포함하는 일반적인 용어. 일부 상품이 금속으로 만든 탄저와 추출 홈이 약협에 주조된 플라스틱 카트리지 약협이지만 대부분의 보통의 형태는 금속 약협과 플라스틱 탄자를 사용하는 훈련 또는 연습 탄약이다. 추진 장약은 작고 플라스틱 탄자는 일반적으로 약 25-30미터 사거리에 대해 표준 금속 탄자의 비행궤도에 적합하며, 속도와 정확도를 아주 빠르게 상실한 후에 약 100-150미터 비행 후에 지상에 떨어진다. 목적은 단자를 멈추기 위해 비싸고 강력한 보강재(補强材)의 사용을 요구하지 않는 실내 사거리에서의 사용을 위한 값싼 탄약을 공급하기 위한 것이다. 리벌버용 플라스틱의 한 형태는 뇌관 이외에 추진 장약이 없는 플라스틱 약협과 탄자를 사용한다. 이것은 탄자를 약 15미터까지 충분히 보낼 수 있고, 약협은 장전된 새로운 뇌관을 가지고 있어 탄자에 재삽입하여 탄을 여러 번 사용할 수 있다.

훈련용 플라스틱 탄약은 또한 대인 무기로도 사용될 수 있다. 이것은 단거리에서 상대에게 부상을 입힐 수 있는 탄자를 필요로 하고 장거리에서는 비살상 (예를 들어 무고한 구경꾼에 대해)이 필요한 어떤 특수 경비부대에서 최근에 연습용으로 사용되고 있다. 이것은 도탄(跳彈)되지 않고 비행기를 관통하는 것과 같은 다른 피해는 발생하지 않는다.

PLASTIC BULLET(플라스틱 탄자) : 폭동 진압용으로 사용되는 *바통 탄(baton round)*에 대한 일반적인 용어. 이것은 원통형의 단단한 플라스틱이며 산탄총형 카트리지로 발사된다.

PRACTICE(연습탄) : 훈련용으로만 사용되는 품목을 설명하는 군용 탄약에 사용되는 용어. 실탄이 특히 비싸거나 제작이 어려운 것(예, 주요 구경 무기용 철갑탄의 일부 형태)에서만 발견된다. 연습탄은 복제품이며 싼 재질과 관통 능력이 없이 표적에 대한 사격에 사용된다. 실탄보다 연습탄 제작이 더 비싸기 때문에 소화기탄약에서는 거의 볼 수 없다.

예를 들어, 만약 공장에 공작기계를 설비하여 탄환을 만든다면 이것은 수백만 개의 대량생산의 일부로서 특수 기계공장과 조립설비의 설치를 필요로 하는 연습탄자 보다 훨씬 싸게 볼 탄을 생산할 수 있다.

플라스틱 연습 탄약은 현재 사용되고 있다. 그러나 탄자가 더욱 싸게 생산될 수 있기 때문에 그 사용은 짧은 실내 사격으로 제한되고 정확도는 충분하지 않아 25미터를 초과하지 않으며 가벼운 탄자가 실외에서 사격된다면 바람에 쉽게 영향을 받는다.

PRIMER(뇌관) : 카트리지의 충격 뇌관(percussion cap)을 설명하는 대체 용어.

서독 '비행날개 Aero-flap' 9mm 탄자는 훈련용으로 사용된다. 분리 스커트는 회전에 의해 밖으로 펼쳐진다.

PROPELLANT(추진제) : 화기에서 추진를 발사하는 장약을 구성하는 저폭약.

추진제의 주 요구조건은 신속하게 폭발하고 대량의 가스를 생산하여 탄자를 추하는 것이지만 무기에 손상을 주기 때문기폭해서는 안 된다. 흑색화약(또는 화약첫 번째 추진제였으며 19세기 후반에 두화약이 발견될 때까지 한 가지만 사용되다. 첫 번째 화약은 질산염과 함께 면 또목재섬유를 처리하여 생산하여, 성능을 발하였지만, 화학적으로 대부분 불안정하였저장 시 분해되어 종종 자연 폭발하였으이것 때문에 많은 나라들이 제작을 금지였다. 더 많은 실험으로 화학성분과 제작법의 결과인 니트로셀룰로즈 화약을 개발였고 이것은 견고하고 손상되지 않는 구로 화염이 개별적인 결정으로 침투하거깨뜨리지 않으며, 자연발화의 고압파장을 으키도록 한다. 그러나 화약결정을 점화하규칙적이고 예상 가능한 방법으로 연소하다. 이것은 결정 크기를 화기/탄약 조합특정 요구조건에 맞도록 맞출 수 있게 한이렇게 해서 짧은 총열과 가벼운 탄자를 진 피스톨은 작은 결정, 빨리 연소하는 화을 사용하여 전체 장약이 탄자가 총열을 나기 전에 유용한 가스를 만드는 것을 보하도록 한다. 소총과 같은 더 긴 총열을 진 화기는 더 오랫동안 연소하는 더 큰 정을 사용할 수 있어 탄자가 총강을 이동때 꾸준히 가스를 발생할 수 있지만, 여전

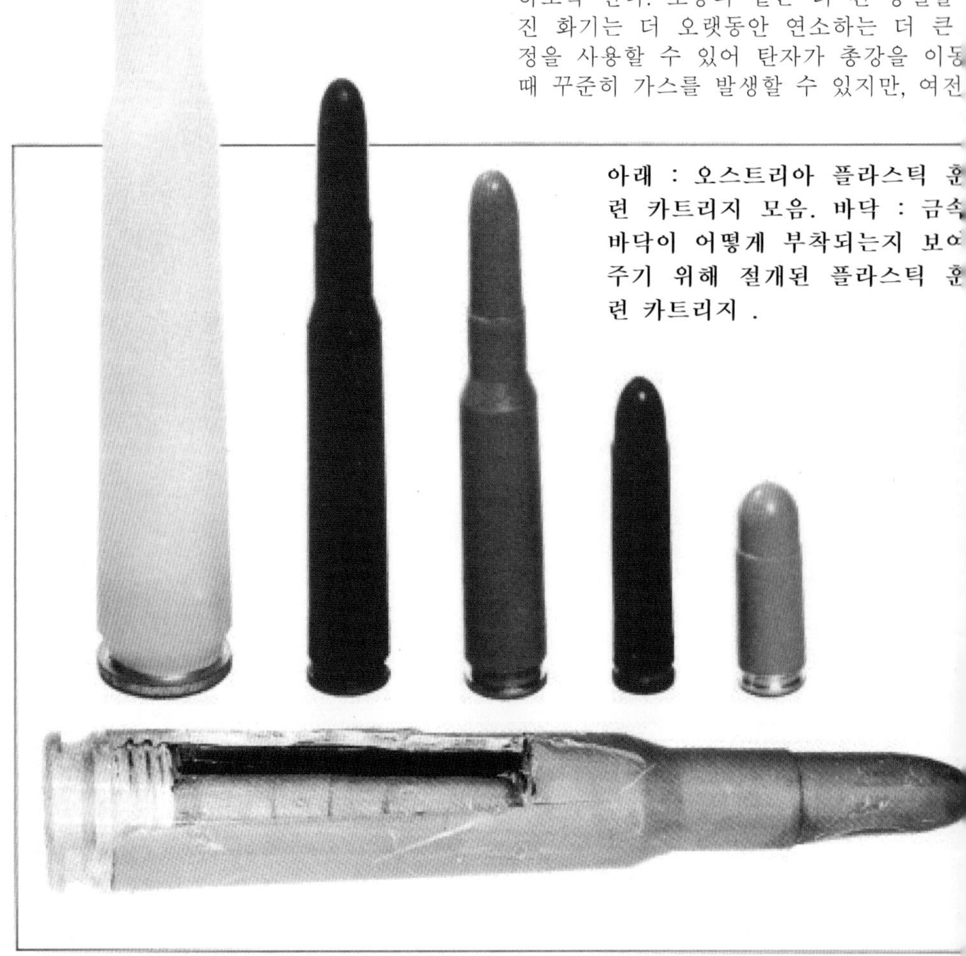

아래 : 오스트리아 플라스틱 훈련 카트리지 모음. 바닥 : 금속 바닥이 어떻게 부착되는지 보여주기 위해 절개된 플라스틱 훈련 카트리지 .

가 총열을 떠나기 전에 완전히 소모된

의 니트로셀룰로즈 *단기(single base)* 은 곧 *복기(double base)* 화약을 동반하 . 그러나 후자는 극단의 연소열 때문에 를 부식시키는 경향이 있었고 *삼기 le base)* 화약이 개발되었다. 현재에는 에 대한 양호한 저항, 적은 화염, 무연, 연소 온도 또는 설계자들이 느끼는 이 인 속성을 제공하는 경향이 있는 여러 공식이 있다.

추진제가 여러 가지 모양과 크기로 출 였다. 대부분의 피스톨 추진제는 얇은 형태이며, 연소가 빠르다. 소총 화약은 원통형이거나 관형 결정일 수 있거나 화약-ball powder'으로 알려진 소형 회 원체로 구성될 수 있다. 모양은 연소율 관계가 있다. 간단한 모양 - 얇은 조각, 형 결정, 볼-은 표면을 감소시키며 서서 연소하여 화기 내의 가스의 양과 압력이 적으로 감소한다. 내외부에서 연소하는 결정은 외부 표면이 줄어들면 내부 표 증가하여 균형을 유지하기 때문에 거 등일하게 유지되는 연소 표면이 있다. 그 이렇게 해서 거의 균일한 압력을 발생 수 있다. 특정 결정의 크기와 특정 모 혼합하여 연소 속도를 맞출 수 있으며 되는 어떠한 탄도 성능도 만들 수 있는 를 발생시킨다.

BATED RIMLESS CASE(약화된 무 약협) : 일반적으로 무림 형식 카트리지 협이지만 바닥의 직경이 약협 몸통의 직 보다 더 작다. 일반적이지 않은 형태로 총 약실에 완전히 끼워질 약협이 필요한 화 에 사용되었지만, 여전히 사격 순간에 노 리와 차개에 의해 고정되거나 지나치게 카트리지 약협과 약실이 있는 표준사이 의 노리쇠를 사용하는 것이 편리하다. 전 는 1925년에서 1945년에 개발된 일부 오 른 20mm 캐논 카트리지에서 발견된다. 사는 비정상적인 구경의 맞춤 사냥용 소 에서 발견된다.

MAINING VELOCITY(진행 속도) : 행궤도에서 특정 지점에서의 탄자 속도. 자가 어떤 특정 속도로 총구를 떠난다면, 후 통과하는 공기의 항력과 중력의 견인 의 결과로 속도는 떨어진다. 탄자 특성의 확한 지식, 그중에서도 특히 중량과 모양

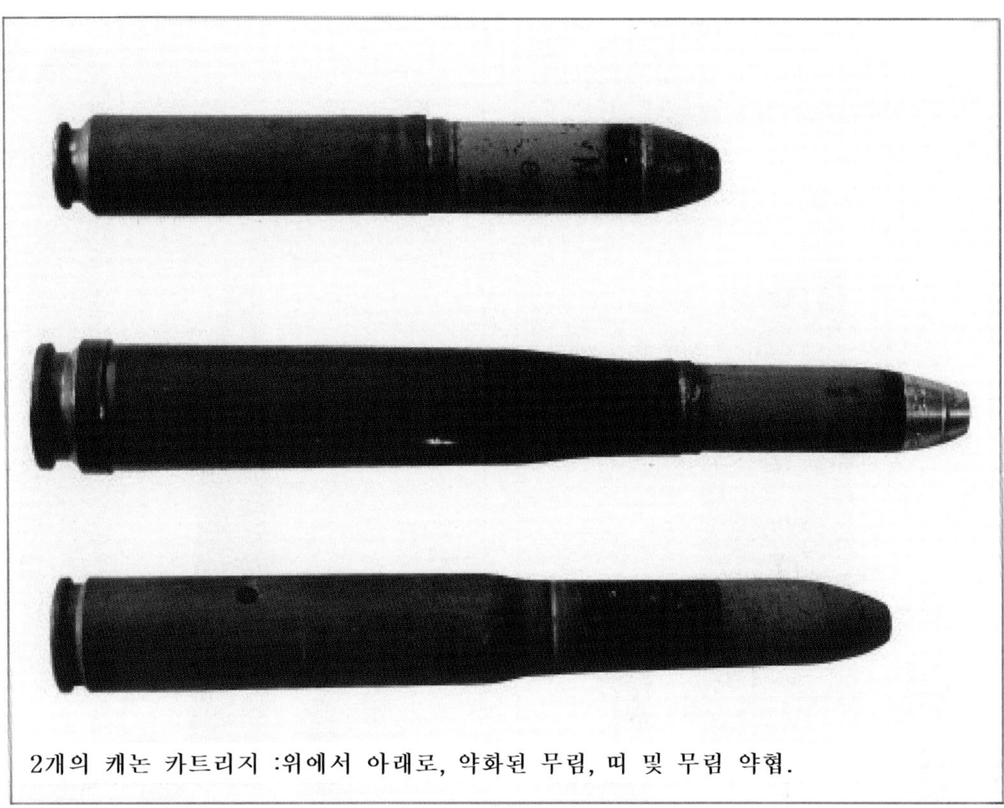

2개의 캐논 카트리지 :위에서 아래로, 약화된 무림, 띠 및 무림 약협.

으로 속도의 상실을 계산할 수 있으며 비행 궤도의 어느 지점에서의 계산에 도달할 수 있다. 더욱 믿음직스럽게 상이한 사거리에서 탄자를 발사하여 이론적인 숫자가 점검될 수 있는 확실한 측정 근거를 가질 수 있다. 진행 속도에 대한 지식은 예를 들면 철갑탄자의 가능한 성능을 계산하는 값이다. 비행 전체에 걸쳐 속도의 떨어짐에 대한 지식과 중력의 영향과 탄자 행로에서의 항력은 설계자의 시각에 필요하여 설계자들은 조준선과 실제 탄도의 행로 사이의 차이점을 계산할 수 있고 주어진 사거리에 대한 조준선에 적용할 고각의 양을 판단한다. 이것은 또한 탄도 형태가 계산될 수 있도록 해준다.

RIFLED SLUG(강선 슬러그) : 비행중의 공기 통과 때문에 발사체에 회전운동을 주어 활강 총열로부터 회전 추진제를 만드는 외부 표면위에 날개형 나선형 리브가 있는 납 또는 강철-및-납 발사체. 이것은 원통형 활강 총열(즉, 총구에서 막히지 않은)과 산탄총이 표준형으로는 거의 갖고 있지 않은 양호한 조준장치가 요구되지만 여기에 규칙적으로 100미터 사거리에서 15cm 사각형 안으로 강선 슬러그를 삽입할 수 있는 두 가지 상황을 부여한다. 강선 슬러그는 사슴과 같은 대형 사냥감용이다. 이것은 또한 도주하는 차량을 정지시키는 것, 문에서 자물쇠를 제거하고 고속으로 폭파 장치를 제거하는 것과 같은 임무를 수행하는 경찰과 경비부대원이 사용한다.

12구경 강선 산탄.

림파이어 카트리지 : 전면, 9mm 설룬(saloon) 소총. 좌, .22 탄. 뒤, 1880년대의 10.4mm 스위스 군용 카트리지, 우 .22 장총. 우측 전면, .22단소총.

림 약협이 있는 카트리지 모음. 가장 것은 .450 익스프레스(Express) 대형 냥감용 소총이다.

RIMFIRE(림파이어) : 약협의 중공(中空) 림속에 채워진 뇌관화약의 층에 의해 발화되는 카트리지 형태. 카트리지가 장전되면 림은 총의 약실 후면 쪽으로 끝이 접합되고 공이가 정렬되어 림을 타격하고 약실 모서리 쪽으로 압착한다. 이것은 화약이 발화하도록 하고 화염이 즉시 추진 장약으로 가도록한다.
공이와 약실면 사이에 압착되도록 하기 위해 약협의 금속이 더 연해야 하기 때문에, 그 결과로 약협 금속이 고압에 견딜 만큼 충분하지 않고 림파이어 원리는 항상 저속 탄약으로 제한된다. 이것은 특히 1860-1880년에 미국에서 인기가 있었고, 최대 .44인치 구경까지 림파이어에 장전되었다. 오늘날 이것은 비록 수년전에 스위스의 사업가가 군용으로 고속 림파이어 카트리지 분야에 관심을 가졌지만 성공하지 못하고 완전히 .22구경과 9mm 산탄통으로 제한되었다.

RIMMED CASE(외륜형 약협) : 탄저 주위에 명확한 직립 외륜이 있는 카트리지 약협. 이것은 약실에 대해 버팀대로 작용하여 강선과 공이와 정확히 관계되어 카트리지에 확실히 위치한다. 그리고 화기의 차개가 약협을 잡고 사격 후 약실로부터 제거하는 지레 역할을 한다. 외륜약협은 상자형 탄창에서 송탄될 때 외륜이 방해가 되기 쉬운 결점이 있다. 이것은 예를 들면, 브렌(Bren) 경기관총의 독특한 굴곡진 탄창 때문이다. 브렌이 무림 약협을 사용하는 7.62mm NATO 구경으로 개량되었을 때, 직선형 탄창을 수용할 수 있었다.

RIMLESS CASE(무림 약협) : 직립 외륜이 없는 카트리지 약협. 그러나 사실상 차개가 움켜잡는 외륜을 남기는 탄저 주위에 절단된 '추출 홈-exctraction groove'을 가지고 있다. 그러나 이 외륜은 약협의 탄저와 동일한 정상 크기이다. 무림 약협의 장점은 탄창에서 총으로 송탄될 때 카트리지가 서로 미끄러지도록 하는 외륜이 없다는 것이다. 이들은 외륜약협이 약실로 장전되기 전에 딴띠로부터 잡아 빼야 하는 반면, 천 탄약 딴띠 속으로 직접 찔러 넣을 수 있고 기관총 약실에 장전될 수 있다.

대단하진 않지만 무림약협에 대한 결 약실에서의 약협의 위치는 전적으로 약 일부 부위와 약실의 일부 특정 부위의 에 의지한다는 것이다. 무림 직선 약협 약협의 입구가 약실의 축받이와 마주 이것은 탄자가 강선으로 들어갈 수 있는 확한 위치에 위치하도록 한다. 그리고 의 탄저를 약실 입구에 정확하게 위치 고 공이핀에 타격될 준비를 시킨다. 병목 협은 약협의 목과 약실의 상대 목 부위 이에서 접촉한다. 두 가지 경우 모두에서 실에 마모가 생기면서 너무 많이 앞 밀려나가 공이가 뇌관을 칠 수 없을 때 카트리지는 전방으로 미끄러져 나간다. 한 이유로 화기가 두격(headspace)(즉, 쇠 면과 장전된 카트리지 후방사이의 공 을 조정하기 위한 준비를 하기 위해 탄약을 사용하는 것이 보통이다.

RIOT-CONTROL AMMUNITION(폭 진압 탄약) : 폭동자와 다른 형태의 소요자와 대치하는 경찰과 경비부대가 하는 탄약의 형태를 설명하는 용어. 이 는 명백히 주관적이다.

무림 약협 카트리지, 9mm 피스톨에서 14.5mm 기관총까지.

력전차(MBT)를 폭동 진압 무기로 간주하 사람들이 세계적으로 많다. 그러나 영국, 국과 서유럽에서 일반적으로 폭동진압무는 바통 탄, 최루 가스 카트리지 및 유탄, 무 볼을 발사하는 카트리지, 비살상과 유한 토벌용 충전제와 같은 것을 의미한다. 러한 형태의 탄약은 산탄총으로 발사할 있지만, 저속으로 특수 대구경 화기의 mm 또는 37mm 구경을 가지고 있는 것 더 일반적이다. 그러나 이것은 완전하게 우 치명적인 형태의 탄약을 사격할 능력 없다.

UBBER BULLET(고무 탄자) : *바통 탄 aton round)*의 또 다른 그리고 아마도 가 일반적인 명칭. 고무는 아직도 일부 경찰 들이 사용하고 있지만 어떠한 방향으로든 제할 수 없이 튕기는 고무 발사체의 경향 문에 플라스틱으로 폭넓게 대체되었다. 용 는 충격 시 부상 없이 호되게 찌르는 발 체가 다량의 작은 고무 탄알인 산탄총 및 mm 카트리지용 폭동 충전제를 설명하는 사용된다.

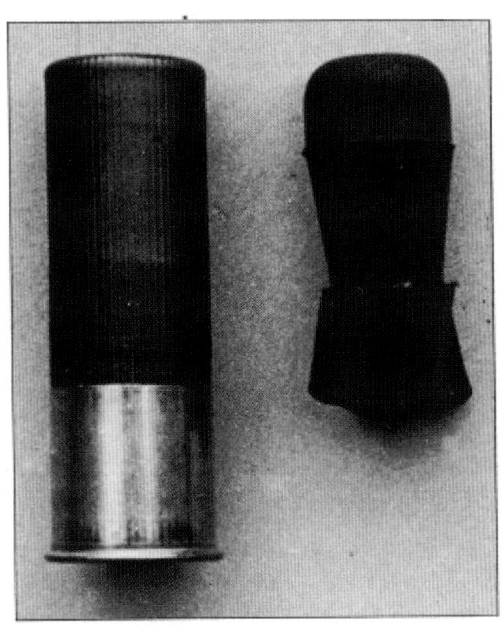

미국 '고무 로켓' 폭동 진압 발사체, 12구경 산탄총으로 사격.

S

SEMI-RIMMED CASE(반외륜형 약협) : 기본적으로 무림 형태이지만 자세히 조사해 보면 약협의 몸통보다 약간 더 큰 직경의 외륜이 보이는 카트리지 약협. 1903년 존 M. 브라우닝(John M. Browning)이 자동 피스톨용으로 발명하였다. 목적은 약협이 외륜과 약실 면이 만남으로 해서 약실에 약협이 정확하게 위치하도록 하는 충분한 외륜을 가지는 것이지만, 피스톨 탄창에서 송탄 시 장애가 발생할 만큼 크지는 않다. 일반적으로 6.35mm, 7.65mm 및 9mm 브라우닝 긴 자동 피스톨 카트리지에서 볼 수 있다. 이것은 또

'둥근, 대폭동, 1.5인치, 바턴'. 고무 탄자 첨두를 보여주고 있다.

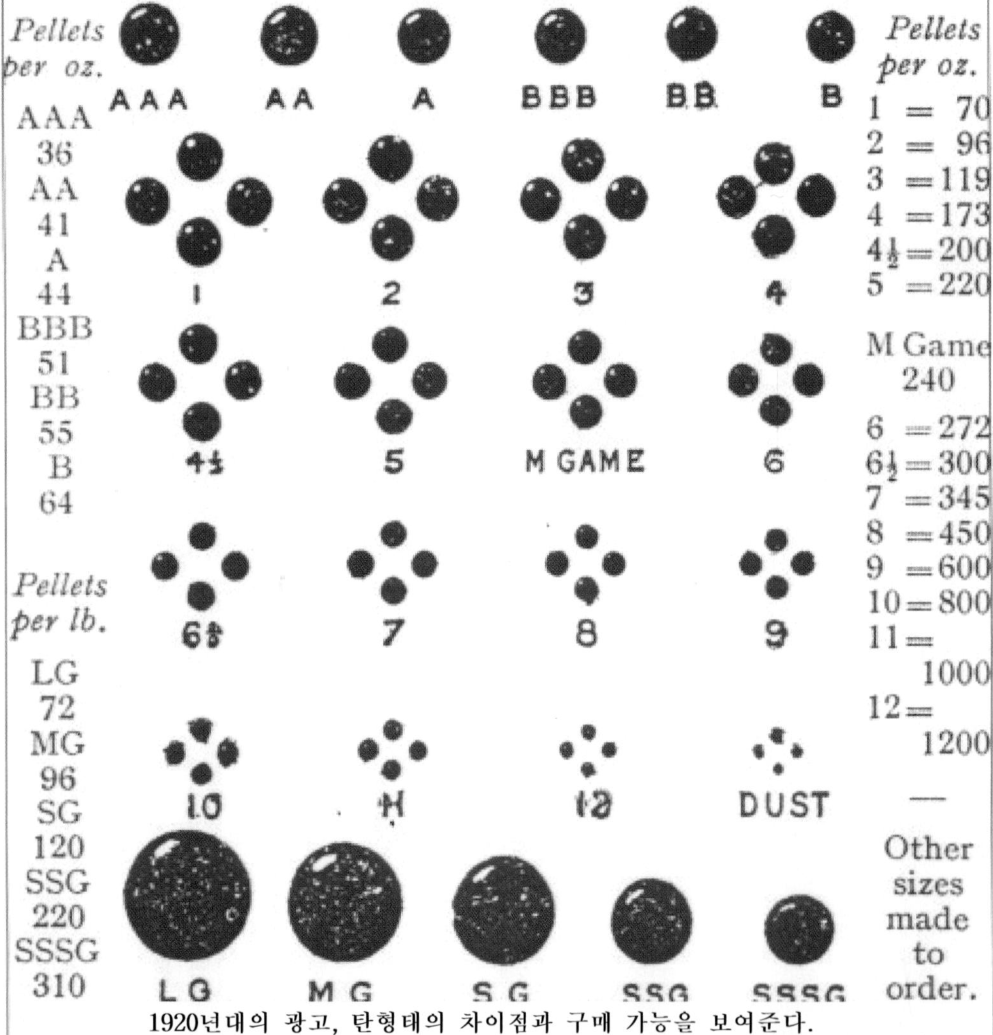

1920년대의 광고, 탄형태의 차이점과 구매 가능을 보여준다.

한 덜 알려진 피스톨 카트리지와 일본 소총 카트리지에 사용되었다.

SHOT(산탄) : 소화기에서 이것은 많은 소형의 구형 발사체를 포함하는 어떠 충전제를 이른다. 최근에 생태학적 운동의 결과로 특히 필연적으로 물속으로 떨어지는 들새 사냥용으로 강철 산탄 개발을 하게 되었지만, 산탄은 일반적으로 납이다. 크기는 BBB(0.19인치 직경, 온스당 50발)에서 '더스트 산탄-dust shot'(0.04인치 직경, 온스 당 4,565발)까지 다양하다. 아마도 작은 사냥감 사격의 - 비둘기, 토끼, 일반적으로 작은 새 - 일반 목적용으로 가장 일반적인 것은 No6(0.11인치, 온스당 223발) 또는 No4(0.13인, 온스당 136발)이다.

SHOTGUN AMMUNITION(산탄총 탄약) : 뇌관, 장약 및 산탄 충전제를 포함하는 원통형 산탄총 카트리지. 이 약협은 견고하게 부착된 마분지 또는 플라스틱 몸통이 있는 황동 머리 및 외륜이 있다. 뇌관을 실은 황동 부위에 장약과 함께 있으며, 몸통의 나머지는 많은 화약마개, 탄알, 밀마개와 약협의 폐쇄기로 구성되었다. 내용은 밀폐마개를 정위치에 고정하는 림(외륜을 형성하기 위해 내부로 약협 입구를 말서 정 위치에 고정된다.

카트리지의 충전은 제작자들마다 아주 크다양하며 사냥꾼이 폭넓은 선택을 하도제공한다. 한 사람은 동일한 표적 형태 No6 산탄의1-1/4온스(45그램)을 요구할 있고 다른 사람은 No4 산탄의 1-1/2온스(그램)을 더 좋아 할 수도 있으며 제작자은 그들을 만족시킬 준비가 되어있다. 개적인 사냥꾼과 그가 사용하는 총에 따라 은 요구- 무게, 총열 길이 기타 등등-가 우된다. 일반적으로 말해서, 장약이 무거수록 반동이 심하고 사냥꾼은 힘과 제어 사이에서 절충이 필요하다. 반동이 너무 해서 코끼리에 직접 사격을 할 수 없으코끼리를 죽일 수 있을 만큼의 충전은 무지물이다.

산탄총의 구경(bore) 또는 게이지(gauge) 총강에 정확하게 일치하고 무게가 1파운가 되는 납의 개수로 제한된다. 이렇게 해 4구경은 총강에 정확하게 일치하는 1/4파드의 볼이 있다. 이러한 규칙의 예외는 드게 .410과 9mm 총이다. 표준 총강 치수 다음과 같다:

4-구경(bore)	0.935인치
8-구경(bore)	0.835인치
10-구경(bore)	0.775인치
12-구경(bore)	0.729인치
14-구경(bore)	0.693인치
16-구경(bore)	0.662인치
20-구경(bore)	0.615인치
24-구경(bore)	0.580인치
28-구경(bore)	0.550인치
32-구경(bore)	0.501인치

오늘날 사용되고 있는 가장 일반적인 구은 12구경과 20구경이다. 10, 16 및 28구은 아직도 사용되고 있다. 전자는 미국에 더 인기가 있고 반면에 14, 24 및 32구경 사실상 폐기되었다. .410은 보편적으로 인가 있지만 유럽형 크기인 9mm는 오늘날 의 볼 수 없다.

산탄총은 단단한 발사체, 구경크기의 납 또강철볼, 또는 *강선 슬러그(rifled slug)*를 발할 수 있다. 이것들은 사슴 및 수퇘지 같대형 사냥감에 기본적으로 사용된다. 볼은 국보다 유럽에서 더 인기가 있고, 반면에 선 슬러그는 모든 나라에서 인기가 있다.

SINGLE BASE(단기 추진제) : 화학적 정성, 무섬광성을 증진시키거나 제작과정서 도움을 주기 위해 아주 소량의 화학제을 첨가한 니트로셀룰로즈로 만든 추진 약 설명에 사용되는 용어. 이것은 단순충분한 화약, 양호한 유지성과 총열 내에서

ㄷ한 부식을 발생시키지 않는 낮은 화염 ㄷ와 결합하여 가장 일반적인 형태의 상 충 화약일 것이다. 단기 화약은 다른 종류 ᅡ 습기에 더 민감하고 저장 시 충분한 ᄒ가 필요하다. 이러한 이유로, 단기 화약 ᄅ 충전된 (복기(*double base*)인 코다이트 표준 충전제였던 시기에) 영국군 탄약은 상 'Z'란 문자로 카트리지 탄저에 표시를 였다.

.AP : 탄저 분리 철갑탄(*discarding sabot* nour-piercing cartridge)을 뜻하는 '탄저 장갑 관통자(Saboted Light Armor netrator)에 대한 미국의 두문자. 1978년에 1982년에 레밍턴 회사에서 개발하였다. 것은 이제 두 가지 버전으로 7.62mm와 인치 기관총에서 사용하기 위해 개발되었 자탄으로 재래식 AP 탄자가 있는 한 가 와 자탄으로 다트형 '관통자(penetrator)'가 ᆫ 것이 있다. 두 가지 형태 모두 1986년 ᅥ 사용 중에 있다.

)FT-POINT(연한 첨두) : 금속 외피가 게 만들어져 탄심의 전면이 노출된 모든 태의 탄자. 납으로 되어 있어 이 탄자는 격 시 쉽게 변형되고 정상적인 완전 피갑 자보다 더 강한 부상을 입힌다. 사냥용으 만 사용된다.

'IN(회전) : 강선 총열을 지나면서 그 결 로 비행 중에 탄자에 생기는 회전 운동. 핀은 비행 중 탄자를 안정화시키기 위해 - 선 비행궤도를 유지시키기 위해 - 필요하 . 활강 총열에서 발사된 탄자는 쉽게 구르 정확한 비행궤도를 따를 수 없게 된다.

자에 필요한 스핀 양은 구경에 비례한 길 에 의해 완전히 좌우된다. 탄자에 대한 가 최적의 스핀을 계산하는 몇 가지 공식이 다. 그러나 가장 간단한 (가장 정확하지 않 면) 방법은 탄자의 직경을 취해 공식에 적 해서 길이로 나누고 결과를 180으로 곱한 . 이것은 탄자가 완전히 한 바퀴 회전해야 는 길이를 제공한다. 만약 단위가 밀리미 이면, 길이는 마찬가지로 밀리미터이고 인 이면, 인치가 된다.

산탄총 탄약의 견본. 강선 슬러그와 녹탄(鹿彈) 충전을 포함하고 있다.

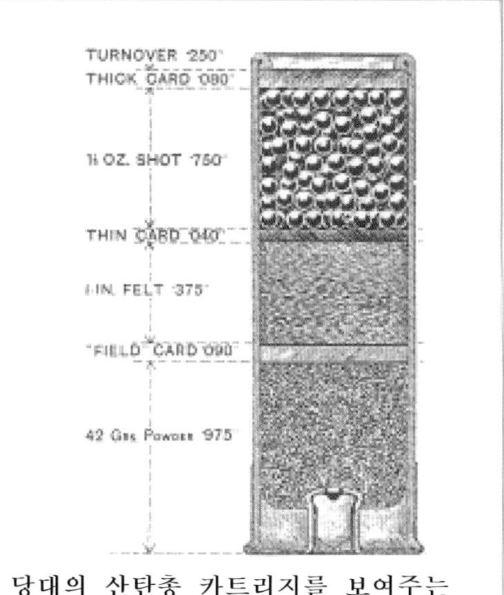

당대의 산탄총 카트리지를 보여주는 1900년대의 판화.

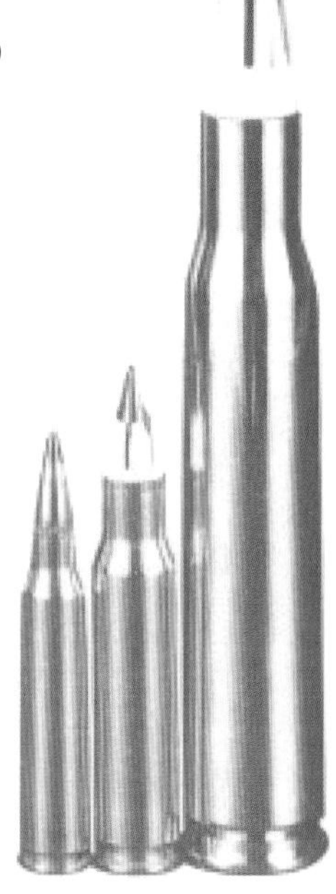

재래식 5.56mm 볼 카트리지와 나란히 있는 7.62mm 및 .50인치(12.7mm) SLAP 탄의 견본.

연한 탄두 피스톨과 소총 탄자. 첨두에 노출된 납탄심에 주목.

이렇게 해서 최적의 강선 피치를 판단하면 이것은 강선의 선과 총강의 축 사이의 각을 측정한 각 측정으로 변환되어야 한다. 이것은 먼저 밀리미터 단위의 탄자의 구경으로 길이를 나누어서 실행되고, 그 후 값을 3.14159로 나눈다. 결과는 강선 각의 코탄젠트이다. 이렇게 해서 각을 찾으면, 총구 속도(초당 미터)를 탄자 구경(미터)으로 나누고, 상수 19.09로 곱하고 결과를 각의 탄젠트로 곱한다. 최종적인 해답은 초당 회전하는 탄자의 스핀이다. 이것은 모두 아주 복잡한 것 같지만, 현대의 휴대용 계산기로 아주 쉽게 계산할 수 있다.

일단 이 최적의 스핀 율을 알게 되면, 상이한 화기를 실험하고 계산할 화기의 실제 강선에 기초하여 마지막 계산을 이용하여 실제 스핀이 얼마인가 계산할 수 있다. 최적과 실제 스핀율이 상당한 양이 일치하지 않는 다는 것이 종종 발견되며, 이러한 이유도 다양하다. 가장 일반적인 이유는 간단한 화기 제작자들이 특정 탄자에 자신들의 디자인을 기초로 하는 것이며 탄자의 유행 형식은 바 뀔 수 있다. 군용 소총, 특히 5.56mm 구경에서 발견되는 다른 이유는 최적의 스핀이 비행에 가장 좋지만 탄자가 흔들리게 하는데 는 최선이 아니고 충격 시 그 에너지가 소멸된다. 그래서 더욱 심각한 부상을 발생하기 위해 군용탄자를 회전의 영향을 받도록 하는 것이 일반적이다.

SPITZER BULLET(스피처 탄자) : '스피츠(spitz)'는 독일어로 '뾰족한(pionted)'이란 뜻이다. 그리고 '스피처'는 1900년대 초에 독일 육군에서 뾰족한 군용 탄자를 채용한 이후에 사용되기 시작한 용어이다. 이전에는, 거의 모든 군용 탄자는 무딘 첨두와 직선 측면이었지만, 순간 사진기의 발명은 탄도 전문가들이 처음으로 비행중인 탄자와 그 주변에 소용돌이치는 공기의 구조를 볼 수 있도록 했다. 분명히 무딘 첨두는 공기를 잘 가르지 못했고, 뾰족한 탄자가 일반화 되었다. 편리함 때문에, 독일이 이 탄자를 'spitzgeschoss'라고 불러서, 미국과 영국 사냥꾼들이 뾰족한 탄자를 '스피처 탄자'라고 부르게 되었고 그 이름이 고정되었다.

STOPPING POWER(저지력) : 저지력은 탄자 항로 내에 있는 공격자를 저지하고 쓰러뜨리는 능력이다. 살상은 이 문제에 전혀 관련이 없고 단지 전진을 저지하는 것만 관련이 있다. 필리핀의 모로(Moro) 부족이 .38 리벌버 탄자에 의해 저지되지 않는 것이 발견된 1890년대에 미 육군에 의해 의문이 심각하게 조사되었다. 부족민들은 몸에 많은 탄을 맞고도 계속 전진하였다. 영국은 수단 전사들과 다른 동기가 충만하고 호전적인 부족과 여러 지역에서 전투를 할 때 유사한 문제에 직면하였다. 대체로 말하면, 무겁지만 느린 탄자는 고속의 가벼운 탄자보다 사람을 저지하는 기회가 더 많다. 하지만 물론 많은 것들이 피해자의 육체적 상태와 동기의 정도에 좌우된다.

그렇지만, 저지를 하는 탄자의 비교 능력의 유용한 측정법인 경험적 계산에 도달하는 것이 가능하다. 가장 일반적으로 사용되는 값은 1920년대에 미 육군의 줄리안 핫처(Julian Hatcher) 대령이 처음 계산하고 공표한 이후 '핫처 비교 저지력(Hatcher's Relative Stopping Power)'으로 알려진것이다. 단순한 구조로 핫처 값은 탄자의 단면 지역에 의한 탄도의 에너지(*총구-Muzzle Energy* 참조)와 그 모양에 따라 인자를 곱하여 도달한다. '모양 인자(shape factors)'는 피갑 탄자 0.9, 평첨두 1.1이고, 평평한 납 둥근 첨두 탄자가 핫처에서 사용되는 기본 표준이기 때문에 인자가 0이다.

이 공식은 간단한 한 가지 숫자를 결과로 제공하며, 이와 함께 사용될 수 있는 유일한 것은 다른 탄자용으로 계산되는 숫자와 비교하는 것이다. 이렇게 해서 미 육군 .45 자동피스톨의 탄자용 비교 저지력(RSP) 값은 46.8이고 9mm 파라벨럼(Parabellum)은 38.9이다. 값이 클수록 저지력이 크기 때문에 이러한 두 값의 가치는 .45는 9mm 보다 더욱 충분하게 한 사람을 저지할 수 있고 이것은 실제 실험에 의해 증명되었다.

각각 후면에 유선형 경사를 가지고 있는 탄자의 모음.

STREAMLINED BULLET(유선형 탄자) : 전면부가 탄두 쪽으로 경사지고 후반 부위가 탄자의 주요 부분보다 직경이 작게 경사진 탄자. 모양은 탄자가 지나가고 비행 중 탄자 주위에 있는 공기 작용의 고려에서 시작하였다. *탄저항력(Base Drag)*에서 언급한 것처럼, 공기는 탄자 주변을 휙 지나가고 탄저 뒤의 저압력 지대로 소용돌이쳐 들어간다. 그 결과로 이 지역의 소용돌이 탄자의 후방 지역을 경사지게 하여 공기 줄여서 더 부드럽게 바닥 지역으로 들어 도록 안내한다. 경사의 실제 각도는 절충 다. 실험은 가장 양호한 경사가 약 10°임 암시하지만 실제 사용되는 경사는 탄도 리처럼 제작의 편리함에 바탕을 두고 있 그래서 8°가 보통의 값이다. 경사진 부위 경사 각 길이의 조심스런 선택은 25퍼센 이상 탄자의 성능을 향상시키지만 이것 제작 문제와 감소되는 정확도에 대해 숙 되어야 한다. 탄자의 탄저에서 너무 긴 사는 중간 부위를 너무 짧게 하고 접촉 면의 불충분으로 인해 총강 내부에서 안 화되지 않는 탄자를 만든다.

SUBSONIC AMMUNITION(아음속 약). 소음(消音)화기에서 사용되는 카트 지. 총열에서 발생하는 소리를 억제하 것보다 화기를 침묵시키는 것이 더 많 소리의 속도보다 더 빨리 움직이는 탄자 지나가면서 날카로운 총소리(소리의 울 를 만든다. 그리고 만약 탄자가 그 존재 지속적으로 알리면 발포음을 침묵시키는 간이 없다. 그러므로 절대적인 소음을 위 탄자가 332mps(1,089fps) 소리보다 늦은 도록 이동해야 한다는 보장이 필요하다. 물게 피스톨 탄자가 정상적으로 아음속에 이동하기 때문에, 대부분의 화기용으로 수 아음속 탄약을 공급하는 것이 필요하 무거운 탄자와 가벼운 장약의 혼합으로 도를 원하는 수준으로 낮출 수 있다. 물 탄자는 그렇게 사거리가 길지 않을 것이 그러나 소음화기에서 짧은 사거리에 변함 이 사용되며 그 중요성은 크지 않다. 이 은 그러한 탄약에 독특한 표시를 할 필요 있고 그래서 표준 탄약과 혼동하지 않는다

T

ERMINAL VELOCITY(종단 속도) : 탄가 비행궤도의 끝에 도달하고 지상을 타할 때 또는 비행 중 어느 위치에서건 표을 타격할 때 탄자의 속도. *진행속도 emaining velocity)*와 많이 동일하지만 V는 비행의 최종단계에서 보다 비행중의을 보통 취한다.

OMBAC(톰백) : 도금 금속에 대한 유럽어. 탄자 갑모 및 가끔 뇌관에 사용.

RACER(예광탄) : 비행 중에 볼 수 있는시 또는 '흔적(trace)'을 남겨서 포수가 탄 타격을 관찰하거나 망실 시 조정을 할 수는 형태의 탄자. 최초에 만약 명중에 실패면 표적과 관련하여 자신의 탄이 어디로는지 판단할 방법이 없는 항공기 기관총수가 사용하도록 개발되었다. 이것의 사용 후에 유사한 이유로 기관총과 함께 지상격으로 확대되었다.
광탄자는 볼과 유사하지만, 후방 부위의심이 제거되었고 공간은 화학혼합물로 채져 탄자에 직접 압축되거나 탄자에 삽입된리관에 채워진다. 일반적으로 예광용으로이 사용된다고 믿어진다. 그러나 사실 전 그렇지 않다. 예광제는 붉은색을 주기위 첨가된 바륨질산염에 바탕을 두고 있고른 금속염은 다른 색을 주기 위해 첨가될 있다. 그러나 붉은 색 이외의 예광탄은례적으로 드물다. 혼합제는 추진제의 화염 의해 점화되고 탄자가 비행하는 동안에소하며 탄자의 속도와 광경의 지속성 때문 지속적인 붉은 선을 보이는 붉은 불꽃을린다. 혼합제가 색이 있는 연기를 제공 하록 다른 방법도 사용된다. 그러나 어둠속서 소용이 없기 때문에 폐기되었다.
흔적의 밝기는 이것이 사용되는 조건에 맞게 다양하게 할 수 있다. 탄약을 나르는 공기는 보통 두 가지의 밝기 정도로 만들어진다. 주간에 사용하는 밝기, 야간에 사용하기 위해 덜 밝아 항공기 승무원의 눈을 방해하지 않는 밝기. 복잡한 사격통제장치의 출현과 소구경 기관총이 항공 전투에서 사용되지 않는 사실은 이러한 정제에 대한 필요성이 지나갔다는 것을 의미한다. 오늘날 밝기와의 유일한 문제는 자신의 예광탄에 사수가 눈이 부실 수 있는 것이고 이것은 *무광 발화(dark ignition)*의 채택으로 대응한다.
예광탄과 탄도 문제는 탄자가 비행하면서 예광제가 연소해버려, 탄자의 무게와 균형이 바뀌는 것이다. 그래서 이것이 총을 떠나 볼 탄자와 동일한 비행궤도로 이동할 때, 이것은 곧 바뀌게 되고 예광은 그 고유의 비행궤도를 나타낸다. 기관총 탄띠에서 예광탄과 볼 탄자를 혼합하는 것 - 즉, 볼탄 4발당 예광탄 1발 - 은 관례적이기 때문에 이것은 사수가 의지하는 비행궤도 안내기가 사수에게 진정한 비행궤도를 알려주지 않는다는 것을 의미한다. 정확한 관계를 정립하기 위해 예광 탄자는 시작부에서 볼 비행궤도를 정확하게 따르지 않도록 설계된다. 그러나 어떤 특정한 거리에서 서로 겹치게 될 것이다. 이 거리는 보통 화기의 전투 사거리(fighting range)로서 선택된 것이다. 사실상 구경과 화기의 전술 운용에 따라 이것은 300 내지 500미터가 보통이다.

TRACER COMPOSITION(예광 화약) : 위에서 언급한 것처럼, 이것은 예광탄자를 채우는데 사용되는 화학 성분이다. 이것은 마그네슘 분말과 바륨 질산염과 금속염을 혼합하여 화염 또는 연기에 원하는 색을 주기 위한 것이다.

TRIGLYCOL POWDER(트리글리콜 화약) : 니트로글리세린이 질산 에스테르-디글리콜-이질산염, 트리글리콜-이질산염, 또는 트리메틸롤-메탄 트리니트레이트- 중 하나로 대체된 삼기 화약. 디글리콜 화약과 함께 할때 질산 에스테르는 온도를 낮추지만 단순하게 니트로글리세린을 생략해서 얻는 것보다 더 강력한 화약을 제공한다. 화약은 양호한 역학적인 특성(이들은 쉽게 모양을 만들고 그 모양을 유지할 수 있다.)이 있지만 지금까지 이들은 소화기에서 거의 사용되지 않았고 다소 새로운 것이다.

TRIPLE BASE(삼기 추진제) : 3가지 주요 성분 - 니트로셀룰로즈, 나이트로글리세린 및 니트로구아이딘-을 사용하는 추진화약의 형태. 이것은 단기 화약의 저강도와 고강도사이의 절충을 시도하면서 고안되었지만, 복기 화약의 과도한 열(이렇게 해서 포강의 과도한 마모)가 발생하였다. 니트로글리세린의 퍼센트는 작지만 힘을 더하기에는 충분하다. 니트로구아이딘은 화염 온도를 낮추고 실제적인 폭발 성분을 추가한다. 삼기 화약의 장점 중 하나는 다른 형태보다 더 많은 연기를 만들지만 전혀 화염이었다는 것이다.

TWEEDIE BULLET(트위디 탄자) : 첨두 바로 뒤에서부터 견부까지 피갑이 절단되고 홈이 파진 피갑이 있는 소총탄자. 탄자는 비행 중에 그 모양을 유지하지만 충격 시 약화된 피갑이 납 탄심이 매우 빠르게 변형되도록 하여 심각한 부상과 강한 충격 효과를 발생한다. 이것은 최초로 1890년대 후반에 잠재적인 군용 탄자로 개발되었지만, 확장 탄자에 대한 헤이그 협정의 금지로 아이디어의 종말을 고했다. 그리고 후에 사냥용 탄자로 채택되었다. 이것은 오늘날 더 쉽게 제작할 수 있는 다른 디자인이 똑같은 양호한 표적 효과를 제공하기 때문에 일반적이지 않다.

W

WADCUTTER(와드커터) : 종이 표적에 뚜렷하고 명확한 구멍을 뚫기 위해 디자인하여 이 탄이 선을 넘어섰는지 아닌지 논쟁을 피하기 위한 평평한 첨두의 피스톨 탄자.

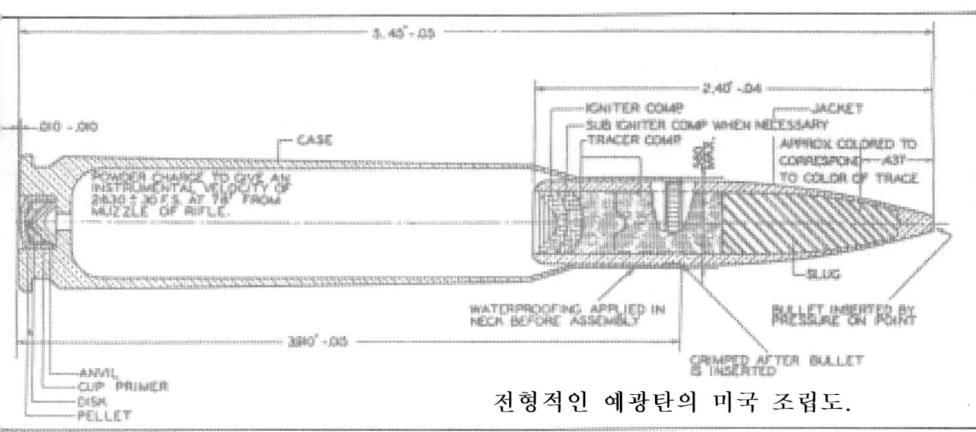

전형적인 예광탄의 미국 조립도.

기름 탄자가 있는 와드커터 피스톨 카트리지.

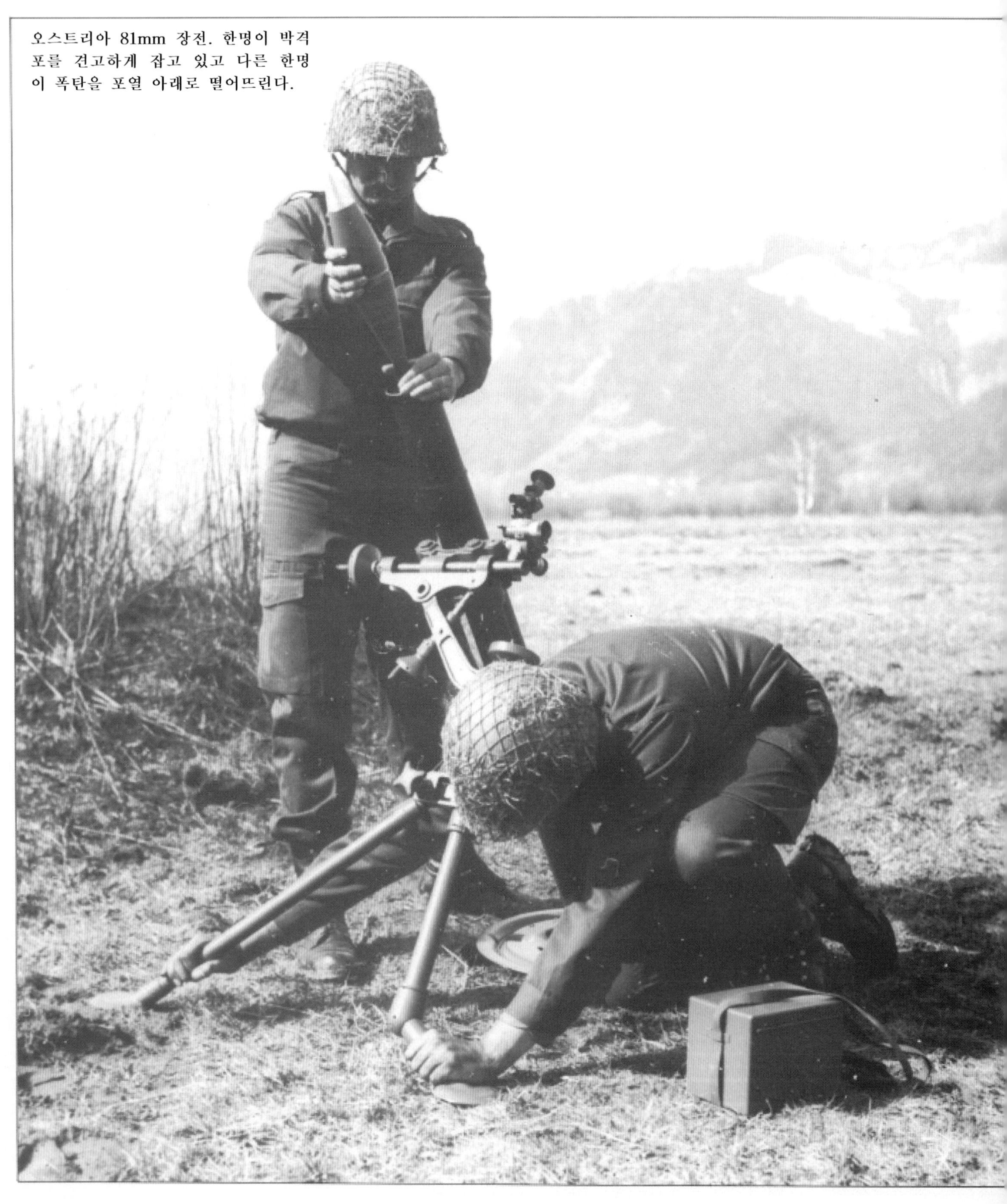

오스트리아 81mm 장전. 한명이 박격 포를 견고하게 잡고 있고 다른 한명 이 폭탄을 포열 아래로 떨어뜨린다.

박격포탄과 유탄
MORTAR AMMUNITION AND GRENADES

미 해병이 박격포를 사격하고 있다. 사진은 포탄이 포구를 나오면서 추진 가스가 따라 나오는 것을 잡았다.

A

ALLWASY FUZE(전천후 신관) : 유탄이 지상에 부딪힐 때의 고도와 상관없이 기능하는 유탄용 충격 신관 형태. 보통 두 개의 원뿔형 표면 사이에 고정된 무거운 구슬 또는 펠렛으로 구성된다. 아랫부분은 흔들리는 기폭장치 위에 장착된 공이가 있다. 만약 유탄이 머리로 착지하면 흔들리는 기폭장치가 전방으로 밀려, 공이를 타격하고, 유탄을 폭발시킨다. 유탄이 다른 각도로 착지하면 볼이 측면이나 아래쪽으로 밀리고 하부 원뿔형 판을 아래로 향하게 하여 공이를 기폭통 안으로 구동시킨다. 발사하기에 앞서, 볼의 이동은 이동 원뿔 유닛에 고정된 안전핀에 의해 제지되고 흔들리는 기폭통을 공이로부터 멀리 고정하여 유지한다. 이 안전 핀은 보통 끝부분에 중량물이 있는 가느다란 끈 조각에 부착된다. 발사 후에, 중량물이 자유롭게 날아 안전핀을 잡아당긴다.

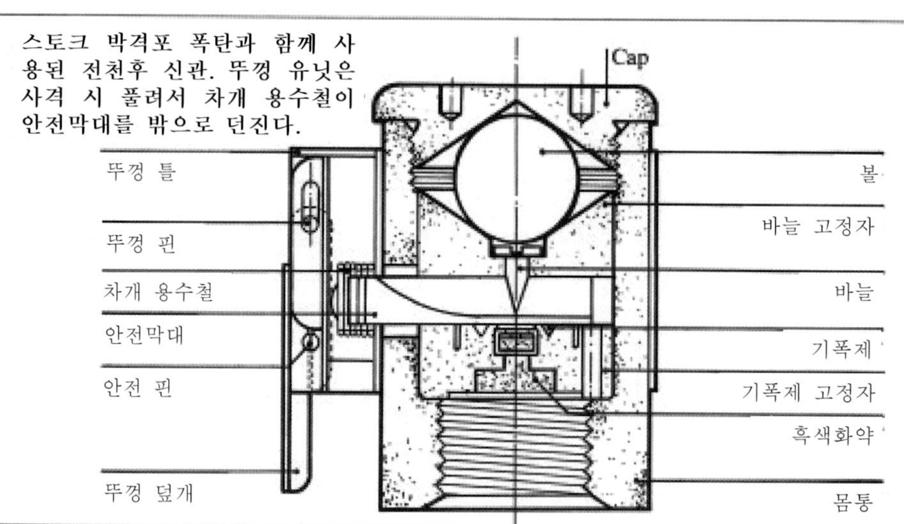

스토크 박격포 폭탄과 함께 사용된 전천후 신관. 뚜껑 유닛은 사격 시 풀려서 차개 용수철이 안전막대를 밖으로 던진다.

AUGMENTING CHARGE(증가 장약) : 박격포용 추진 장약의 주요 부분. 박격포 장약은 두 가지 성분 - 주 장약과 증가 장약 -으로 구성된다. 증가 장약은 클립 또는 다른 방법으로 증가장약지지기에 고정된 꾸러미 형태의 추진제여서 제거될 수 있다. 주 장약에 의해 발화되면 증가 장약은 폭발하여 가스를 발생시켜 폭탄을 박격포 포열로부터 밀어 낸다. 6개가 일반적이고 편리한 숫자이지만, 증가 장약의 수는 다양하고 박격포는 다양한 수의 증가 장약을 다양한 고각에서 사용하여 다양한 사거리를 획득한다. 재래식 박격포는 45°와 80° 고각 사이에서만 운용되기 때문에 이 제한된 수직 호는 장약을 변화시키지 않는 한 사용가능한 사거리로 제한된다.

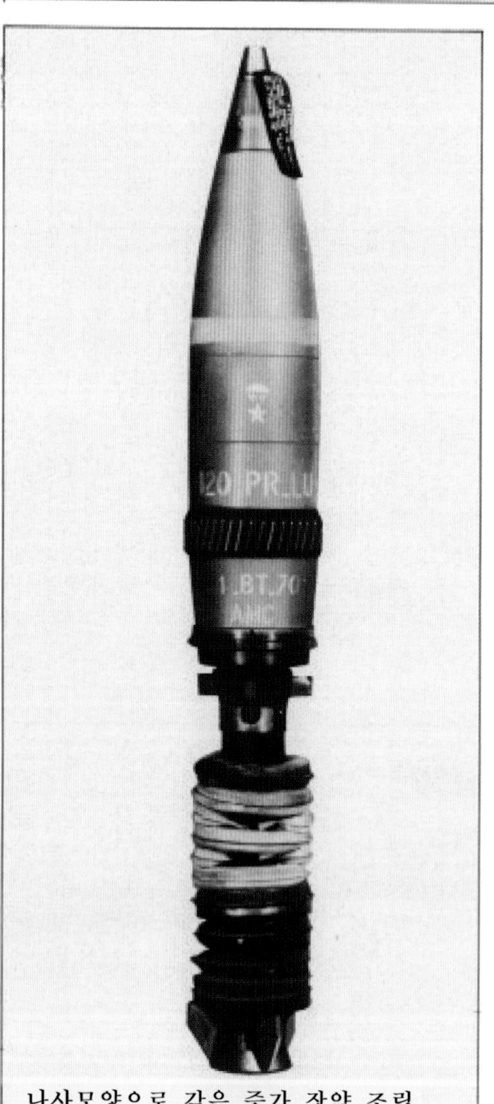

나사모양으로 감은 증가 장약 조립체가 있는 브랜드(Brandt) 120mm 강선 폭탄. 관은 추진 장약을 고정하고 포구 밖에서 떨어뜨린다.

전시 영국 4.2인치 박격포용 탄저 방출 연막 폭탄. 허리 - 더 좁은 연막 산탄이 사용된- 부근의 탄저판에 주목.

B

BASE-EJECTION SMOKE(탄저 방출 연막) : 비행 시 폭탄의 탄저를 통해 방출되는 하나 또는 그 이상의 산탄 안에 내장된 연막 화학제가 있는 연막 폭탄. 이것은 전단(剪斷) 핀 또는 가벼운 나사산으로 부착되는 꼬리 유닛이 있는 원뿔형 폭탄을 요구한다.

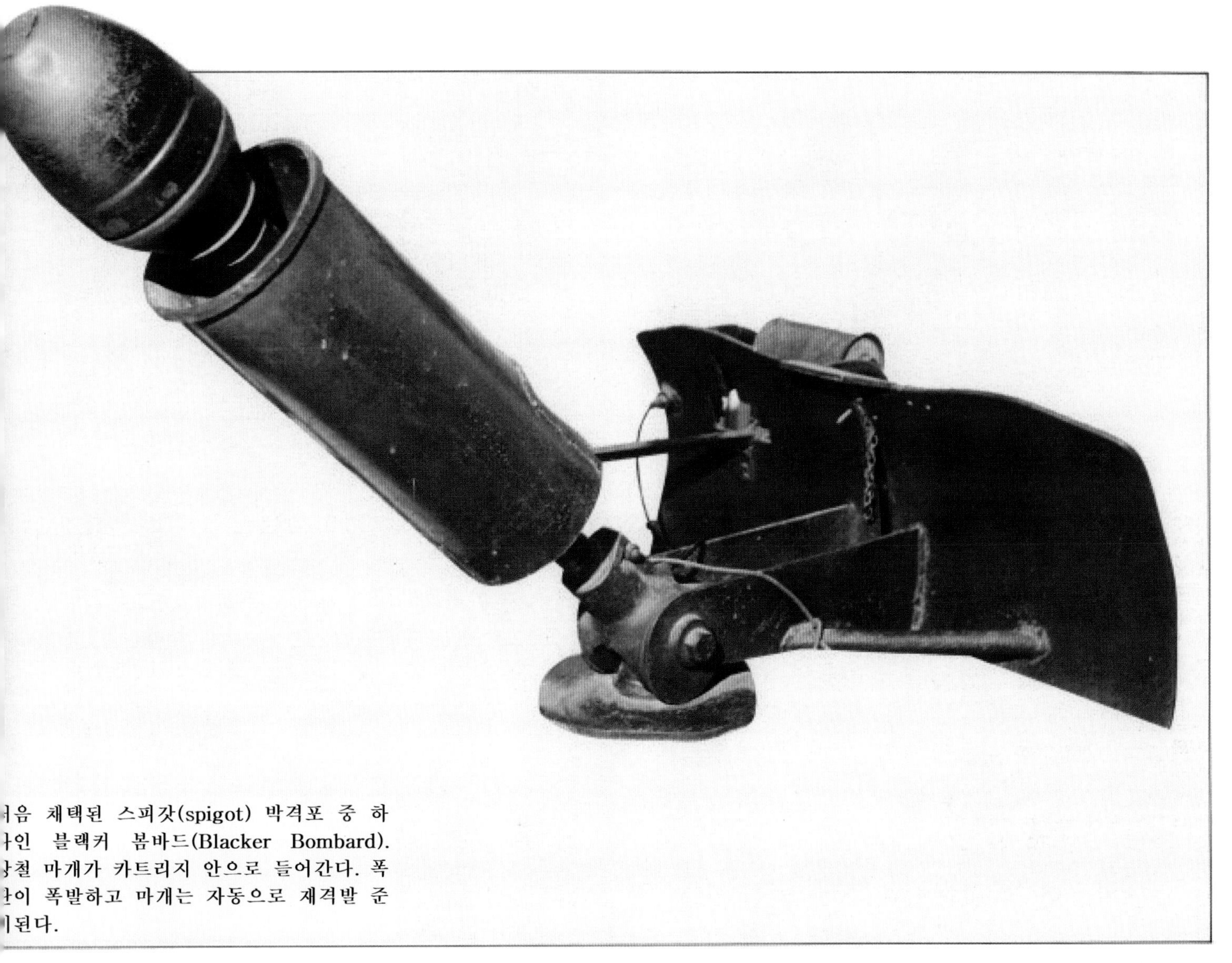

음 채택된 스피갓(spigot) 박격포 중 하 인 블랙커 봄바드(Blacker Bombard). 철 마개가 카트리지 안으로 들어간다. 폭 이 폭발하고 마개는 자동으로 재격발 준 된다.

내부는 화약을 포함하는 작은 구획이 그 아래는 산탄이다. 시한 신관에 의해 되면 화약이 폭발한다. 화염이 연막 산 점화하고 폭발력이 산탄을 증가장약지 를 향해 폭탄 몸체로 돌려보낸다. 이것 접합부를 파열시키고 증가장약지지기를 하게 던져서 산탄이 자유롭게 떨어지도 한다. (관형 몸체의 소용에 의해 필요하게 박격포 구경에 유사한 산탄을 갖는 것이 불편하고 사용되는 연막 화학제의 형태 비가시 연막을 만드는데 느리기 때문에 적으로 박격포에 사용되지 않는다. 박격 주 사용자인 보병은 신속한 연막을 원 백린 폭탄 사용을 선호한다.

ACKER BOMBARD(블랙커 봄바드) : 2년에 영국에서 개발되어 국내 방위 부대 me Guard Unit)에 보급된 *스피갓 박격 spigot mortar)*의 형태. 이것은 포열 유닛 콘크리트 장애물과 같은 영구적이고 단단 물체에 굳대로 장착될 수 있지만 지상에 하게 설치되는 삼각대 위에 있는 짧고 은 포열로 구성된다. 폭탄은 추진 카트리지가 포함된 길고 날개달린 증가장약지지기의 끝에 있는 13kg짜리 고폭 탄두이다. 폭탄은 포열에 삽입된다. 그리고 장전되면 탄두는 포구에서 볼 수 있다. 발사 시 강철 스피갓(spigot)인 방아쇠는 증가장약 지지기로 들어가서 카트리지를 타격하여 폭발 시킨다. 이것은 폭탄을 스피갓(spigot) 밖으로 날려 보내고 동시에 마개는 재격발 준비한다. 봄바드는 놀라울 정도로 정확하고 운용 사거리가 약 200 -250미터이지만, 최대 사거리는 약 500미터이다.

BOMB(폭탄) : 일부 국가가 'shell'이라는 단어를 사용하지만 박격포에서 발사되는 발사체에 대한 일반적인 용어. 사용은 아마도 역사에서 갈라져 나왔을 것이다. 17세기의 박격포는 통상 'bombs'라고 부르는 화약을 포함한 중공(中空) 발사체를 발사하였다. 그리고 영국과 프랑스 군이 1914년에 박격포 사용을 시작하였을 때 이러한 일부 고대 무기가 좀 더 현대적인 형태가 개발될 때까지 사용되었다.
박격포 폭탄은 두 가지 기본 모양 - 유선형 (즉, 전면이 둥글고 방울 모양이며 후방에서 안정 날개가 있는 증가장약 지지기 쪽으로 경사졌다). 또는 둥근 첨두와 경사진 후방 사이에 뚜렷한 평행한 벽이 있는 원통형- 이 있다. 원통형 폭탄은 더 많은 장약을 채울 수 있지만, 일반적으로 동일한 박격포용으로 설계된 유선형 폭탄보다 무겁고 추가적인 중량과 덜 효과적인 항공 역학적 모양 때문에 사거리가 길지 않다.
활강 박격포에서 발사되는 폭탄의 주요 문제는 가능한 한 폭탄 뒤로 많은 가스를 가두려고 노력하는 것으로 추진 장약의 폭발이 효과적으로 사용된다. 기본 요구조건은 폭탄을 박격포 포강 직경보다 작게
만들어 포구에서 떨어뜨릴 수 있게 할 필요성에 의해 반대된다. 만약 꼭 맞는다면 아래에 갇힌 공기가 완충물 역할을 하고 심각하게 사격율을 낮출 것이다. 포강의 내부 직경과 폭탄의 외부 직경 사이의 차이점은 *유극(遊隙-windage)*으로 알려졌고 설계자에 의해 최소로 유지된다. 그럼에도 불구하고 일부 가스는 폭탄이 발사될 때 유극을 통해 새

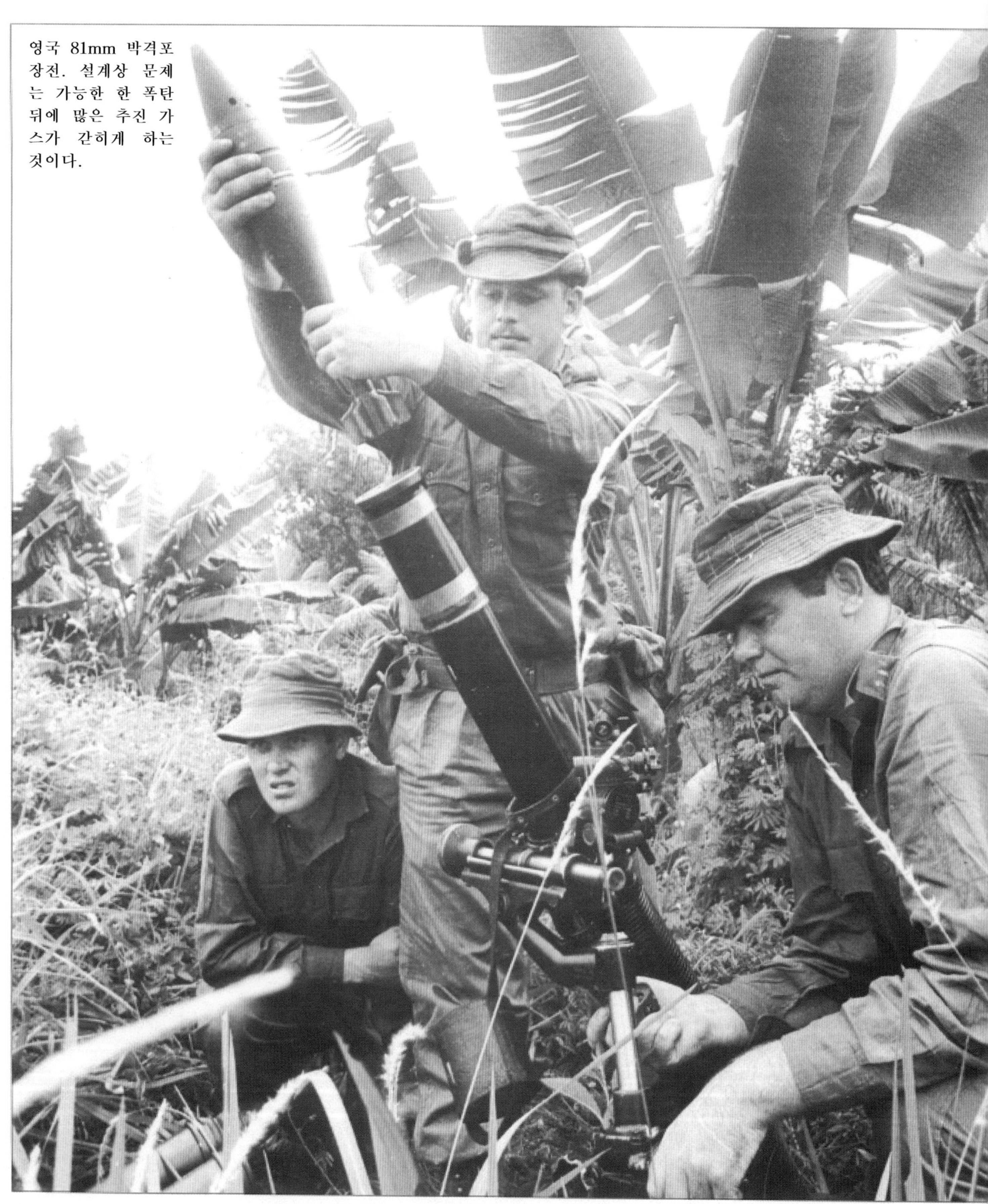

영국 81mm 박격포 장전. 설계상 문제는 가능한 한 폭탄 뒤에 많은 추진 가스가 갇히게 하는 것이다.

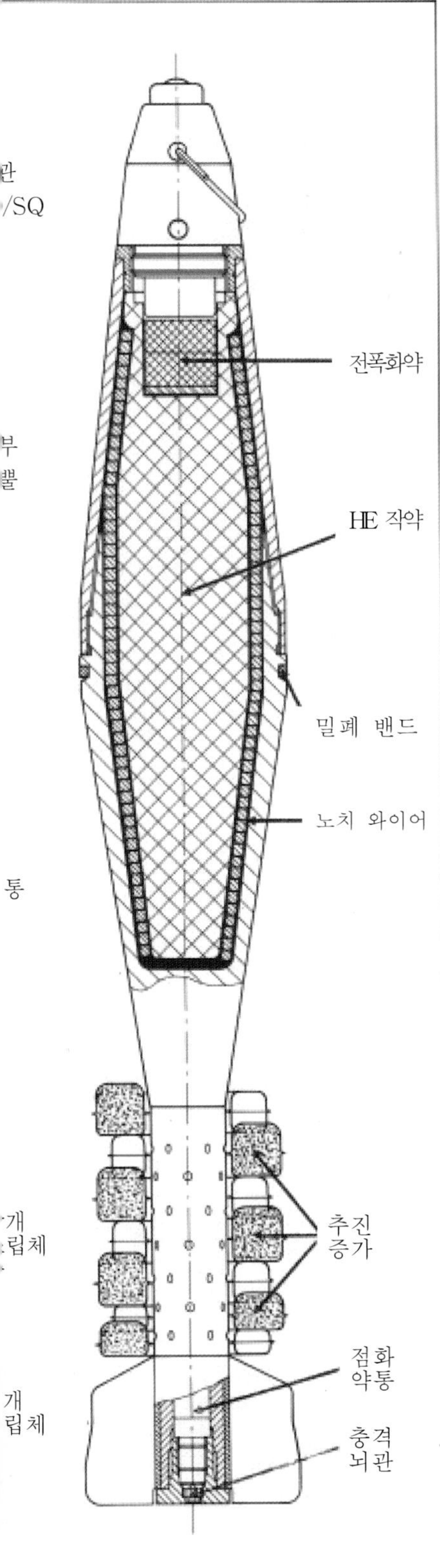

밀폐링이 있고 파편을 제어하기 위해 노치 와이어 라이너가 있는 현대식 포탄.

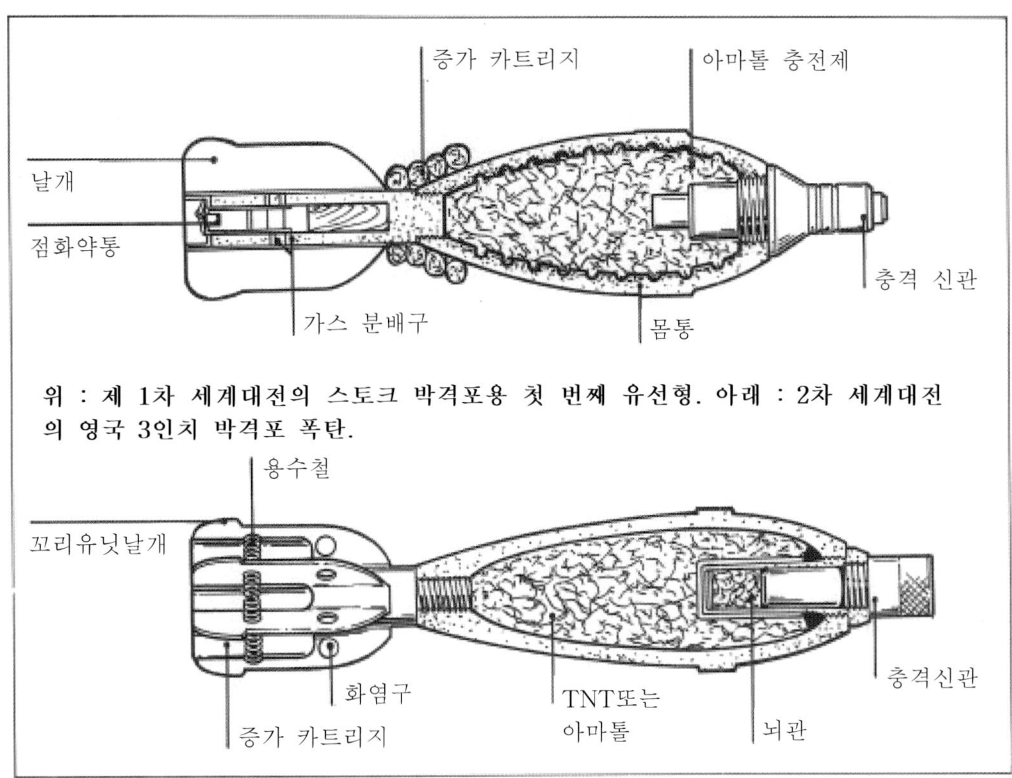

위 : 제 1차 세계대전의 스토크 박격포용 첫 번째 유선형. 아래 : 2차 세계대전의 영국 3인치 박격포 폭탄.

나가려 한다.

이것에 대응하는 한 가지 방법은 폭탄의 최대 직경에 있는 원주의 홈을 더 많이 깎는 것이다. 돌진하는 가스가 이 홈으로 들어가 유극을 막고 더 많은 가스의 유출을 방해하는 경향이 있는 터블런스를 발생시킨다. 더욱 비싸지만 더욱 효과적인 방법은 하나의 홈을 깎아서 확장 플라스틱 밀폐 링을 설치하는 것이다. 이것은 적합한 모양으로 하여 첫 번째 돌진하는 가스가 밀폐링을 밖으로 들어 올려 박격포의 포강을 향해 압박하여 밀폐를 형성한다.

장전 시 폭탄이 자유롭게 떨어지지만 사격 시 강선에 맞물리게 하는 문제가 있을 경우에 강선 박격포를 갖는 것이 가능하다. 실제로 3가지 시스템이 사용되었다. 1924년에 개발되어 107mm로서 아직도 사용되고 있는 미국의 4.2인치는 1919년경에 오스트리아 R. H. S. 애봇(Abbot) 대위가 발명한 시스템을 사용한다. 발사체는 바닥 밖에 붙은 짧은 관형 카트리지 용기가 있는 포탄과 같은 모양이다. 이 주위와 포탄의 바닥에 부착된 것은 두꺼운 테가 있는 접시형 구리판이다. 정상적인 상태에서 이 테는 폭탄의 몸통과 동일한 직경이고 이렇게 해서 낙하장전이 가능하게 된다. 사격 시 추진 가스는 접시를 고르게 펴고 테를 밖으로 밀어 강선과 결합되게 한다. 그래서 폭탄을 회전하게 하고 충분한 가스 밀폐로 작동하게 한다.

1930년대에 개발된 5cm 박격포에서 일본 육군이 사용한 두 번째 방법은 후방 끝은 추진장약이 든 중공(中空) 구역이고 충격 뇌관은 중앙에 있는 포탄형 발사체를 사용한다. 이 구역으로 둘러싸인 포탄의 바깥둘레 주변은 홈 안에 깊숙이 들어간 납구동 탄대가 있다. 구동 탄대 뒤에는 작은 구멍이 있고 추진 장약이 뇌관에 의해 발화되면 구멍을 통해 가스압이 구동 탄대를 밖으로 밀어 강선과 결합하게 한다. 포탄의 탄저에 있는 더 많은 구멍들이 가스가 뒤쪽으로 해서 박격포 포열 안으로 유출 되도록 하여 폭탄을 추진한다.

세 번째 방법은 현대 프랑스 육군이 120mm 핫치키스-브란트(Hotchkiss-Brandt)에 적용한 것으로 정상 형태의 구동 탄대가 폭탄에 부착되어 사전에 강선과 결합되도록 한다. 이것은 장전 시 구동 탄대 톱니모양이 박격포의 강선에 결합하여 사격율을 약간 늦추는 경향이 있다.

여러 가지 비재래식 폭탄 형태가 시시때때로 출현한다. 한 가지 유별난 디자인은 색다르게 카트리지 콘테이너와 추진 장약을 첨두에 포함하고 있어 첨두를 먼저 박격포로 장전해야하는 독일 폭탄이었다. 이 유별난 시스템의 이유는 폭탄이 조명 불꽃과 낙하산을 포함하고 있어 첨두 먼저 장전하여 추진제 화염으로부터 지연 신관을 점화할 수 있게 되고 이렇게 해서 시한 시관을 적용하고 설정해야 하는 필요성을 지양하는 것이었다. 사격 시 폭탄은 포열 꼬리가 먼저 떠나지만 날개의 공기 항력과 폭탄의 중력 중심의 영향 때문에 곧 뒤집혀지고 지연 요소가 연소되고 첨두가 폭발 할 때가지 첨두가 먼저 날아간다. 이것으로 불꽃과 낙하산을 전개하게 된다.

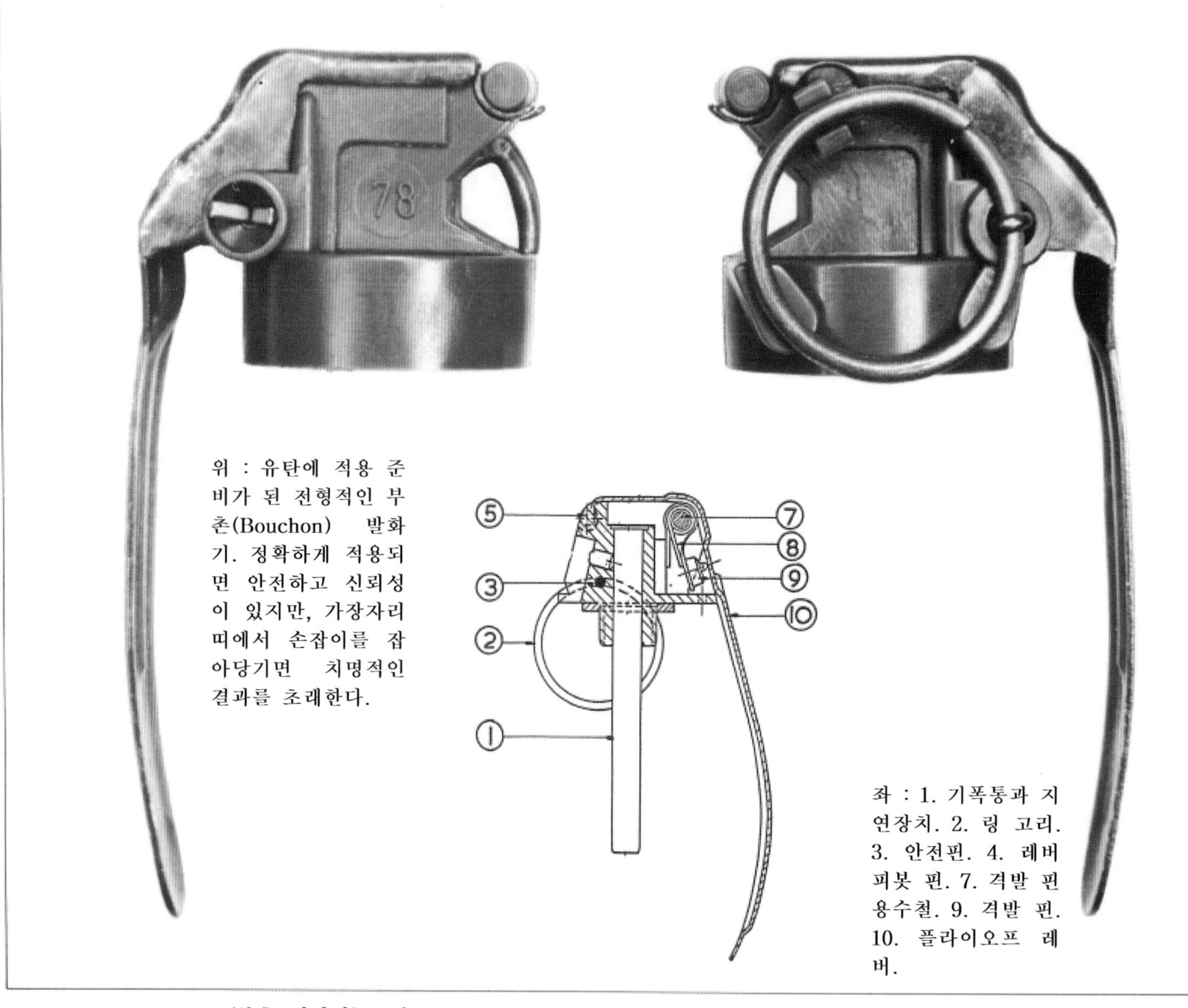

위 : 유탄에 적용 준비가 된 전형적인 부촌(Bouchon) 발화기. 정확하게 적용되면 안전하고 신뢰성이 있지만, 가장자리 띠에서 손잡이를 잡아당기면 치명적인 결과를 초래한다.

좌 : 1. 기폭통과 지연장치. 2. 링 고리. 3. 안전핀. 4. 레버 피봇 핀. 7. 격발 핀 용수철. 9. 격발 핀. 10. 플라이오프 레버.

BOUCHON IGNITER(부촌 점화기) : 일반적으로 '쥐덫-mousetrap'이라고 부르는 수류탄 발화 장치의 형태. '부촌(Bouchon)'이란 말은 제1차 세계대전의 프랑스 발명가로부터 나왔다. 유탄 몸통에 나사로 고정된 신관 유닛은 기폭통과 상부에 중앙에서 뇌관을 고정하고 있는 캐스팅이 있는 관으로 구성된다. 공이핀이 있는 날개판이 캐스팅의 한쪽 끝에 힌지로 부착되어 접으면 핀이 뇌관과 정렬된다. 이 날개판은 피봇 주위에 있는 강력한 코일 용수철로 추진된다. 캐스팅의 반대편 측면에는 안전 레버 클립 주변에 립(lip)이 있다. 레버는 클립으로 고정되고 공이핀 날개판이 용수철 쪽으로 밀어 안전 레버가 폐쇄되어 공이를 고정한다. 그래서 레버는 신관 머리 캐스팅 위에 있는 두 개의 귀(ears)를 통해 지나가는 안전핀에 의해 제자리에 고정된다. 그러고 나서 신관이 유탄에 나사로 고정된다. 작동시키려면, 유탄을 단단히 쥐고 안전 레버를 유탄의 몸통과 나란히 잡고 안전핀을 제거한다. 유탄이 던져지면, 코일 용수철이 날개판이 펴지도록 하여 안전 레버를 던져버리고 공이가 뇌관으로 들어가 유탄 신관을 발화한다.

정확하게 부착되면, 부촌 발화기는 완벽하게 안전하고 신뢰성 있는 장치이다. 불행히도 레버는 유탄의 몸통으로부터 멀어지려는 경향이 있어 엮은 금속판(web) 장치, 주머니 등의 안으로 레버를 갈고리로 거는 연습을 권하며, 제2차 세계대전에서 미군 부대는 이 연습을 널리 시행하였다. 만약 손잡이가 취약하면 유탄의 중량이 결국 립에서 고리가 풀리도록 변형시켜, 안전핀이 여전히 제자리에 있더라도 공이가 강타하여 치명적인 결과를 초래한다. 이 위험이 잘 알려지고 지난 수십 년간 병사들에게 전달되었지만 연습은 지속된다.

BOUNCING BOMB(바운싱 폭탄) : 제2차 세계대전 중에 개발된 독일 81mm 박격포탄, 부르프그라나테(Wurfgranate) 38/39. 이들은 재래식 유선형과 유사하지만 근 첨두 부위는 분리된 유닛으로 몸통에 ... 으로 고정되었다.

충격 신관이 있는 첨두 내부에 작은 무연 약 장약이 있는 용기가 있다. 이 아래는 탄 몸통의 평평한 머리이며 고폭탄으로 ... 워져 있다. 이 평평한 머리 안에 지연 화... 으로 채워진 구멍이 있고 기폭통 유닛으... 연결된다.

폭탄은 정상적인 방법으로 발사되고 목... 지점의 지상을 타격할 때 충격 신관이 무... 화약 장약을 폭발시킨다. 이 폭발은 첨두... 몸통을 함께 고정하고 있는 핀을 전단(... 斷)하여 몸통을 공기 중으로 다시 올려... 낸다. 동시에 장약의 화염이 지연 충전제...

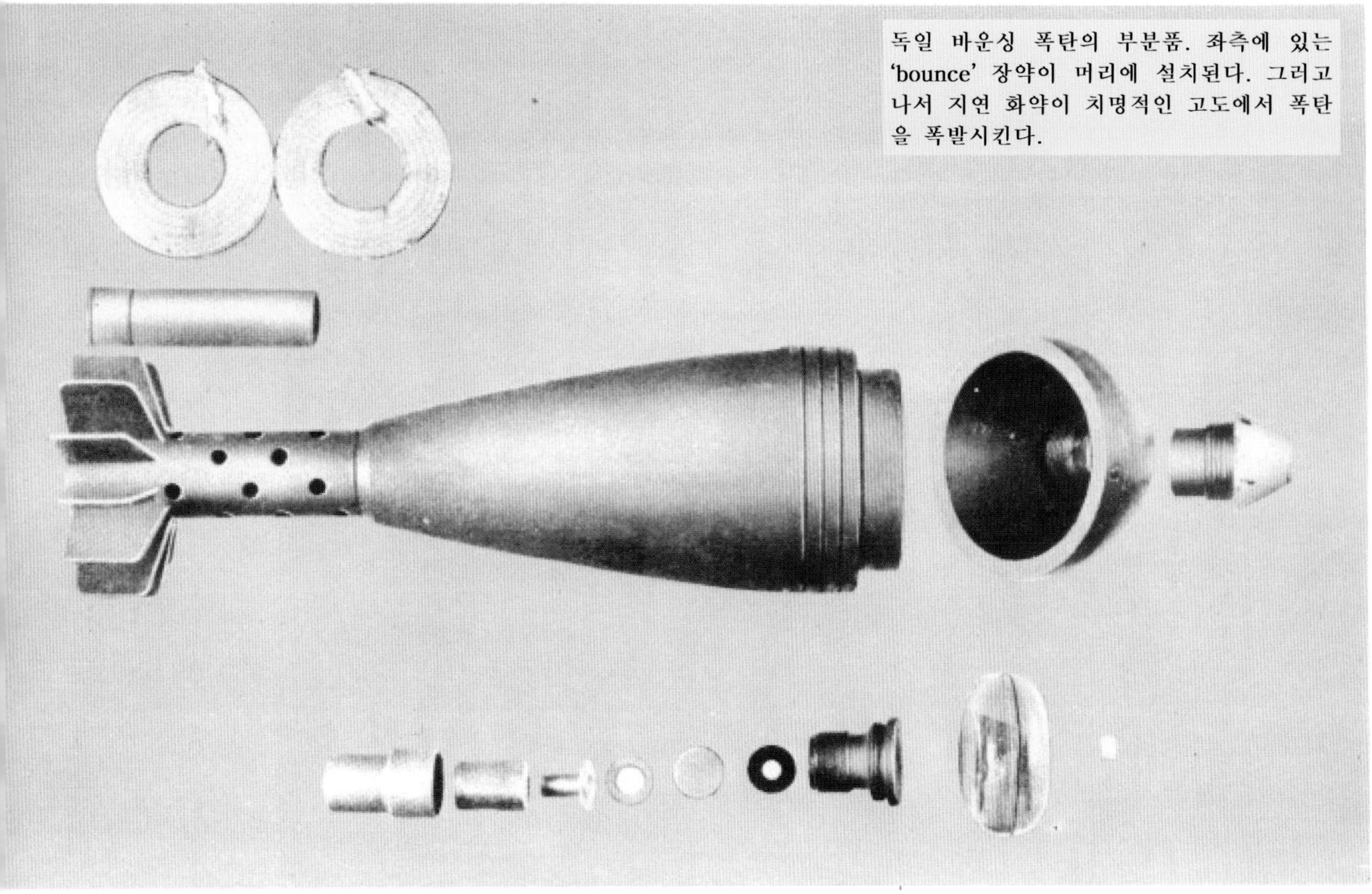

독일 바운싱 폭탄의 부분품. 좌측에 있는 'bounce' 장약이 머리에 설치된다. 그리고 나서 지연 화약이 치명적인 고도에서 폭탄을 폭발시킨다.

화하고 이를 통해 연소한 기폭통을 격발하 차례로 주 폭발 충전제를 기폭하고 폭탄 통을 박살낸다.

연 시간은 약 0.7초이며 폭탄은 기폭될 때 4-6미터 고도에 위치하게 된다. 이것은 한 신관의 복잡성이 없이 파편이 참호 안 향해 아래로 타격하기 때문에 지상 폭발 다 더욱 치명적인 공중폭발 효과를 제공한 꼬리 유닛이 되튀어 오르는 고도는 지면 성격에 따라 다양하다. 단단한 지상에서 약 18.5미터이고 연한 지상에서는 단 1.5 터에서 폭발할 수도 있다.

운싱 폭탄은 단단한 지면에서는 꽤 효과적 지만 연한 지면에서는 효과가 덜하다. 디 인은 영국과 미국이 복제하였지만, 두 나 모두 지상 요인에 기인한 여러 가지 성능 받아들일 수 없다고 판단하고 어느 나라 실전배치하지 않았다. 현재까지 사용되고 는 바운싱 폭탄이 있다는 것은 알려지지 았다.

URRELET(정심부) : 폭탄의 최대 직경 서 기계가공한 표면. 이것은 유극의 필요 때문에 조심스럽게 제어된 수치이다. 원 형 폭탄에서 두 가지 정심부가 있다. 하 는 몸통의 평행한 벽 부위의 양쪽 끝에 다.

정심부(Bourrelet)에 의해 취해진 모양을 보여주는 박격포 폭탄 모음.

BRANDT(브란트) : 에드가 브랜드는 1920년대에 박격포의 기본 스토크스(Stokes) 디자인을 채택하고 여러 세부 개량을 한 프랑스 병기 공학자였다. 1930년대까지 그는 프랑스, 이탈리아 및 미국을 포함한 여러 나라에 팔린 잘 완성된 디자인을 가지고 있었다. 전쟁 후 회사는 핫치키스(Hotchkiss)사에 합병되어 핫치키스-브랜드(Hotchkiss-Brandt)가 되었고 후에 톰슨-CSF 조직의 일부가 되어 현재는 톰슨-브랜드로 알려졌다. 이 회사는 여전히 모든 구경의 박격포를 생산하고 전 세계적으로 사용되고 있다.

회사는 여러 가지 탄약 특히 로켓 보조 폭탄과 직사 박격포용 APFSDS 발사체를 개척하여 왔다.

에드가 브란트(Edgar Brandt)가 완성하고 전 세계적으로 사용 중인 브란트(Brandt) 120mm 강선 박격포.

.LET TRAP GRENADE(탄자 트랩) : 공포탄 대신 볼 카트리지를 격발하 발사되도록 설계된 총유탄. 외부적으로 은 긴 꼬리 관에 탄두와 날개가 있는 전 인 현대 총유탄이다. 하지만 내부적으로 관은 어떤 힘에 의해 발생하도록 설계 일련의 강철 배플인 탄자 트랩이다. 소총 유탄을 발사기 위로 밀고 볼 카트리지 발사한다. 탄자는 총열 위로 올라가 탄자 을 타격하는 유탄의 꼬리 안으로 들어간 배플은 충격에 의해 파열된다. 각 배플은 에 남아 있는 에너지양을 줄이고 보통 3 배플을 지난 뒤 탄자가 멈춘다. 탄자의 지는 유탄으로 전이되고 탄자를 미는 추 가스는 이제 발사기에서 유탄을 들어 올 표적으로 추진한다.

한 단점은 볼 탄자에 최적인 추진 장약 유탄 발사에는 최적이 아니라는 것이다. 므로 탄자 트랩 유탄은 비탄자 트랩 형 상당한 사거리를 가지고 있지 않다. 그 만 일반적으로 특수 카트리지(특히 현대 소총에 지루한)를 휴대하고 장전하지 편리함과 유탄을 발사할 때 볼 카트리 공포탄으로 교환하는 것을 병사가 잊었 때 존재했던 이전의 위험을 제거하였기 에 비용이 싸다고 생각된다.

BURSTING SMOKE(파열 연막) : 몸통을 파열하여 개방하고 연막 발생 화약을 방면하기 위해 고폭탄의 소형 중앙 장약을 사용하는 연막 폭탄의 종류. 이 시스템을 이용하면 시한 신관의 필요성을 없애며 탄저 방출 연막 폭탄이 필요하다. 충전제는 보통 점화될 필요가 없는 백린(WP)이다. 이것은 공기와 접촉하여 자연발화하고 조밀한 백색 연막을 아주 빠르게 발생한다. 유일한 결점은 상당한 열과 함께 연소하는 것이다. 이것은 주변 공기를 따뜻하게 하여 연막이 위로 올라가게 한다. 그래서 연막 목적에 바람직한 지상에 연기를 붙잡아 두는 대신 '기둥'효과를 발생한다. 또한 파열 지점 주위의 초목에 불을 내는 중대한 위험이 있다. 이것은 전시에는 그리 중요하지 않지만, 훈련 시에는 달갑지 않은 것이고 이러한 이유로 종종 WP보다 더 잘 사용되는 다른 충전제가 있다. 가장 일반적인 대체품은 공기 중의 수증기와 함께 화학적 작용으로 연기를 발생하는 티타늄 테트라클로라이드(FM)이다. 이것은 WP 보다 약간 느리게 연막을 만들 수도 있지만, 연소열이 더 낮고 연막을 낮게 드리우며 화재 위험이 없다.제2차 세계대전에서 미군이 사용한 충전제는 유황 트리옥사이드와 연막 생산이 양호하지만 높은 부식성 때문에 폭탄에 채우기 힘든 'FS' 부호로 알려진 클로르설포닉 산의 혼합이다.독일 육군은 유황염을 증발시키는 유황 트리옥사이드의 해법으로 '발연(發煙) 황산을 사용하였다. 그리고 부석(浮石)분말로 습기를 빨아들여 충전제의 문제를 단순화했다. 폭탄의 파열로 인해 분산될 때독일 육군은 유황염을 증발시키는 유황 트리옥사이드의 해법으로 '발연(發煙) 황산을 사용하였다. 그리고 부석(浮石)분말로 습기를 빨아들여 충전제의 문제를 단순화했다. 폭탄의 파열로 인해 분산될 때 이 두 성분 모두 공기 중의 습기와 반응하여 연기를 발생한다. 이런 형태의 화약은 이를 테면 사막에서 사용할 수 없는 장치가 될 수 있다고 생각될 수 있다. 하지만 가장 건조한 대기도 이러한 충전제와 반응할 충분한 증기를 포함하고 있다.

미국 4.2인치(107mm)강선 박격포용 백린 파열 연막 폭탄. 소형 폭발 장약이 몸통을 파열하고 백린이 공기와 접촉하여 발화한다.

총류탄의 꼬리 유닛 내부에 있는 탄자 트랩 조립체. 배플이 탄자의 충격 시 붕괴된다.

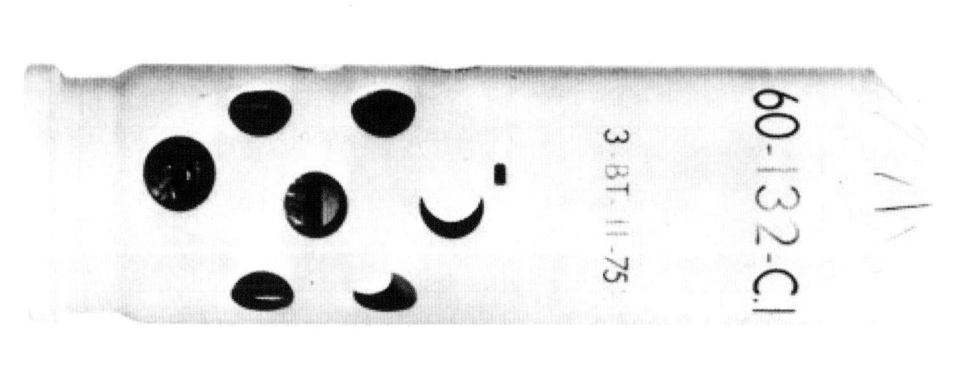

브란트 직사 박격포와 함께 사용되는 60mm 산탄형 탄.

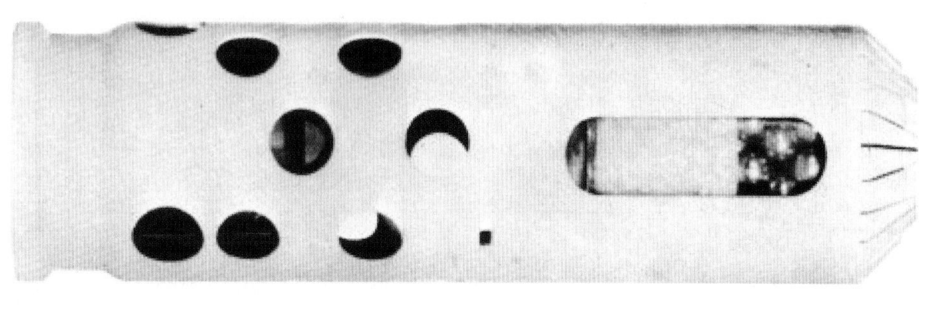

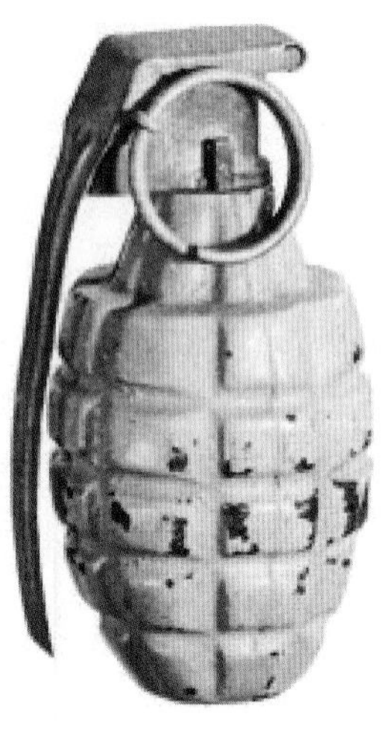

전형적인 2차 대전 방어 유탄. 위 : 미국 Mark ⅡA1. 아래 : 러시아 F1.

C

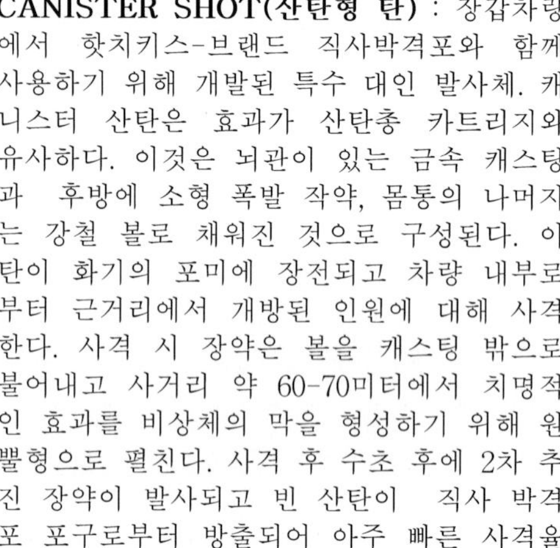

CANISTER SHOT(산탄형 탄) : 장갑차량에서 핫치키스-브랜드 직사박격포와 함께 사용하기 위해 개발된 특수 대인 발사체. 캐니스터 산탄은 효과가 산탄총 카트리지와 유사하다. 이것은 뇌관이 있는 금속 캐스팅과 후방에 소형 폭발 작약, 몸통의 나머지는 강철 볼로 채워진 것으로 구성된다. 이 탄이 화기의 포미에 장전되고 차량 내부로부터 근거리에서 개방된 인원에 대해 사격한다. 사격 시 장약은 볼을 캐스팅 밖으로 불어내고 사거리 약 60-70미터에서 치명적인 효과를 비상체의 막을 형성하기 위해 원뿔형으로 펼친다. 사격 후 수초 후에 2차 추진 장약이 발사되고 빈 산탄이 직사 박격포 포구로부터 방출되어 아주 빠른 사격율을 가능하게 한다.

볼은 장갑에 무해해서 캐니스터 산탄은 동료 장갑차량을 공격하려고 장갑차량에 기어오르려는 적 인원에 대해 장갑 차량에서 사용될 수 있다.

D

DEFENSIVE GRENADE(방어 유탄) : 파열 지점 주변의 상당한 거리로 커다란 파편을 비산시키는 수류탄. 이 용어는 이러한 수류탄은 방호 위치에 있는 방어자가 사용하기 가장 적당해서 방어자는 유탄을 던지고 엄폐할 수 있다는 가설에서 나왔다. 이렇게 해서 튀어나온 파편은 자신의 위치로 돌아올수 있었지만, 자신의 은폐로 인해 이것은 문제가 되지 않았다. 방어 유탄은 보통 무거운 금속 몸통 또는 파편 슬리브가 있어 무겁다. 주요 예시는 영국 밀스(Mills) 폭탄 또는 유탄 No. 36과 미국 마크(Mark) 2 형식이다.

DELAY FUZE(지연 신관) : 격발 충격의 전달과 기폭장치 사이에서 지연을 삽입하는 시스템에 의해 탄약을 발화하는 방법. 특별히 표적을 타격한 후 아주 짧은 시간에 폭탄을 기폭하는 신관. 지연신관은 폭탄이 표적을 관통하게 하여 더 큰 피해를 일으키게 한다 가옥으로 들어가 폭약 충전제가 기폭된다.

예를 들어, 가옥을 강타하는 박격포 폭탄 충격시 벽 밖에서 기폭하면 점유자에게 비적 작은 피해를 입힌다. 지연 신관을 사용면, 신관은 벽을 강타하였을 때 작동하기 작하지만 운동량은 벽을 통해 폭탄에 전달고 지연이 끝나는 시간에 가옥으로 들어 폭약 충전제가 기폭 된다.

약의 짧은 기둥에 의해 수행된다. 폭탄이 적을 강타하면 신관이 뭉개지면서 바늘이 폭장치 속으로 들어간다. 기폭장치는 흑색 약을 점화하는 화염을 발생시킨다. 이것 화약이 제 위치에 압축될 때 화약에 가해는 경화(硬化)량에 의한 정확도의 정도로 절될 수 있는 속도로 연소한다. 화약 기둥 연소될 때, 주 폭발 충전제를 점화하는 다른 기폭장치를 점화한다. 지연양은 보 0.15에서 0.35초로 아주 작지만 폭탄이 명할 때 폭탄이 이동하는 속도에서 이것은 적을 몇 피트 관통할 만큼 충분하다.

형적인 방어 유탄 – 좌: 미국 Mk ⅡA1, 중앙 : M26 제어 파편 및 훈련용 유탄.

SCARDING SABOT(탄저판 분리) : 탄를 적용하거나 포강 직경의 '탄저판-sabot'로 박격포 포강 보다 작은 구경의 발사체 발사하는 방법. 이 탄저판은 폭탄으로부 분리되도록 설계되어 있어 포구를 떠나자 자 확실하게 떨어진다. 이 시스템은 1943에 영국에 보급된 4.2인치 탄저 방출 연막탄에 단 한번만 실질적으로 사용되었고 50년대 중반까지 사용되었다. 발사체의 탄 방출형 구조는 가느다란 관형 폭탄이 필하였고 소구경 화기용으로 이미 생산중인 막 산탄을 사용하기 위한 경제적 필요조건 문에 4.2인치 폭탄은 박격포 포열보다 약 직경이 작았다. 그러므로 이것은 4.2인치 경의 넓은 날개와 폭탄 중심 둘레에 두 부으로 된 탄저판이 있었다. 탄저판과 날개의 결합은 사격 시 폭탄을 포강 중앙에 유지 시킨다. 탄저판 뒤에 있는 가스 압력은 두 개의 유지 나사를 부수어 포구를 떠난 후 두 개의 탄저판이 떨어져 나가고 폭탄은 비행을 지속한다.

유사한 디자인이 1950년대에 160mm 탐펠라(Tampella-핀란드어) 박격포 발사체에 사용되었다. 이것은 커다란 탄저판과 날개가 있는 아주 가느다란 다트형 폭탄이었지만 폭탄은 고폭탄으로 채워져 있었다. 목적은 완전한 구경의 재래식 폭탄 보다 아주 적은 중량이 나가는 폭탄을 발사하여 고속 및 긴 사거리를 획득하는 것이었다. 160mm 다트 폭탄은 시험 시 11-12킬로미터 사거리에 도달했다고 믿어지고 있다.

160mm 다트 폭탄은 시험 시 11-12킬로미터 사거리에 도달했다고 믿어지고 있다.

그러나 정확도는 약했고 길고 가느다란 모양이 고폭탄의 긴 내부 기둥을 점화하는데 문제를 일으켰다. 이 디자인은 결코 사용되지 않았다. 요즘에 탄저 분리 원리는 대전차 직사회기로서 톰슨-브란트 60mm 및 81mm 직사 박격포에서 발사되도록 설계된 날개 안정 철갑 발사체에서 사용된다. 이러한 발사체들은 포미장전(박격포는 장갑차량의 포탑에서 사용된다)이고 재래식 포용 APFSDS 발사체와 동일한 방식으로 작동한다. 자탄(관통자)은 고속에 도달하고 장갑에 대한 양호한 관통능력을 가지고 있다.

전형적인 훈련용 유탄. 이것은 폭약이 들어 있지 않은 것을 보여주기 위해 구멍이 뚫리고 훈련병에게만 사용된다.

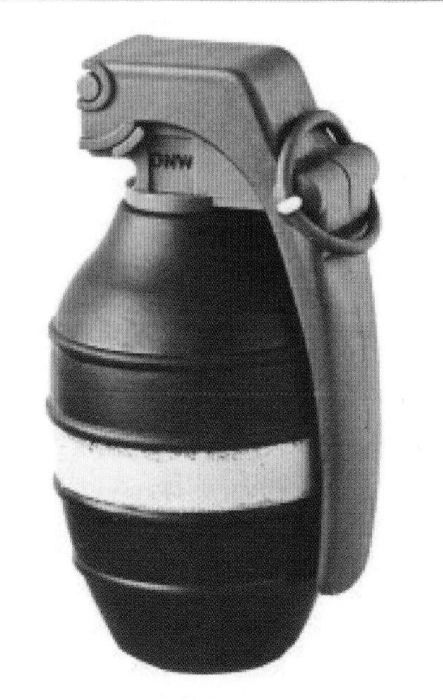

DRILL GRENADE(훈련용 유탄) : 훈련병을 교육하기 위한 목적에 사용되는 완전한 비활성 유탄. 뇌관과 신관 또는 기폭장치가 없지만 표준 격발 장치를 포함하고 있고 몸통은 보통 구멍이 뚫려 비어 있는 것을 볼 수 있다. 훈련용 유탄은 수류탄 또는 총유탄용으로 공급될 수 있다. 이들은 *연습용 유탄(practice grenades)*과 혼동해서는 안 된다.

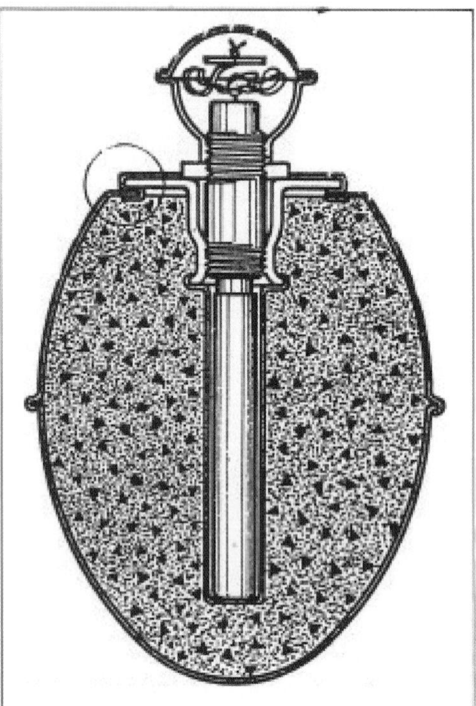

2차 대전의 독일 '에그-egg' 유탄. 얇은 벽구조와 당김형 마찰 점화기를 보여준다.

E

EGG GRENADE(에그 유탄) : 부드럽고 대충 계란 모양이 '에그 유탄'이라고 부르게 된 모든 유탄 종류이지만 이 이름은 2차 대전 중에 사용된 독일 Eihandgranat 39에 가장 적절하게 적용된다. 이것은 약 76mm 길이와 약 250그램의 중량을 가진 계란형 금속 몸통을 가지고 있다. 점화기 세트가 한쪽 끝에 나사로 고정되고 유탄은 이 발화기로부터 뇌관을 풀어서 작동된다. 뇌관은 짧은 끈에 부착되었고, 다른 쪽 끝은 마찰 발화기 유닛에 부착되었다. 끈을 날쌔게 잡아당겨서 지연 신관에 불을 붙이고 나서 유탄을 던진다. 지연 시간은 약 5초이다. 러시아 전선에서 이것은 특수 부비트랩 발화기가 이 유탄에 삽입되었다는 것이 보고되기도 하였다. 이것들은 지연시간이 없어서 만약 러시아 병사가 독일군 뒤에 남겨져 사용하지 않은 유탄을 발견하여 사용하려 하면, 끈을 당기자마자 손에서 기폭 할 것이다.

ESPERANZA(에스페란자) : 50mm에서 120mm 구경까지 폭넓은 박격포와 탄약을 제작하는 스페인 회사. 박격포는 스페인 육군이 사용하며 폭넓게 수출된다. 영국 육군이 1937년 자신들의 '2인치 Mark 1'으로 에스페란자 디자인의 50mm 박격포를 채택하였다. 회사의 전체 이름인 Esperanza Cia는 보통 'Ecia'로 줄여 부른다.

F

FIN ASSEMBLY(핀 조립체) : 비행 시 정화를 주기위한 박격포 폭탄의 꼬리 유 처음에는 싸고 흔적이 남으며 2차 대전 중 경험에서 꼬리 날개가 폭탄의 정확도와 사 리에 커다란 영향을 준다는 것과 효과적 날개 조립체 개발에 사용한 돈이 경비에 한 균형이 잡히지 않는 결과를 낳았다는 을 보여주었다. 오늘날의 꼬리 날개는 조 스럽게 윤곽을 그리고 기계 가공하여 현 박격포의 성능에 있어 주요 요소이다.

재래식 유선 폭탄 주변의 공기 흐름은 꼬리 날개를 몸통 뒤에 너무 가깝게 위치시킨 이 거의 효과가 없는 저압 지역에 꼬리 날 를 위치시키는 것과 같다. 그리고 이러한 유로 꼬리 날개는 보통 관형 증가장약지지 끝에 장착되어 가로 지르는 공기 흐름이 탄에 안정화를 제공하는 곳에 위치한다. 국 81mm 박격포과 같은 일부 디자인은 탄의 축에 대한 각도에 약간 경사진 날개 있어 공기 흐름이 폭탄을 회전시키고 안정와 정확도를 더해준다.

비록 아음속 속도에서만 실제로 필요하지 날개가 가장 큰 효과를 갖게 되는 방해받 않는 공기 속에 날개의 작동 표면을 위치 키기 위해 이상적으로 날개는 포탄의 몸 보다 직경이 더 커야 한다. 그러나 이것 의해 획득된 안정성에서의 개선은 정확도 일반적으로 기계적 복잡성을 추가할 가치 있다고 생각되지 않는다. 이러한 접근의 은 예는 이탈리아와 미국에서 1930년대에 란트 81mm 박격포로 채택한 디자인이었 날개는 중간에 힌지로 고정되고 용수철 압 을 향해 안쪽으로 접혀지고 전단기(剪斷 철사로 고정되었다. 이렇게 해서 장전되 날개는 증가장약지지기의 끝에서 단단한 음을 형성하였다. 사격 시 전단기 철사는 러지고, 용수철이 날개를 밖으로 밀어 포 쪽으로 미끄러지게 하고 포구를 떠난 후 개는 폭탄 직경의 약 두 배인 전체 직경으 튕겨 나간다. 이것은 아주 좋은 이론적인 념이었지만, 기계적 설계는 종종 포강에 조건을 견디는 데 실패하였고 추진 카트리 의 폭발은 종종 날개를 토막 내어 불규칙 게 개방되어 폭탄의 비행을 뒤집었다. 더 신뢰성 있는 시스템은 날개를 넓은 모서리 힌지로 고정하여 측면으로 접고 용수철 압 으로 바깥으로 열리게 하는 것이다. 이것 정상 날개(최초 비행 중에 폭탄을 안정화 키는데 사용되는)를 분리하는 것이 이상적 때 일부 로켓 보조 폭탄에 사용되었다.

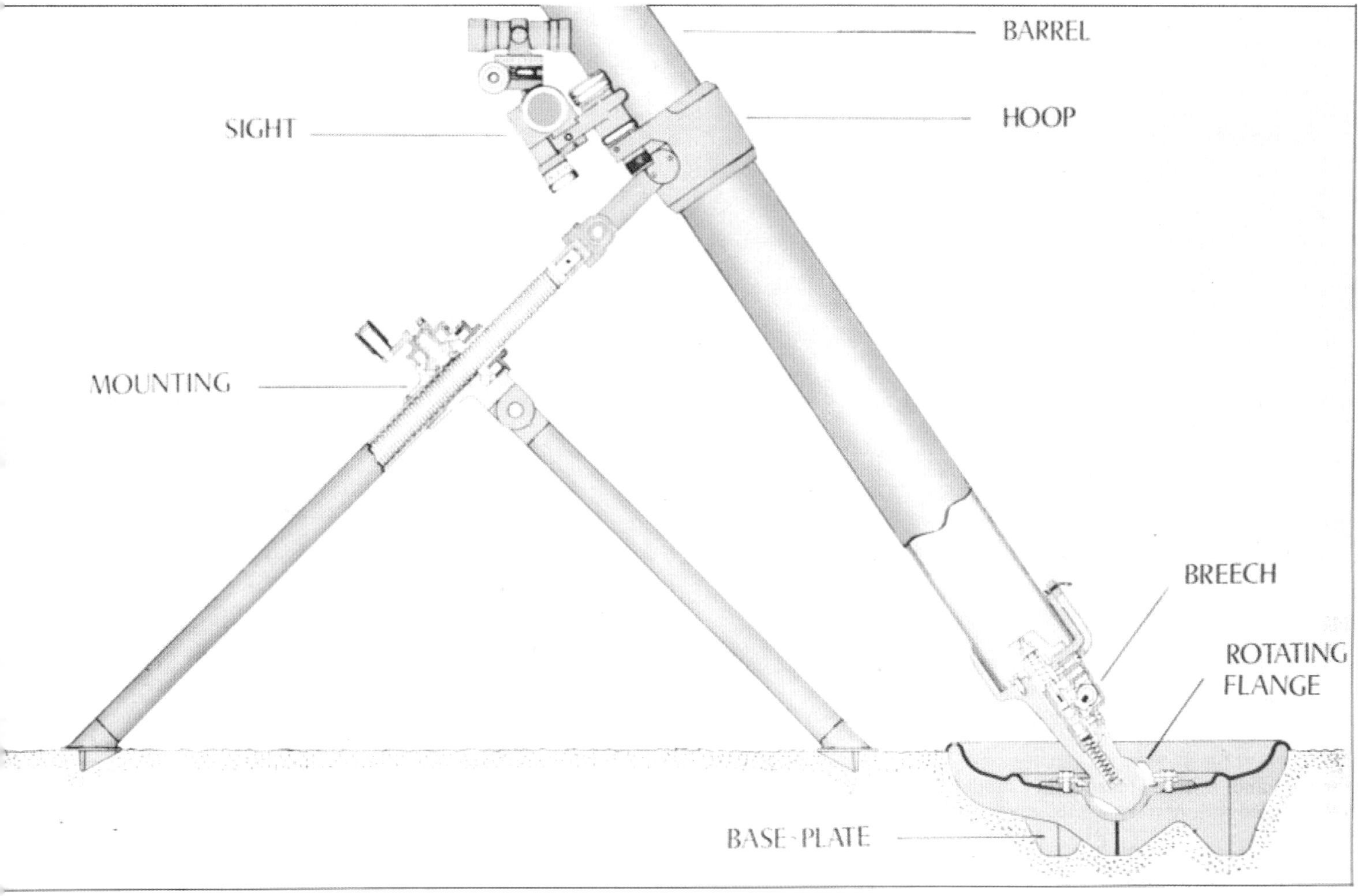

BARREL
SIGHT
HOOP
MOUNTING
BREECH
ROTATING FLANGE
BASE-PLATE

ㅓ : 에스페란자 60mm 모델 'L' 박격포. 아래 : 박격포 폭탄. 상이한 설계자에게 채택된 꼬리 날개의 서로 다른 스타일(좌우에 우로) : 이탈리아, 미국, 독일 및 영국.

그래서 로켓 모터가 사용되게 되었다. 재래식 증가장약지지기와 날개가 떨어져 나가면서, 이들은 나머지 비행 동안에 폭탄을 지속적으로 안정화시키기 위해 용수철을 이용하여 접힌 날개 세트를 푼다.
날개 안정화 폭탄의 주요 결점은 날개가 바람 부는 날씨에 '돛 효과'를 가지고 있는 것이다. 이렇게 해서 우측에서 바람이 불 때 바람이 평평한 날개 쪽으로 불어서 좌측으로 미는 경향이 있어 폭탄의 첨두를 오른쪽으로 돌려 발사된 폭탄은 바람 안으로 꺾이는 경향이 있다.

FLY-K MORTAR(FLY-K 박격포) : 벨기에의 PRB가 개발한 스피갓 박격포용 상업 명칭이며 이전에는 '제트 탄:Jet-Shot'이라고 알려졌었다. FLY-K의 특징은 증가장약지지기 안에 있는 추진 카트리지가 고정된 피스톤 전면에 위치하였다는 것이다. 폭탄 꼬리는 보통의 방법으로 스피갓 위에 설치되고 떨어트려진다. 충격은 추진 카트리지를 격발하여 폭발시키고 고정된 피스톤을 커다란 속도와 힘으로 아래쪽으로 민다. 이것은 스피갓에 영향을 주고 폭탄은 공기 중으로 날려간다. 그러나 피스톤은 꼬리 관을 떠날 수 있게 되기 전에 갇히게 된다. 이것으로 장약의 가스와 거의 모든 폭발 소음이 관내에 갇히게 된다. 그 결과로 FLY-K는 거의 소음이 없으며 100 또는 200미터 밖에서 간신히 들을 수 있다. 이것은 또한 화염과 연기가 없으며 그래서 비밀 부대에게 이상적인 무기이다. 무기의 정상적인 구경은 52mm이고 최대 사거리는 약 700미터이다.

FM : 파열 연막 폭탄에 사용되는 화학제인 티타늄 테트라클로라이드에 대한 비밀 설계. 이것은 무색 액체로 작은 폭발장약으로 폭탄에서 방출되면 공기 중에서 습기와 화학적으로 혼합하여 밀도 높은 백색 연막을 형성한다. 습기 5에 FM이 1의 혼합이면 연막은 아주 조밀하고 습기가 적을수록 덜 만족한 연막차장을 형성한다. 연막은 어느 정도 자극적이지만 야전에서의 집중적인 사용으로 기침이나 호흡기 질환을 증가시키지 않는다. 5gm의 FM은 연막을 30평방미터 만들 수 있다.

FRAGMENTATION SLEEVE(분열 슬리브) : 커다란 파편의 힘으로 공격용 유탄에 설치되어 방어 유탄으로 전환시킬 수 있는 강철이나 철 슬리브 또는 주조. 종종 절반씩 유탄의 상부와 바닥 위에 조립되어 대검결합으로 고정된다. 일부 현대 디자인은 사전에 형성된 수백 개의 파편 또는 플라스틱 안에 끼워 넣은 강철 볼들이 있는 두꺼운 플라스틱 슬리브를 사용한다.

FRAMKFURTER BOMB(프랑크프르터 폭탄) : 4.2인치 박격포용 탄저판 분리 탄저 방출 연막 폭탄에 대한 영국 비밀 명칭. B.J. 머피(Murphy) 대령이 발명하였으며, 소시지와 닮은 외형에서 명칭이 유래되었다.

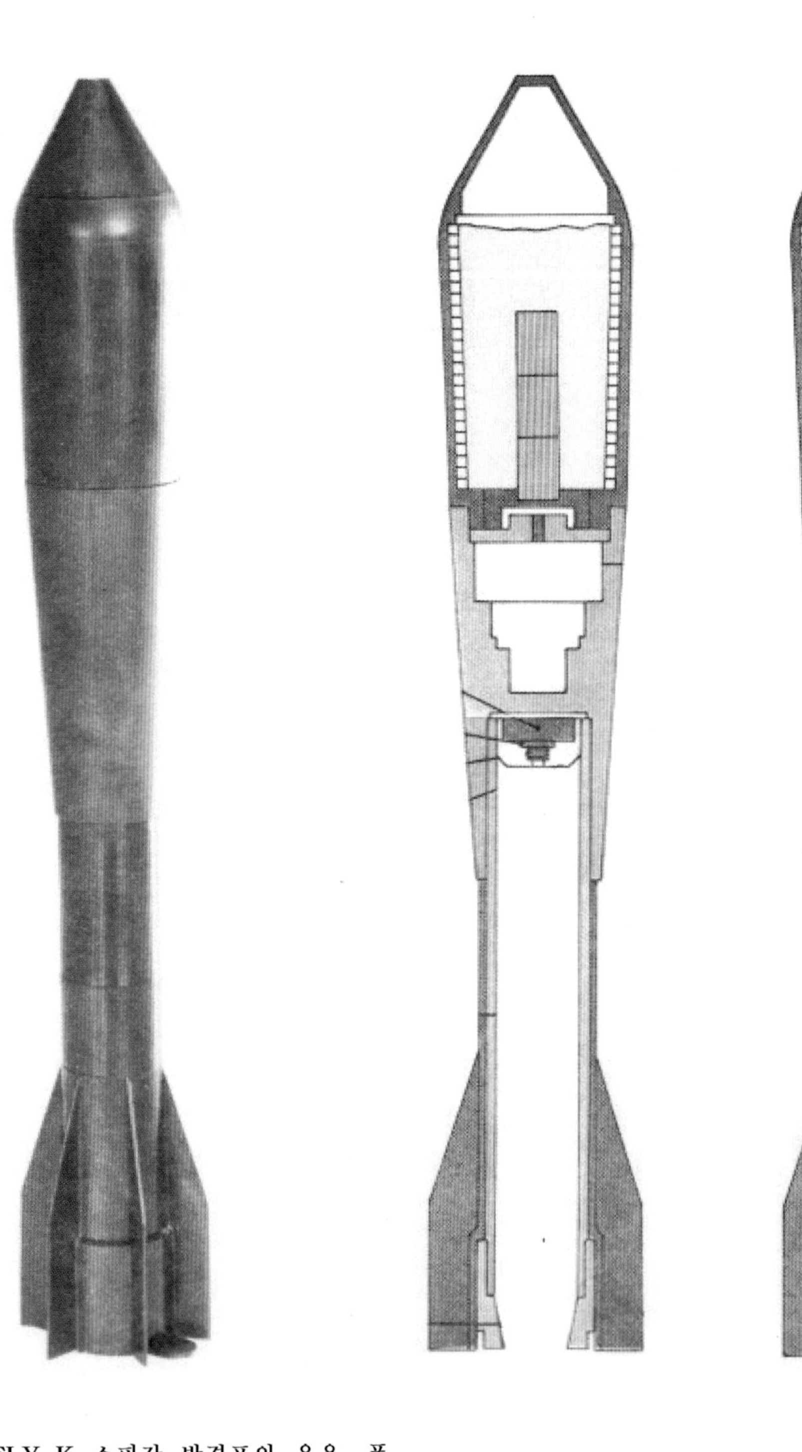

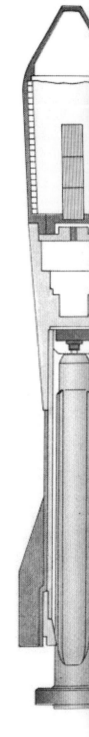

FLY-K 스피갓 박격포의 운용. 폭탄은 스피갓 안으로 떨어진다. 충격이 폭발하는 추진 카트리지를 격발하고 정위치의 피스톤을 아래로 민다. 이것은 마개를 밀고 박격포를 공기 중으로 밀어낸다. 모든 추진제 가스가 중공(中空) 틀에 갇히면서 화기는 무화염, 무연 및 실질적으로 무소음이다.

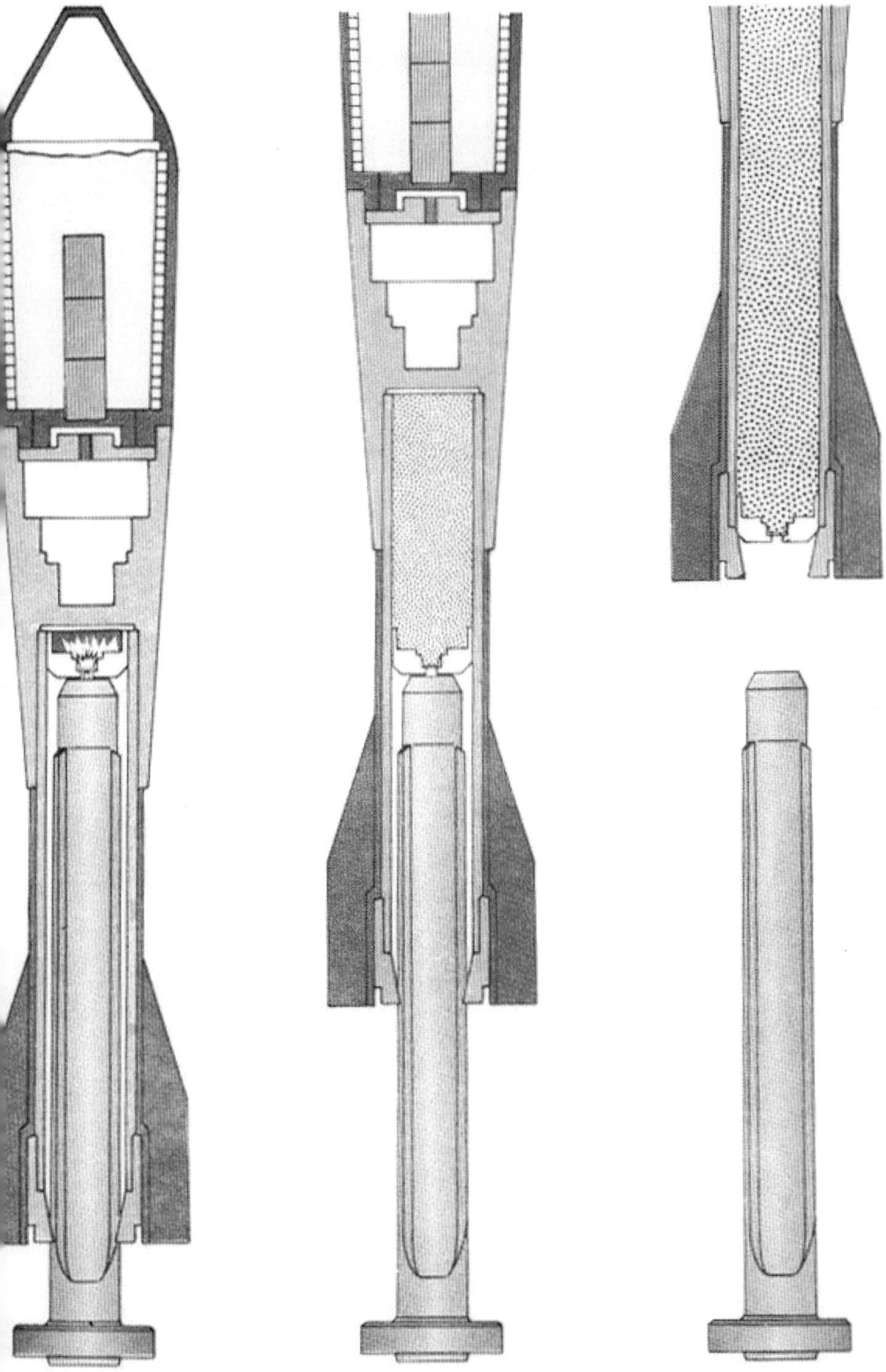

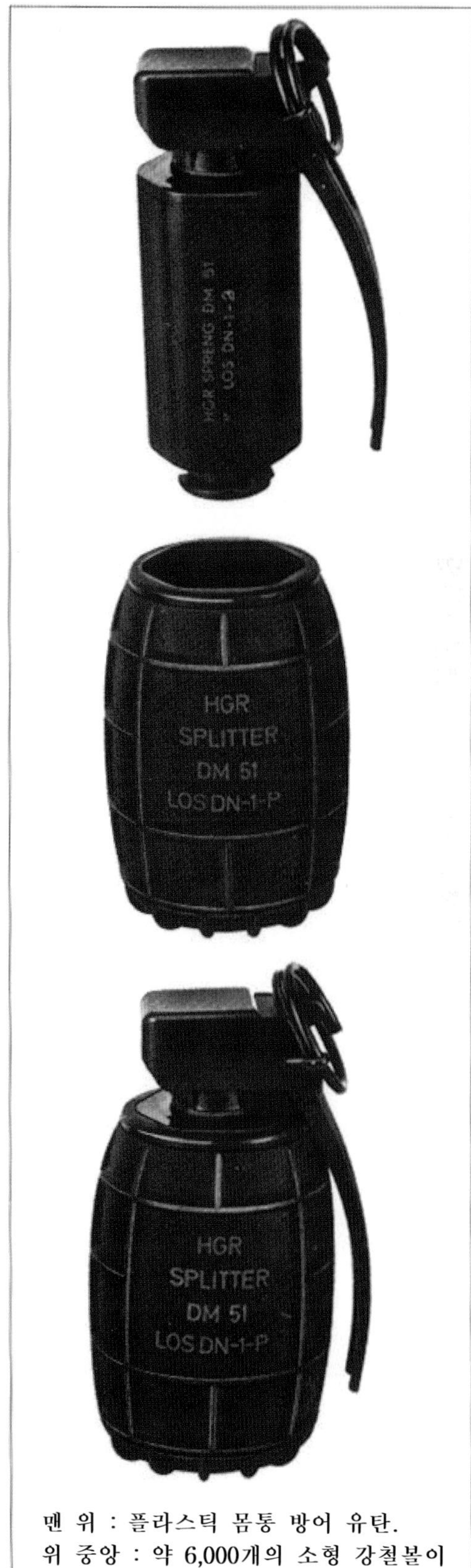

맨 위 : 플라스틱 몸통 방어 유탄.
위 중앙 : 약 6,000개의 소형 강철볼이 있는 플라스틱 파열 슬리브.
위 : 두 개를 결합한 방어 유탄.

FUZE(신관) : 전술적 목적에 따라 기능을 발휘하도록 발사체에 설비된 장치. 즉, 표적에 충격시 기폭하거나 미리 판단된 시간 또는 장소에서 파열하도록 하는 장치.

전통적으로 박격포 신관은 꽤 단순한 장치이다. 박격포 시스템의 본질이 싸고 빠르기 때문에 비싼 신관이나 사수가 장전 전에 상당한 기술적 조작을 요구하는 것은 환영받지 못한다. 그렇지만 오늘날, 싸구려 탄약이 없으며 잘 설계된 신관을 사용하여 획득된 향상된 전술 효과는 비싼 값을 한다고 생각되어진다. 더욱이 현대 기술은 사격전에 설정하거나 조정하는데 소모할 시간이 없는 복잡한 신관 시스템을 가능하게 하였다.

충격 신관은 박격포 탄약에서 발견되는 가장 일반적인 형태이며 고폭탄과 파열 연막 폭탄과 함께 사용되며, 두 가지 모두 표적이 있는 지상에 부딪힐 때 기능을 발휘할 것이 요구된다. 대부분의 현대 충격 신관은 약간의 지연이 되도록 설정할 수 있어 폭탄이 기폭하기 전에 가벼운 은폐물을 관통할 수 있다. 시한 신관은 여전히 비행하고 있는 동안에 표적 상공이나 짧은 거리에서 폭탄이 기능할 것을 원할 때 사용된다. 이것은 기본적으로 조명할 곳 위에 성형(星型) 유닛을 방출하도록 조명탄으로 사용된다. 시한 시관은 은폐물이나 참호 뒤쪽으로 파편을 날려 보내기 위해 표적 위의 공기 중에서 파열하도록 고폭탄과 함께 사용될 수 있다. 그러나 시한 신관의 설정과 조정의 필요성은 보병 박격포에서는 환영받지 못한다. 이것은 적이 은폐가 가능하기 전에 매우 빠르게 포격을 하는 것이 이상적이다. 그리고 정확한 신관 설정을 위한 연속적인 단발 폭탄의 느린 발사속도는 효과를 얻기 오래전에 폭격을 광고하게 된다. 공중 폭발 사격이 필요할 때는 근접신관이 최적의 선택이다. 이것은 소형 전송기와 수신기 유닛을 부착한 무선원리로 작동한다. 폭탄이 표적을 향해 하향하면서 신관은 무선 신호를 폭탄이 치명적 효과에 최적의 높이가 되는 것을 가리킬 때 회로판이 전기 기폭장치를 격발하고 폭탄을 기폭 시킨다. .신관은 모순적이다. 이들은 충격시 또는 설정된 시간에 신속하게 기능할 정도로 충분하게 민감해야 하지만 수송, 화기에 장전 하는 동안 그리고 사격의 충격에 기폭 되지 않고 취급을 견딜 수 있을 만큼 충분하게 튼튼해야 한다. 이러한 전투 요구를 만족시키기 위해 신관이 작동되는 고유한 환경의 이점을 갖는 메커니즘이 채택된다. 일반적으로 말해 신관은 잘 조정되어 내부 메커니즘이 사격 순간까지 단단하게 고정된다. 방출하여 표적에 맞고 되돌아오는 반사파를 수신기 회로가 수신한다. 복귀 신호의 길이가 폭탄이 치명적 효과에 최적의 높이가 되는 것을 가리킬 때 회로판이 전기 기폭장치를 격발하고 폭탄을 기폭 시킨다.

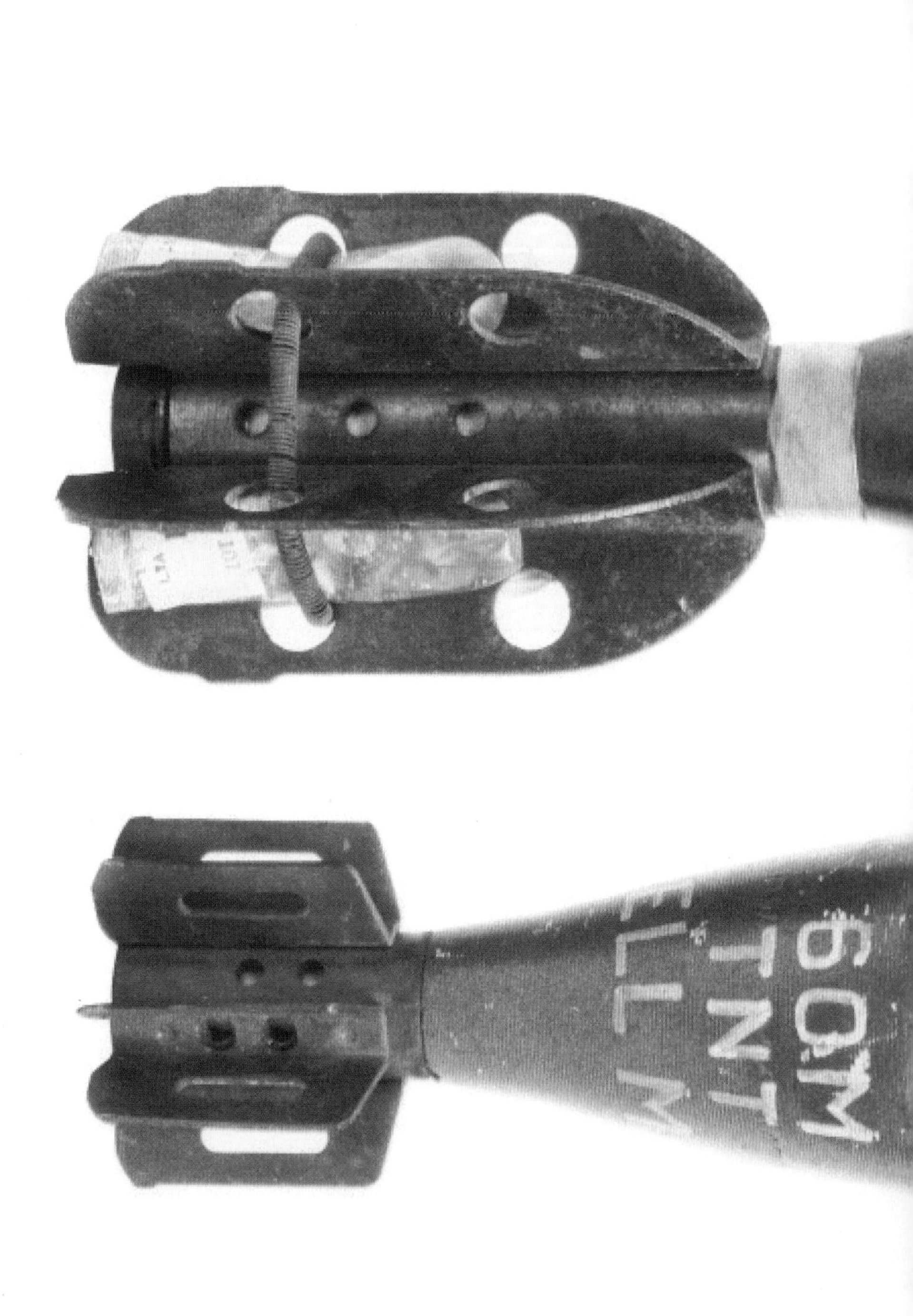

폭탄이 발사되면 폭탄의 급작스런 가속은 느슨한 신관 내부에 무엇이든 남기는 경향이 있다. 그리고 안전장치가 구성품을 풀기 시작하도록 뒤쪽으로 움직이게 한다. 움직임은 지동 기구(止動機構)- 제한 메커니즘에 대해 작동하는 톱니바퀴 휠-에 의해 제한된다. 이것은 안전장치의 제거를 느리게 하여 신관이 작동 상황에 놓이기 전에 박격포의 포구 밖 수 미터에 폭탄이 위치하게 한다. 일단 이 주잠금장치가 제거되면 다른잠금장치는 순차적으로 작동되어 '활성화'의 완성은 수초간의 비행이 소요된다. 그 시간 끝에서 만약 신관이 기능고장이 나면 폭탄은 박격포로부터 멀리 날아가고 무시해도 좋을 만큼 공기 중으로 높이 올라간다. 전자장치인 근접 신관은 제어하기가 훨씬 쉽다: 단순 저항-콘덴서 지연 회로가 사격회로의 장전을 방지하고 어떠한 기계적 장치의 필요 없이 무선신호의 방출을 지연시킬 수 있다. 기계식 장금장치가 일정 거리 동안 폭발 작약과

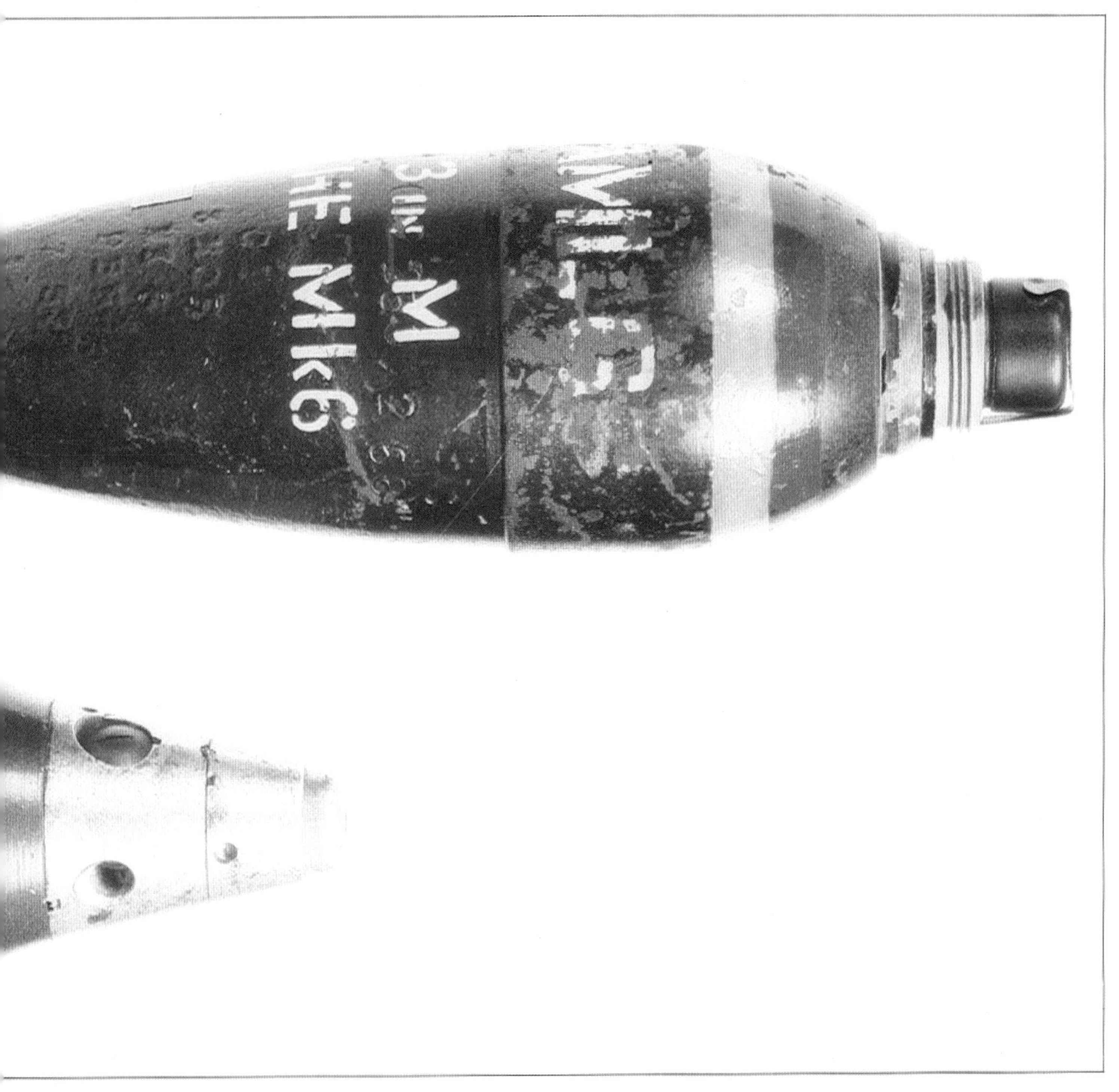

되지 않은 상태로 기폭장치를 유지하는 사용될 수도 있다. 그러나 이것은 고폭탄 사용되는 어떠한 신관에도 필수적이다. 이 으로 근접신관의 신호를 탐지하고 방해 는 것이 가능해야 하지만 실제로 극복해야 상당한 어려움이 있다. 그리고 현대 근접 은 1초에 여러 번 방출되는 신호의 주파 는 다양하게 하기 위해 새로운 '주파수 도 기술을 사용하여 어떠한 전파방해 시도도 없게 만든다.

FUZE PROBE(신관 탐침(探針)) : 충격 신관의 끝에서 돌출되어 공이에 연결된 봉. 목적은 폭탄이 대인 효과용 파편의 가장 양호한 살포가 되도록 지상으로부터 얼마간의 거리(약 25-30cm)에 있을 때 봉이 지상을 타격하여 신관을 격발해야 한다. 기폭 전에 폭탄이 지상을 치도록 하는 것은 파편의 일부가 흙에 묻히는 것을 허용하는 경향이 있다. 이론적으로 들릴지 모르지만, 신관 탐침은 폭탄의 비행을 취급하기 힘들게 하고 폭탄의 비행에 역행하는 효과를 준다.

위 : 영국 3인치 박격포 폭탄. 아래 : 미국 60mm 폭탄. 두 개 모두 충격신관이 있다. 영국 신관은 안전편이 설치되어 있다.

그리고 이들은 거의 사용되지 않는다.

충만 및 빈 상태의 독일 유탄
2차대전시 공수부대가 휴대.

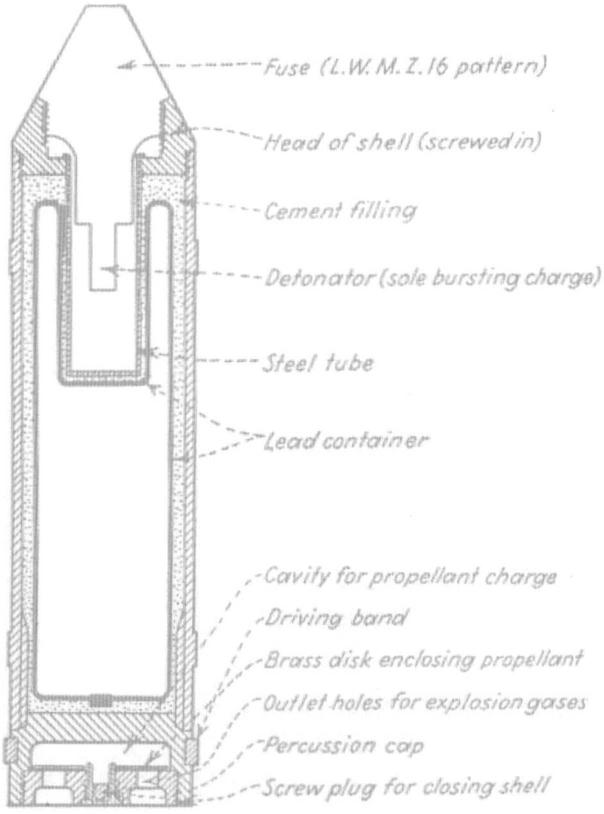

Fuse (L.W. M. Z. 16 pattern)
Head of shell (screwed in)
Cement filling
Detonator (sole bursting charge)
Steel tube
Lead container
Cavity for propellant charge
Driving band
Brass disk enclosing propellant
Outlet holes for explosion gases
Percussion cap
Screw plug for closing shell

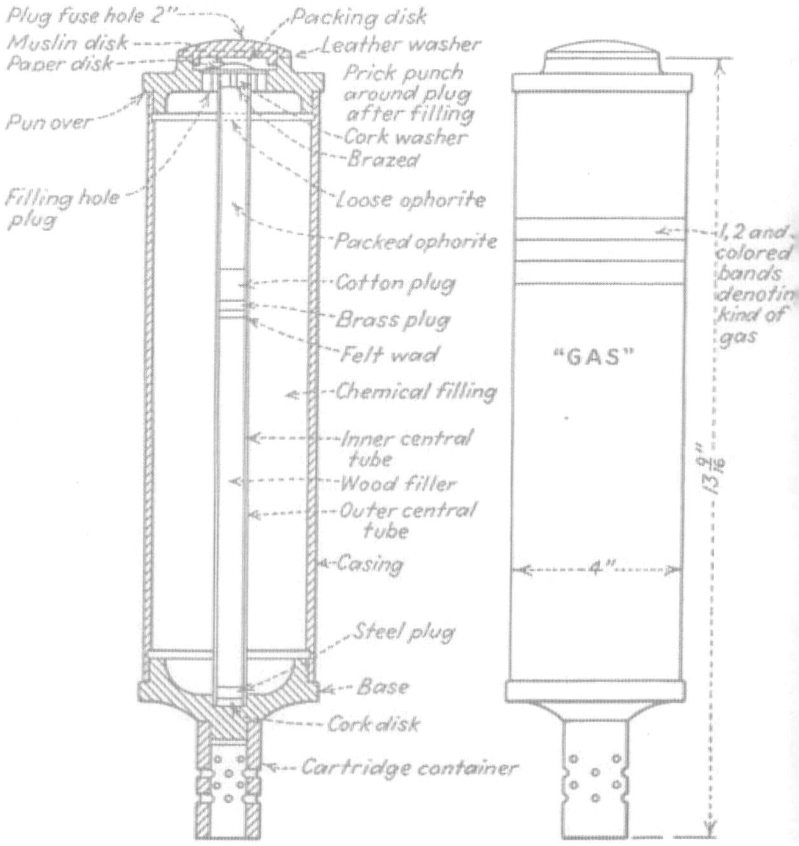

Plug fuse hole 2"
Muslin disk
Paper disk
Pun over
Filling hole plug
Packing disk
Leather washer
Prick punch around plug after filling
Cork washer
Brazed
Loose ophorite
Packed ophorite
Cotton plug
Brass plug
Felt wad
Chemical filling
Inner central tube
Wood filler
Outer central tube
Casing
Steel plug
Base
Cork disk
Cartridge container

1, 2 and colored bands denotin kind of gas
"GAS"
$13\frac{9}{16}$"
4"

위 좌: 독일 77mm 박격포 가스 폭탄. 이것은 강선 박격포이며 포탄의 후방에 있는 분리 구역 안에 증대 장약을 넣는다.
위 우 : 미국 4인치 스토크 박격포 가스 폭탄. 1918년에 사용.

G

ARMON GRENADE(가몬 유탄) : 2차 세대전 기간 중에 영국의 가몬 대위가 발 한 유탄으로 공수부대에 의해 광범위하게 용되었다. 유탄은 메리야스 가방에 부착된 순한 전천후 신관이었다. 플라스틱 폭발 전제는 사용자의 필요에 의해 사용자가 웠다. 플라스틱 폭약은 폭파 목적으로 보 되었고 공수부대원이 휴대하였다. 그러므 탄 약포나 주머니에 말아서 휴대할 수 는 이 '가몬 유탄'을 공수부대원들에게 제 하는 것이 이해되도록 만들었다. 이들은 무에 따라 필요한 폭약의 양을 판단하고 방에 플라스틱의 양을 삽입하고 안전 캡 제거하고 유탄을 던졌다. 대인용으로 임 로 사용할 때, 플라스틱 막대의 반이면 충 하였다. 벽이나 공격하는 장갑차량을 파괴 는 것과 같은 좀 더 어려운 용도로는 두 또는 세 개의 막대가 서로 다발로 묶여 방 안에 넣어진다. 이것은 공식적으로 '수 탄 No. 82'로 1943년에 도입되었고 1954년 폐기되었다.

AS BOMB(가스 폭탄) : 화학전 작용제 채워진 박격포 폭탄에 대한 일반적인 명 대부분이 폭탄에서 방출될 때 가스로 기 되지만 화학제는 정상적으로는 액체이므 명칭은 부정확하다.
통의 디자인은 폭탄 축을 따라 아래쪽으 고폭탄의 중앙 관이 있는 (용량을 증가하 위해) 원통형 폭탄이다. 지상에 충격시 약 기둥을 기폭하고 내용물을 방출하기 해 폭탄을 파열하여 개봉하는 충격 신관 탄두에 있다. 격렬한 기폭은 필요하지 않 폭발로 화학 작용제을 파괴할 수 있다. 요한 것은 폭탄이 개방되고 폭탄의 도달 명확하지 않게 하는 효력- 가벼운 폭발 종종 전장 소음에 묻혀버린다 - 을 가지 되어 가스가 피폭자들이 경고신호를 받 전에 효과를 내는 것이다.
부 화학작용제는 고체 형태이며 그중에서 히 여러 가지의 비소(砒素)연기 형태이다. 리고 이것들은 산탄에 포장될 수 있고 폭 의 탄저방출로 유리되고 원통형 폭탄의 앙관 주변에 묶여서 기폭에 의해 살포될 있다. 두 가지 방법 중에서 전자는 혼합 의 연소를 정밀한 화학제 미립자를 나르 연기를 발생시키기 위해 활용하기 때문 더 효과적이발하여 공기 중으로 내용물 분사하는 것은 은폐된 지역에서는 덜 효 적이다. 박격포 폭탄은 최신 형태를 유지 기 위해 연구가 수행되어 왔지만 1차 세 대전 이후 화학전에 사용되지 않았다.

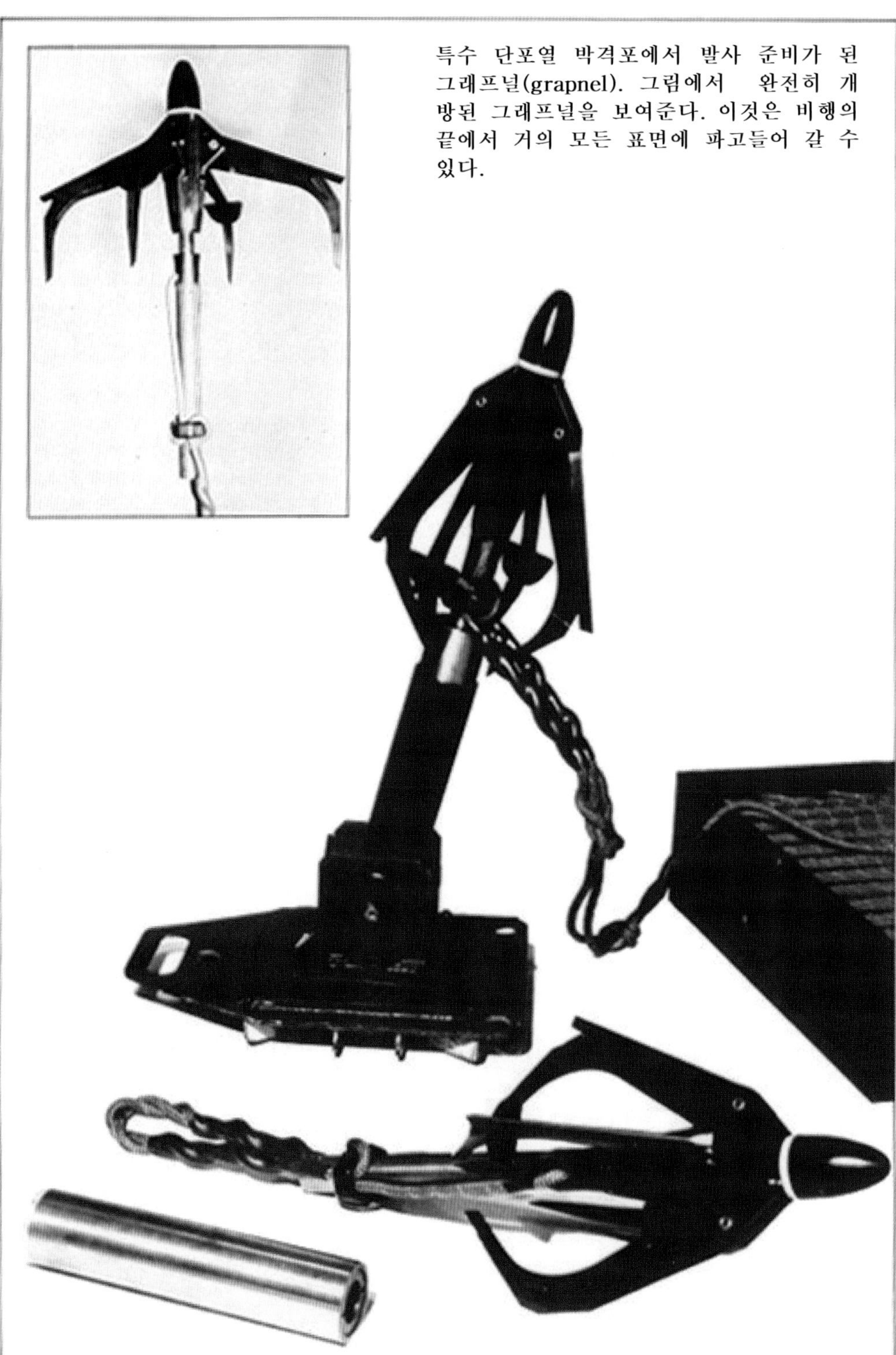

특수 단포열 박격포에서 발사 준비가 된 그래프널(grapnel). 그림에서 완전히 개방된 그래프널을 보여준다. 이것은 비행의 끝에서 거의 모든 표면에 파고들어 갈 수 있다.

신경 작용제를 포함한 현대 폭탄용 디자인이 있을 수 있지만 결코 공표된 적은 없다.

GRAPNEL(그래프넬) : 고리 또는 로프가 달린 접힌 닻 형태의 장치로 박격포에서 발사되어 엉킨 철조망에 걸리게 된다. 그리고서 로프는 와이어를 당기는 차량에 고리를 걸고 부대가 통과할 수 있도록 장애물에 공간을 만든다. 그래프넬은 절벽 등반에도 사용할 수 있다. 수직으로 발사되어 절벽 꼭대기에 착지하여 땅 속으로 파고 들어가서 공격대가 로프를 타고 오를 수 있다.

GRENADE(유탄) : 손으로 던지거나 또는 소총이나 특수목적 화기로부터 발사되는 작은 단거리 폭발 탄약. 수류탄과 총유탄은 따로 상세히 설명된다. 이것은 유탄의 세 번째 등급- 특수 화기에서 발사되는 것으로 더욱 일반화되고 있다- 을 설명하기 위해 설명하는 것이 적절하다.

첫 번째 특수하게 설계된 유탄 시스템은 1950년대에 미국에서 개발되었고 1960년대에 특수 유탄과 함께 '40mm 유탄 발사기 M79'로 도입되었다. 무기는 짧은 강선 총열이 있는 단순한 단발 장치이며 한 번에 한 발씩 유탄을 장전하기 위해 산탄총처럼 총열을 꺾어서 개방한다. 유탄은 구형 파편 유탄과 신관을 감춘 짧고 끝이 뭉툭한 원형의 얇은 금속판이다. 유탄 후방에 부착된 짧은 알루미늄 카트리지 약협은 뇌관과 추진 장약을 포함하고 있다. 추진 시스템은 '고-저압 시스템'이며 견착식 화기에서 유탄이 발사 가능하도록 하기 위해 필요하다. 카트리지 약협은 추진제가 채워진 강한 중앙 소실을 포함하고 있다. 폭발될 때 이 소실 내부에서 고압상태인 가스는 정밀하게 필요한 치수로 가공된 구멍을 통해 화기로부터 유탄을 발사하는 저압 충격을 제공하는 주 카트리지 약협 안으로 새 유탄에 적용된 신관은 화기로부터 일정한 거리로 이동할 때까지 활성화를 방지하는 안전장치가 있는 충격 형태이다. 여기에는 몇 가지 형태의 유탄이 있다. 한 모델이 '공중 파열' 효과를 주기 위해 기폭되는 공기 중으로 세열 유탄 뭉치를 던지기 위해 신관 아래에 작은 장약을 사용하지만 고폭탄 형식이 충격시 기폭 한다. 연막, 낙하산 조명, 최루 가스 및 스카이트레일(skytrail) 유탄이 다른 가용한 형태들이다.

M79 유탄발사기가 도입된 직후, 미국 해군은 탄대로 유탄이 장전되고 고속으로 발사할 수 있는 자동 발사기를 개발하였다. 개념은 이어지지 않았지만, 1970년대에 소련 육군은 유사한 화기인 30mm AGS-17을 선보였다. 이것은 미국에서 다시 흥미를 갖게 하였고 새로운 자동 모델인 마크(Mark) 19가 지급되었다. 여러 군에서 M79 발사기에 대한 자신들의 버전을 개발하였고 최근에 도입된 것은 남아프리카에서 개발된 6연발 리볼버이다.

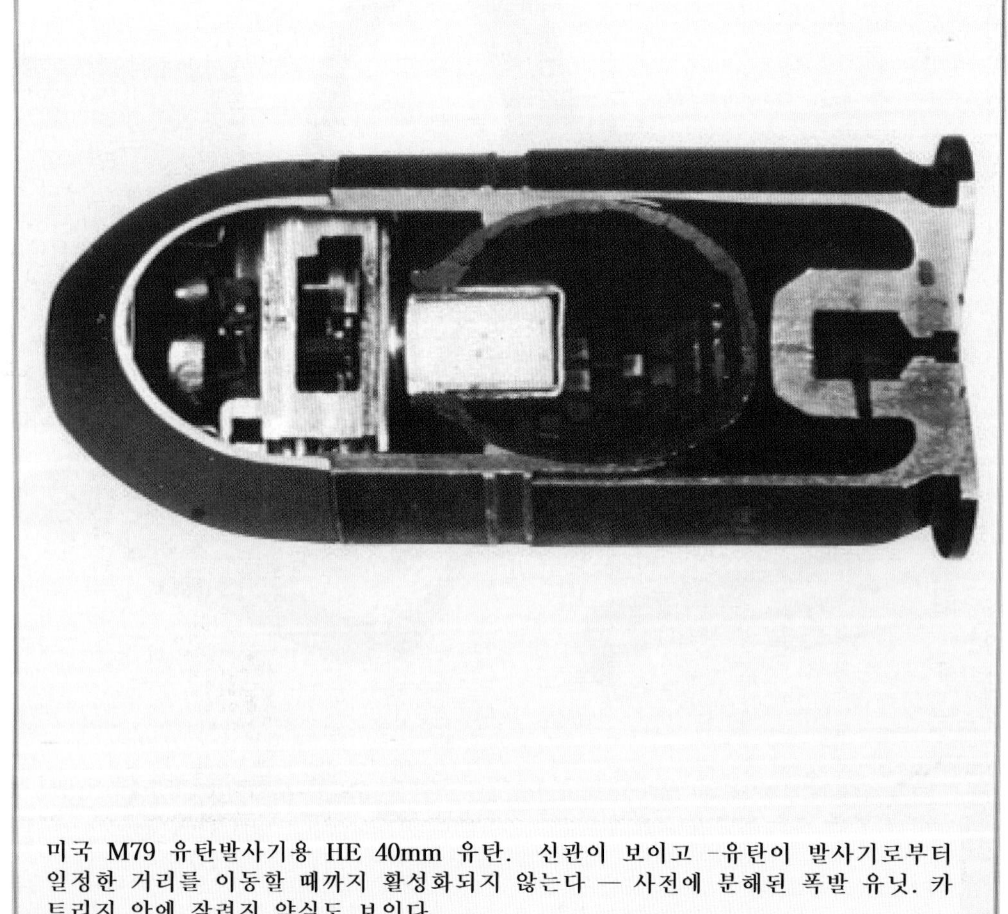

미국 M79 유탄발사기용 HE 40mm 유탄. 신관이 보이고 -유탄이 발사기로부터 일정한 거리를 이동할 때까지 활성화되지 않는다 — 사전에 분해된 폭발 유닛. 카트리지 안에 잘려진 약실도 보인다.

GRENADE FUZING(유탄 신관설치) : 류탄에 기폭장치를 설치하는 것에 대한 조건은 간단할 수 있다. 그러나 사실 설 들에게는 만만찮은 것이다. 유탄은 표 부딪히는 각도에 상관없이 기능을 발휘 한다. 이것은 신뢰성 있게 기능 발휘해야 며 투척자가 투척 동작 시 총에 맞고 유 떨어트릴 수 있다. 이때 기폭 되어서는 된다. 방수가 되어야 하며 싸고 용이하게 작되어야 하고 소음이 없어 투척되는 알려져서는 안 된다.

유탄 신관설치에는 시한 또는 충격 기 두 가지 접근방식이 있다. 시한은 일반 로 수류탄에서 가장 양호한 것으로 여겨 충격은 총유탄 또는 다른 형태로 발사 유탄에 가장 양호한 것으로 여겨진다.

시한 기능은 거의 항상 짧은 길이의 신관 는 단단하게 압착된 흑색화약 기둥을 연 켜 수행된다. 이 지연 요소는 용수철 공이(*Bouchon Igniter-부촌 발화기 참조* 의해 작동된 단순 뇌관에 의해 점화되고 후 주 고폭 충전제를 기폭하거나 (pyrotechnic) 유탄의 경우 연막 또는 충전제를 점화시키는 기폭장치를 발화할 까지 사전 판단된 연소율로 연소한다. 요소는 원하는 연소율을 얻기 위해 아주 밀한 밀도로 압축된 고급 순수 흑색화약 태로부터 제작된다. 비록 그렇다하더라도 것은 반복적인 정확한 시간 제공을 보 수 없다. 그리고 대부분의 지연 시스템은 15퍼센트의 시간 오차가 있다. 통례적인 연은 5초이며 이것은 보통 ±1초로 제작 이 허용한다. 지연 시간은 경험으로 표 되었고 5초가 최대 사거리로 던져진 유 충분한 지연을 제공하지만, 피폭자에게는 것을 집어 들어 다시 던질 수 있는 충 시간은 되지 않는다. 이와 같은 일은 좀 긴 지연을 사용할 때 종종 발생한다.

최근에 전자 시한 신관이 제안되었고 또는 두 개의 디자인이 천거되었다. 이 여러 군에서 시험 평가되었지만 아무것도 직 많이 채택되지 않았다. 이것들 중에 메커니즘은 저항기를 통해 충전되는 전 소형 건전지나 간단한 발전기- 을 포함 있다. 이 저항-콘덴서 회로는 지연을 획 는 잘 알려진 전자 방법이고 구성품의 깊은 선택으로 아주 정확하고 안정된 신 제공하기 위해 설계될 수 있다. 지연 마지막에 콘덴서는 완전히 충전되고 유탄 전제를 격발하기 위해 전자 기폭장치 안 방출된다. 이러한 형태의 시스템의 한 장점은 예를 들어 유탄이 투척자로부터 한 거리가 될 때까지 유탄이 활성화되지 는 것을 보장하는 여러 가지 내장 전자 회로가 가능하다는 것이다.

수류탄용 충격 신관은 유탄이 착지하는 가 사전에 판단될 수 없기 때문에 *전천후 태(allways type)*가 되어야 한다. 이 메 즘 형태는 다른 곳에서 설명되지만,

들은 시한 메커니즘보다 덜 안전하게 되는 향이 있고 많은 군에서 그다지 좋아하지 는다.
유탄은 안정화되어 있고 항상 첨두가 먼저 지하기 때문에 충격용으로 변함없이 신관 치가 되었다. 이것은 전천후 시스템이 더 상 요구되지 않으며 더 재래식 기계 기술 사용될 수 있다는 것을 의미한다. 가장 일 적인 방법은 간단히 기폭장치 위에 공이를 형 잡히게 하여 충격 시 공이를 뒤로 밀려 기폭장치를 격발하고 유탄을 작동시키는 이다. 이에 대한 정제는 무거운 '불활성 펠 속에 기폭장치를 포함시켜 용수철로 뒤쪽 고정하여 유탄은 낮은 충격 각도 또는 첨 가 직접적으로 타격되지 않는 미끄러운 표 이 착지되어야 한다. 유탄의 감속은 이 불 성 펠렛을 앞으로 나아가게 하여 공이 핀 있는 기폭장치를 꿰뚫는다. 두 가지 경우 두에서 유탄이 실제로 발사될 때까지 공이 불활성 펠렛을 모두 단단하게 고정하는 전장치를 합체시킬 필요가 있다. 유탄이 소 을 떠나면서 갑작스런 유탄의 가속은 축방 잠금 볼트를 자유롭게 하도록 사용될 수 으며 이 작동은 불활성 알갱이의 작동을 대방향으로 한다.
류탄에서처럼 전자 시스템이 최근에 총유 신관에 나타났다. 이 경우에 목적은 근접 능을 개발하여 유탄이 적 부대의 상공에서 발되도록 하여 파편을 아래쪽으로 파열 시 고 은신처 후사면에 은폐하는 어떠한 것이 도 파괴한다. 이러한 근접 신관이 있는 즉 유탄은 지상으로부터 최적의 높이를 탐색 여 콘덴서를 전자 기폭장치로 방출하여 작 시키는 간단한 광전자 회로를 사용한다.

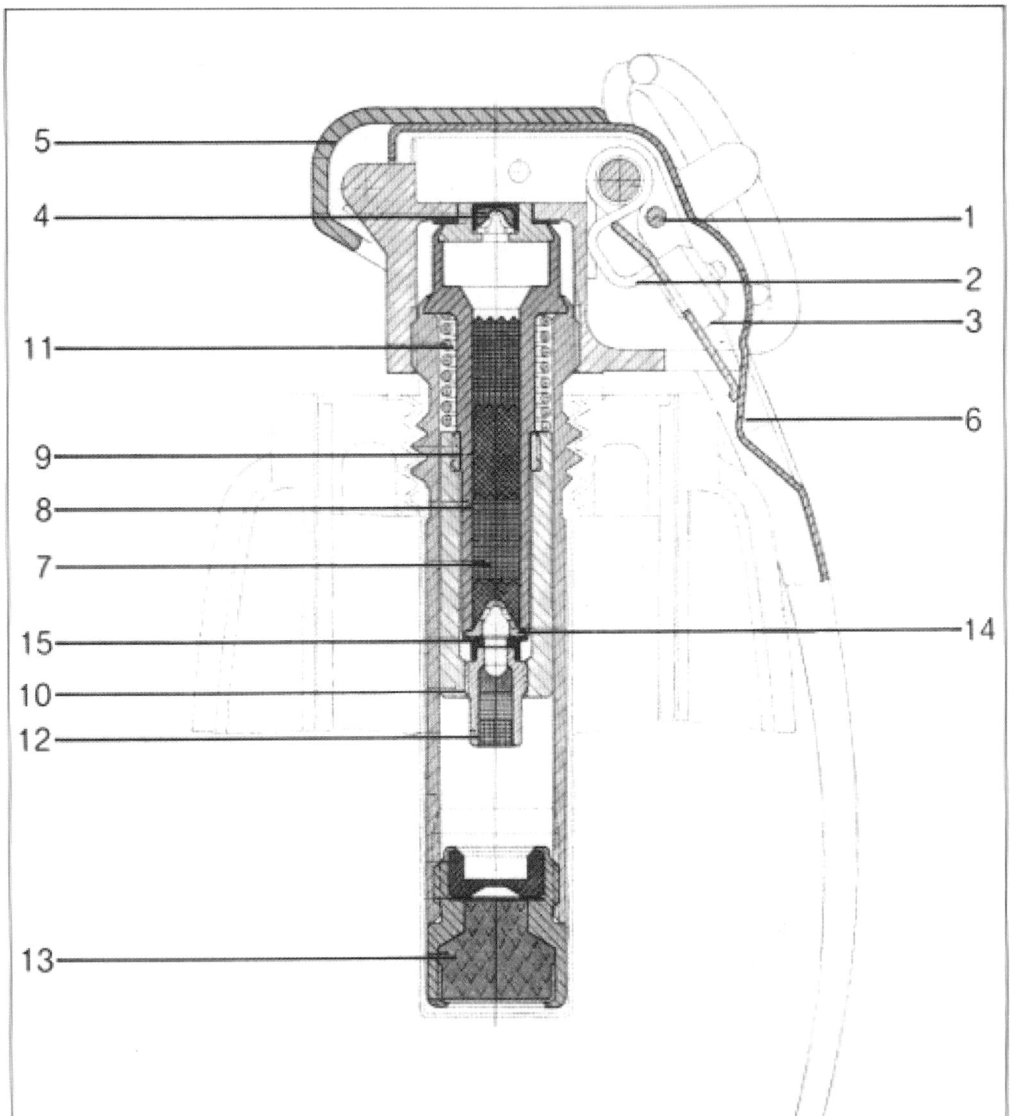

유탄 신관의 메커니즘: 1. 뇌관. 2. 지연 충전제. 3. 지연 유닛. 4. 안전 고리. 5. 기폭장치 고정기. 6. 용수철. 7. 기폭장치. 8. 전폭화약. 9. 화염공.

H

AIRBRUSH GRENADE(머리빗 유탄) : 탄 디자인이 초기였던 1915-16에 거의 모 전쟁 참가국들이 개발한 유탄형태. 목적 쉽게 던 질수 있는 강력한 유탄을 갖는 이었고 범용 방법은 모양이 머리빗이나 손 울을 닮은 나무 패들(즉, 뒤판을 넓힌 가 손잡이가 있는)을 만들어 이 뒤판에 주조 는 금속판 상자를 고정하는 것이었다. 상 는 폭약으로 채워지고 금속판 상자의 탄체 많은 작은 금속조각을 삽입하여 치명적인 편을 제공한다. 보통 마찰식이거나 던지기 에 물리적으로 불을 붙여야하는 한발의 전 신관인간단한 발화기가 적용되었다. 투 자는 손잡이를 움켜잡고 이용할 수 있는 떤 방법으로라도 발화기에 불을 붙여 유탄 을 투척한다. 이것은 보통 상당히 무겁지만 손잡이는 약 30내지 40미터 거리를 던질 수 있게 해준다. 그리고 파열시 이들은 실질적 으로 효과적인 반경을 가진다. 1916년 중반 까지 이것들은 더욱 효과적이고 산뜻한 디자 인으로 완전히 대체되었다.

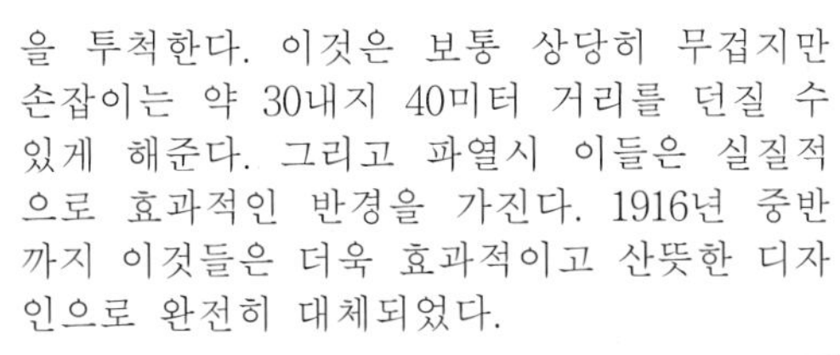

1915년의 영국 머리빗 유탄. 핀을 제거하면 공이가 뇌관에 불을 붙이고 안전 신관에 불을 점화한다.

HALE'S GRENADES(헤일 유탄) : 영국의 발명가인 마틴 헤일(Martin Hale)이 1차 대전 이전에 여러 가지 유탄을 설계하고 특허를 받았다. 헤일은 폭약 산업과 연결되어 1907년경에 그가 디자인한 면화약 회사에 관여하였다. 1908년에 여러 가지 모델의 수류탄과 총유탄을 군 무관들에게 시범을 보였다. 모든 것들이 기본적으로 동일한 디자인에 표적에 이르는 방법만 상이하였다. 이들은 면화약과 바륨 질산염의 혼합이며 면회사에서 개발하여 특허를 받은 폭약인 113.4그램의 '토나이트'를 함유하는 간단한 황동 관이었다. 장약 내부는 용수철에 의해 기폭장치에 닿는 것이 제지당한 무거운 공이를 잡고 있는 관이었다. 황동의 외부 탄체는 폭발로 인한 파편이 되도록 설계된 주형 조각 링에 의해 둘러싸인다.

이 신관의 구조는 유탄이 첨두가 먼저 착지하는 것을 필요로 한다. 수류탄 형은 투척자가 던지기 위해 로프 '꼬리'가 부착되었고 유탄이 첨두가 먼저 착지하는 것을 보장하기 위해 견인 제동역할을 한다. 총유탄은 탄저에 가는 강철봉이 부착되어 소총의 총열 안으로 삽입되었다. 특수 공포탄이 총미로 장전되고 개머리판을 지상에 지지하여 소총을 사격한다. 공포탄에 의해 발생되는 가스는 봉과 유탄이 소총으로부터 날아가도록 하고 봉은 안정화 장치로서 작동하며 다시 한 번 더 유탄이 첨두가 먼저 착지하는 것을 보장한다.

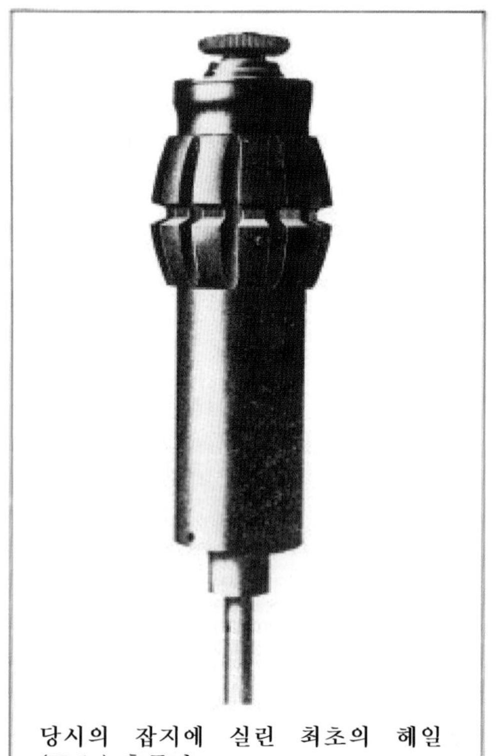

당시의 잡지에 실린 최초의 헤일(Hale) 총류탄.

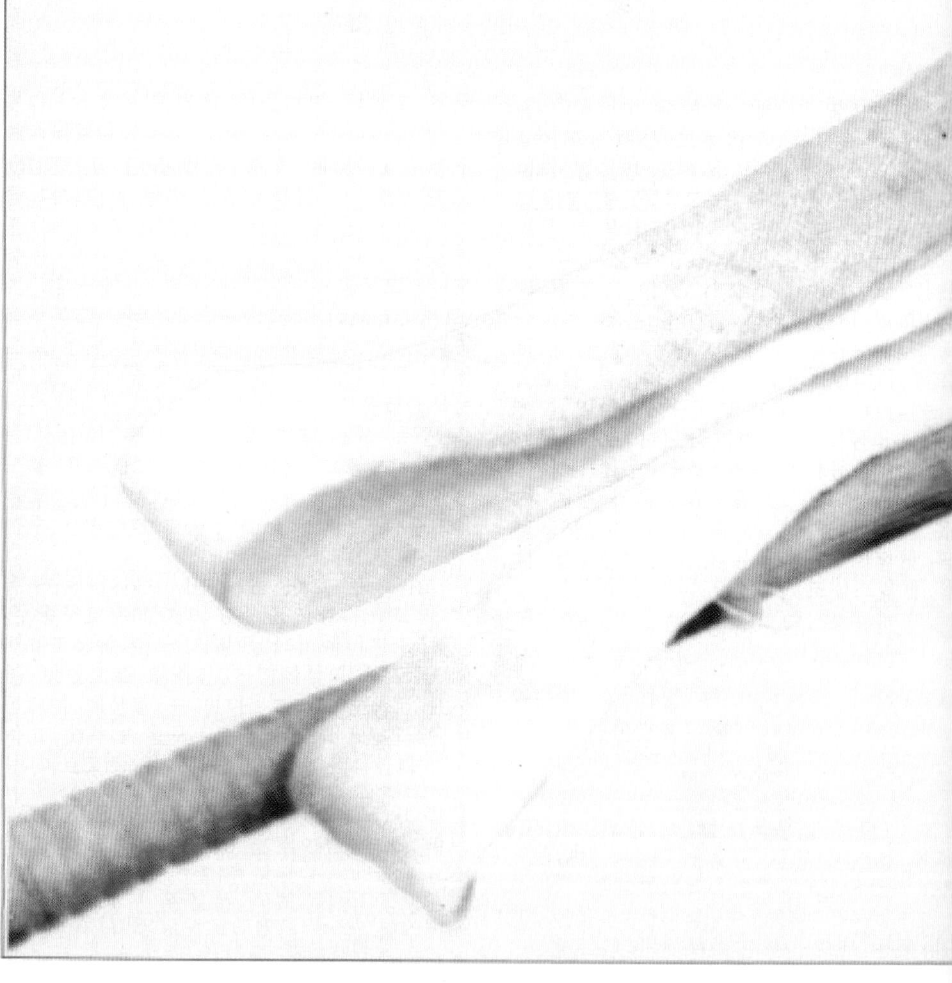

아래 : 영국 수류탄 No.1, 지팡이 손잡이와 머리가 먼저 도착하도록 보장하는 리본이 보인다. 우 : 전형적인 방어 수류탄. 이들은 공격용 유탄 보다 무겁다. - 방어 유탄 투척자는 후사면 은폐를 할 수 있어 폭발과 파편으로부터 자신을 보호할 수 있다는 것은 억측이다.

시범은 성공적이었고 스페인 정부가 두 가지 형태 모두 대량 구매하여 1909-10년에 모로코 작전에서 사용하였다. 독일 육군도 시험용으로 많은 양을 주문하여 결국 '모델 1913'으로 도입하였으며, 이것은 본질적으로 주형 링을 제거하고 톱니모양 주형의 몸통 관을 사용하여 헤일 디자인을 개량하였다. 영국 육군은 헤일의 아이디어를 무시하고 자신들의 고유 디자인을 시도하였지만 1914년 전쟁이 발발하자 신속하게 헤일의 디자인을 채택하여 'J형식 유탄'으로 보급하였고 1915년에는 '유탄 단소총 No.3'로 알려졌다. 헤일의 총유탄은 영국과 독일에서 컵 발사 디자인이 나타나기 시작한 1917년 후반까지 사용되었ㄷ 일 디자인의 주 결함은 봉을 강타한 ㄱ 가스의 확장이 총열을 부풀게 하는 경향 을 때 총열 내부에서 압력이 갑자기 상승 이 압력이 탄자 발사용으로 사용되지 않 소총을 포기하게 되는 것이다. 특수 소총 탄 발사용으로 별도로 배치되었지만 일 양호한 시스템이 나타나면 봉 유탄의 시 중지되고 다시는 부활하지 않는다.

HAND-GRENADE(수류탄) : 수류탄은 용으로 설계되었든 아니든 손으로 던져지 설계된 모든 소형 폭발 탄약용 일반 명칭

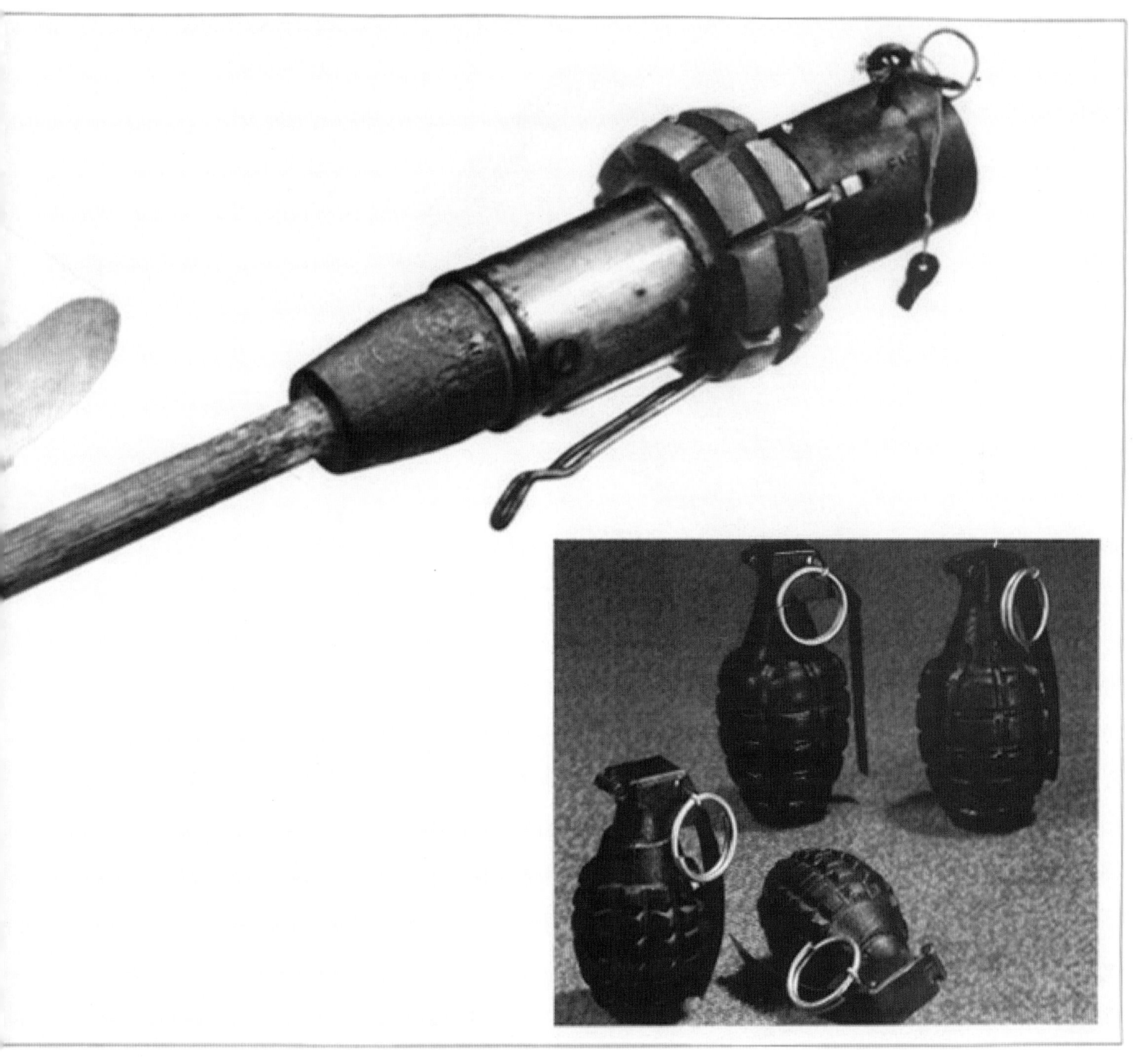

탄은 16세기 전반기부터 사용된 오래된 중의 하나이다. 첫 기록 중 하나는 년의 아를(Arles) 공성전에서의 효과적 용에 관한 것이다. 그 당시에 수류탄은 적으로 화약과 돌로 채워진 질그릇 항아 고 도화선(신관의 원시형)을 목 안으로 넣어 던지기 전에 불을 붙였다. 이들의 적 적용은 공격자의 공격을 단념시키기 주변 호안으로 던지거나 떨어트려서 주 새 방어에 사용하였다. 몇 년 후 탄체 동의 거친 주형으로 만들어졌으며, 17 까지 이들은 각 보병연대가 수류탄을 휴대하고 투척하는 특수 '척탄병-Grenadiers' 중대를 보유하도록 보장할 만큼 충분히 일반적이 되었다. 척탄병 중대는 곧 연대의 정예 부대가 되었고 보통 선봉 중대로 여겨졌으며 퍼레이드와 열병에서 높은 위치를 차지하였다. 결국 이러한 중대들은 대대를 형성하였고 특히 프랑스와 러시아에서 척탄병 연대로 도약하였으며 일부는 아직도 존재하고 있다. 영국 척탄병들이 가장 유명하였으며 그들의 모자 뱃지는 17세기의 타오르는 유탄이 양식화된 표시이다. 19세기 중반까지 유탄은 그 인기를 잃어 버렸고 편리함 때문에 더 작은 형태의 곡사포 포탄 - 3-파운더와 6-파운더-가 유탄으로 사용되었다. 1887년의 영국의 *탄약에 관한 논문(Treatise on Ammunition)*은 '이것들은 주로 공격자에 대한 방어용으로 사용되었고 호에 있는 돌격자들에게 던져졌다. 이것들은 건물 방어 시 유용하다. 이것들은 손으로 20내지 30미터를 던질 수 있다. 이것들은 이제 거의 요구되지 않고 있다. 사람들이 유탄을 사용할 때는 손에서 너무 오래 유탄을 유지하지 않도록 주의해야 한다.'라고 말하며 아주 간단하게 유탄을 결말지었다.

화학 발화제가 있는 호킨스 (Hawkins) 대전차 유탄. 유탄과 지뢰로 모두 사용할 수 있다.

유탄은 러일 전쟁 기간에, 특히 아더항(Port Arthur) 공성전 중에, 갑자기 크게 부활하였다. 첫 번째 부활에 대한 정확한 세부내용은 알려져 있지 않지만 요새 주변에 있는 참호에 있던 어떤 일본 군인이 한편으로는 시간이 많아 어느 날 돌병에 화약을 채우고 병목 안에 채광용 신관을 밀어 넣고 불을 붙여 반대편 참호에 던지면서 시간을 보내고 있었다. 재미있는 소일거리가 유행하고 곧 양측에서 자체제작 유탄을 만들고 던지느라 바빴다. 그리고 일본이 폭발 화약이 채워진 짧은 길이의 주형 관과 한발의 안전신관을 부착하여 제작한 유탄을 보급하여 상황을 조정하였다. 이것은 자체 제작한 종류들보다 그다지 복잡하지 않았다. 그러나 치명적인 파편 생산기로서는 더욱 만족스러웠다.
참호 상황으로 1차 세계대전은 유탄을 대량으로 채택하고 사용하였으며 모든 참전국 육군이 대량으로 여러 가지 디자인을 생산하였다. 전쟁 중기까지 영국 공장은 1주일에 백만 개 이상의 유탄을 만들었다. 다양한 디자인은 주로 보급 문제가 발생하였다. 기능은 문제가 아니었다. 어떠한 재질이 광대한 요구에 쉽게 가용한 지가 더 큰 현안이었다. 이 전쟁은 방어용과 공격용 대인 유탄 사이의 차이를 만들었고 첫 번째 대전차 유탄을 만들었고, 첫 번째 연막탄, 가스 및 조명탄을 만들었다. 1920년대와 1930년대는 유탄에 발전이 거의 없었다. 2차 세계대전은 참전국들이 1914-18년 전쟁을 끝낸 유탄과 아주 동일한 유탄을 사용하면서 시작하였다. 참호전보다 개활지에서의 강조와 함께 작전 성격의 변화는 새로운 형태의 개발을 유도하였고 특히 성형 작약 대전차 유탄과 건물을 제거하기 위해 설계된 폭파 유탄의 개발을 유도하였다.
1945년 이후 주요 개발 분야는 파편의 제어에 있었고 그래서 유탄의 살상 지역은 꽤 엄격하게 규정되고 대량의 작고 효과적인 파편으로 완전히 덮인다. 이것을 달성하는 방법 중에 유탄 탄체 내부에 미리 금을 낸 와이어 코일의 사용과 유탄 탄체 내부에 있는 플라스틱 주형에 고정된 미리 절단된 파편 또는 강철 볼을 통합하는 것이었다. 탄체 자체는 가늘고 얇은 강철판이고 유탄은 작은 파편에 아주 빠른 속력을 주어 상당한 살상효과를 주는 TNT 또는 TNT/RDX 혼합제와 같은 강력한 고폭탄으로 채워졌다. 그러나 파편은 아주 가벼워서 곧 속도를 잃고 10미터 이상 거리에서는 상대적으로 무해하다.

HAWKINS GRENADE(호킨스 유탄) : 대전시 영국에서 개발된 비정상적인 대 유탄. 이것은 유탄 보다는 지뢰에 더 가 생긴 비정상적인 것이었고 두 가지 목적 두에 사용할 수 있었다. 사실 정확하게 기가 어려웠기 때문에 지뢰로 사용하는 더 양호하였다.
이것은 한쪽 끝에 정지장치로 고정된 평 1파운드 산탄으로 구성되었고 노벨의 70 폭탄 3/4kg으로 채워졌다. 산탄의 한쪽 은 두 개의 주머니를 형성하는 주석 부이 있고 이 위에는 중간에 날가로운 융 있는 평편한 압력판이 부착되었다. 두 화학 발화제가 두 개의 주머니에 삽입 이들을 제 위치에 유지하기 위해 손잡이 을 뒤집는다. 그리고 유탄은 던져지거나 되어 전차가 위를 지나간다. 전차가 지나 압력판을 아래로 내려 날카로운 융기가 점화기를 충격한다. 이것들은 충격 시 염 염과 혼합하여 점화기 조립체의 일부를 하는 기폭장치를 격발하는 불꽃을 발생 는 산 유리병을 포함하고 있다. 그리고 장치는 주 폭발 작약을 격발하고 폭발은 부분의 전차 궤도를 절단할 만큼 충분 이것은 표준 철로의 측면에 설치되는 크 폭파 장치로도 유용하다. 이러한 임무에서 것은 한발의 안전 신관에 의해 폭발될 수 고 기폭장치는 주머니 중 하나에 삽입된 1942년에 '유탄 No. 75'로 도입되어 1955 지 사용되었다.

HEXACHLOROETHANE(HC)(헥사클 에탄) : 연막 발생 혼합제의 성분으로 사 는 화학 성분(C_2Cl_6). 보통 혼합을 돕기 아연 가루, 아연 산화물과 다른 산소함유 분과 함께 혼합된다. 이것은 탄저 방출 발사체에 사용되기 위해 산탄 안으로 압 다. 발생된 연막은 백린에 의해 생산된 다 차가워서 주변 공기에 열이 없고 연 지상에서 끌어 올리는 상부로의 환류도 없 그러므로 HC 연막은 백린보다 '차장력' 조밀도가 실제로 약하지만 지상에 달라 더 양호한 은폐를 제공한다. 또 다른 작은 점은 HC는 발화가 어렵기 때문에 산탄은 가 폭발하는 것을 보장하기 위한 충분한 렬함으로 연소하게 되는 쉽게 발화되는 과 함께 재워져야 한다. HC 혼합의 3그 30평방미터의 연막을 생산하는데 충분하다

HIGH EXPLOSIVE(고폭탄) : 폭약은 하게 작동되는 것에 따라 주변에 돌연 맹렬한 압력을 미칠 수 있는 물질이다. 이 력은 폭약이 아주 빠르게 가스로 분해 생산된다. 정상적인 대기 압력과 온도에 용적은 최초의 폭발 용적 보다 수배 더 크 압력은 절차가 진행되는 동안에 유리된 의해 크게 증가한다. (*탄약에 관한* *Treaise on Ammunition, 1926*)

약은 저폭약과 고폭약으로 분류된다. 저폭 는 아주 빠르게 연소하고 불꽃이 초당)0미터까지의 속도로 폭약 전체에 퍼진다. 폭약은 기폭하거나 분자분열을 하고 충격파 초당 10,000미터 이상의 속도로 폭약으로 긴다. 일반적으로 말해서 저폭약은 불꽃에 에 발화될 수 있다. 반면에 고폭약은 기폭 충격파가 필요하다.

폭약은 대인 파편을 분산시키고 대물 효과 가진 파열을 제공하기 위해 탄체를 산산 각내는 파열 작약을 제공하는 박격포 발사 가 유탄에 사용된다. 1차 세계대전에서 이 한 임무에 사용된 첫 번째 고폭탄은 저렴성 가용성 때문에 선택된 상업용 및 채광용 약이었고 포병 탄과 다른 탄약에 필요한 더 정제된 고폭약의 보급과 절충되지 않았다. 러나 이러한 저렴한 폭약은 기폭율이 가끔 져서 폭탄 또는 유탄 탄체의 파편이 약해 를 임무에 적합하지 않았다. 그리고 이것들 아주 쉽게 축축해져서 곧 참호에서 종종 생하는 상황에서의 무력한 탄약을 만든다. 금 상황이 대부분의 전쟁 기간에 심각해지면서 문제는 저렴한 폭약의 매력을 포기하는 것보다 유탄과 폭탄의 밀폐를 개선하여 해결되었다. 2차 세계대전 기간에 TNT는 수류탄과 박격포 폭탄용의 가장 일반적인 충전제가 되었고 반면에 영국 폭탄은 '아마톨-Amatol'이라고 알려진 보통 TNT와 암모니윰 질산염의 혼합으로 충전하였다. 이것은 치명적인 파편보다 고운 분말로 주형 박격포 폭탄 몸통을 파열하는 경향이 있는 TNT 보다 덜 강력하기 때문에 선택되었다. 독일 유탄은 종종 PETN(펜타 에리트리톨 테트라나이트레이트)로 알려진 폭약을 사용하였다. 이것은 자체적으로 너무 민감하여 탄약으로 사용할 수 없었지만 밀랍으로 감도를 줄인 효과적이고 저렴한 폭약이다.

오늘날 RDX와 TNT의 혼합물(미국에서 '콤포지션 B'로 알려진)이 유탄과 박격포 폭탄 모두에 범용 충전제로 사용된다. 충분한 생산시설이 존재하고(이것은 표준 포병 포탄 충전제이다), 제어된 파편 기술이 계획된 살상 효과를 만들도록 조심스럽게 조화될 수 있는 정연하고 안정된 성능 특징을 가지고 있다.

HOLLOW-CHARGE GRENADE(중공(中空) 작약 유탄) : 장갑 또는 다른 단단한 표적을 공격하는데 사용되는 유탄 형태. 종종 '대전차 유탄'으로 간단하게 알려졌다. 중공(中空) 작약 유탄은 던지거나 발사할 수 있다. 후자의 형태가 더 일반적이다.

중공 작약 현상(성형 작약(shaped-charge), 몬로 효과(Monroe Effect) 또는 뉴만 효과(Neumann Effect)로 다양하게 알려진)은 폭발 작약의 성형이 필요하여 전면에 원뿔 홈이 필요하다. 이 홈은 구리, 강철 또는 다른 적당한 재질의 원뿔로 안을 댄다. 폭약은 후방 끝에서 기폭 되고 기폭파가 폭약에 퍼지면서 라이너를 붕괴시키고 녹인다. 원뿔 모양은 녹은 재질과 기폭의 기체 산물이 함께 만나 구멍 축에서 제트류를 형성하도록 하고 초당 약 10,000미터의 고속으로 전방으로 추진되어 표적을 강타한다. 제트류 덩어리는 그 속도와 함께 우격다짐으로 -이것은 종종 상상하는 것처럼 '연소하여 꿰뚫지 않는다- 표적을 타파한다. 그리고 표적에 구멍을 뚫는다. 구멍의 크기는 거친 제트류 구멍이며 직경이 약

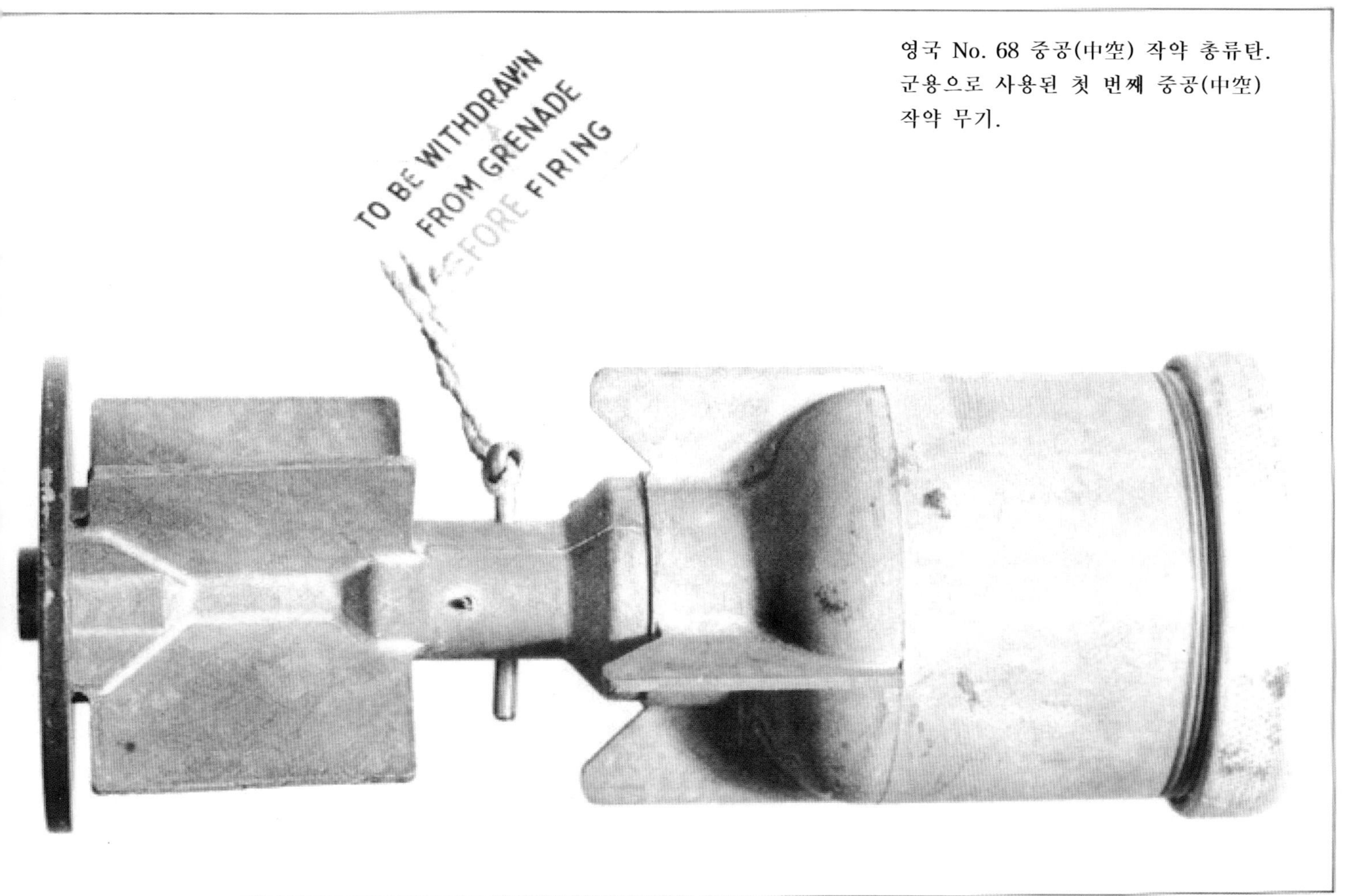

영국 No. 68 중공(中空) 작약 총류탄. 군용으로 사용된 첫 번째 중공(中空) 작약 무기.

Energa 중공(中空) 장약 총유탄. 꼬리에 있는 클립이 카트리지 방출장치를 고정한다.

20cm 이상 되지 않지만, 에너지는 커다란 작약이 동종의 장갑판 1미터를 밀어내는 것과 같다. 제트류가 표적을 통과하면서 그 열 일부를 주변 물질에 잃고 제트류 안의 용융 금속은 단단한 산탄(霰彈)으로 응고된다. 이것은 완전히 통과하여 표적 뒤(즉, 전차 내부)에서 비상체가 되거나 박힐 수 있다. 제트류가 완전히 관통하면서 장갑 내부에서 수백 개의 작은 파편을 분출시키고 뜨거운 제트가 어떤 가연성 물질도 타격하면 심각한 피해를 일으킬 수 있는 표적 안으로 들어간다. 이렇게 해시 전차 안에서 이것은 탄약 또는 연료를 타격하여 전차에 불을 낼 수 있다. 물론 이것은 또한 승무원에게 극도로 위험하다.

통과 제트가 속도를 얻고 시종 일관되게 하기 위해 중공(中空)작약 탄은 표적으로부터 일정한 거리에서 기폭 되는 것이 이상적이다. 이 거리는 'Stand-off Distance-이격 거리'라고 부르며 대략 작약 직경의 2내지 3배이다.

처음 사용된 중공(中空)작약 유탄은 1940년에 도입된 영국 '총유탄 No 68'이다. 이것은 종형 몸통에 원통형 벽과 4개의 안정화 날개가 있고 컵 발사기에서 발사되었다.

꼬리에 있는 간단한 신관은 유탄이 충격 때 기폭장치에 공이를 보내고 156그램의 약은 50mm 장갑을 관통할 수 있었다. 영 에서는 투척용 중공(中空)작약 유탄이 개 되지 않았지만 독일 육군은 전면 끝 외부 위에 3개의 자석을 가지고 있는 가장 효과 인 수류탄을 가지고 있었다. 이것은 유탄 전차에 들러붙게 하고 시한 신관이 유탄 격발하기 전에 투척자가 엄폐할 시간을 갖 한다. 소련 육군은 충격 신관이 있는 수류 을 개발하였다. 머리가 먼저 도착하는 것 보장하기 위해 이것은 꼬리 끝에 많은 형 장식 리본이 있었다. 미국 육군은 효과적 총류탄을 개발했다.

종전 후, 벨기에 디자인인 '에네가-Energ 총류탄이 많은 군에서 표준 보급품이 되 다. 이것은 영국 68에서 더욱 간단하게 정 되어 개선되었으며, 더욱 효과적인 꼬리날 와 폭발 탄두가 있어 더 길었다. 이것 200mm 이상의 장갑을 관통할 수 있었다.

중공작약 원리는 두 가지 기본적인 이유 유탄에의 사용에 적절하다. 표적에 대한 과는 완전히 유탄 내부에 실리는 폭약에 존하고, 그래서 이것은 사거리 또는 속도와

에네가(Energa) 중공작약 유탄의 단면. 중공 작약 원리는 회전하지 않고 제트류를 방출하는 유탄에 적절하다.

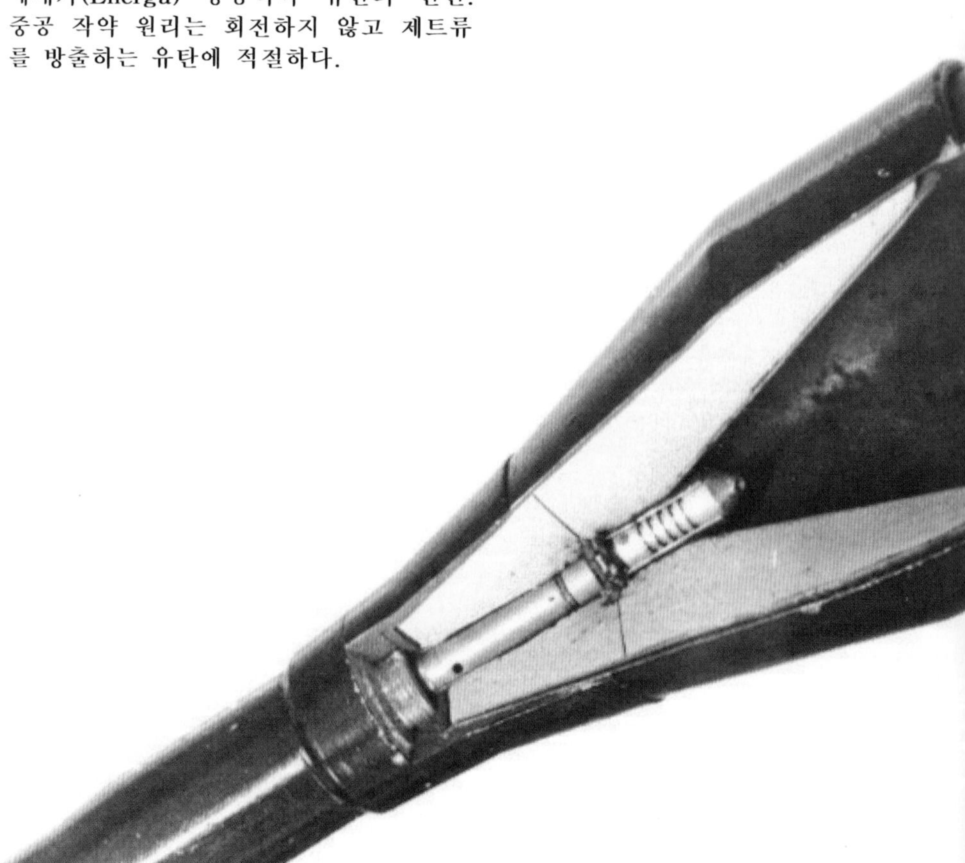

ㅕ 관계없이 유탄을 표적에 명중시킨다면 냐은 성능을 발휘할 것이다. 두 번째로 원 력이 제트류를 잡아당기는 경향이 있어
전하는 탄이 그 효과를 떨어트리는 것이 등 작약 탄 개발 초기에 발견되었다. 유탄 회전하지 않기 때문에 가장 효과적인 방 으로 중공(中空)작약 효과를 이용한다. 실 적인 유일한 단점은 사출시키는 방법 때 ㅔ 요구되는 크기로 인해 관통 성능을 제 하는 것이다. 이것은 이들은 더 이상 BT(주력전차)에 대해 적당하지 않다는 것 의미하지만, 여전히 보병 병기에서는 아 유용한 지위를 차지하고 있다. 이것은 오 날의 전장에서 많이 볼 수 있는 병력수송 갑차(APC), 보병전투차량(AFV) 및 유사 경장갑차량을 다룰 수 있는 능력이 있다.

ILLUMINATING BOMB(조명 폭탄) : 목표지역 상공에서 방출되고 다른 화기에 조명을 제공하거나 관측자가 상황을 판단하기 위해 조명을 제공하는 강력한 불꽃을 자기고 있는 박격포 폭탄.

조명 폭탄의 디자인은 거의 보편적이다. 폭탄은 마그네슘 섬광신호 화약으로 포장된 산탄이 있고 이것은 낙하산에 부착된다. 시스템간의 유일한 주요 차이점은 폭탄의 내용물을 방출하는 방법이다. 가장 일반적인 방법은 선택된 시간에 폭탄 내부에 있는 추진 장약을 발화하는 시한 신관을 폭탄에 적용하는 것이다. 이것은 차례로 산탄 안의 섬광 화약을 발화하고 나서 장약 폭발 중에 발생한 가스로 섬광 산탄에 힘을 주어 바깥쪽으로 폭탄의 첨두나 탄저 어느 쪽으로든 밀어낸다. 이것은 산탄이 자유롭게 떨어지도록 하여 낙하산이 펴져서 기능을 수행하고 산탄은 지상으로 표류하면서 빛을 발산한다.

다른 방법은 폭탄의 탄저에 추진 장약을 넣고 추진 장약의 폭발로 지연 신관을 발화하는 것이다. 신관이 연소할 때 추진 장약을 발화하고 이 작동은 이전처럼 폭탄의 전면

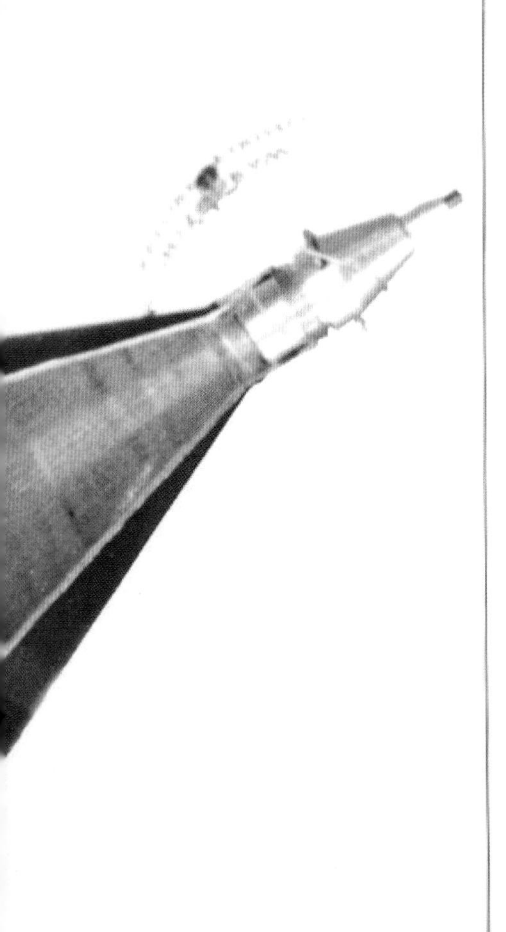

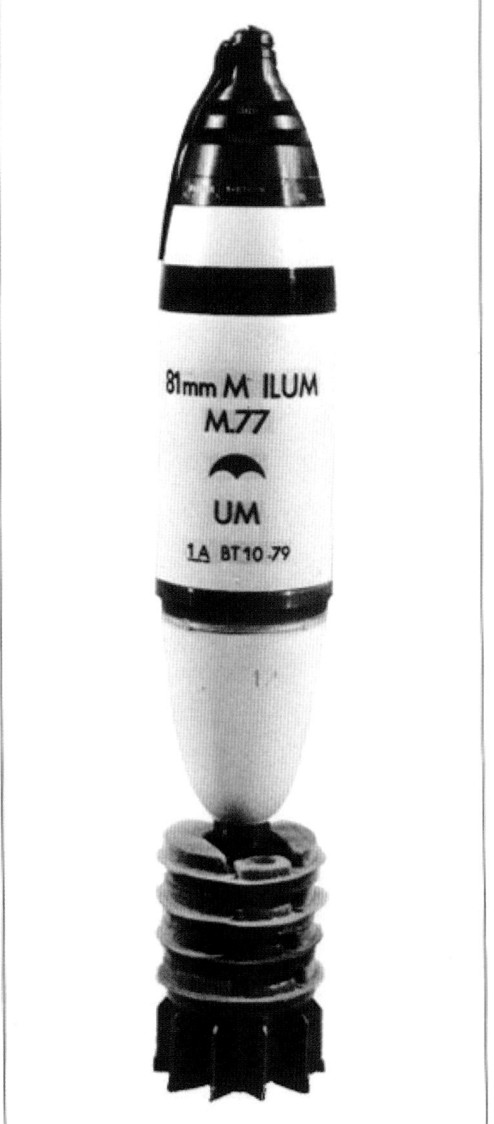

시한 신관이 있는 전형적인 조명 폭탄 – 브랜드 아머멘트가 제작한 81mm M77.

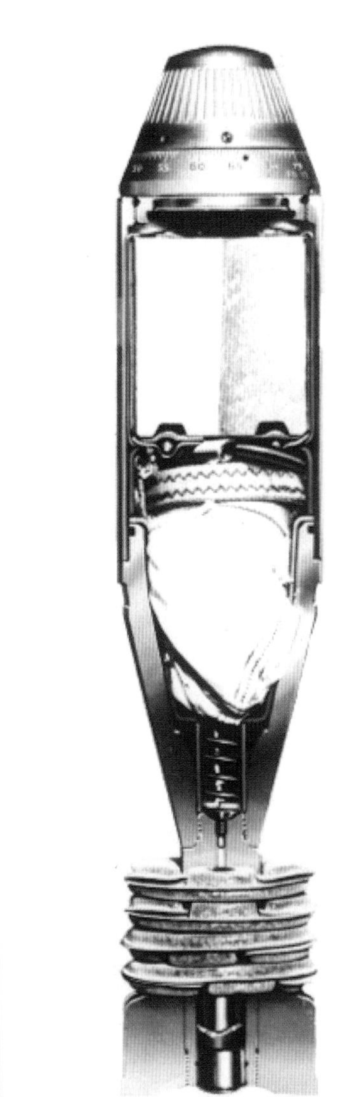

낙하산, 성형(星型) 유닛과 주 카트리지를 보여주기 위해 절개된 브랜드 조명 폭탄.

끝을 날려버리고 섬광과 낙하산을 방출한다. 이 시스템은 신관 길이를 계산하고 신관을 설정할 필요가 없는 장점이 있다. 지연 시간은 변하지 않고 폭탄은 간단하게 박격포의 고각을 조절하여 상이한 사거리에서 폭발하도록 조정할 수 있다. 그렇지만 시간을 일정하게 유지하면서 고각을 변경하는 것은 폭발 고도를 바꾼다는 것을 의미하고 폭탄은 최대 조명 효과를 얻기 위한 최상의 고도에서 폭발하지 않을 수도 있다.

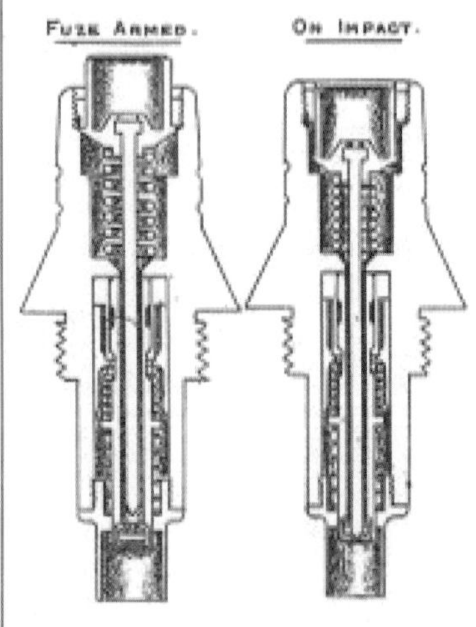

박격포용 초기 간단한 충격 신관. 정상적으로 바늘이 기폭장치에 닿을 수 없다. 사격 시, 멈춤쇠 칼라가 아래로 미끄러져 기폭장치 고정기를 잡고 기폭장치를 활성 위치로 들어 올려 충격 준비를 한다.

조명 폭탄의 성능은 크기에 따라 다양하지만, 동일한 구경 내에서는 상당히 일정하다. 일반적인 81mm 폭탄은 약 50-60초 동안 약 700,000촉광을 만든다. 120mm 폭탄은 동일한 시간에 약 백만 촉광을 만든다. 50-60mm에서 유사한 폭탄은 약 30초 동안 약 250,000촉광을 만든다. 이것들은 종종 대전차 미사일에 사용되며 포반원들이 전차의 윤곽을 보기위해 표적 뒤에서 격발한다.

IMPACT FUZE(충격 신관) : 표적을 타격하여 단을 작동시키기 위한 유탄 또는 박격포 폭탄용 신관. *신관(Fuze)* 참조.

INCENDIARY GRENADE(소이 유탄) : 표적에 불을 붙이기 위한 수류탄. 이것들은 보통의 지연 시관으로 발화되는 단단한 물질로 채워지는 것이 연막 유탄과 유사하다. 충전제는 보통 2,000℃ 이상의 고온에서 연소하여 유탄의 금속 약협을 녹이고 닿는 것은 무엇이든 - 몇 피트 반경 내에 있는 대부분의 물건 - 점화하는 자석철 산화물과 알루미늄 분말의 혼합인 테르밋이다. 가끔 표적에 투척하는데 사용되지만, 소이 유탄은 어떤 장비의 일부를 파괴하기 위한 포탄 장치로 더 일상적으로 사용된다. 미 육군에서 이것은 포병 공구 킷으로 휴대하여 필요하면 포를 파괴하는 수단을 제공한다.
전장에서의 우발적인 사격의 증가로 표준 백린 연막 유탄은 유용한 소이 효과를 가지고 있고 이러한 이유로 특수 소이 유탄을 거의 볼 수 없다.

미국 소이 유탄. 미 육군은 이것을 필요시 포를 파괴하기 위한 포병 공구 킷으로 휴대한다.

L

LIVENS PROJECTOR(리벤스 발사기) 독가스 살포용으로 1차 세계대전에 개발 고도로 전문화된 형태의 박격포. W. H. 리 스(Livens)가 발명하였다. 이것은 1916년 월 보몬트 하멜(Beaumont Hamel)에서 처 으로 실험되었고, 1917년 4월에 비미 리

리벤스(Livens) 발사기 안에 가스 실린더 장전. 와이어가 이미 장전된 전기식 격발 카트리지로 이어진다는 것에 주목.

ny Ridge)에서 캐나다의 공격을 지원하기 처음으로 대량 사용되었다. 이것은 후에 국군이 채택하였고 독일이 복제하였다. 전 후에 비축되었고 많은 양이 1939-1940년 사용 준비가 되어 있었으나 사용되지는 다. 이것은 적에게 가스를 발사하는 가장 적인 방법으로 여겨졌다.
스 발사기는 20cm 폭과 약 94cm 길이의 이 평평한 포판에 부착되었다. 이것은 양 나 다른 지지대가 없었고 이것을 설치하 적 방향으로 45° 기운 참호를 파고 포열 내려 포구가 지상에서 떨어지도록 하였다. 고 나서 땅을 덮어 포열을 견고하게 고 였다. 그리고 면화약의 추진 장약을 포열 로 내리면 이것은 전기 기폭장치에 끼워 . 그리고 납 철사를 발사기 포열 박으로 . 발사체는 27kg 무게와 13.6kg의 액체 작용제를 포함하는 실린더로 구성되었다. 실린더 중앙 아래에는 TNT 작약을 포함하는 관이 있고 한발의 안전 신관이 지연 시간을 제공한다. 이 관 상부에는 실린더가 발사기 아래로 내려갈 때 압축되는 용수철과 안전핀에 의해 분리되어 고정되는 기폭장치 위의 공이로 구성되는 간단한 신관이 있다.
발사기의 최대 사거리는 약 1,660미터였다. 추진 장약의 크기를 조정하여 더 가까운 사거리에도 적용할 수 있었지만, 이것은 통례적으로 장약만 놔두고 표적으로부터의 정확한 거리에 발사기를 간단하게 위치시켜 원하는 사거리를 획득했다.
수백 개의 발사기가 땅에 묻히고 선택된 표적에 정열 된다. 추진 장약은 평행하게 철사로 묶어 많은 전기발전기에 연결된다. 각각의 발전기로 격발 신호를 주려면 몇 명의 사람들이 격발 스위치를 눌러 발사기 그룹의 전기 기폭장치를 점화한다. 장약은 기폭 되고 산탄을 공기 중으로 날린다. 산탄이 발사기를 떠나면서 작약의 충격은 공이가 떨어지도록 하여 기폭장치를 강타한다. 그래서 한발의 안전 신관을 점화한다. 이것은30-35초간 연소한 후 실린더를 폭파시켜 화학작용제를 방출하는 폭발 작약을 기폭 한다.
각각의 실린더가 13.6kg의 가스를 포함하고, 발사기가 수백 개 또는 종종 수천 개 발사되어 엄청난 양의 가스가 갑자기 표적 지역에 방출된다. 효과는 치명적인 농도로 지역을 빠르게 압도하여 가스가 효과를 발하기 전에 피해자들이 방독면이나 방호복을 입을 수 없게 된다. 가장 큰 리벤스 발사기 운용은 1918년 3월 19일 생캉탱(St. Quentin)에서 영국에 의해 발생하였다. 5,649개의 발사기가 동시에 발사되어 85톤의 포스겐 가스를 독일 전선에 쏟아 부어 250명이 죽고 1,100명이 부상을 입었다.

M

MILLS BOMB(밀스 폭탄) : 브링햄의 W. 밀스(Mills)가 개발하고 1915년 9월 16일 특허를 받아서 유래한 5개의 영국 유탄에 적용된 일반적인 명칭. 최초의 모델은 용수철 내장 공이가 V모양 머리에 결합된 휘어진 레버에 의해 고정된 중앙 구멍이 있는 톱니모양 철 몸통이다. 레버는 절단된 U자형이며 안전핀이 두 개의 돌기 주물을 통과하고 레버에 있는 두 개의 구멍을 통과하여 유탄 몸통으로 가서 레버를 단단하게 고정하고 용수철 압력에 반대 방향으로 공이를 고정한다. 몸통의 바닥에는 유탄을 개방하여 뇌관, 신관 그리고 기폭장치 조립체를 삽입하여 뇌관과 신관이 공이 아래에 있는 중앙 관으로 가도록 하고 반면에 기폭장치는 바라톨(Baratol) 고폭탄의 폭발 작약과 나란히 위치한 두 번째 관 안 한쪽으로 미끄러져 들어가도록 하는 제거 가능한 돌기가 있다. 그리고 마개가 다시 설치되고 단단하게 고정되어 유탄은 사용 준비가 된다.
투척자는 손으로 유탄을 움켜잡고 몸통에 레버를 단단하게 유지한 채 안전핀을 잡아 당긴다. 유탄을 던지면 공이 용수철의 압력은 레버를 밀치고 벗어나며, 공이는 뇌관을 치고 뇌관이 신관을 발화하여 5초 후에 신관이 기폭장치를 격발하여 유탄이 기폭한다.
밀스는 1915년 1월에 자신의 디자인을 영국육군에 제안하였다. 개발과 시험이 4월 말까지 완료되고 생산이 6월에 시작하여 1915년 말까지 1주일에 800,000개가 제작되었다. 이것은 '수류탄 No. 5'로 도입되었고 생산이 종료된 1917년 말까지 3천3백만 개 이상이 제작되었다.
1916년 초에 제작이 용이하도록 크게 개조되었지만 소총사격에도 적용하였다. 이제 몸통은 안전핀용 돌기가 더 크고, 평평한 강철 레버, 한쪽에만 새김 눈이 있는 공이와 소총 봉이 삽입될 수 있도록 중앙에 나사산이 깎인 구멍이 있는 육각형 탄저 돌기가 있다. 이것은 '수류탄 또는 총유탄 No.23'이 되었고 1917년 초에 도입되었다. 전쟁 말기까지 2천9백만 개 이상이 제작되었다.
다음 변형은 '수류탄 또는 총유탄 No. 23M'으로 뜨거운 기후에서 저장에 더 적절한 다른 폭약으로 채워졌다. 이 유탄은 메소포타미아에 있는 부대에 보급되어 'M'자가 붙었다.
마지막으로 1917년 후반부에 제작을 쉽게 하기 위해 일부 작은 변화가 내부 디자인에 있었다. 탄저 마개의 모서리를 기계제작 하였고 발사기 컵 가스밀폐용 나사산이 만들어 졌다. 그리고 숫자는 '36'으로 바뀌었고 동시에 메소포타미아 버전인 '36M'이 개발되었다.

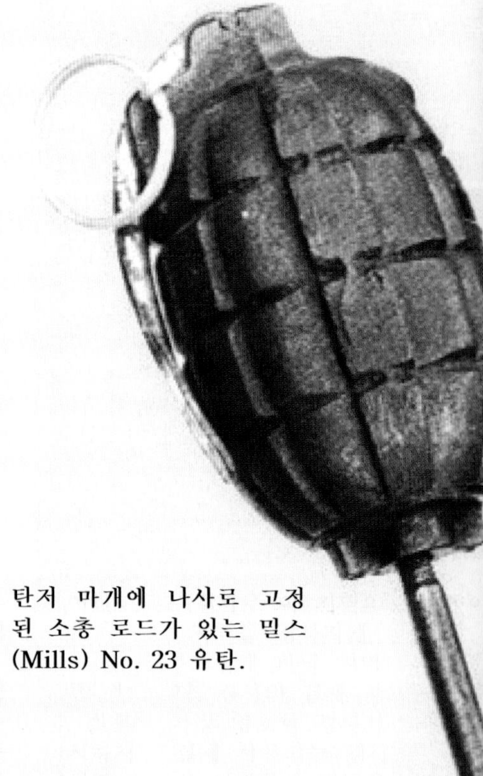

탄저 마개에 나사로 고정된 소총 로드가 있는 밀스(Mills) No. 23 유탄.

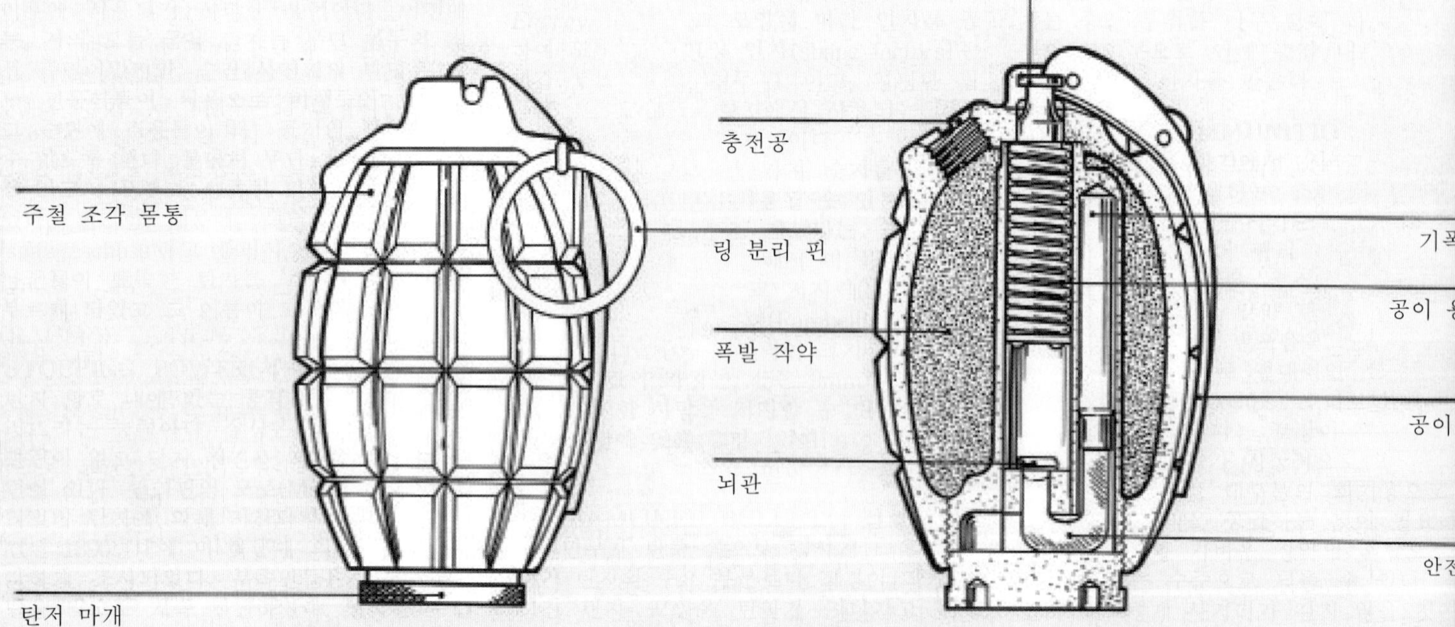

밀스(Mills) 폭탄이라고 더 잘 알려진 No. 5 수류탄의 작용 장치를 보여주는 도해.

쟁이 끝나기 전에 총 5백만 개 이상의 36 36M이 제작되었다.
쟁 후에 36과 36M만이 살아남았고 36은 32년에 폐기되었고 36M이 남아 영국 육군 표준 수류탄 및 총유탄으로 지속적으로 용되었다. 이것은 제2차 세계대전과 1960 대에 사용되었고 총유탄으로의 사용은 5년 이후에 사용되지 않았지만 1962년에 식적으로 폐기되었다.
스에 대한 한 가지 생각해야할 점이 있다. 것은 주철 몸통에 있는 톱니모양이 파열을 는다고 항상 생각되어졌다. 하지만 사실 탄은 이들 선을 따라 파열하지 않는다. 밀 의 기록에 의하면, 개념은 실제로 홈 묻은 으로 더 양호하게 잡기 위한 것이었다.

소총 발사기 컵에서 격발되도록 하는 가스 밀폐기가 있는 밀스 No. 36 유탄.

네덜란드 미니유탄. 파편을 제어하기 위해 내부에 홈을 판 주물을 보여준다. 골프공 크기로 상당한 거리까지 던질 수 있다.

MINI-GRENADE(미니 유탄) : 네덜란드 무기 및 탄약 회사(NWM)가 1960년대에 개발한 수류탄. 이것은 골프공 크기이며 주철 몸통 안에 내부 톱니모양이 있고 RDX/TNT로 채워졌으며 소형 부촌(Bouchon) 발화기가 있다. 이것은 상당한 거리로 던질 수 있지만, 파편은 단 5미터 반경에서만 치명적이어서 공격용 유탄이다. 그 효과에도 불구하고 이것은 어떠한 주요 군에서도 채택하지 않았고 1970년대에 생산이 중단되었다.

MOLOTOV COCKTAIL(화염병) : 유리병에 석유를 채우고 불타는 발화장치 형태를 부착하여 제작한 모든 자체제작 소이 유탄에 대한 일반적인 명칭. 던졌을 때 병이 깨지고 석유가 흘러 불타는 발화장치에 의해 발화된다. 이 형태의 비상체는 스페인 내전 기간 중에 개발된 것으로 생각된다. 그 후 러시아와의 '겨울 전쟁' 기간 중에 1939년에 핀란드에서 다시 등장하였고 여기서 몰로토프란 이름을 얻었다. 명칭의 기원은 의심스럽지만 신문기자에 의해 사용된 표현이었을 것이다. 당시에 다중 소이 폭탄 형태가 러시아 폭격기에 의해 투하되었고 이것을 핀란드인들이 '몰로토브 빵바구니-Molotov Breadbasket'라고 불렀다. 화염병(molotov cocktail)은 경쟁심에서 붙여진 이름이었을 것이다.
순수한 화염병은 항상 자체제작 물품이지만, 여기에 아주 근접한 공식적인 유탄이 몇 가지 있다. 영국 '수류탄 또는 발사기, No.76'은 아마도 가장 유명할 것이다. 'S.I.P 폭탄'(자체 발화 인)으로 알려진 이것은 9cm 길이의 천연 고무 끈이 있는 백린, 물과 벤젠의혼합물을 포함한 깨끗한 유리병이었다. 고무는 저장 중에 분해되고 혼합제에 접착 성질을 준다. 유탄은 투척되거나 노드오버(Northover) 발사기(2.5인치 활강 총)로 발사되어 충격시 병이 깨지고 내용물을 방출한다. 공기에 노출 시 백린이 즉시 발화되고 차례로 벤젠/고무 혼합제를 발화한다. 이것은 대전차 유탄으로 고안되었고 1940년 가을부터 국내 방위부대에 지급되었다. 1941년에만 약 5백5십만 개가 제작되어 보급되었다.
미군 '무른 유탄-Frangible Grenade'이 유사한 것으로 유리병은 네이팜이나 가솔린과 알코올의 혼합제로 채워졌다. 점화시스템은 충전제에 따라 다르다. 네이팜 충전 폭탄은 던지기 전에 당겨서 불타는 상태로 남겨져서 병이 깨질 때 네이팜을 발화하는 마찰 점화장치를 사용한다. 반면에 가솔린/알코올 충전제는 병목에 클립으로 고정된 화학분말 캡슐이 있다. 충격 시 분말이 가솔린과 혼합되고 화학 반응에 의해 점화된다. 지금까지는 보급된 무른 유탄이 알려진 것은 아주 적다.

MOUSETRAP IGNITER(쥐덫 발화기) : 일반 쥐덫의 동작과 유사한 공이의 스냅 작동으로부터 부촌 발화장치를 설명하는데 사용되는 일반 용어.

수류탄, No.76 또는
자체발화 백린탄

N

NEWTON GRENADE(뉴턴 유탄) : 뉴
이라는 장교가 발명한 1차대전시의 총류
이름에서 유래한 이유로 이것은 부대원들
'뉴턴 사과' 또는 '사과 유탄'이라고 종종
하였다. 이것은 전면은 평평하고 후방에
총 봉이 고정되어 있는 주철 조각 원뿔 몸
으로 구성되었다. 몸통은 고폭탄으로 채워
고 기폭장치 조립체가 삽입되는 중앙 관
있다. 이것은 .303인치 뇌관이 있고 표
No.8 마이닝(mining) 기폭장치가 밀려들어
는 .303인치 소총 카트리지 약협으로 구성
다. 유탄의 전방 끝 위에는 중앙 공이가
는 용수철 뚜껑이 있고 뇌관에 있는 못으
카트리지 약협 뇌관을 확실하게 고정한다
유탄은 공포탄을 이용해 소총에서 발사한다
표적을 타격하면 뇌관에 있는 못은 충격
의해 작동하여 공이를 뇌관으로 구동한다
이 동작은 화염을 보내 기폭장치를 격발하
폭약 충전제를 격발한다.
디자인은 Hazebrouck에 있는 제2군 작업
에서 제작되었고 약 2백만 개가 1915년 후
과 1916년 초에 그곳에서 제작되었다. 영
에서도 제작되기 시작하였지만 1916년 5월
유탄이 격발될 때 기폭 된다는 불평에 따
중지되었다. 그때까지 다른 디자인(유명
No. 23)이 나타났고 뉴턴은 물러났다. 이
은 격발 시 저지되지 않고 조기 기폭하는
화 뇌관과 함께 1917년 후반에 부활하였지
당시에 많이 생산되었다고 생각되지 않는다

O

OBTURATION(폐쇄) : '원하지 않는 추
가스의 누출을 막기 위한 포의 밀폐'를 뜻
는 기술적 용어. 폐쇄는 포의 폐쇄기 장치
밀폐라고 말할 수 있으며 박격포의 경우
포강 내에 발사체를 충분하게 밀폐하여 추
가스가 그 뒤에 갇혀서 기능을 발휘하도
하는 것이라고 말할 수 있다. 박격포에서
폐쇄는 장전하기 위해 포열 아래로 폭탄
떨어트릴 수 있어야 할 필요에 의해 어렵
되고, 이는 포탄이 떨어지면서 공기가 누
되도록 포탄주변에 공간을 필요로 한다.

전형적인 공격 유탄들 : 얇은 주물은 제한된 살상 지역 위에서 작은 파편을 만들어 낸다. 이것은 전진 부대에서 사용하기 적합하게 한다.

약이 격발되면, 일부 가스는 이 공간을 통해 새어나가고 이렇게 해서 추진력을 낭비하고 폭탄의 부드러운 이동을 방해하는 경향이 있다. 1960년대 까지 대부분의 디자인은 홈에 갇힌 가스가 더 많은 가스가 새는 것을 방지하기 위한 장애물을 형성하도록 폭탄의 가장 큰 직경에 홈을 절단하는데 의존하였지만, 이것은 거의 효과가 없었다. 1960년대에 영국 81mm 박격포는 폭탄 주위에 확장 플라스틱 링의 사용을 개척하였고 이것은 장전시 작지만 공기가 지나갈 충분한 공간을 남겼다. 하지만 가스 압력이 박격포 포열 쪽으로 단단하게 고정된 시트를 확장시켜 가스를 밀폐시키고 폭탄을 중심에 모았다. 이 개선은 폐쇄 제어 없는 폭탄에 의해 획득된 것보다 사거리를 길게 하고 정확도를 높였다. 이 개념은 몇몇의 제작자들에 의해 채택되었다.

OFFENSIVE GRENADE(공격용 유탄) : 대인, 고폭 유탄으로 설계되어 파편과 살상 반경이 유탄이 던져질 수 있는 거리보다 훨씬 적다. 그러므로 이것은 폭발 결과에 의한 파편에 대해 엄폐물을 찾지 못하는 전진하는 병사가 안전하게 투척할 수 있어야 한다. *방어용 유탄(Defensive Grenade)*과 비교.

총유탄 및 수류탄형태의 폴리발렌트(多價)의 유탄.

P

POLYVALENT GRENADE(폴리발렌트 유탄) : 프랑스의 로스펠드(Losfeld) 산업이 제작한 유탄에 주어진 특정 명칭. 이것은 공격용 수류탄, 방어용 수류탄, 또는 총유탄으로 구성할 수 있기 때문에 불린 이름이다. 이것은 다음 세 가지 유닛으로 구성된다. 플라스틱 몸통을 가진 기본 공격용 유탄, 유탄에 달아 그것을 방어용 유탄으로 전환한 파편 슬리브, 그리고 유탄의 탄저에 부착할 수 있고 소총에서 발사할 수 있는 꼬리 유닛. 충격 작용, 시간 지연 작용(소총에서 사격할 때) 또는 모래나 진흙 같은 연한 표적에 사격될 때 신뢰성 있는 작동을 하도록 하는 지연 충격에 설정될 수 있는 다중 선택 신관이 있다. 3가지 꼬리 유닛이 다음과 같이 제공된다. 공포탄과 함께 사용되는 것 하나, 5.56mm 소총용 탄자 트랩에 적용되는 것 하나, 7.62mm 소총용 탄자 트랩 하나.

PRACTICE GRENADE(연습용 유탄) : 훈련용으로 사용되는 수류탄이나 총유탄. 강철 탄체와 고폭 충전제대신 전형적인 연습용 유탄은 플라스틱 탄체와 무해한 백색화약 충전제가 있다. 정상적인 형태의 지연 신관으로 격발되는 아주 소량의 흑색화약 장약이 있다. 이것은 화약을 방출할 만큼 충분하게 유탄 몸통을 쪼개어 개방하고 충격 지점에 표시를 한다. 그러나 유탄 몸통이 파열하거나 신관 조립체가 날아가 위험한 비상체가 되지는 않는다.

PRIMARY CARTIDGE(주 카트리지) : 박격포 추진 장약의 발화 카트리지 구성품. 장약의 운용에서 '주요' 단계이기 때문에 이렇게 부른다. 이것은 다양하게 무연 화약으로 채워진 산탄총 카트리지의 형태를 취하고 포탄의 중공(中空) 증가장약지지기에 삽입된다. 증가장약지지기는 구멍이 뚫리고 이차 장약 또는 증가 장약이 그 주위에 정렬된다. 박격포의 포열 아래로 떨어질 때, 주 카트리지의 뇌관이 포신의 바닥에 있는 공이를 강타하고 충격이 뇌관과 무연 화약 충전제를 강타한다. 화염은 증가장약지지기의 구멍을 통과하고 증가 장약을 발화한다. 그리고 이어지는 폭발이 포열로부터 박격포를 들어 올린다. 이것은 최대 사거리 지역을 획득하기 위해 주 카트리지만으로 일부 박격포를 격발할 수 있다. 예를 들어 영국 81mm 박격포는 박격포의 고각 상태에 따라 주 카트리지만으로 180에서 520미터 사거리를 갖는다.

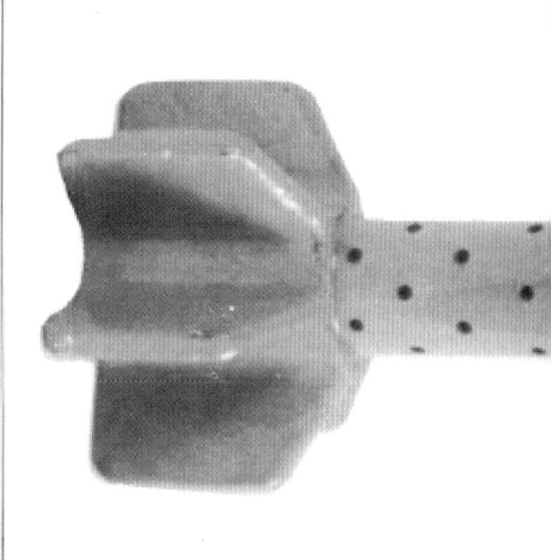

연습용 유탄. 작은 장약이 플라스틱 몸통을 쪼개어 백색 분말을 방출한다.

PROPELLING CHARGE(추진 장약) : 모형태의 포나 박격포로부터 발사체를 추진하데 사용되는 저폭약의 장약을 포함하는 일용어. 박격포의 경우 주*(primary)*와 증*(augmenting)* 또는 이차 카트리지 두 개의 분으로 구성된다. 증가 카트리지의 수는 변수 있어 상이한 사거리 지역을 제공한다. 이은 박격포의 고각에 따른 사거리가 제한되때문에 필요하다. 각각의 카트리지 결합의 이는 '장약호'로 알려졌으며 숫자가 매겨졌아래 장약 표는 영국 81mm L16 박격포용이

장약호	포구 속도	사거리
주	73mps	180-520m
1호장약	110mps	390-1120m
2호장약	137mps	580-1710m
3호장약	162mps	780-2265m
4호장약	195mps	1070-3080m
5호장약	224mps	1340-3850m
6호장약	250mps	1700-4680m

(fps 변환 요소는 포구 속도 참조)

81mm 박격포용 연습탄. 연습용 유탄처럼 이 형태의 폭탄은 매우 작은 장약만을 포함하고 있다.

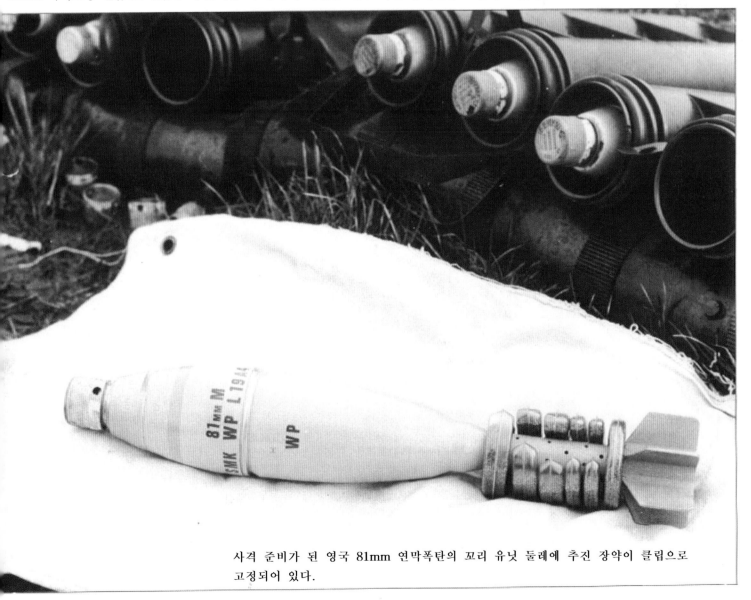

사격 준비가 된 영국 81mm 연막폭탄의 꼬리 유닛 둘레에 추진 장약이 클립으로 고정되어 있다.

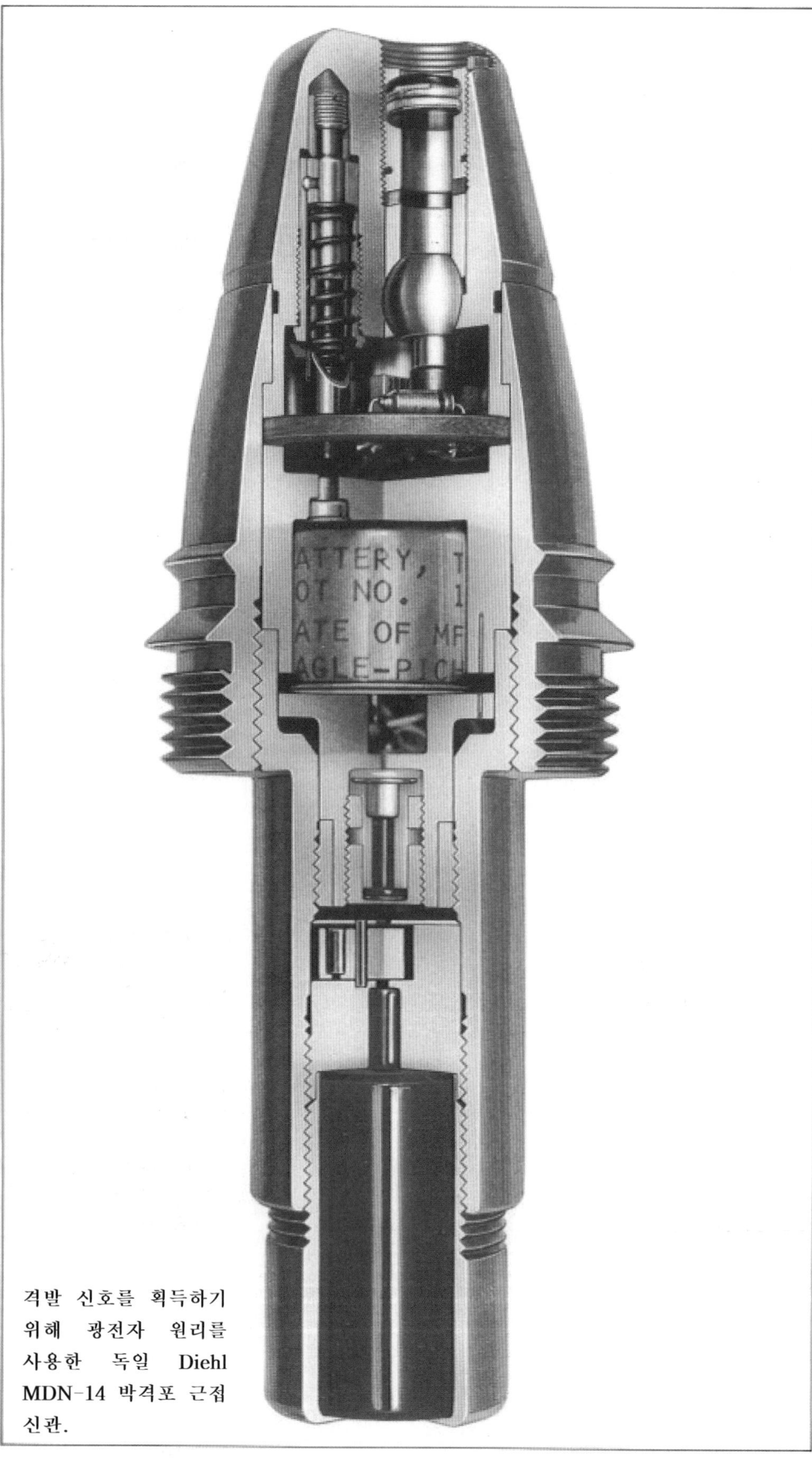

격발 신호를 획득하기 위해 광전자 원리를 사용한 독일 Diehl MDN-14 박격포 근접 신관.

PROXIMITY FUZE(근접 신관) : 표
대한 충격이나 사격전 미리 설정하는
에 의존하지 않는 박격포 신관 형태. 대
이것은 단거리 신호를 보내는 신관 내
있는 무선 송신기에 의지한다. 이 신호는
적으로부터 반사하고 신관에 있는 수신
의해 수신된다. 복귀 신호의 강도는 모
되고 이것이 반사 표적이 폭탄의 살상
내에 있다는 것을 지시하면 신관이 기
치를 격발하고 폭탄을 폭발 시킨다.
박격포용 근접 신관은 미 육군이 1940
후반에 한 가지를 보유하고 있었지만
히 최근에 개발된 것이다. 첫 번째 근접
관은 포에서 사용되도록 설계되었고 194
대 후반의 전자기술의 상태 때문에 얼
부피가 컸다. 더욱이 이들은 필요한 전
만들기 위해 건전지 판 사이로 전해질을
배하기 위해 폭탄의 회전에 의지하는
지에 의존하였다. 미 육군은 전기를 제
기 위해 (폭탄이 회전하지 않기 때문에)
람을 이용하는 항공 폭탄용 근접 폭탄
을 개발하였다. 그리고 이것들은 4.2인치
격포 폭탄에 실험적으로 사용되었다. 그
만, 박격포 신관에 필요한 주요 이유는
하다는 것이고 이것은 초소형화된 회로,
이크로칩과 유사한 전자 기술이 박격포
관이 경제적인 상품이 가능하도록 완
때까지는 가격이 싼 것이 아니었다.
현재의 신관은 충격 기능이나 근접 기
설정하기 위해 신관의 뇌관을 간단하게
려서 조정할 수 있기 때문에 '근접/탄두
폭-Proximity/Point Detonating'인 'PPD
부른다. 이들은 여전히 비교적 비싸지만
용가능한 박격포 근접 신관이 사리에
않다고 생각하지 않는 약 30달러에 생
수 있다고 판단하였다.
근접 신관의 숨은 목적은 표적 위의 고
서 폭탄을 폭파하여 파편을 아래로 타
여 은폐물 후사면과 참호 안으로 구석
까지 미치도록 하는 것으로 이것은 충격
폭발하는 폭탄으로는 불가능하다. 근접
은 일부 스마트폭탄의 정확한 운용에도
요하다.

R

RADAR ECHO BOMB(레이더 반사파 탄) : 보통 탄저 방출 형으로 미세하게
진 와이어 또는 금속 박편의 폭발력을
박격포 폭탄. 이 물질은 레이더 셋의
특정 주파 거리 즉, K-대역 또는 S-대
파장 절반 크기이다. 폭탄은 격발되고
중에서 폭발하여 가벼움 때문에 지상

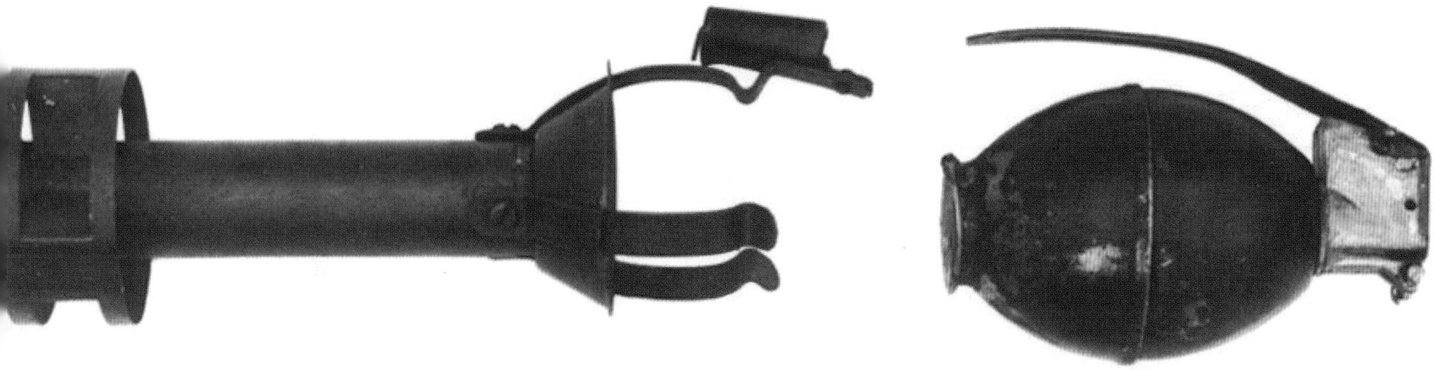

총에서 발사되도록 수류탄을 어댑터에
용하는 방법.

지는 시간이 오래 걸리는 금속 띠구름을
한다. 공기 중에 있을 때 이것들의 정확
크기는 어떠한 레이더 신호도 아주 강하
반사하여 완전하게 레이더 탐색을 무색하
한다. 이렇게 해서 이들의 사용은 레이더
으로부터 활동을 감출 수 있는 연막과
하다.

더 반사 폭탄은 험한 지형에 있는 박격
찾는 데에도 사용될 수 있다. 만약 박
요원이 자신들이 어디 있는지 정확하게
지만 지휘부와 무선 연락을 하고 있다
이들은 어떤 주의 깊게 계산된 고각에서
을 설정하여 레이더 반사 폭탄을 발사할
있다. 폭탄의 폭파는 레이더 설정으로 정
위치를 지정할 수 있으며 알려진 사격
으로 어느 정도 정확도로 박격포의 위치
계산할 수 있다.

RED DEVIL GRENADE(레드 데블 유탄) : 2차 대전 시 이탈리아 군이 사용한 일련의 수류탄. 3개의 상이한 제작자가 만들었지만 이들은 모두 기본 디자인이 유사하다. 이들은 얇은 강철 몸통과 전천후 신관이 있는 공격용 유탄이며 던졌을 때 종종 작동되지 않았다. 이들은 밝은 적색으로 칠해지고 폭발하지 않은 상태로 발견될 때 작동상태가 정확하게 알려지지 않아서 1941-42년의 사막전 기간에 영국 부대원들이 '붉은 악마-Red Devil'란 별명으로 불렀다.

RIFLE ADAPTER(소총 어댑터) : 표준 수류탄을 총유탄으로 전환할 수 있도록 고정할 수 있는 금속 꼬리 유닛. 일반적으로 한쪽 끝에는 날개가 있고 다른 쪽 끝에는 한 세트의 발톱이 있는 중공(中空) 증가장약지지기로 구성되었다. 유탄은 발톱으로 삽입되고 단단하게 고정된다. 발톱 하나에 있는 미끄러지는 클립이 유탄 레버 위로 미끄러지고 안전핀이 움츠러든다. 그리고 꼬리 유닛이 소총의 총구 위로 미끄러져 비상체가 다른 총유탄처럼 발사된다. 조립체가 발사되면서 리테이닝 클립이 뒤로 미끄러지고 플라이오프(FLYOFF) 레버가 풀려 지연 신관이 점화된다.

자주 고장 난 이탈리아 붉은 악마(Red Devil) 공격 유탄.

클립으로 고정된 아탑터를 추가하여
탄으로 전환된 수류탄을 사격하고 있다

RIFLE-GRENADE(총류탄) : 손으로 던지는 대신 소총에서 발사되는 모든 유탄. 목적은 손으로 던지는 것보다 더 멀리 보내는 것이다.

유탄 발사에 소총(또는 머스킷)을 사용하는 개념은 아주 오래된 것이다. 워민스터(Warminster)에 있는 보병 박물관 학교는 1681년에 제작된 '땜장이 박격포'라고 불리는 견본 무기를 전시하고 있다. 이것은 약실과 컵형태의 개머리가 있는 수석식(燧石式) 머스킷이다. 필요시 버팀목이 총열 아래쪽으로부터 펼쳐지고 머스킷의 총구는 지상에 위치하고 개머리는 공중에 위치한다. 컵의 약실은 화약으로 채워지고 유탄은 컵 안에 설치된다. 입구가 돌려지고 수석 팬에서 약실 쪽으로 홈이 개방된다. 팬에 화약을 재고 방아쇠를 당긴다. 수석에서 나온 화염은 팬 안의 화약을 점화하고 화염은 약실 속의 화약으로 가서 유탄을 공기 중으로 발사한다. 동일한 시기에 시작된 다른 견본들은 머스킷 총열에 항구적으로 부착된 컵이 있다. 화약은 총열 안으로 부어지고 머스킷은 정상적인 수석을 이용하여 격발한다.

총유탄의 개념은 수년 동안 시들해졌다. 그리고 1907년에 마틴 헤일(Martin Hale)에 의해 부활하였다.(*헤일 유탄(Hale's grenade)* 참조). 이것들은 소총의 총열 안으로 삽입되는 봉을 사용하였고 공포탄이 추진력을 생성하기 위해 사용되었다 이후의 정제는 봉의 바 있는 작은 구리 컵에 시행되었다. 이것은 장되어 총열에 꼭 맞게 되어 더욱 효과 발사에 필요한 밀폐를 제공한다.

봉 유탄의 결점은 가스가 봉을 만나 유 중량을 들어올리기 시작할 때 갑작스런 저지가 정상적인 사격을 하지 않으면 소총 열의 링을 부풀게 하는 것이다. 덧붙여, 약이 그 힘을 발생하는 총열의 짧은 에서 유탄과 봉의 무게에 의한 소총의 막대한 긴장은 소총을 떨리게 한 그 결과 컵 발사기가 1917년에 다시 하였다.

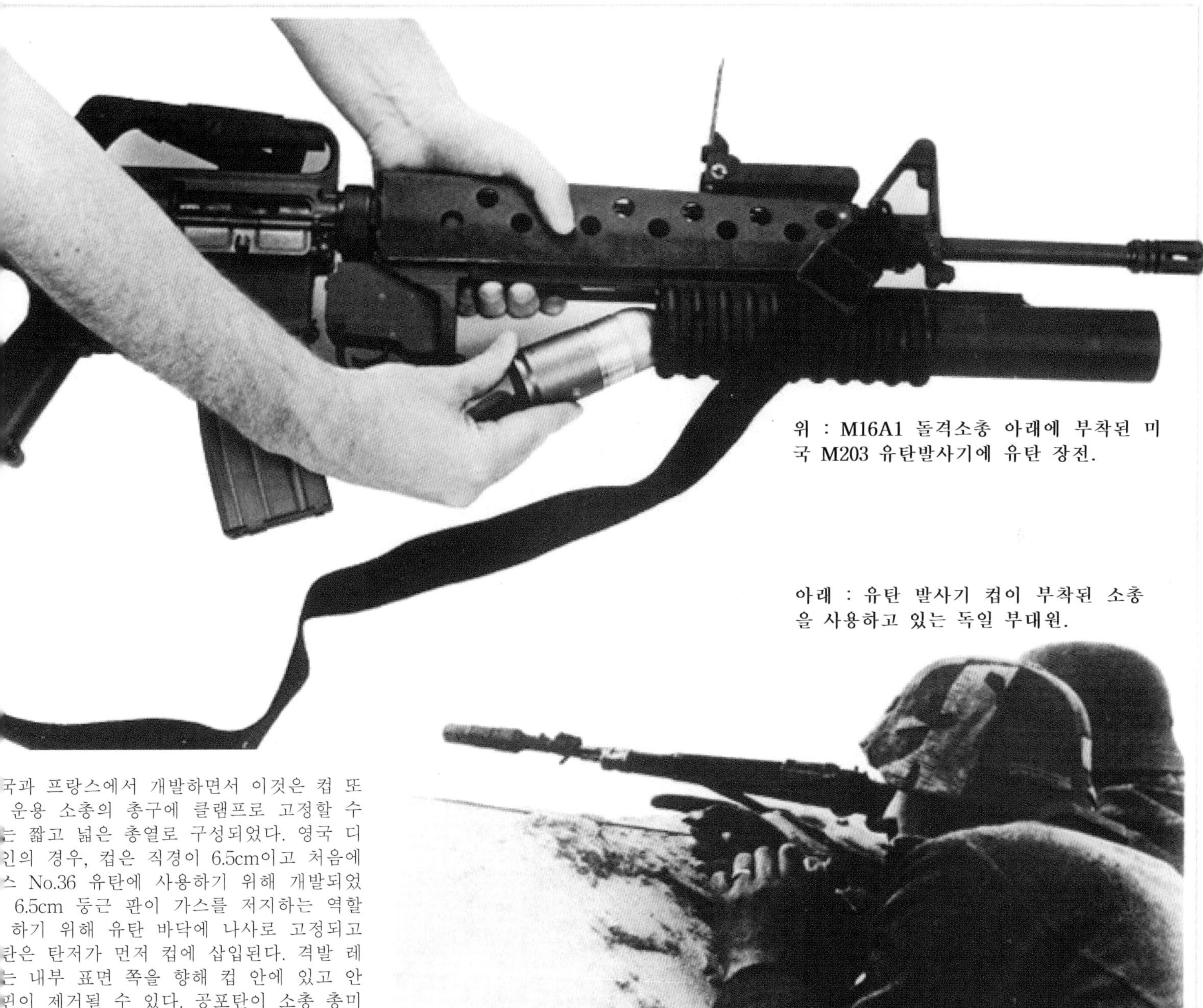

위 : M16A1 돌격소총 아래에 부착된 미국 M203 유탄발사기에 유탄 장전.

아래 : 유탄 발사기 컵이 부착된 소총을 사용하고 있는 독일 부대원.

국과 프랑스에서 개발하면서 이것은 컵 또 운용 소총의 총구에 클램프로 고정할 수 는 짧고 넓은 총열로 구성되었다. 영국 디 인의 경우, 컵은 직경이 6.5cm이고 처음에 스 No.36 유탄에 사용하기 위해 개발되었 6.5cm 둥근 판이 가스를 저지하는 역할 하기 위해 유탄 바닥에 나사로 고정되고 관은 탄저가 먼저 컵에 삽입된다. 격발 레 는 내부 표면 쪽을 향해 컵 안에 있고 안 핀이 제거될 수 있다. 공포탄이 소총 총미 설치되고 격발되면 가스는 가스밀폐판에 갖혀 컵에서 유탄을 들어 올린다. 유탄이 나면서 레버는 자유롭게 날아가 버리고 공 는 아래로 내려가 지연 신관을 점화한다. 수한 7초 지연 신관 조립체가 유탄이 소총 서 발사될 때 사용되기 위해 제공된다. 른 유탄들은 후에 6.5cm 컵에서 발사하기 해 개발되었고 시스템은 2차 세계대전 내 사용되었다. 이것은 1955년 경부터 발사 컵이 사용된 것이 의심스럽지만 1962년이 거서야 공식적으로 폐기되었다. 대구경을 사할 목적으로 요즘 다시 등장하였지만, 것들은 소총 또는 산탄총에서 발사하는 폭 진압용이다. 프랑스 디자인은 유사하지 유탄의 운용과 발사 방법은 상당히 르다. 상세한 내용은 다음의 *VB 유탄(VB Grenade)*를 참조한다.

2차 세계대전 중에 미국과 독일군은 서로 각각 동일한 해법을 찾았다. 유탄은 안정화 날개가 있는 중공(中空) 꼬리 유닛으로 디자인되었고, 사용 중인 소총에 클램프로 고정하는 발사기를 제공하였고 이것은 간단하게 총열을 확장하였다. 외부 직경은 조심스럽게 유탄 꼬리 유닛의 내부 직경에 맞게 기계 가공되었다. 소총은 보통의 공포탄을 장전하고 유탄 꼬리는 총열 확장기 위로 미끄러트린다. 이 시스템은 발사기 유닛이 항상 소총에 남아 있을 수 있고 정상적인 조준선이 서로 방해하지 않는 장점을 가지고 있다. 가장 큰 컵 발사기는 조준선을 방해하기 때문에 사격전에 소총에서 제거되어야 한다.

이 시스템은 이제 국제적으로 동의된 유탄 꼬리 유닛의 외부와 발사기 외부에 대한 표준 치수를 가진 다른 시스템으로 완전히 대체되었다. 그러나 오늘날 독립 발사기는 일반적이지 않다. 현대 소총은 외부적으로 22mm 직경의 두 개의 접촉 표면을 제공하기 위해 형체와 크기를 만든 총열이 있어 더 많은 개량 없이 유탄 발사기로 작동한다.

브랜드 120mm 강선 박격포 장전.

RIFLED MORTARS(강선 박격포) : 재식 보병 박격포는 활강포로 날개 폭탄을 사한다. 그렇지만 강선 포열을 사용하고 행 시 안정화 획득을 위해 발사체의 회전 의지하는 디자인이 있다. 이러한 디자인 대한 상세한 설명은 *폭탄(Bomb)*을 참조 다. 강선 박격포에 대한 이론적인 결점은 전이 주의 깊게 계산되지 않으면 궤도의 고점('정점-vortex')을 지난 후 회전하는 탄이 첨두가 위를 향하는 경향이 있다. 그 서 지상에 측면이 떨어신다. 이 결함은 현 사용되는 디자인에서 극복된 것 같다. 박 포에 대한 정식 정의가 '45° 이상 곡각에서 사격하는 모든 화기'이라는 것과 영국 이 에서 이 정의에 맞는 상당히 무거운 포병 에 대해 말할 때 박격포라는 말을 사용하 것이 일반적이라는 것은 아무런 가치가 다. 미국 해안포병은 함선에 중(重) 철갑탄 상당히 정확하게 발사하는 12인치와 16인 포미 강선 화기를 사용한다. 그리고 이것 '박격포'라고 부른다.

ROCKET ASSISTANCE(로켓 보조) : 켓 구동을 통합하여 박격포 폭탄 또는 총 탄의 사거리를 증가시키는 방법. 유탄이 폭탄은 정상적인 방법으로 발사되지만,

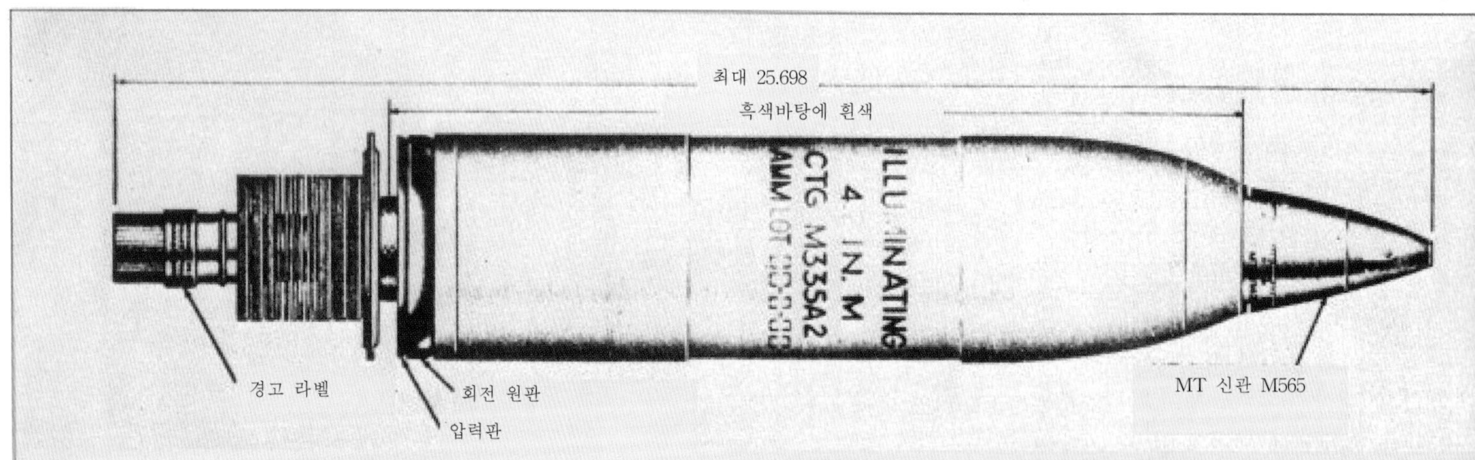

미국 4.2인치(107mm) 강선 박격포용 발사체. 추진 장약의 폭발이 압력판을 앞으로 밀어 '회전 원판'을 밖으로 확장하여 강선 홈 안으로 들어가게 한다.

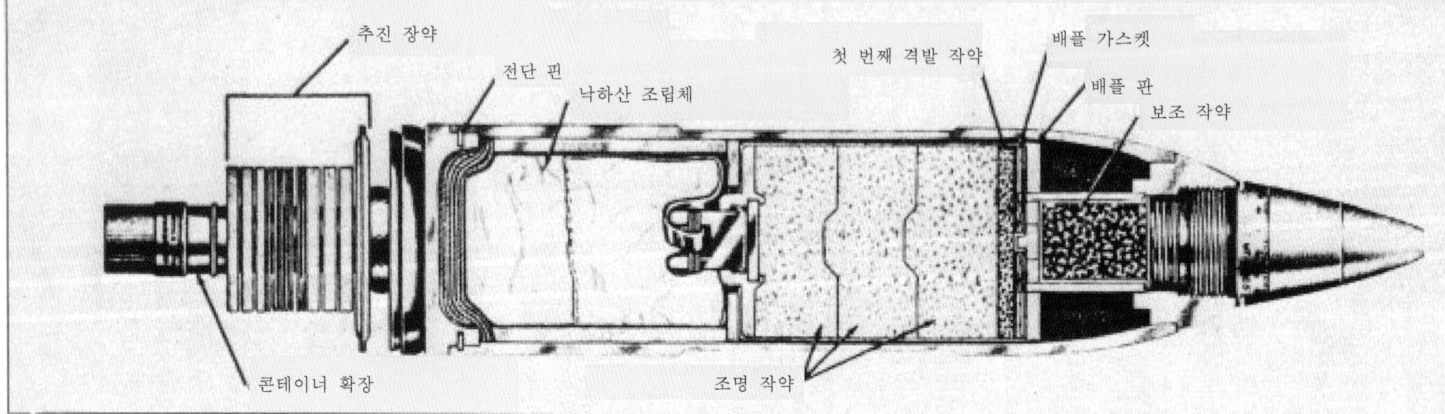

행궤도 상의 어떤 지점에서 로켓 모터가 점 되고 추가 추력을 주어 속도를 증가시키고 렇게 하여 사거리와 발사체의 최종 속도를 가시킨다.

러한 종류의 첫 번째 장치는 1950년대 초에 안된 로켓 추진 '에네가-Energa' 대전차 총 탄인 것으로 생각된다. 유탄 증가장약지지 는 정상보다 약간 더 길고 작은 무연화약 약과 지연 유닛을 가지고 있다. 유탄은 소 끝에서 나와서 보통의 공포탄으로 발사된 . 그리고 여기서 발생한 화염은 유탄을 발 하면서 지연 유닛을 점화한다. 비행 후 1 는 2초 후에 지연 유닛은 연소하고 증가장 지지기 아래로 배기하는 로켓 모터를 점화 다. 목적은 유효 사거리를 약 350-400미터 장하는 것이었지만 이것은 어느 군에서도 택하지 않았다.

치키스-브랜드 회사는 1960년대 초에 활강 격포와 강선 박격포용으로 로켓 추진 박격 포탄을 소개하였다. 이들의 디자인에서 로 모터는 폭탄 몸통의 내부에 있는 중앙관 에 설치되었다. 그리고 로켓 벤츄리관은 정 적으로 추진 장약을 가지고 있는 폭탄 꼬리 닛에 의해 밀폐되었다. 주 카트리지 구역에 소량의 장약을 포함하고 있는 꼬리 유닛 부의 공동으로 연결되는 작은 채널이 있다. 리고 채널은 지연 화약으로 채워진다. 활강 탄의 경우 꼬리 유닛은 정상 형태의 날개 립체를 가지고 있고 두 번째 날개 조립체가 탄에 부착되어 있다. 하지만 꼬리 유닛에 해 접혀서 잠겨 있다.

탄은 박격포 안으로 떨어뜨리는 정상적인 법으로 발사된다. 추진 장약이 격발하고 폭 이 그 비행궤도로 발사된다. 동시에 주 카 리지는 꼬리 유닛에 있는 지연 화약을 발화 다. 이것은 약 10초간 연소한 후 폭발하는 약을 점화하여 꼬리 유닛을 날려버리고 로 모터를 점화한다. 꼬리 유닛이 떨어져 나 면서 접혀 있는 날개를 펴고 용수철이 나와 아 있는 비행궤도 동안에 폭탄을 안정화시 다. 이러한 용수철작동 날개는 폭탄의 구경 다 넓어서 양호한 제어를 위해 기류 속으로 쑥 나온다. 로켓 유닛은 폭탄이 비행궤도의 은 부분에 있는 동안에 점화되고 높이와 사 리가 증가한다. 활강 120mm 박격포의 최대 거리는 로켓 보조에 의해 4,250에서 6,500m 지 증가한다.

켓 보조에는 두 가지 결점이 있다. 첫째 폭 에 로켓 모터를 통합하는 것은 폭약의 양이 어든다는 것을 의미하고 그래서 로켓 모터 크기와 성능 증가량은 파열 폭탄의 효과 소에 대해 균형이 잡혀야 한다. 두 번째로 켓 점화 순간에 비행궤도에서 어떠한 포탄 오정렬도 로켓의 비행궤도로 넘겨진다. 즉, 약 폭탄이 한쪽으로 흔들리면 비행궤도의 켓 부분은 이 방향으로 진행될 것이다.

로켓 보조 총유탄.

그리고 폭탄이 첨두가 약간 위로 올라가면, 폭탄은 계획된 것보다 더 긴 사거리를 획득 하게 된다.

그 결과로 로켓 보조 폭탄은 일반적으로 비 보조 폭탄보다 정확도와 안정성이 떨어진다.

플라스틱 밀폐링과 추진 장약을 보여주는 81mm 박격포 폭탄.

120mm 폭탄의 꼬리 유닛 둘레에 있는 천 약포의 2차 또는 증가 장약.

S

SEALING RING(밀폐 링) : 폭탄 뒤에 있는 추진 가스를 밀폐하는 폭탄의 중앙 부위에 있는 플라스틱 밀폐 링.

SECONDARY CARTRIDGE(2차 카트리지) : '증가 카트리지-augmenting cartridge'에 대한 다른 용어. 주 카트리지에 의해 점화되고 사격 구역을 다양화하기 위해 크기를 바꿀 수 있는 박격포 추진 장약의 주요 구성품.

SKYTRAIL BOMB(스카이트레일 폭탄) 상당히 높은 곳에서 점화되고 표적을 표시하는 자국을 남기면서 지상으로 떨어질 때 연기를 방출하는 유색 연기 폭탄. 표적에 대한 공습을 유도하거나 상이한 위치에 있는 여러 관측자에게 특정한 표적을 표시하기 위해 사용한다. 신호 발생 또는 다른 지시용 임무에 사용될 수 있다. 즉, 전진 시 부대 간의 경계선을 표시하거나 포병 탄막의 경계를 표시한다.

SMART BOMB(스마트 폭탄) : 자유롭게 투하하는 대신 원격 제어로 투하가 유도되는 항공용 폭탄에 관련된 미국에서 최초로 시작된 용어. 용어는 박격포 폭탄을 포함하여 다른 종류의 발사체를 포함하는 것으로 확대되었다.

의도하는 목적은 폭탄의 비행궤도의 후반부를 제어하여 특정 표적으로 조종하는 것이다. 그리고 이것은 특히 전차에 있는 대장갑 유도폭탄에 사용된다. 현재는 4개의 스마트 폭탄이 있다.

1. 스웨덴 보포스(Bofors)의 STRIX. 이것은 120mm 박격포용이며 분리 꼬리 유닛이 장착된 원통형 발사체이다. 이것은 박격포에서 일반적인 방법으로 발사되고 약 20초 비행 후에 꼬리 유닛이 지연 장약에 의해 떨어져 나간다. 접힌 날개가 용수철에 의해 튀어나와 나머지 비행 동안에 폭탄을 안정화한다. 그리고 이것은 비행궤도를 연장하기 위해 로켓 전폭작약을 적용할 수 있다. 폭탄의 탄두에는 표적으로부터 열을 탐색하는 적외선 추적기가 있고 전자 제어 패키지에 방향을 지시한다. 이것은 동체에 있는 제트 반동추진 엔진을 작동시켜 폭탄을 표적 쪽으로 조종한다. 폭탄은 강력한 성형작약 탄두를 가지고 있어 어떠한 주력전차의 상부 장갑도 관통할 능력이 있다.

2. 독일 딜-버사드(Diehl-Bussard) 폭탄. 이것은 보통의 방법으로 발사되고 날개가 몸통으로부터 펼쳐 진 후 제어 표면에서 작동한다.

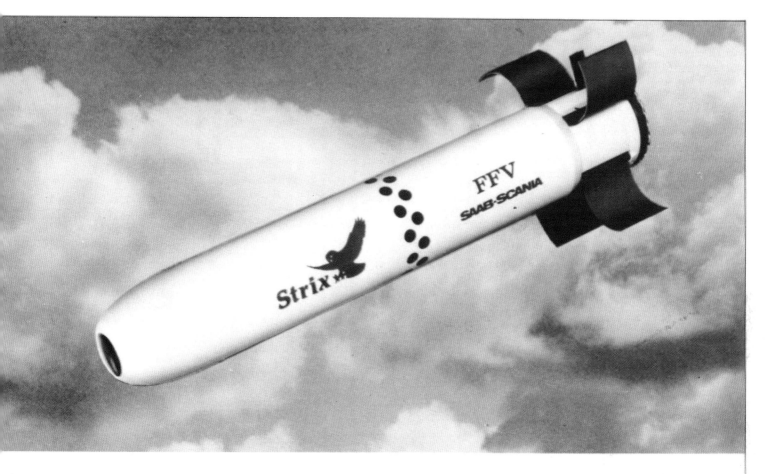

위 : STRIX - 비행 중인 박격포 폭탄의 그림. 꼬리에 있는 안정 날개는 추진 유닛이 떨어져 나간 뒤 펼쳐진다.

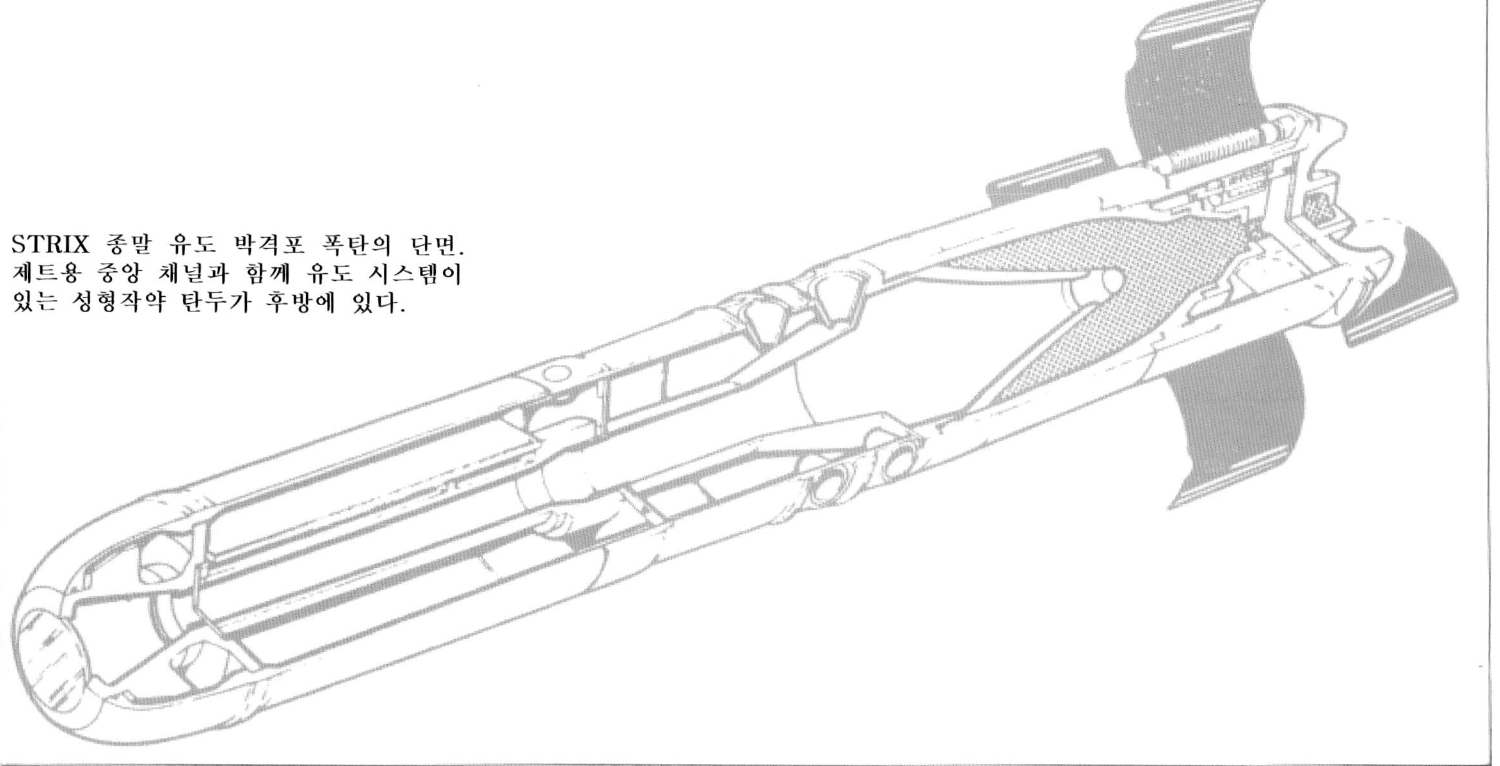

STRIX 종말 유도 박격포 폭탄의 단면. 제트용 중앙 채널과 함께 유도 시스템이 있는 성형작약 탄두가 후방에 있다.

이것은 지상 관측자에 의해 제공된 레이저 조명의 반사에 반응하는 레이저 탐색기 헤드를 포함하고 있다. 관측자는 폭탄이 발사되고 표적의 레이저 조명을 목표로 삼도록 한다. 레이저 빔은 공기 중으로 반사되고 폭탄이 이 반사를 찾아내고 날개로 표적 쪽으로 방향을 돌린다. 탄두는 성형작약형이다.

3. XM89 GAMP(유도 대장갑 박격포 발사체)는 미국에서 개발된 전차 상부 공격용의 또 다른 성형작약 무기이다. 4.2인치(107mm) 강선 박격포에서 발사되어 포열을 떠난 직후 일단의 날개를 펼친다. 두 가지 형태의 유도가 개발되고 있다. 한 가지는 레이데온(Raytheon)사가 개발 중인 적외선 탐침기이고 하나는 마틴 마리에타(Martin Marietta)사가 개발 중인 밀리 파장 레이더 탐색기이다. 제너럴 다이나믹스(General Dynamics)사가 개발 중인 세 번째는 폭탄의 비행이 낙하산에 의해 느려질 때 원형의 형태로 탐지하는 적외선 장치이다. 미 육군은 한 가지 시스템을 선택하여 1989년까지 선택한 탄약의 개발을 완료하고 생산을 하고자 한다.

4. MERLIN. 영국의 마코니(Marconi)사가 개발한 것으로 표준 영국 박격포용 81mm 폭탄이다. 이것은 표적으로 폭탄의 방향을 돌리기 위해 일단의 용수철 내장 날개를 제어하는 밀리 파장 레이더 탐색기를 사용한다.

이 모든 장치들은 바르샤바 조약기구 육군에 비해 NATO 육군의 기갑력의 심각한 불균형에 대한 우려를 반영한 것이다. 그리고 이것들은 장갑이 가장 얇은 전차의 상부를 공격하려는 의도를 가지고 최근의 유선 유도 미사일로 획득할 수 있는 것보다 더 긴 사거리에서 대장갑 능력을 보병에게 제공한다.

SMOKE BOMB(연막탄) 신호 또는 연막차장 목적용으로 연기를 방출하도록 설계된 박격포 폭탄. 연막차장은 항상 가장 강력한 연막 효과를 주기 위해 백색이며 반면에 신호 연기는 원하는 색깔을 모두 사용할 수 있지만 가장 일반적인 색은 적색, 녹색 및 황색이며, 청색 연기는 일반적으로 가능하지만 장거리에서 다른 색과 쉽게 구분할 수 없다.

백색 연막은 백린(WP), 티타늄 4염화물(鹽化物)(FM), chlorsulphonic acid 혼합물(FS) 또는 다른 화학제를 연막을 생성하기 위해 수분과 혼합 할 수 있도록 공기 중에 방출하여 만들 수 있다. 또는 아연과 hexachloroethanine(HC)의 성분이 흰색 연막을 만들기 위해 점화되고 연소될 수 있다.

유색 연막은 보통 염소산염과 필수 색 염료를 포함하고 있는 당(糖)의 혼합물이며 연소되어야 연기가 공기 중으로 염료 분자를 운반한다.

연막탄은 두 가지 형태로 파열형과 탄저 방출형이 있고, 운용에 대한 내용을 같은 제목으로 상세히 설명한다.

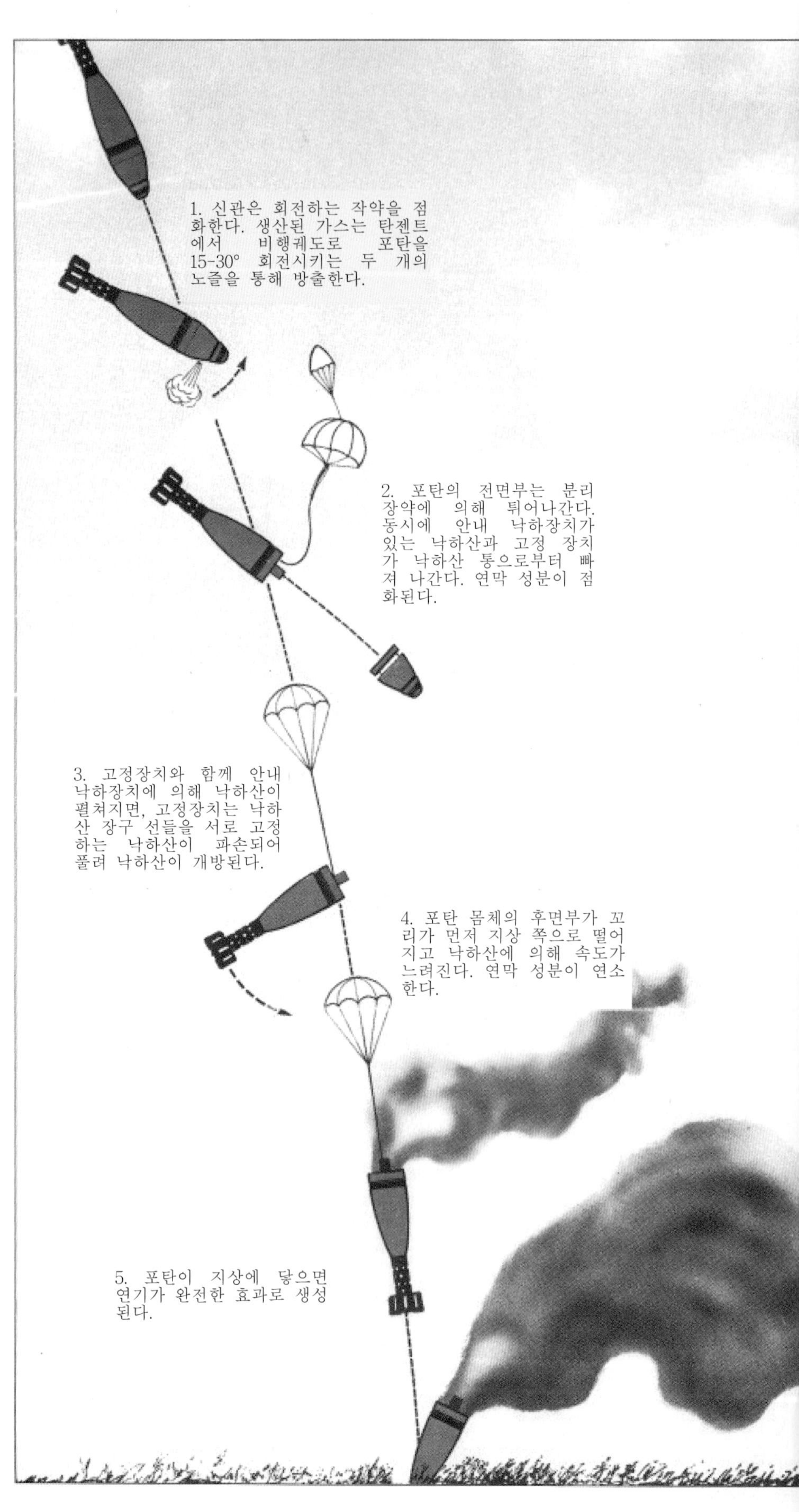

1. 신관은 회전하는 작약을 점화한다. 생산된 가스는 탄젠트에서 비행궤도로 포탄을 15-30° 회전시키는 두 개의 노즐을 통해 방출한다.
2. 포탄의 전면부는 분리 장약에 의해 튀어나간다. 동시에 안내 낙하장치가 있는 낙하산과 고정 장치가 낙하산 통으로부터 빠져 나간다. 연막 성분이 점화된다.
3. 고정장치와 함께 안내 낙하장치에 의해 낙하산이 펼쳐지면, 고정장치는 낙하산 장구 선들을 서로 고정하는 낙하산이 파손되어 풀려 낙하산이 개방된다.
4. 포탄 몸체의 후면부가 꼬리가 먼저 지상 쪽으로 떨어지고 낙하산에 의해 속도가 느려진다. 연막 성분이 연소한다.
5. 포탄이 지상에 닿으면 연기가 완전한 효과로 생성된다.

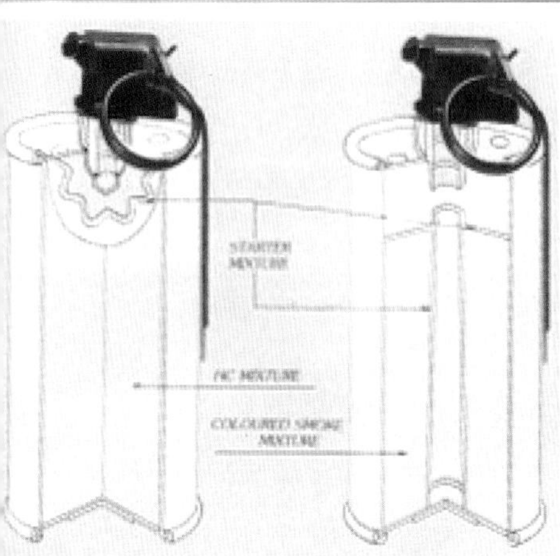

위 : 두 가지 연막 수류탄의 절단면. 좌측, 백색 연막 차장, 우측, 유색 신호 연막.

좌 : 스웨덴의 탄두 방출 폭탄의 색다른 디자인. 연막 성분은 폭탄의 후면에 있고 낙하산이 정확한 위치에 착지하여 연기를 자유롭게 발산하도록 보장한다.

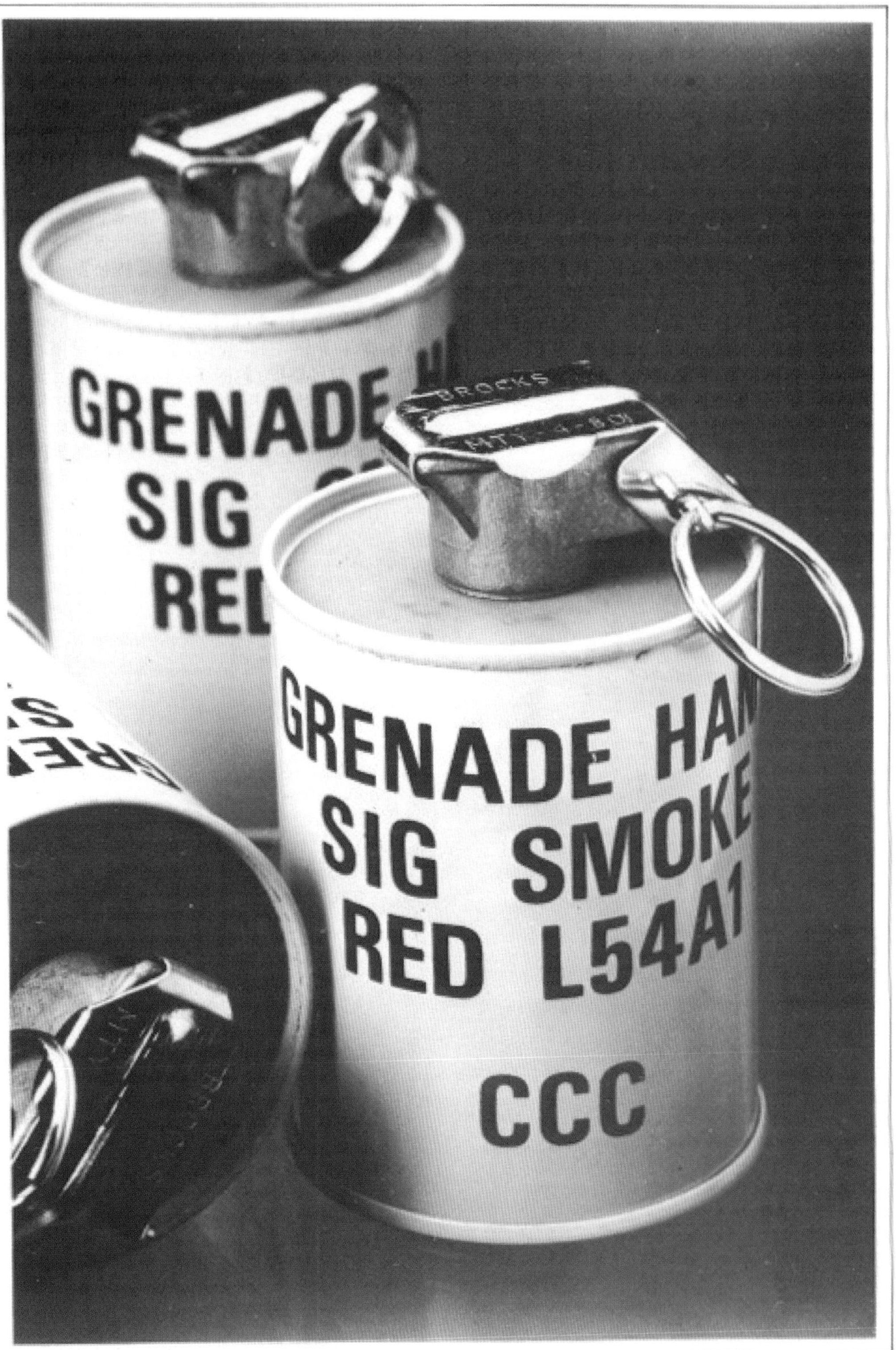

우 : 전형적인 유색 신호 연막수류탄.

MOKE GRENADE(연막 수류탄) : 연막 처럼 연막 수류탄은 연막차장용 백색 연막 나 신호용 유색 연기를 만들어 내는데 사 될 수 있다. 그리고 사용된 화학 성분이 일하다.

막 차장 수류탄은 WP 또는 HC를 사용할 도 있다. 다른 성분들은 오늘날 거의 찾아볼 수 없다. WP로 충전될 때 수류탄은 탄체를 쪼개어 WP가 새어나와 연소할 수 있도록 하는 소형 폭발 작약이 요구된다. HC 혼합물로 충전될 때 신관은 차례로 수류탄 몸체 내부에서 연소될 수 있는 연막 혼합물에 불을 붙이는 발화기를 점화한다.연기는 탄체에 있는 일련의 구멍들을 통하여 밖으로 나간다.

신관 연막 수류탄의 방식은 대인 폭발 수류탄용으로 사용되는 표준 시한 신관과 완전하게 동일하다. 유색 연막 수류탄은 HC 연막 차장형태와 동일한 방법으로 작동하여 수류탄 몸체 내부에서 성분을 연소시켜 구멍으로부터 연기가 새어나오도록 한다.

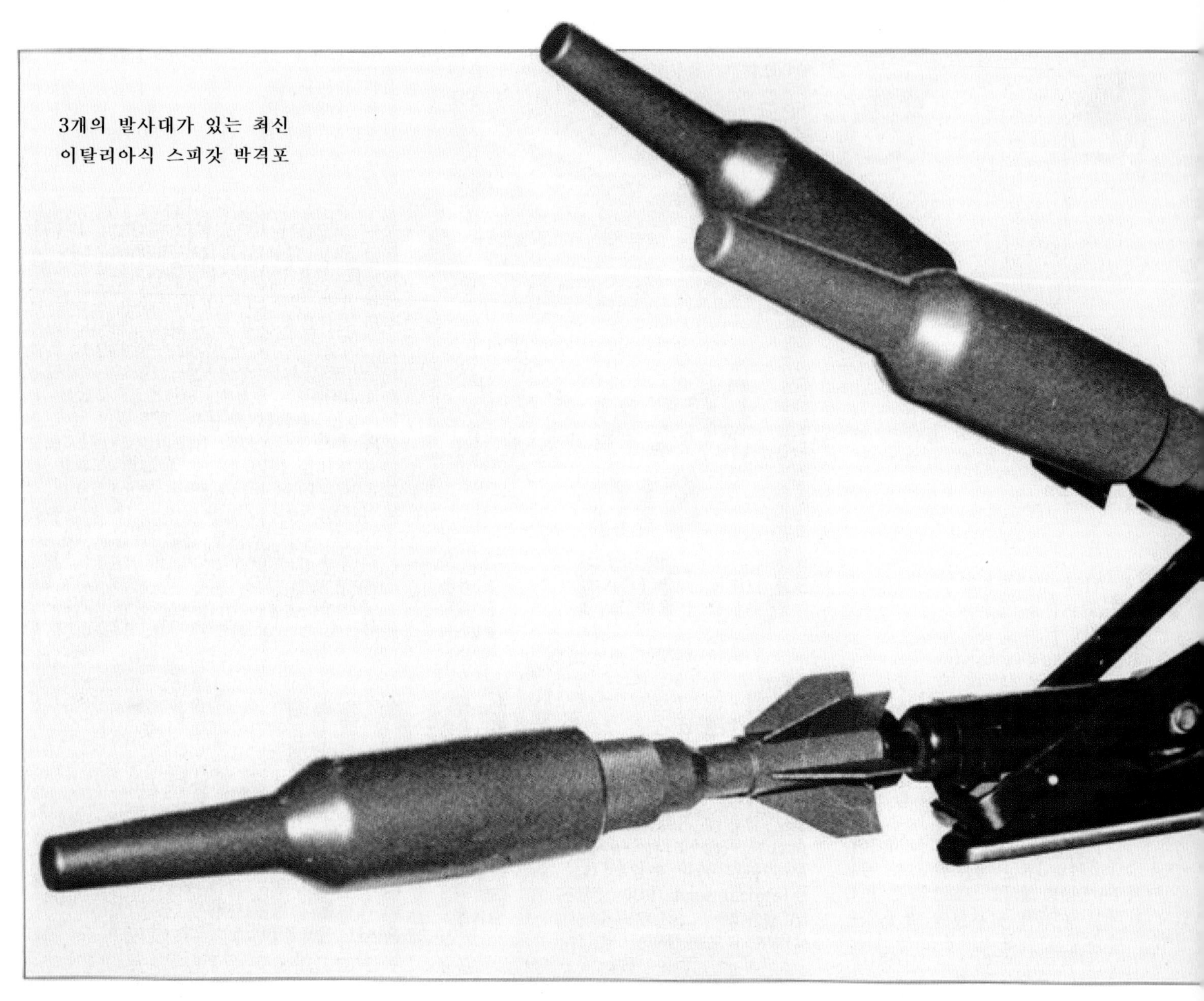
3개의 발사대가 있는 최신 이탈리아식 스피갓 박격포

SPIGOT MORTAR(스피갓 박격포) 사실상 폭탄을 발사하는 정상적인 방법을 바꾸어 놓은 박격포. 중공(中空) 포열을 가지고 그 내부로부터 폭탄을 발사하는 대신 이것들은 견고한 강철 봉(Spigot-스피갓)을 포열처럼 사용하고 폭탄은 봉 위를 미끄러지는 중공(中空) 꼬리를 가지고 있다. 추진 카트리지는 폭탄의 꼬리 내부에 있어서 (스피갓 내부에 숨겨져 있는 공이 핀에 의해) 발사 시 폭발이 폭탄을 스피갓 밖으로 날려서 공기 중으로 보낸다. 방향과 고각은 스피갓을 떠나는 폭탄의 짧은 이동에 의해서만 주어진다.

스피갓 박격포의 예에는 영국의 2차 세계대전 당시 자국 방어 부대에서 사용한 *블랙커 봄바드(Blacker Bombard)*, 육중한 306kg(675lb) 폭탄을 약 1,000 미터 사거리까지 발사할 수 있었던 동시대의 일본 '탄막(彈幕) 박격포-barrage mortar'와 27kg(59.52lb) 폭탄을 750미터(820야드)까지 발사했던 독일경 박격포를 포함하고 있다. 현재에는 실존하는 유일한 스피갓 박격포는 위에서 설명한 벨기에의 'FLY-K' 박격포와 이탈리아의 AV/700 3중 스피갓 다중 발사기이다.

스피갓 박격포의 주요 장점은 화기 자체가 저렴하고 재래식 박격포에서 제작이 그다지 어려운 포열이 없기 때문에 제작이 용이하다. 다른 한편 탄약만이 재래식 폭탄 보다 제작이 약간 복잡하다.

STICK GRENADE(막대 유탄) 폭약 또는 다른 내용물이 있는 금속 헤드를 가진 어떠한 유탄도 쉽게 투척하기 위해 막대에 부착된다. 특히 2차 세계대전의 표준 독일 유탄에 사용된 용어로 이것은 가장 일반적인 막대 유탄이었다.

영국 육군에게 지급된 최초의 '현대' 유탄은 막대 유탄이었다. 수류탄 No. 1은 1908년에 출현하였으며 주위에 주철 분활 링이 있는 관형 황동 몸체로 구성되었고 91.44cm(36in 장식리본이 달린 39.64cm(16in) 막대 손잡이에 부착되었다. 손잡이와 장식 리본의 목적은 비행 중에 유탄을 안정화시켜 첨두가 먼저 착지하도록 하는 것이었고, 신관은 아주 간단한 충격 장치였다. 비행 중에 유탄 몸체의 헤드는 구멍이 하나 있어 폭약 충전제 중심 안으로 이어진다. 이 구멍 안으로 표준 지뢰 부설 뇌관이 삽입되고 이후 느슨한 캡이 헤드 위에 설치된다. 이 캡에는 중앙에 공이가 고정되어 있었고, 캡은 안쪽으로 박혔고 공이가 뇌관을 타격하여 유탄을 폭발시켰다.

1915년에 참호전에서 이 유탄이 처음으로 중하게 사용되었을 때 주요 설계상의 결점이 나타났다: 투척자가 막대 손잡이를 잡고 던지기 위해 뒤로 빙 돌렸을 때 투척자는 보통

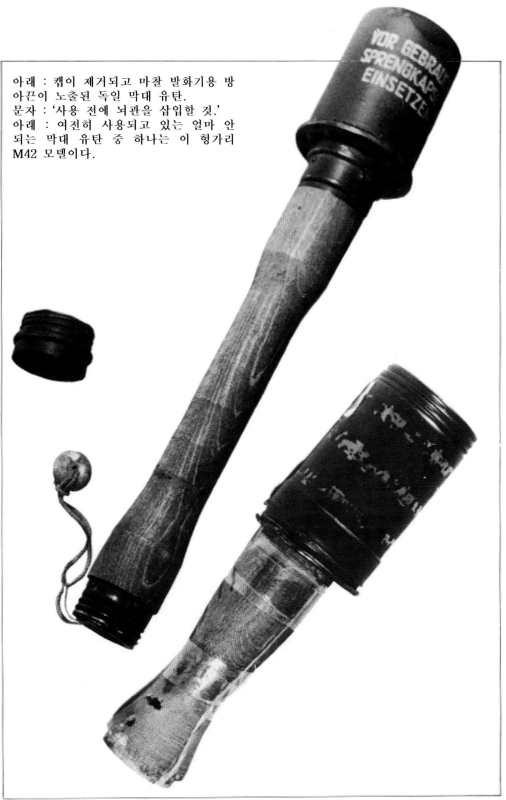

아래 : 캡이 제거되고 마찰 발화기용 방아끈이 노출된 독일 막대 유탄.
문자 : '사용 전에 뇌관을 삽입할 것.'
아래 : 여전히 사용되고 있는 얼마 안 되는 막대 유탄 중 하나는 이 형가리 M42 모델이다.

를 를 참호의 뒤쪽 벽면에 부딪혀 자신 동료)을 폭파시켰다. 그래서 수류탄 No.2 17.78cm(7in)의 막대 손잡이로 개발 되었 이것은 덜 사용되었으며 곧 다른 디자 나타나서 막대 유탄은 폐기되었다.

막대 유탄은 더 작고 더욱 효과적이었 이것은 짧은 속빈 손잡이 꼭대기에 부착 강철 통으로 구성되었다. 통은 폭약으로 되었고 하부에 뇌관이 삽입되었다. 이것 길이가 짧은 지연신관으로 마찰 발화기에 되었다. 마찰 발화기는 보통의 성냥과 동 원리로 작용한다. 깔쭉깔쭉한 강철 쐐기 감지 물질에 삽입되고 이 쐐기가 갑자기 쪽으로 당겨지면 마찰이 화약을 발화한 독일 막대 유탄에서 마찰 발화기는 한 발 끈으로 작동되었으며, 자기(磁器) 구슬이 되어 손잡이 내부에 감추어져 있었다. 그리고 손잡이 바닥에 나사 캡으로 고정되었다. 유탄을 사용하려면 나사 캡을 제거하고 자기 구슬을 밖으로 떨어뜨려 끈을 꺼낸다. 투척자는 이제 투척 손에 손잡이를 잡고 다른 손으로 구슬과 끈을 잡아 손을 뒤로 돌려 투척할 준비를 한다. 투척자는 직감적으로 끈을 당겨 마찰 발화기에 불을 붙인다. 그리고 투척자는 유탄을 투척한다. 4내지 5초 후에 지연 신관이 연소하고 유탄이 폭발한다.

유사한 디자인이 중국, 일본 및 다른 군에서 사용되었고 독일은 충격 신관, 자동 점화 시스템 및 연막 혼합제로 채워진 헤드를 가진 여러 가지 변종형을 가지고 있었다. 오늘날 막대 유탄을 사용하는 나라는 중국과 헝가리 뿐이다.

STICKY BOMB(접착 폭탄) 목표물에 접착하도록 접착 물질로 도포한 모든 수류탄을 설명하는데 사용하는 용어. 특히 비밀 정보국에서 1940년대 초에 개발한 영국 유탄 No.74에 적용된다. 최초의 의도는 다뉴브 강에 있는 바지선에서 파괴활동 장치로 사용하는 것이었다. 그러나 이 프로젝트는 실패하였고 유탄은 육군에 제공되었다. 그러나 너무 위험하여 거부되었다. 이것은 결국 일부 육군에서 사용하고 있다고 믿고 있지만 국내 방위부대에 주로 보급되어 사용되었다. 이것이 전투에 사용되었다는 기록은 없다.

No.74 유탄은 구형 유리 휴대용기 안에 나사로 고정한 짧은 손잡이로 구성되었다. 손잡이는 밀스(Mills) 유탄의 신관시스템과 유사한 공이, 풀림 레버가 있으며 유리 용기는 6 헥토그램(20온스)의 순수 니트로-글리세린으로 채워졌으며 이는 육군이 최초에 거부하게 된 이유였다. 유리용기의 외부는 매우 강력한 접착제가 스며든 천으로 덮였고 두 개의 반구형 강철판이 용기 주위에 클램프로 고정되어 유탄이 저장 중에 어떠한 물질에도 표면이 접착되는 것을 방지한다. 사용하기 위해서 투척자는 반구가 용수철에 의해 개방되고 떨어져 나가도록 하는 제1 안전핀을 당겨 접착 표면을 노출시키고 나서 손잡이에서 제2 안전핀을 제거하여 격발 레버를 아래쪽으로 잡는다. 그러고 나서 투척자는 유탄을 투척하거나 뇌도록 뛰어 올라 목표물에 쑤셔 넣는다. 어떤 경우이든 접착제는 유탄을 목표물 표면에 단단하게 고정하게 된다. 유탄이 투척되거나 손잡이가 풀리면 레버가 떨어져 나가 니트로-글리세린이 기폭된 후 5초 지연이 지나면 발화된다.이것은 대전차 유탄으로서의 의도가 있었으며 이러한 양의 니트로-글리린이 어떠한 전차와 접촉하더라도 전차를 력화시킬 수 있는 것을 의심하지 않는다. 두 가지 결점이 있는데 하나는 니트로-글세린은 고도로 민감한 폭약이며 취급 시 작스런 충격에서 잘 기폭될 수 있다. 두째는 유탄을 투척할 때 접착 표면이 투척의 옷에 접촉하여 접착될 수 있다는 항구인 위험이 있다. 조심스럽게 말하면 접착탄은 그다지 널리 보급된 것은 아니다.

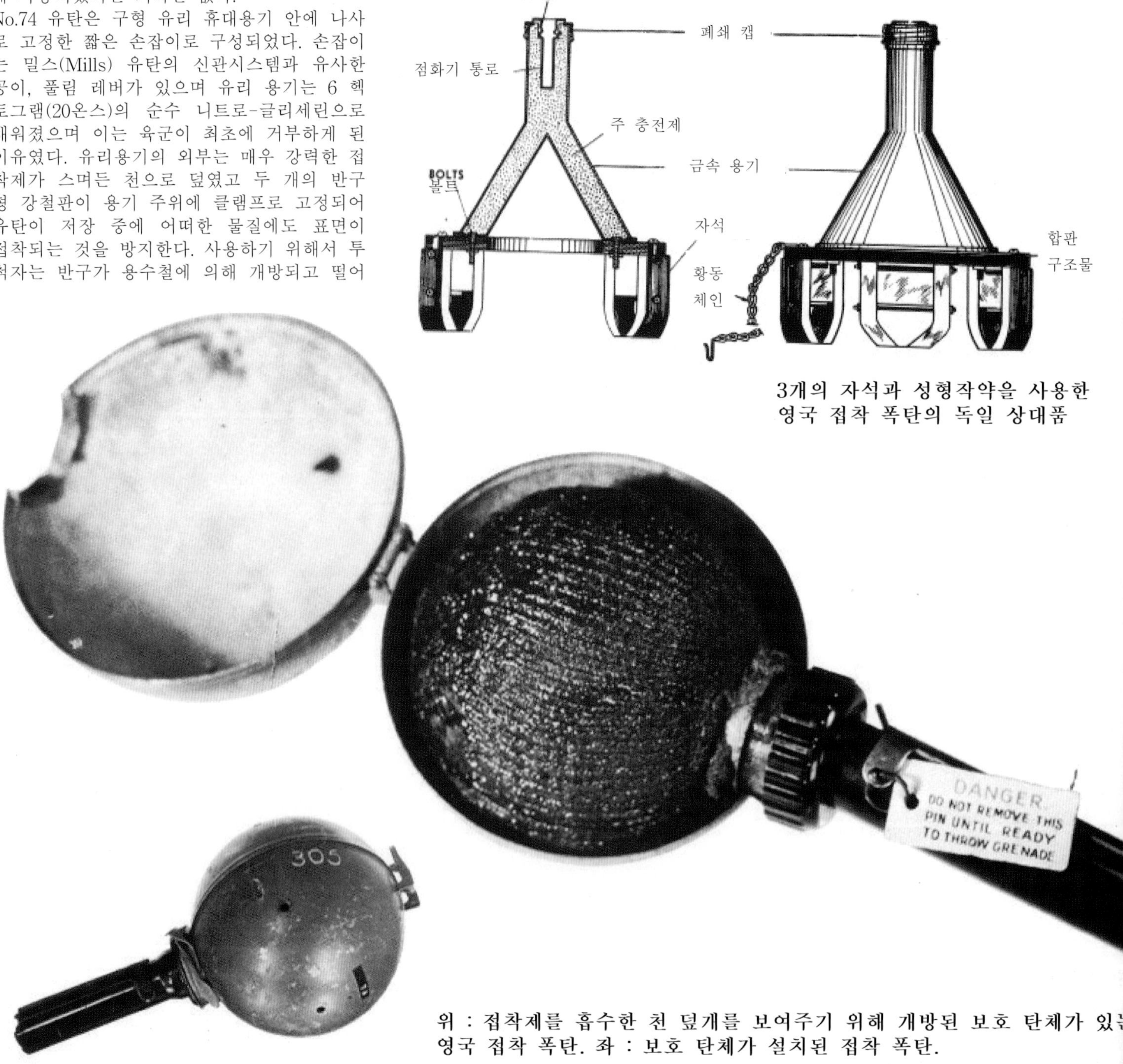

3개의 자석과 성형작약을 사용한 영국 접착 폭탄의 독일 상대품

위 : 접착제를 흡수한 천 덮개를 보여주기 위해 개방된 보호 탄체가 있는 영국 접착 폭탄. 좌 : 보호 탄체가 설치된 접착 폭탄.

차 세계대전 생산형 비안정 폭탄이 있는 스토크스(Stokes) 4인치 박격포

OKES BOMB(스토크스 폭탄) 1915년 최초 스토크스 참호 박격포와 함께 사용 발사체로 이후 박격포 폭탄을 설명하는 막연히 사용된 용어. 스토크스 폭탄은 원 이었으며 한쪽 끝에 관형 카트리지 용기가 있고 다른 한쪽에 신관이 있었다. 카트리지 용기는 주 카트리지를 수용하고 증가 장약이 그 주위를 감쌌다. 신관은 폭탄의 평한 첨두로부터 돌출된 관이었으며 공이, 캡, 신관과 밀스(Mills) 유탄의 신관 유닛과 유사한 뇌관을 수용한다. 공이는 신관 몸체와 레버 주위에 이어지는 칼라에 의해 고정된 플라이오프(flyoff) 레버로 고정한다.

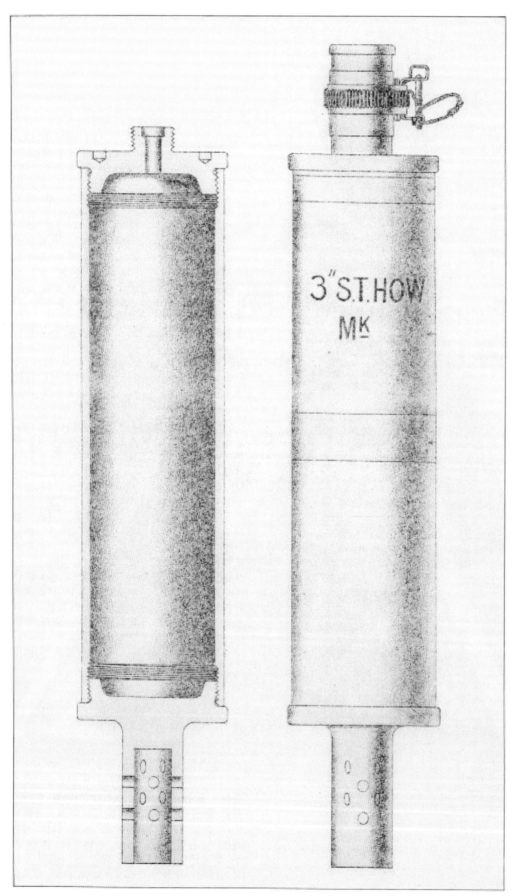

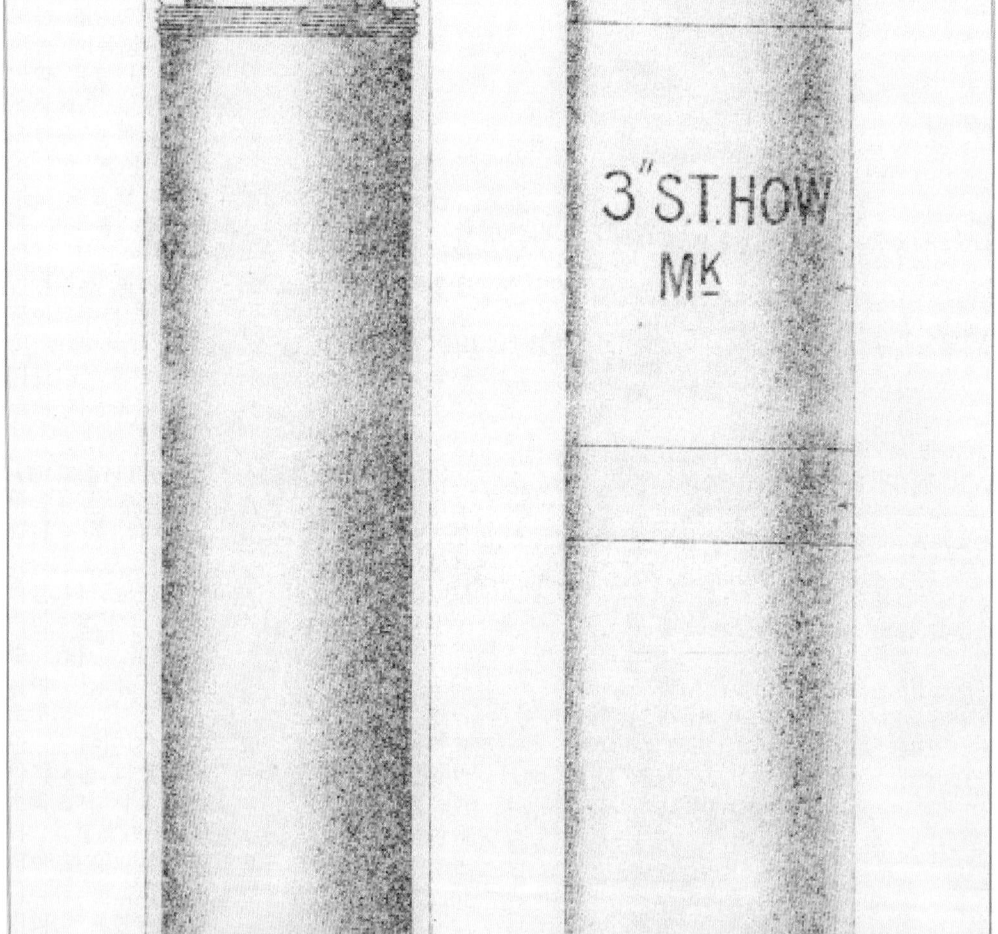

폭탄은 탄저가 먼저 박격포로 떨어져 포
아래로 미끄러진다. 주 카트리지의 캡이
정 공이를 타격하고 추진 장약이 폭발하
폭탄이 포열로부터 발사된다. 가속 충격
잠금 링이 아래로 미끄러지도록 하여 포
내부에 충격하는 플라이오프 레버를 푼
그러므로 공이는 폭탄이 실질적으로 포구
떠날 때까지 풀리지 않는다. 신관에 의해
정된 지연 시간(약 25초) 마지막에 폭탄
폭발한다.

스토크스 디자인의 주요 결점은 안정화되
않아서 폭탄이 공기 중에서 비행할 때 계
뒤집힌다는 것이다. '전천후' 신관이 후에
발되었지만 시한 신관이 처음으로 사용된
유가 여기에 있었다. 스토크스는 날개 달
폭탄을 설계하였지만 당시에는 제작이 너
어려워 불가능한 것으로 여겨졌으며 원통
폭탄이 출현하여 완벽하게 만족을 주었기
문에 - 기대한 것보다 더욱 정확하였다
1918년까지 지속적으로 사용되었다.

STUN GRENADE(충격 유탄) 강렬한
염으로 폭발하고 강력한 소음이 발생하지
어떠한 파편도 발생하지 않는 비살상 수
탄. 이것은 대인 목표물을 피해 없이 충격
주기위한 상황에서 사용된다. 그리고 특
인질을 잡고 있는 테러리스트에 대해 사용
목적을 가지고 있다. 유탄은 일시적으로
안에 있는 모든 인원을 혼란스럽게 하고
출 팀이 돌입하여 테러리스트를 제압하고
해 없이 (충격을 받았지만) 인질을 구출한
충전제의 정확한 성질은 상업 비밀(이 유
들은 상업 회사에서 제작된다.)이지만 불꽃
이 성분으로 알려진 것에 기반을 두고 있다

파열을 방지하기 위한 고무 몸체가 있는 미국 충격 유탄.

B-CALIBRE TRAINING DEVICES 부구경 훈련 장치) 실제 박격포를 사격 수 없는 제한된 공간이나 막사 내에서 행 l는 훈련과 연습을 가능하게 하기 위해 ᅧ포에서 아주 작은 발사체를 발사할 수 E록 개조한 시스템.

ᅡ 중인 시스템들은 중앙에 구멍이 있는 ᅳ 모형 크기의 폭탄의 사용을 포함하여 ᅦ로 유사하다. 이 구멍 안으로 소형 nm 구경 폭탄과 추진 장약이 장전된다. 후 전체적인 조립체는 표준 크기의 실제 ᅡ처럼 취급되고 박격포 안으로 낙하 장전 ᅡ. 추진 장약은 공이를 타격할 때 발사된 소형 폭탄은 모형 폭탄 안의 관으로부터 ᅡ되고 최대 사거리 약 500미터까지 전통적인 비행궤도를 따른다. 이것은 착지지점을 쉽게 볼 수 있도록 하기 위해 충격 시에 연기를 발생하는 소형 분말 장약을 헤드에 가지고 있다. 대형 모형 폭탄은 또한 추진 장약에 의해 방출 될 수 있지만 이것은 박격포 전방 약 10미터 지점에 떨어져서 다시 주워 와서 재사용을 위한 장전을 할 수 있다. 장약의 양을 조절하여 75미터까지의 사거리를 획득할 수 있다. 그리고 비행궤도는 정확하고 안정되어 사거리 훈련과 사탄관측 훈련을 수행할 수 있다. 이러한 장치는 독일에서 다이나밋-노벨(Dynamit-Nobel)과 니코-파이로테크닉(Nico-Pyrotechnik), 스페인에서 에스페란자 시아(Esperanza Cia)에 의해 제작된다.

스페인 하부구경 훈련 폭탄(우)의 몇 가지 예와 하부-발사체와 추진 장약(좌).

증가 카트리지의 충분한 점화를 보장하기 위한 다중 화염공이 있는 성형 합금의 현대 꼬리 유닛.

T

TAIL UNIT(꼬리 유닛) 관형 증가장약지지기, 날개와 카트리지 고정 조립체를 포함하고 있는 박격포 폭탄의 후미 부. 꼬리 유닛은 최초에 저렴성과 제작 속도 때문에 다소 기본형으로 설치되었지만 경험과 평가는 더 많이 개선된 설계와 구조가 정확도를 향상시킬 수 있음을 보여주었다. 오늘날의 꼬리 유닛은 꼬리 관에 스폿 용접한 날개를 압연하는 것보다 종종 견고한 금속으로 제작되고 원하는 모양으로 성형하고 기계가공 된다.

TEAR GAS GRENADE(최루 가스 유탄) 최루 성질을 가진 가스나 연기를 발생시키고, 피해자에게 재채기를 일으키고, 눈물과 메스꺼움을 유발하는 충전제가 있는 수류탄이나 총류탄.
오늘날 사용되는 충전제는 CS 또는 DM 성분이다. 이것들은 모두 활성제를 운반하는 연기를 만들기 위해 연소되는 견고한 물질이다. CS는 둘 중 더 연하고 DM은 메스꺼움과 구토를 더 잘 일으킨다. 유탄 구조는 지연신관과 일련의 구멍을 통해 연기가 유탄 몸체를 빠져 나가도록 하는 정상적인 부천(Bouchon) 발화기를 사용하는 연막탄과 매우 유사하다.
불행히도 이 간단한 유탄은 쉽게 주워서 던진 사람에게 되던질 수 있고 더 많은 정교한 디자인이 출현하였다. 이것은 폭발하여 개방되어 화학제를 흩뿌려지기 때문에 다시 모와서 담을 수 없다. 다른 디자인들은 추가 지연신관을 가진 소형 폭발 작약을 가지고 있어 착지 후 즉시 연소하기 시작하여 유탄이 폭발하고 내용물을 흩뿌려 주우려고 하는 사람에게 피해를 준다. 다른 형태는 여러 방향으로 불타는 화학제 펠렛을 방출하며, 이것은 아직까지는 되던지는 것을 방지하는 또 다른 방법이다.
독가스 유탄은 제1차 세계대전 중에 제안되었지만, 유탄의 짧은 사거리가 투척자를 자신의 가스에 중독되도록 하였기 때문에 많은 양이 사용되지 않았다. 반면에 최루 가스 유탄은 1912년에 프랑스 경찰이 범죄자를 다루기 위해 처음 도입한 이래 사용되어 왔다. 이것들은 제1차 세계대전 기간 중에 공격 유탄으로 광범위하게 사용되었다. 그러나 그 후 폭동 진압용으로 완전히 제한되었다.

TIME FUZE(시한 신관) 특정 시간이 경과한 후에 작동하도록 운용자가 설정할 수 있는 모든 신관. 박격포 탄약에서, 시한 신관

전형적인 최루 가스 유탄.

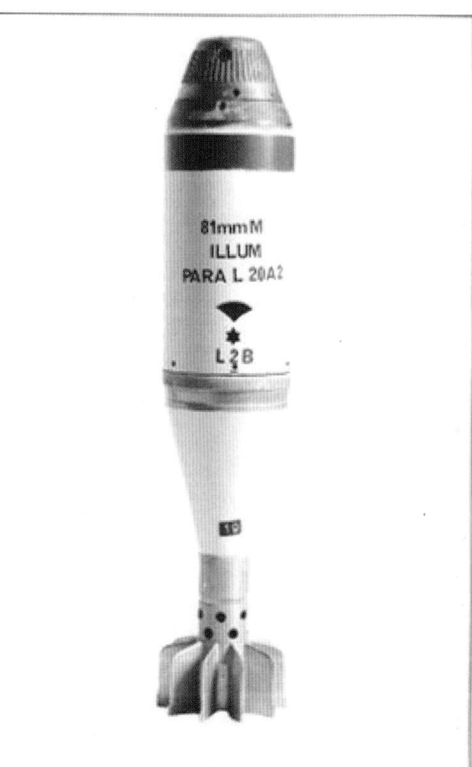

영국 81mm 박격포용 조명탄.

조명탄에서만 발견할 수 있고 최적의 지
게서 불꽃을 방출하도록 조정하여 최대의
하시간과 조명 시간을 갖게 된다. 시한 신
은 불타는 화약의 도화선 또는 태엽 장치
의해 작동 될 수 있다. 전자는 아주 정확
시간이 요구되지 않기 때문에 가장 일반
이며 비싼 태엽 신관은 이러한 용도에 적
하지 않다.

형적인 화약 연소 신관은 완벽한 원보다
간 작은 링 주위에 확대된 압축 화약 충
제를 포함하는 회전 링이 있다. 이것은 아
짧은 시간 동안 화약 충전제를 포함하고
는 고정링을 아래로 움직인다. 신관을 설
할 때 하부 링은 눈금에 원하는 시간으로
부 표면의 지표를 표시할 때까지 움직인
폭탄이 발사되면 뇌관은 그 길이를 따라
정 지점에 있는 상부 화약에 불을 붙인다.
리고 이것은 끝가지 연소하여 다시 그 길
를 따라 일정 지점에 있는 하부 링을 점
한다. 이것은 끝까지 연소하여 폭탄의 추
장약을 발화한다. 하부 링을 돌리면 상부
의 점화와 추진 장약의 점화 사이에서 연
되어야 하는 화약의 길이를 조절한다.

GRENADE(VB 유탄) 제1차 세계대전
채택되고 1930년대까지 미국과 프랑스
사용한 프랑스 총유탄. VB는 발명가인
안-베시르(Vivien-Bessiere)를 나타내며,
은 아주 독특하다.

유탄은 원형이며 그 축을 따라 구멍이
. 이 구멍의 한쪽에 기폭통을 포함하고
구멍 쪽으로 향해 있는 민감한 끝부분
있는 충격 캡의 상부에 있는 보통 길이의
신관이 있다. 구멍의 반대편으로 돌리
신관 조립체에 있는 캡과 정렬된 작은 공
있는 잎 용수철이 있다.

은 프랑스 레벨(Lebel) 소총의 총구에
된 컵 발사기로부터 발사된다. 병사는
의 약실 안으로 볼 카트리지를 장전하
유탄을 삽입하여 발사한다. 탄자는 소총
을 따라 올라가 컵 발사기 안으로 간다.
서 탄자는 유탄에 있는 구멍을 통해 지
공기 중으로 나간다. 탄자가 유탄을 통
때 탄자는 잎 용수철을 강타하여 옆길
밀어 공이가 충격 캡을 충격하여 지연
을 발화할 수 있다. 탄자 뒤에 있는 추
가스는 유탄을 들어 올려 컵으로부터 발
다. 유탄은 약 150미터의 사거리를 가지
있다.

프랑스 비비안-베시르 유탄. 중앙 채널에서 나오면서 탄자의 통로에 위치하는 공이에 주목.

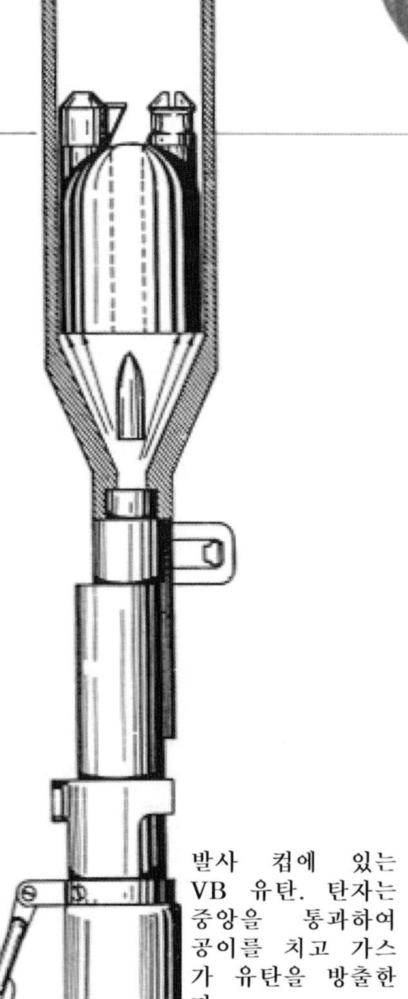

발사 컵에 있는 VB 유탄. 탄자는 중앙을 통과하여 공이를 치고 가스가 유탄을 방출한다.

VB 유탄의 유일한 단점은 구멍이 소총 총열과 정렬되게 하기 위해 유탄을 아주 정밀하게 제작해야 하고, 고각 약 45°에서 소총을 이탈하여 여전히 치명적인 충분한 에너지를 가지고 지상에 닿기 전에 약 3내지 4마일을 이동할 수 있는 비행 탄자 때문에 이것의 사용 연습에 광범위한 지상면적이 요구된다는 것이다.

WINDAGE(유극(遊隙)) 박격포 포탄의 외부와 박격포 포열의 내부 직경 사이의 차이. 작은 공간이 장전 시 폭탄이 포열 아래로 미끄러질 때 공기가 빠져나갈 수 있도록 필요하다. 불충분한 공간은 공기의 배출이 느리고 이렇게 해서 폭탄이 주 카트리지를 발사할 충분한 힘으로 떨어지지 않는다는 것을 의미한다. 너무 많은 공간은 추진 가스가 새어나가 폭탄이 포강 위로 올라갈 때 좌우로 흔들려 부정확해 진다는 것을 의미한다. 현대의 팽창 폐쇄링의 개발은 이러한 문제를 상당히 감소시켰다.

작동중인 영국 105mm 경포. 탄약수가 포탄과 약협을 들고 있고 폐쇄기 운용자가 손에 장전봉을 들고 있다.

야전포
ARTILLERY

A

AIRBURST(공중 폭발) 포탄이 표적 상공의 공중에서 폭발하고 파편이 아래로 강타하여 직사화기 공격이 닿지 않는 방호물 뒤까지 도달하는 포병 사격의 형태. *시한(time)* 또는 *근접 신관(proximity fuze)*을 이용하여 *고폭탄약(hight explosive shells)*으로 성능을 발휘한다.

ALUMINIZED EXPLOSIVES(알루미늄 박함유 폭약) 많은 양의 알루미늄 가루가 첨가된 고폭약. 이것은 폭발력을 증가시키고 기폭 온도를 올린다. 그래서 알루미늄함유 폭약을 충전한 발사체는 물질에 더 많은 피해를 주고 소이 효과를 강화하였다. 처음에는 지뢰에 도입되었고 폭발 효과증가를 위해 어뢰에 적용하였다. 야포에 대한 주요 적용은 대공사격용 소구경 *지뢰 포탄(mine shells)*으로 강력한 잠재적 손상을 주고 연료에 대한 소이효과가 강하다.

AMATOL(아마톨 폭약) 용융된 TNT 속에 암모니움 질산염을 혼합하고 냉각시켜 만든 고폭약. 산소 운반기인 질산염은 TNT의 기폭율을 감소시켰음에도 TNT의 연소효율을 향상시킨다. 포탄 충전용 폭약으로서 아마톨 폭약을 선택하는 주요 목적은 암모니움 질산염이 TNT보다 상당히 저렴하고 혼합물에 최대 80%비율로 사용하는 경제성이다. 야포 포탄 충전제로 2차 세계대전에 광범위하게 사용되었고 V1 미사일의 1톤 탄두 충전용으로 사용되었지만 오늘날에는 일반적으로 사용되지 않고 있다. 이것의 전시 사용은 포탄 몸체용으로 저급 강철의 동시 사용에 광범위하게 바탕을 두고 있다. 이러한 강철 형태가 사용될 때, 아마톨 폭약은 만족한 파편을 제공한다. 반면에 RDX/TNT 및 더욱 강력한 유사 폭약은 덜 효과적인 아주 작은 파편으로 포탄 약협을 날려버린다. 현대 포탄 디자인은 포탄 벽을 얇게 하여 더 큰 폭약 용량을 가능하게 하는 고급 강철 사용 환경에서 제작되고 파편이 잘게 쪼개지지 않는 아마톨 폭약으로 충전한다.

AP(철갑탄약) 'Armour Piercing'의 두문자. 아래 참조.

APC(철갑모탄약) 'Armour Piercing Capped'의 두문자로 첨두에 연철 갑모가 설치된 철갑 발사체를 의미한다. 원리는 1880년대 러시아 제독 마카로프(Makarov)가 발견하였으며, 탄환이나 포탄의 비교적 날카로운 첨단을 부러뜨리는 갑작스런 충돌의 충격을 방지하기 위한 것이었다. 갑모는 발사체의 견부에 놓여 있고 내부적으로 오목한 곳에 위치하여 첨두와 관계가 없다. 충격 시 갑모는 최초 충격을 받아 발사체의 견부로 전달하여 첨단의 압력을 제거한다. 그러고 나서 갑모는 변형되고 지지대 역할을 하며 장갑을 관통하기 시작하면서 어느 정도 발사체에 윤활제 역할을 한다. 철갑모탄은 특히 전면 강화 장갑에 효과가 있다.

APCBC(철갑모, 비행 갑모 탄약) 'Armour Piercing, Capped, Ballistic Capped'의 두문자. APC 탄환의 갑모 관통을 보조하기 위한 것이며 외부 모양은 최적의 비행 특성에 적합하지 않다. 그 결과로 일반적으로 관통 갑모의 상부에 2차 갑모를 설치하게 되었다. 이것은 '비행 갑모-ballistic cap'라고 하며 발사체에 비행에 맞는 최상의 탄두 모양을 주는 것과 같은 뾰족한 형태의 가벼운 금속 덮개에 불과하였다. 가볍기 때문에 충격 시 즉각 찌부러져 차후의 철갑 갑모의 행위와 차이가 없다. 그러나 이것의 사용은 발사체가 큰 속도로 표적에 도달하여 성공률이 더 많다는 것을 의미한다.

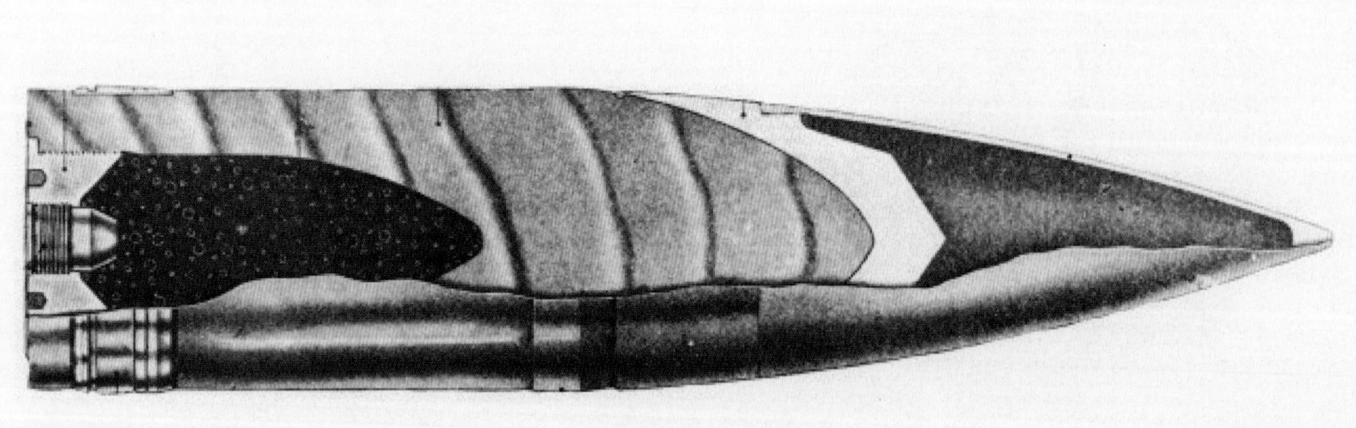

해안 방어포용 미국 APCBC포탄. 폭약 내용물, 신관, 철갑 및 비행 갑모를 보여 주고 있다.

여러 가지 철갑 발사체. 반대편 : 철갑 모탄환. 좌: 단단한 탄심을 보여주는 APCR의 단면. 아래 : 하부 발사체를 노출하기 위해 절개한 탄저판이 있는 APDS.

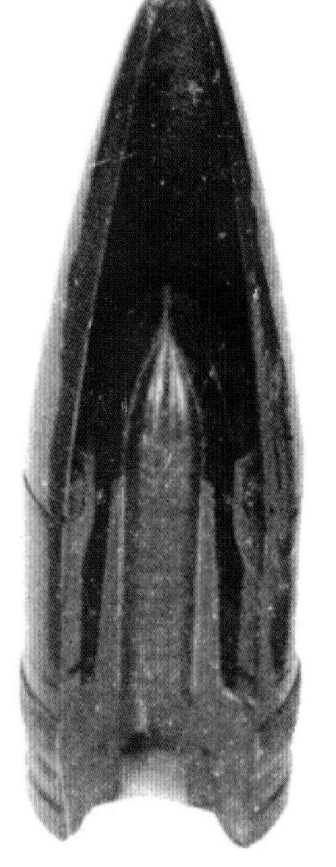

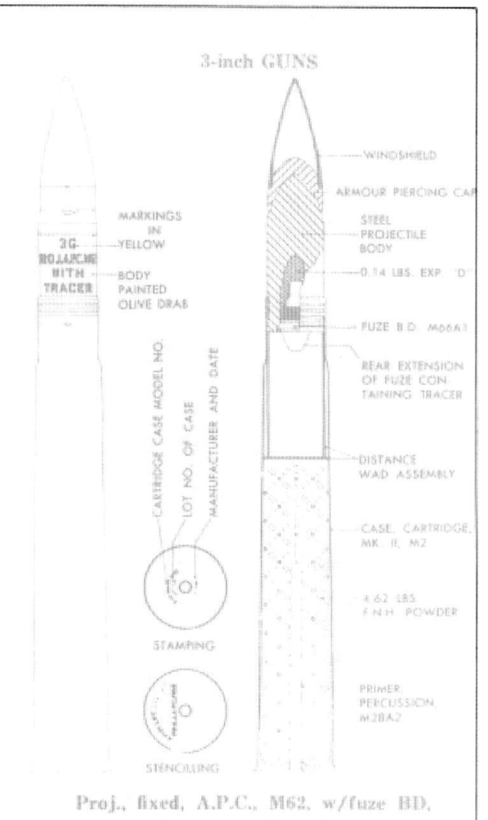

대전차포에 사용하는 전형적인 철갑모(APC) 탄환의 구조

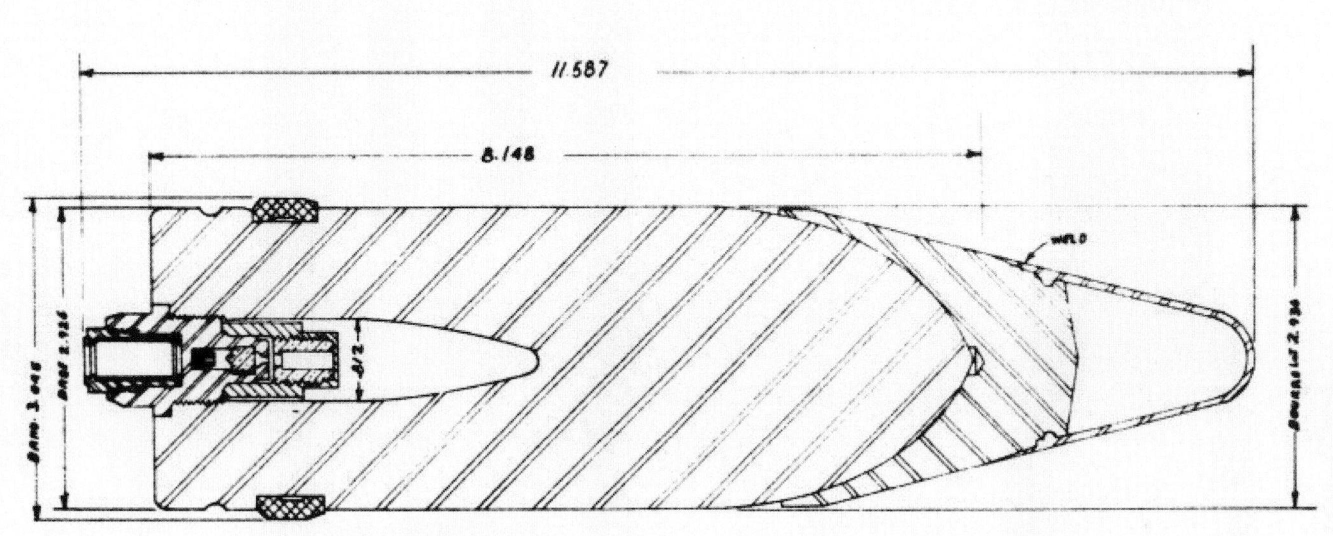

갑모의 취약한 비행체 모양과 그것을 덮은 더 양호한 비행 갑모의 모양을 보여주는 전형적인 APCBC 탄.

통과 시 포탄을 아래로 압착하기 위해 포구에 나사로 고정된 어댑터가 있는 영국의 2 파운더 대전차포용 APCNR 탄. 어댑터의 포구에 있는 탄환이 나란히 있는 발사되지 않은 탄환보다 훨씬 가는 것에 주목.

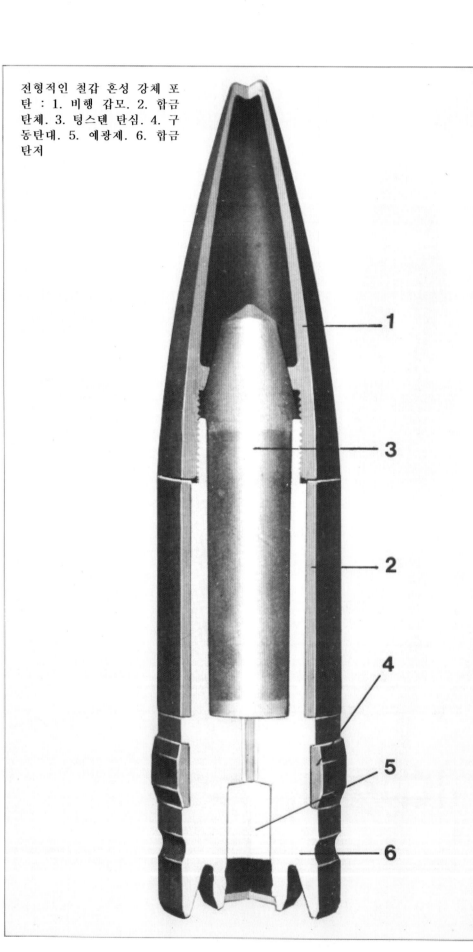

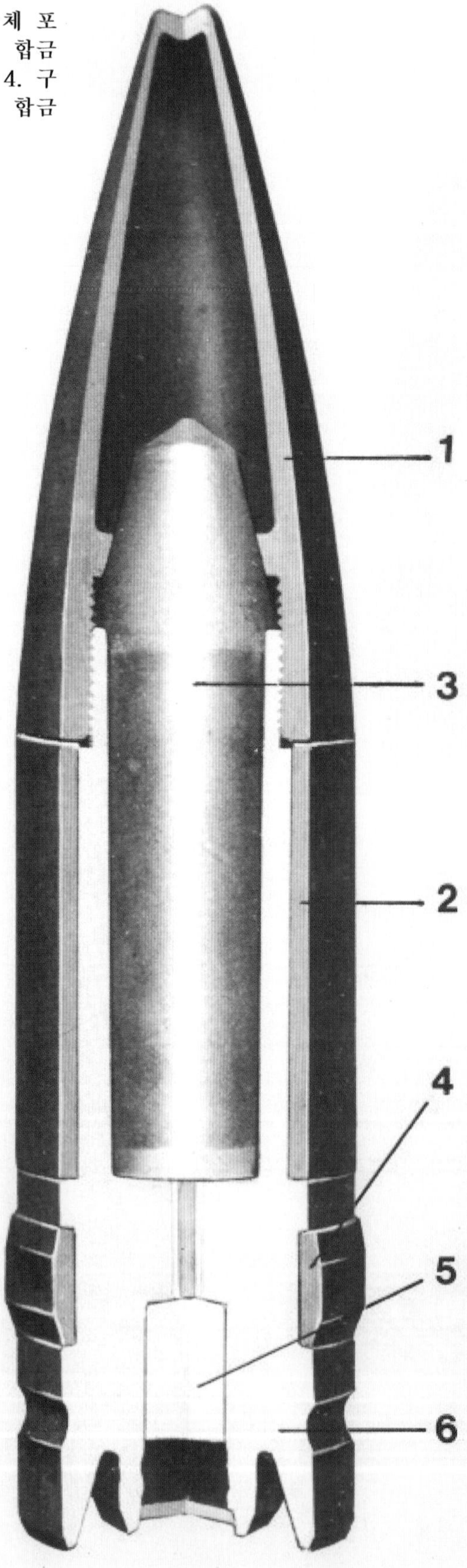

전형적인 철갑 혼성 강체 포탄 : 1. 비행 갑모. 2. 합금탄체. 3. 텅스텐 탄심. 4. 구동탄대. 5. 예광제. 6. 합금탄저

PCNR(철갑, 혼성, 비강체) 'Armour rcing, Composite, Non-rigid'의 두문자. 강이 경사진 직경을 가진 포에 사용하기 해 디자인된 보통 구경 크기의 경합금 탄 로 둘러싸인 텅스텐 관통 탄심을 이용하는 갑탄을 가리키는 영국 용어. 그러므로 경 금 서라운드(가장자리 테)는 포강 아래로 려 갈 때 직경을 줄일 수 있다. 개념은 20년대에 독일 설계자인 게를리히(Gerlich) 사냥용 소총에 사용하였다. 그 후 많은 전차 무기용으로 독일 육군이 채택하였다. 국은 체코슬로바키아의 망명자이며 무기 계자인 Jancek가 개발한 설계를 채택하였 포열은 재래식이며 경사는 볼트로 고정한 댑터로 추가하였다. 목적은 속도를 높게 선하는 것이었다. 먼저 포 외부에서의 무 와 비교하여 더 작은 직경의 탄을 만들고, 번째로 가스 압력이 변하지 않고 남아 있 동안에 탄저 지역은 압력이 감소하기 때 에 비행 중에 탄저에 더 큰 단위 압력을 들어 속도를 높게 개선하는 것이었다. 원 는 성공적으로 적용되었지만, 개념은 경사 열 제작을 수반하지 않는 탄저 분리 scarding sabot) 탄약을 선호하게 되었다.

APCR(철갑, 혼성, 강체) 'Armour Piercing, Composite, Rigid'의 두문자. 원하는 포강 구경 크기로 만들기 위해 경합금 탄체로 둘러싼 조밀하고 강력한 물질의 탄심(보통 텅스텐 카바이드)를 사용한 철갑탄을 나타내는 영국 용어. 목적은 장갑을 관통할 만큼 충분히 발사체를 강하게 하는 것이지만 관통에 필요한 고속을 달성하기에 충분히 가벼워야 한다. 미국에서는 'HVAP – High Velocity Armor Piercing : 고속 철갑'으로 독일에서는 'AP40'으로 사용된다.

APDS(탄저분리 철갑) 'Armour Piercing Discarding Sabot'의 두문자. 중금속 하부 발사체가 포강 직경 크기의 경합금 탄저판에 의해 둘러싸인 철갑 발사체 형태. 탄저판은 포구 바로 밖에서 분리 개방되고 하부 발사체만 날아가도록 설계되었다.
APDS는 1941-43년에 영국의 퍼뮤터(Permutter)와 코푸(Coppock)가 개발하였고 1943년에 6파운더 대전차포에 처음으로 도입되었다. 목적은 두 가지 상충 요건을 만족시키는 것이었다. 성공적으로 장갑을 관통하기 위해 이것은 고속으로 타격할 필요가 있다. 초당 약 854미터 이상의 속도에서 강타하는 강철 탄환은 관통하는 대신 찢어지기 때문에 텅스텐 카바이드가 관통자로 채택되었다. 강철 보다 더 조밀한 이것은 너무 무거워서 상당한 속도에 도달할 수 없기 때문에 표준 구경 탄으로 사용할 수 없다. 경합금 약협 내부에 하부 발사체를 사용하여(APCR처럼) 완전한 발사체의 무게는 강철 탄 보다 가볍다. 그리고 이렇게 해서 추진 장약은 혼성 탄에 커다란 포구 속도를 줄 수 있다.
그러나 포구 밖에서 표준 직경의 경 포탄은 약한 '운송력'을 가지고 있고 곧 속도를 잃게 된다. 비행 목적용으로 이것은 작고 무거운 탄을 가지는 것이 더 양호하다. APDS 탄은 포강에 표준 직경의 경탄을 장전하여 최대 속도를 주고 탄저판이 분리 된 후 양호한 비행 특성에 맞는 포강 외부에서의 고조밀도의 소구경 탄을 가지는 이러한 두 가지 요구를 만족시켰다.
관통자는 이제 종종 열화우라늄으로 제작한다. 이것은 방사성 성질이 없지만 조밀하고 강하여 강력한 관통력을 제공한다.

영국 치프테인(Chieftain) 전차에 사용되는 120mm용 절개 APDS 탄. 경 합금 탄저판에 둘러싸인 텅스텐 관통자를 보여주고 있다. 포구 바로 밖에서 탄저판은 분리 개방되고 하부 발사체만 날아간다.

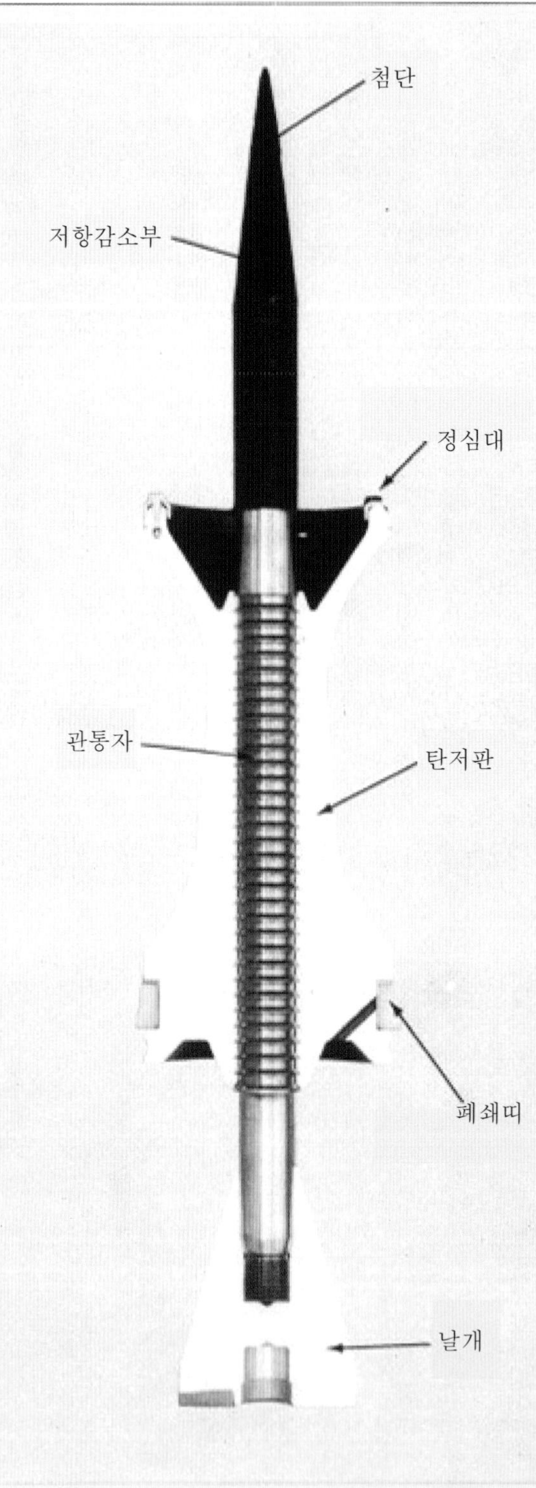

좌 : AMX-30 전차의 105mm 포용 프랑스 APFDSD 탄. 프랑스에서 '탄 쇠화살-Munition Flechette'로 알려졌다.

APFDS(날개 안정 탄저 분리 철갑탄 'Armour Piercing, Fin Stabilized Discarding Sabot'의 두문자. 날개달린 다트형 하부 발사체를 사용하고 활강포에서 발사하도록 최초에 의도된 APDS 탄의 형태. 아주 작은 지역으로 모든 운동량을 집중하는 결과 때문에 우수한 성능이 발견되었고 그 사용은 활강포로 확장되었다. 날개 안정의 이점을 획득하기 위해 비교적 적은 스핀을 하부 발사체에 전달하는 느슨한 '구동 탄대'가 있는 탄저판을 적용하는 것이 필요하다.

미국 105mm XM838 APFSDS 탄.
구조를 보여주기 위해 절단한 것과 완성체

영국, 독일, 미국 및 러시아 제작 철갑탄 모음.

APSV(초고속 철갑) 'Armour Piercing, Super Velocity'의 두문자. *APCR* 아래에 설명된 탄 형태의 다른 용어.

ARMOUR PIERCING(철갑) 단단한 장갑을 관통하도록 설계된 모든 발사체. 견고한 탄, (경합금 서라운드와 단단한 탄심이 있는) 혼성 탄, 탄저 분리 탄, 또는 장갑을 관통 후 기폭 하도록 작은 폭약이 있는 관통 포탄이 가능하다.

ARROWHEAD SHOT(애로우헤드 탄) 중심부가 무게를 줄이기 위해 절단되어 화살촉을 닮은 날카로운 첨단을 가진 발사체를 허용하는 APCR 탄의 일반적인 명칭. 제2차 세계대전 중 독일에서 먼저 개발하였고, 디자인은 아직도 구소련 탄약의 일부에서 사용 중이다.

B

BACK-FIRING TARGET SHELL(역발사 표적 포탄) 경 대항공 무기용 표적으로 작동하도록 제2차 세계대전 중에 영국이 개발한 포탄의 형태. 발사체는 소형 로켓을 포함한 운반 포탄이다. 선택된 고도에서 시한 신관이 포탄의 탄저를 폭발하여 로켓을 점화하고 포탄을 발사한 포쪽으로 역으로 발사된다. 그러고 나서 이 로켓은 훈련용의 더 가벼운 무기에 의해 피격된다. 함재무기 훈련용으로 영국 해군에서만 사용되었다.

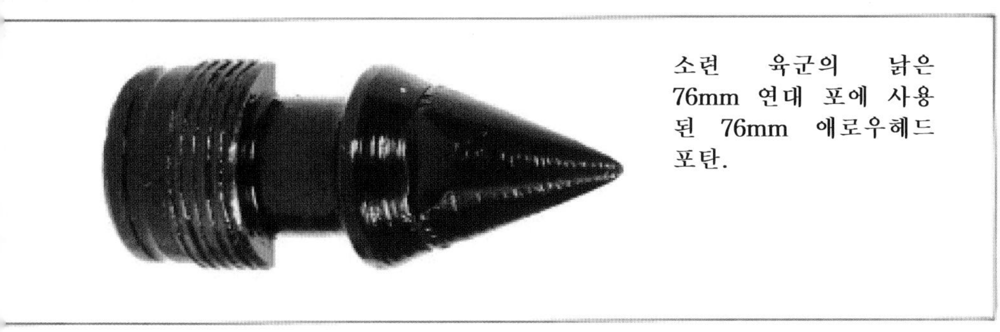

소련 육군의 낡은 76mm 연대 포에 사용된 76mm 애로우헤드 포탄.

1932년에 2.5cm 크룹(Krupp) 접합 장갑을 관통한 후의 보포스(Bofors) 25.4cm AP 포탄.

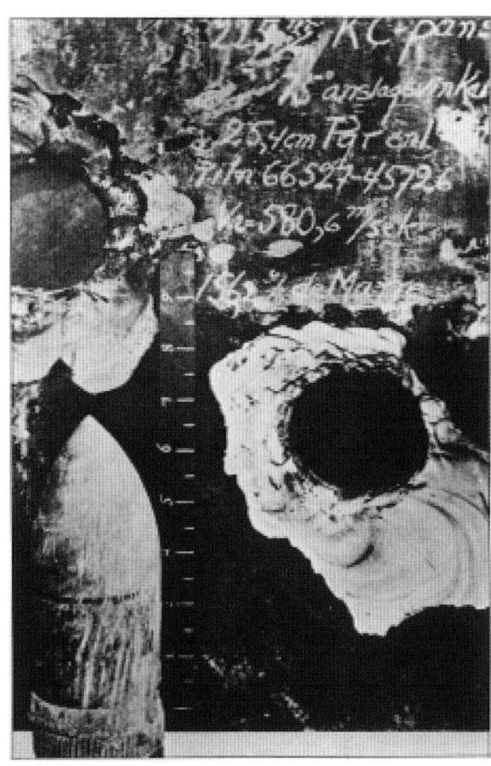

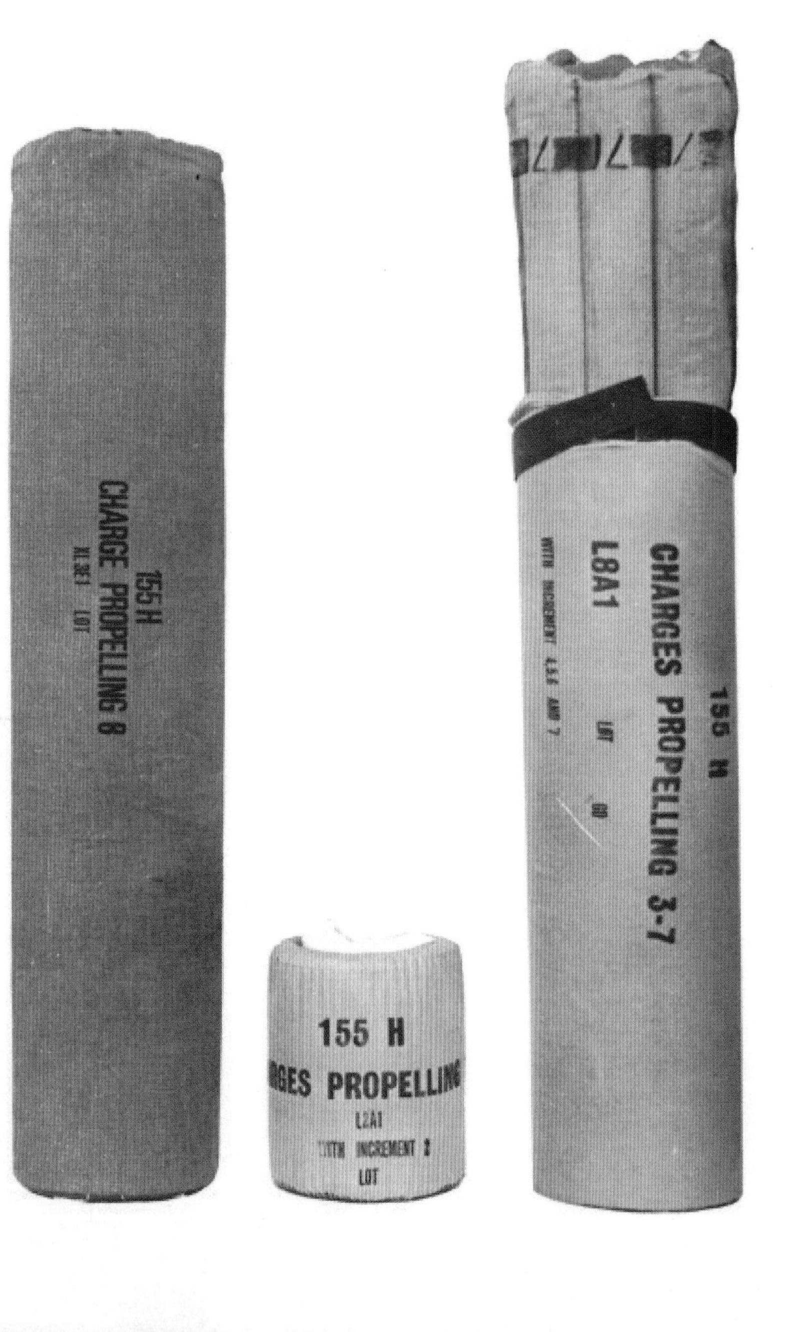

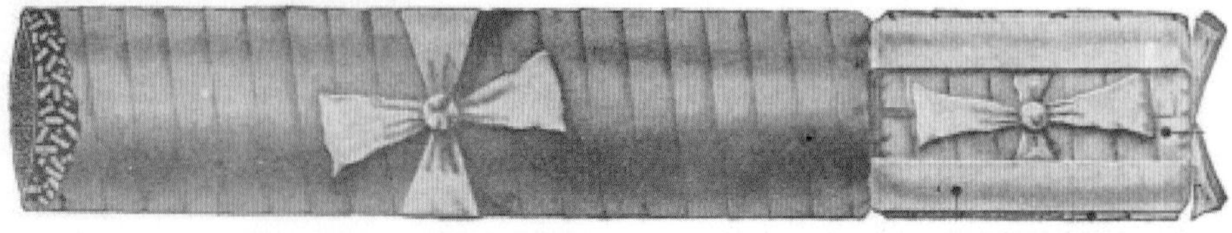

상단 : 혼합 자루로 만든 155mm FH70 곡사포용 카트리지.
위 : 155mm 직사포에 사용되는 미국 약포. 상세한 구조를 보여주고 있다.

BAG CHARGE(약포) 포병용 추진 장약 금속 완성형 약협(cartridge case) 대신 천 포에 충전된다. 이것은 포미의 폐쇄가 탄약 아니라 포에 의해 이루어져야 한다는 것 의미한다. 약포는 셜룬 천, 면 또는 실크 으로 구성되고 화학적으로 방수 처리되지 전체적으로 장약이 폭발하는 동안에 소모 고 사격 후 포에 어떠한 탄매도 남기지 않 다. 장약의 크기에 따라 이것은 하나 또는 러 약포가 될 수 있으며 장약은 조절될 있다. 이것은 약포를 더하거나 빼서 여러 기리용으로 장약의 크기를 조절 할 수 있 는 의미가 된다.
만약 코다이트 추진제가 사용되면 약포는 이나 막대가 채워져 단단한 형태를 만들 포장용기를 쉽게 다룰 수 있다. 만약 과립 추진제가 사용되면 약포는 덜 단단하게 되 쉽고 큰 것은 취급이 다소 힘들게 된다. 미 의 무거운 약포는 단단하게 하기 위해 조 스럽게 층층으로 만들거나 '쌓아 올린' 추 제 알갱이를 가지고 있다.

BALLISTIC CAP(비행 갑모) 비행 시 욱 양호한 모양을 제공하기 위해 포탄의 두에 부착된 갑모. 특히 장갑 또는 콘크리 관통 형 같은 일부 포탄의 형태는 최상의 통 능력을 위해 무딘 첨두를 가지고 있는 만 이것은 비행 능력이 떨어진다는 것을 미한다. 얇은 금속 비행 갑모의 첨가는 첨 를 더욱 경사지게 하여 더욱 양호한 비행 제공하고 사거리와 종말 속도를 증가시킨다

BASE BLEED(탄저 블리드) 탄저 항력 줄여 포탄의 사거리를 증가 시키는 방법. 상적인 포탄에서는 비행 시 포탄 후면에 기 중을 통과하는 것에 의한 저압 지역이 다. 이것은 항력을 형성하고 속도를 줄이 사거리를 감소시킨다. 이것은 유선형으로 여 부분적으로 극복할 수 있다. 그러나 최 에 포탄의 탄저에 있는 약실에서 소량의 진제를 연소시키는 시스템이 개발되었다. 추진제로부터 발생한 가스는 탄저 지역으 '새나갈' 수 있어 저압 지역을 보충하여 항 을 제거한다. 탄저 블리드의 적용은 155m 포탄의 최대 사거리를 20%까지 증가시킬 있다. 여기에 대한 작업은 여러 국가에서 행하였지만 지금까지 오직 남아프리카 포 에서만 성공하고 전투 평가가 적용되었다.

BASE EJECTION SHELL(탄저 방출 탄) 적재물이 시한 신관의 작용으로 후방 로부터 방출되는 운반 포탄의 형태. 1930년 중반에 25파운더 포용 연막탄으로 영국에 처음 개발되어 광범위하게 적용되었다.
포탄은 원통형이며 적재물은 산탄 또는 내 에 설치된 여러 개의 산탄형 탄 안에 있다 포탄의 탄두에 소형 흑색화약 추진 장약 포함하는 격실이 있고 이 아래에 느슨한 앙에 작은 구멍이 있는 '밀판-pusher plate' 있다.

1945년의 부전성 32파운더 대전차포용 APCBC 탄. 비행 갑모가 파란색으로 칠해져 있다.

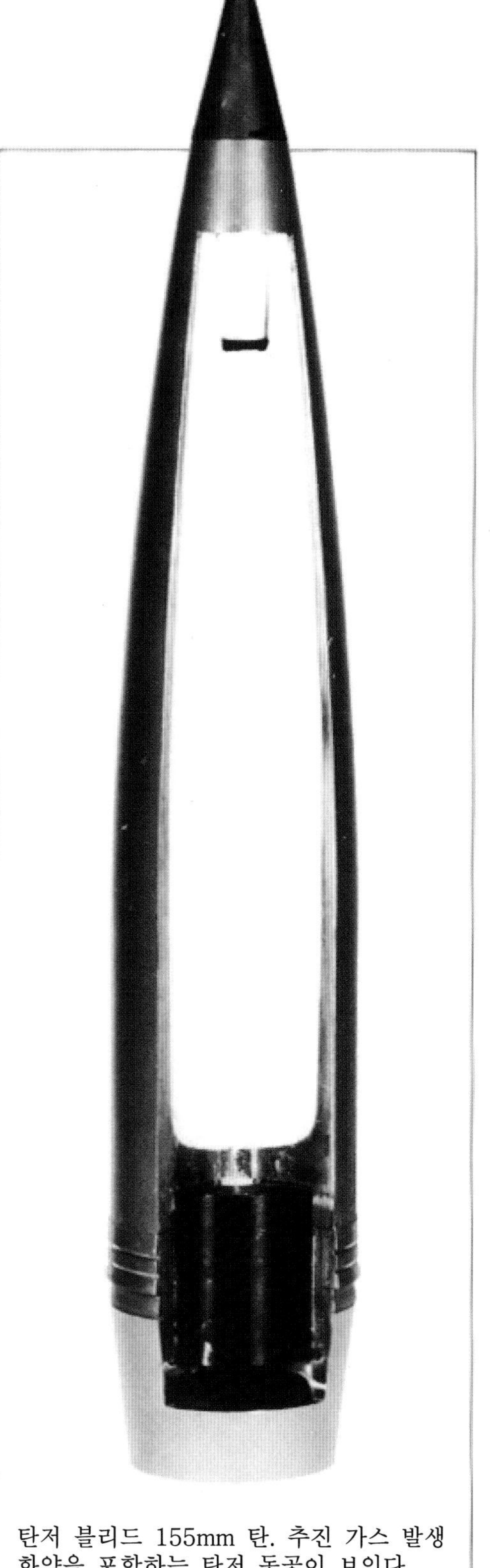

탄저 블리드 155mm 탄. 추진 가스 발생 화약을 포함하는 탄저 동공이 보인다.

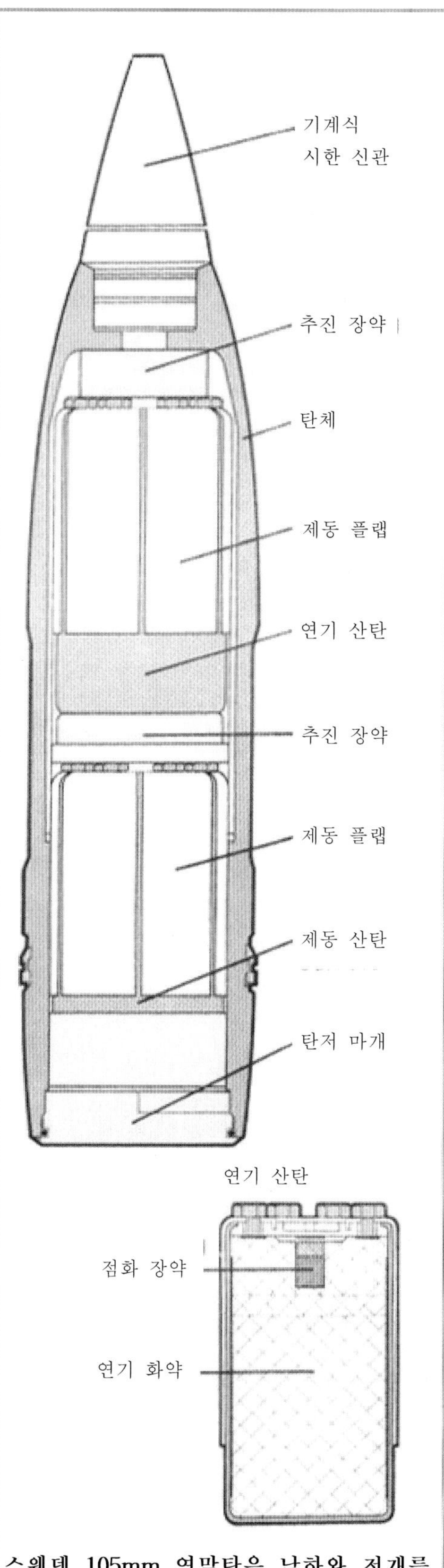

스웨덴 105mm 연막탄은 낙하와 전개를 제어하는 제동기를 가진 두 개의 산탄을 사용한다.

관은 포탄의 바닥판에 의해 고정되며 탄체 나사로 고정되거나 리벳으로 고정될 수도 다. 시한 신관이 포탄의 첨두에 나사로 고 되고 비행 중에 작동하면 흑색화약 장약을 화하여 폭발시킨다. 폭발에 의한 화염은 신관에 있는 구멍을 통과해 탄체로 들어가 요시 적재물을 발화한다 – 연기가 있으면 이 및 조명 탄이 된다.

동시에 장약의 폭발에 의해 발생된 가스는 추진판을 아래 적재물 쪽으로 밀고 이 추력은 포탄의 바닥판으로 전달된다. 추력은 고정 나사 또는 리벳을 절단하고 바닥판은 깨끗하게 날아가고 압력은 적재물을 지상 아래로 떨어뜨린다.

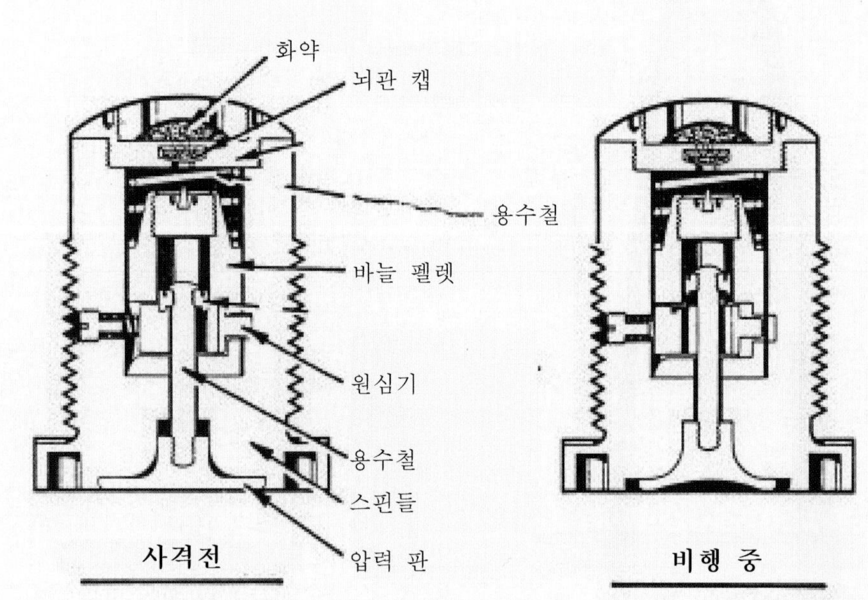

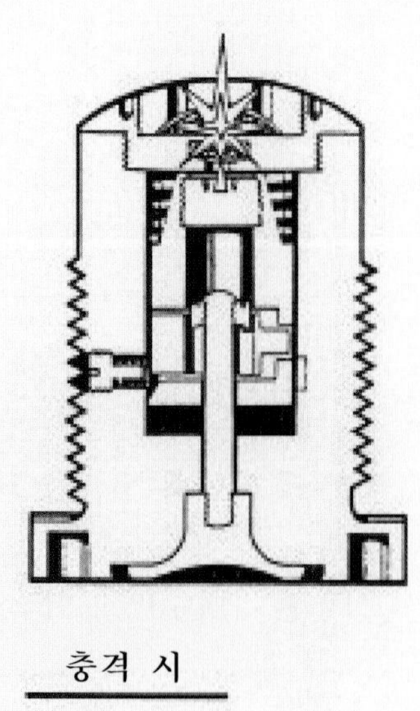

전형적인 탄저 신관. 발사체에서 발생한 압력이 압력 판과 스핀들로 들어간다. 이것은 원심기 용수철을 자유롭게 하여, 바깥쪽으로 회전하고 바늘 펠렛을 푼다. 충격 시, 펠렛은 전방으로 날아가 뇌관 캡을 쳐서 화약을 점화한다.

BASE FUZE(탄저 신관) 충격 시 첨두가 방해받지 않아야 하는 폭탄의 위치에 설치된 신관 형태. 최초에는 첨두가 견고한 강철인 철갑탄에 사용되었다. 탄저 신관은 마찰 원리로 작동하여, 무거운 관성 펠렛이 용수철에 의해 정상적으로 고정되어 있지만 포탄이 타격 시에 그 운동량으로 전방으로 날아간다. 이것은 공이가 뇌관을 타격하여 발생하고 이렇게 하여 포탄 충전제의 기폭이 시작된다. 탄저 신관의 위치는 마찰과 펠렛의 움직임 때문에 필연적으로 포탄의 충격과 신관의 작동 사이에 지연을 유발한다. 그리고 이것은 충전제의 기폭이 포탄이 장갑을 통과할 때까지 지연하도록 하여 폭발이 장갑에 의해 보호되는 인원과 장비에 대해 효과를 낼 수 있도록 한다. 더 큰 구경의 포탄에서, 훨씬 두꺼운 전함의 장갑에 대한 발사를 의도 하였으며, 선천적 지연은 불충분하고 기폭 과정에 추가적인 지연 장치를 삽입할 필요가 있다. 보통 뇌관이 신관 화약을 점화하기 전에 짧은 기간 동안 연소해야 하는 흑색 화약 도화선을 점화하고 포탄 충전제를 점화하도로 하여 실행한다. 일부 탄저 신관은 예를 들어 0.1, 0.15 또는 0.25초의 지연 시간을 주기 위해 장전 전에 설정할 수 있는 조절 지연을 적용한다.

필요한 지연을 계산해야하는 필요성을 제거하기 위해, 설계 단계나 포에 장전할 때 '생각하는 신관'이 기도되었다. 이것은 포탄이 장갑을 통과하는 것을 감지하는 장치를 통합하였다. 이것은 충격 시 신관을 작동시키고 격발 준비를 한다. 그리고 포탄이 장갑의 속박으로부터 자유로워지면서 포탄이 약간 가속하는 것을 감지할 때 신관을 격발한다 그러나 이러한 형태의 장치는 다소 복잡하고 성공적으로 적용된 적인 드물다. *HEAT*과 *HESH* 폭탄이 개발되면서 폭탄의 첨두가 작동 시 방해가 되는 불필요한 혼란을 제거할 필요가 있기 때문에 탄저 신관이 이러한 폭탄에 적용되었다. 그러나 탄저 신관의 선천적 지연은 일반적으로 과도하게 긴 비행 갑모가 적용되지 않는 한 HEAT 폭탄의 확실한 기능용으로는 너무 길다. 그리고 이러한 신관 형태는 이제 거의 사용되고 있지 않다. HESH 폭탄의 경우 선천적인 지연이 이상적이며 플라스틱 충전제가 기폭되기 전에 표적에 묻게 한다.

BEEHIVE SHELL(벌집 탄) 1950년대 말에 미 육군에 의해 개발된 폭탄으로 수천개의 쇠화살(flechettes)인 약 1인치 길이의 소형 다트형 하부 발사체로 채워져 있다. 폭탄은 장약을 폭발하여 폭탄 벽을 쪼개고 쇠화살을 풀어 (폭탄의 스핀에서 파생된) 원심력에 의해 바깥쪽으로 퍼지도록 하고 가장 넓은 원뿔의 포탄 비행궤도의 연장부분으로 날아가게 하는 시한 신관에 의해 작동한다. 쇠화살은 폭발 지점으로부터 상당한 거리에서 치명적이고 잠재적인 대인 무기이다. 신관은 포구로부터 최대 사거리까지 어떠한 거리에서도 작동하도록 설정할 수 있다. 그래서 비상시 포 위치의 자체 방어에 사용될 수도 있다. 명칭은 쇠화살이 공기 중을 통과하여 비행하면서 발생하는 소음으로부터 발생하였다.

최초에는 105mm 곡사포용 이었으며 다른 구경용으로 폭탄이 개발되고 일부는 여전히 미 육군에서 사용 중이다. 개념은 다른 곳에서 사용되어 지고 있다. 소련은 122mm 및 152mm 쇠화살 충전 폭탄을 보유하고 있다.

BINARY SHELL(2 성분 폭탄) 서로 분리되어 포장되고 포를 떠날 때까지 서로 혼합되지 않는 두 가지 화학 용액을 이용하여 저장 시의 위험한 양상을 최소화한 화학 폭탄의 형태. 신경 작용제에만 사용 되었고 1960년대에 미국에서 개발 되었다. 2 성분 폭탄은 자체적으로는 비교적 해롭지 않아 덜 위험하게 폭탄을 충전하고 저장하는 두 개의 액체 용기가 있다. 포탄 발사 시 지연 장치는 포탄이 몇 초간 비행 한 후 두 개의 용기를 개방하여 두 개의 액체가 혼합되도록 작동한다. 이러한 작용은 화학적으로 폭탄이 착지할 때 표적에 흩뿌려지는 치명적인 신경가스를 발생시킨다.

BLANK CARTRIDGE(공포탄) 훈련이나 예총용으로 커다란 소음을 발생하는 카트리지. 일반적으로 무연화약은 소음을 발생하는 가스의 신속한 폭발을 제공하기 위해 빈총에서 충분히 빠르게 연소할 수 없기 때문에 흑색화약으로 충전된다. 공포탄은 발사체 두에서 부주의하게 발사되면 아주 위험하기 때문에 항상 확실하게 표시된다. 가스의 신속한 발생은 너무 빨라, 발사체는 충분히 빠르게 움직일 수 없다. 그리고 그 결과는 보통 포를 파열 시키거나 포미 장치를 손상시킨다. (*예포 장약(Saluting Charge)* 참조.

2차 산탄
(이소프로파놀과 촉진제)
파열 원판
1차 산탄
(메틸 포스포닐 디플로라이드)
작약
신관

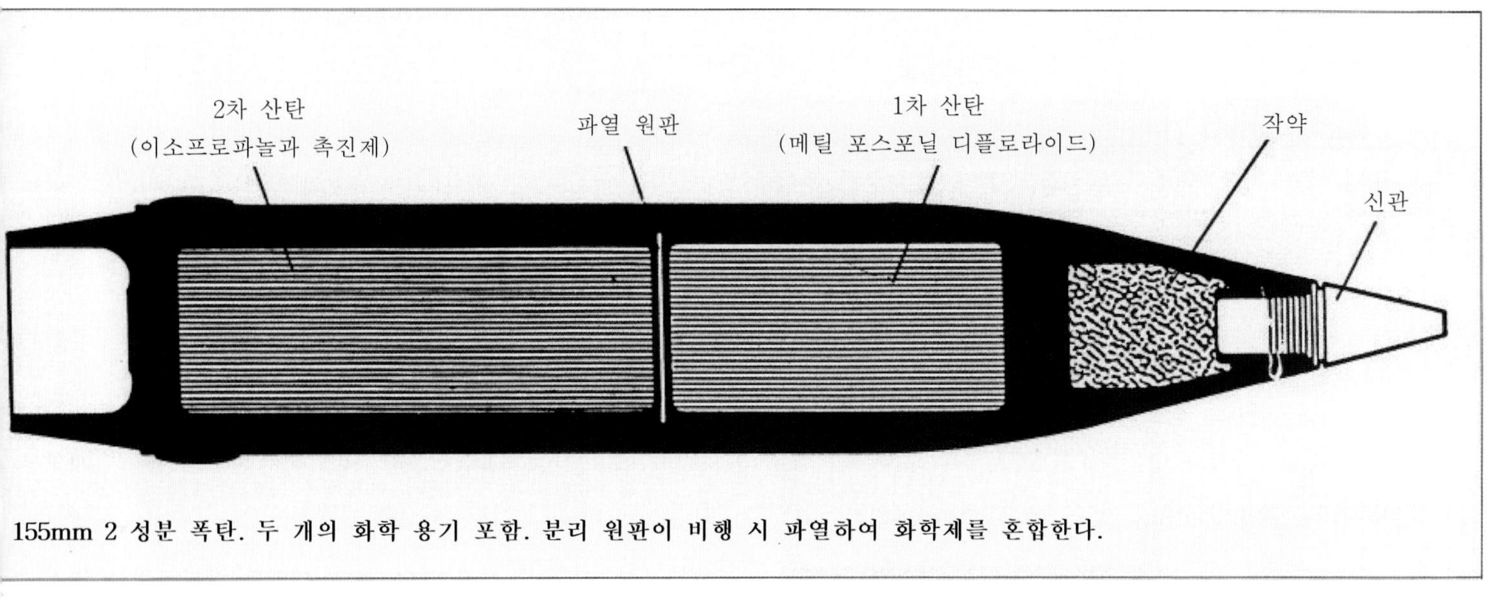

155mm 2 성분 폭탄. 두 개의 화학 용기 포함. 분리 원판이 비행 시 파열하여 화학제를 혼합한다.

e design of a typical blank cartridge — in this case it is for use with the American 105mm howitzer.

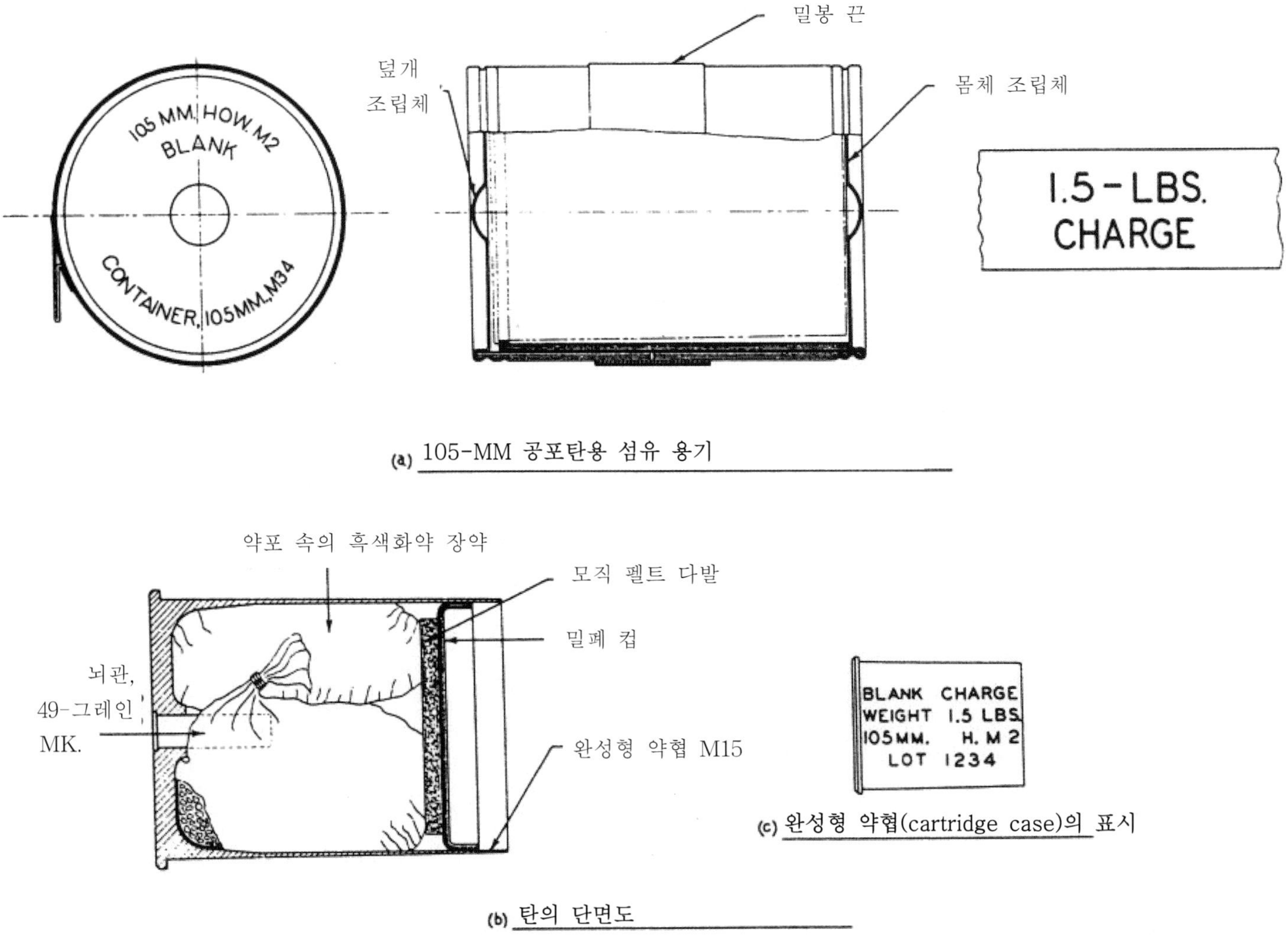

밀봉 끈
덮개
조립체
몸체 조립체
105 MM. HOW. M2
BLANK
CONTAINER, 105MM, M34
1.5-LBS.
CHARGE
(a) 105-MM 공포탄용 섬유 용기
약포 속의 흑색화약 장약
모직 펠트 다발
밀폐 컵
뇌관,
49-그레인
MK.
완성형 약협 M15
BLANK CHARGE
WEIGHT 1.5 LBS.
105MM. H. M 2
LOT 1234
(c) 완성형 약협(cartridge case)의 표시
(b) 탄의 단면도

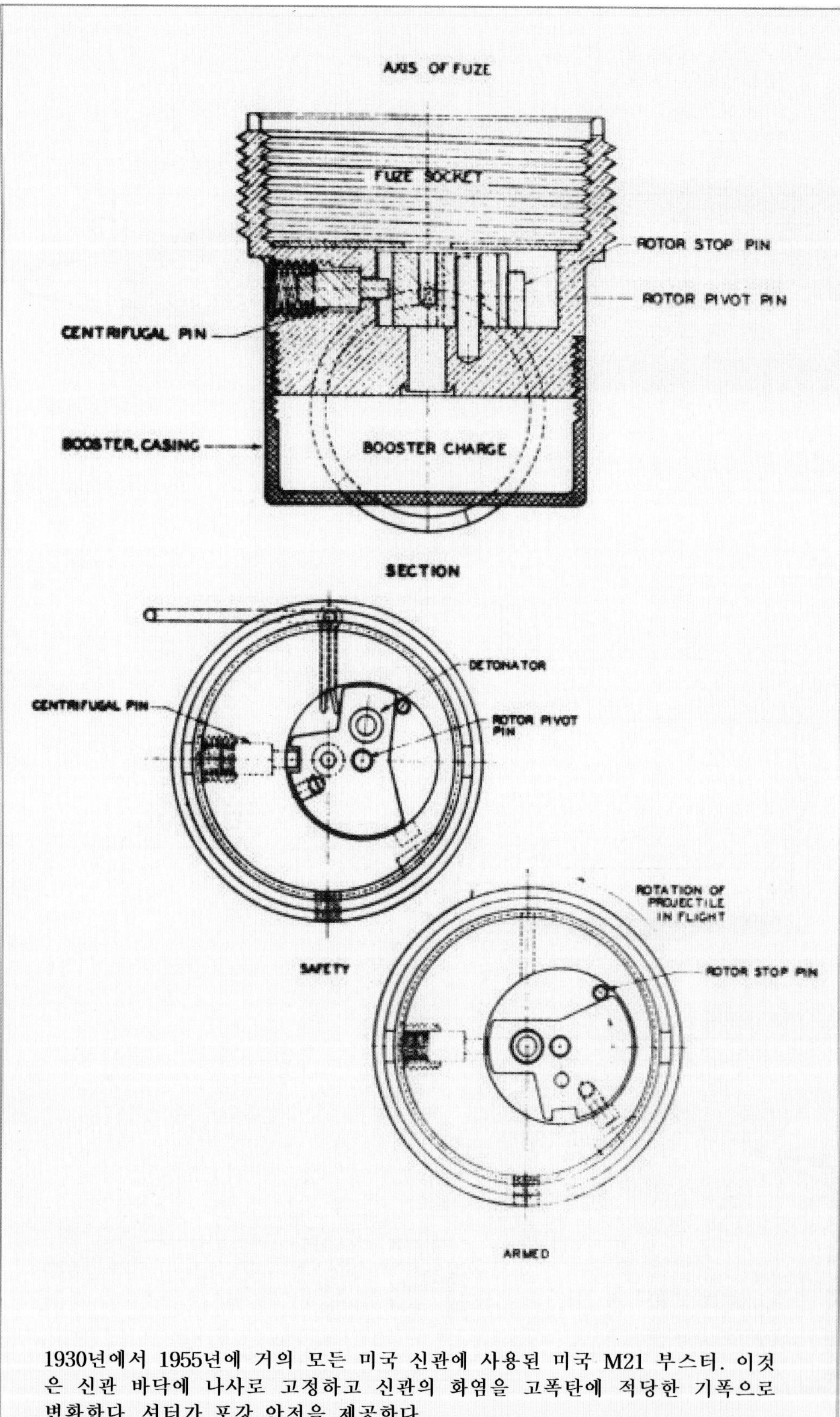

1930년에서 1955년에 거의 모든 미국 신관에 사용된 미국 M21 부스터. 이것은 신관 바닥에 나사로 고정하고 신관의 화염을 고폭탄에 적당한 기폭으로 변환한다. 셔터가 포강 안전을 제공한다.

BOAT-TAIL(범선 꼬리) 구동 탄띠 뒤 포탄의 경사 부분. 경사는 포탄 뒤쪽의 저 지역으로 공기의 흐름을 유연하게 하여 력을 줄이기 위한 것이다. 최적의 경사 선은 사각형 탄저 포탄보다 25% 이상 포탄 사거리를 증가시킨다. 그러나 효과는 포 비행의 아음속 부분에서만 있다. 비행궤도 초음속 부분에 있는 동안에 포탄 첨두의 하 파장에 의한 결과인 첨두 항력은 탄 항력을 초과한다.

BOOSTER(부스터) 포강 안전을 제공하 신관에서 발생한 화염을 고폭탄을 점화하 위한 적절한 기폭으로 전환하는 신관이 닥에 부착된 장치를 묘사하는 미국 용어. 준형인 M21 부스터는 납 아지드화물로 전된 기폭제를 포함한 원심력으로 작동하 '셔터'를 포함하고 있다. 부스터는 포탄의 두에 나사로 고정되고 그 후 신관이 부스 의 나사로 고정된다. 포탄이 발사될 때 스 의 결과로 생긴 원심력이 잠금 회전멈추 또는 걸쇠)가 라이너를 확실하게 당기게 고, 원심력에 의해 신관 및 부스터 하부 있는 테트릴 작약을 포함하고 있는 화약 중심에 뇌관이 정렬될 때까지 움직이도 한다. 신관이 작동될 때 납 아지드화물 뇌 을 타격하는 화염을 전달하고 발화한다. 아지드화물은 기폭 될 때까지 증가비율 연소하고 그리고 이것은 차례로 테트릴 기폭시키고 포탄 충전물을 기폭 한다.
몇 년 후, 신관과 부스터를 결합하여 서 고정하는 것이 일반적이 되었다 그래서 들은 한 유닛으로 포탄에 삽입될 수 있 최근에 신관 구조에 부스터 기관을 통합 는 것이 실질적이 되었으며 분리된 항목 로 생각하지 않게 되었다.
미국 밖에서 부스터는 거의 사용되지 않 고, 다른 나라들은 신관 내에 포강 안전장 를 포함하고 신관이 전환 시스템이 불필 한 폭발을 하도록 배열하는 것을 선호한 는 것을 주목해야 한다. 이러한 장치가 사 된 유럽에서는 일반적으로 '게인(gaine)'이 고 알려졌다.

BORE-SAFE(포강안전) 야포 신관은 뇌 을 발화하고 나서 포탄 충전제를 점화할 까지 일부 중계 도화선을 통해 이 점화불 이 지나가도하여 작동한다. 만약 신관장치 이 시스템 내의 일부 물리적 차단에 통합 면, 이러한 연속적인 점화는 확실하게 저 된다. 그리고 만약 이 차단이 준비되면 포 이 포를 떠날 때까지 유지되고 자유 비 시에 신관은 '포강이 안전하다: bore-safe' 고 말할 수 있다.
초기 신관 디자인에서 표준 포탄이 유산 이거나 흑색화약으로 충전되었을 때, 포 내의 신관의 기능고장과 포탄 점화에 의 포와 포반원에 대한 위험은 비교적 작았 폭탄은 산산이 부서지겠지만 손상은 포에서만 이루어 질 것이다. 고폭약 폭탄이 용되면, 고폭약이 포열을 파열시키기 때문 '포강 조발'을 일으키는 신관의 고장은 치 적일 수 있다. 그 결과로 포강 안전 신관 고폭약이 실전 배치되면서 1914-18년 전 바로 직전에 소개되었다. 오늘날에는 비 강안전 신관을 찾아보기 어렵다.

장 평범한 포강 안전장치는 원심력 작동 터-shutter'로 이것은 화염 또는 폭발의 로에 확실한 장벽을 형성하는 견고한 금속 침이다. 일단 폭탄이 회전을 시작하면, 원 력은 서서히 용수철을 극복하고 셔터를 단 상태로 고정하고 금속 장벽이 제거되고 통 뇌관 또는 폭약의 도관이 제 위치에 자 잡아 폭발 도화선의 일부를 형성하도록 때까지 미끄러지거나 회전한다. 셔터의 경 속도는 용수철 또는 더 정확하게는 라 과 시계의 지동기구(止動機構)와 유사한 동기구에 의해 제어될 수 있다. 활강 무 용 신관의 경우에, 원심력이 적용되지 않 신관의 가속도가 라쳇과 지동장치를 후방 로 움직이는데 사용될 수 있다. 일부 현대 관에서 저항-콘덴서 지연을 형성하는데 사 되는 전자 회로가 포강 안전 제공에 사용 고 있다.

OURRELET(정심부) 포의 포열 내 격장 장은 강선 사이의 돌출된 부분이다)을 타 미끄러지도록 정확한 구경의 직경으로 조 스럽게 기계 가공한 탄체의 일부. 보통 두 의 정심부가 있으며 하나는 견부에 있고 나는 회전탄대 뒤에 있다. 그래서 포탄이 의 포열을 지날 때 잘 지지되고 요동치지 는다. 일부 디자인의 포탄, 약 100mm 이 구경의 주목할 만한 영국 디자인은 정심 를 사용하지 않지만, 접촉 표면을 제공하 위해 포탄의 전체적인 평행부분을 기계 공한다. 정심부를 가진 이러한 포탄을 만 던 그렇지 않던 소구경에서 표면 조각을 성하기 위해 여러 기계를 사용하는 것 보 한 번에 전체 포탄을 기계 가공하는 것이 훨씬 쉽기 때문에 정심부는 전적으로 생산의 용이성에 대한 문제이다. 주요 구경에서 전체 표면을 가공하는 것은 느리고 시간낭비이며 정심부만이 구경에 일치되고 포탄의 나머지 부분은 직경 보다 작고 단조된 상태로 남겨진다.

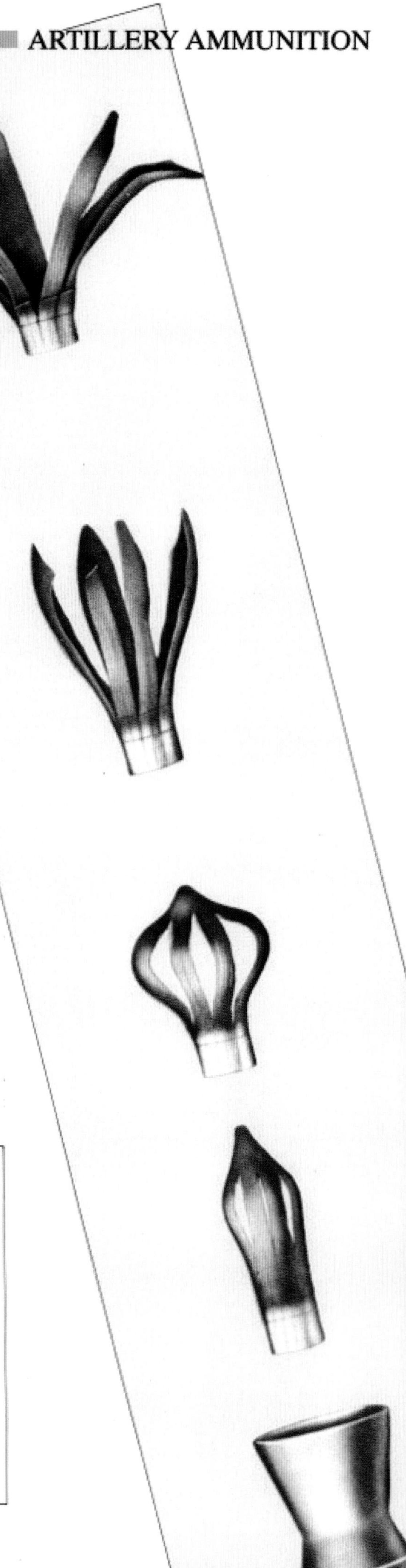

포를 떠날 때의 붕괴탄(Breakup shot)의 작동. 원심력이 무거운 분말충전제나 액체를 바깥쪽으로 밀어내고, 미리 형성된 취약한 선을 따라 플라스틱 발사체를 쪼갠다.

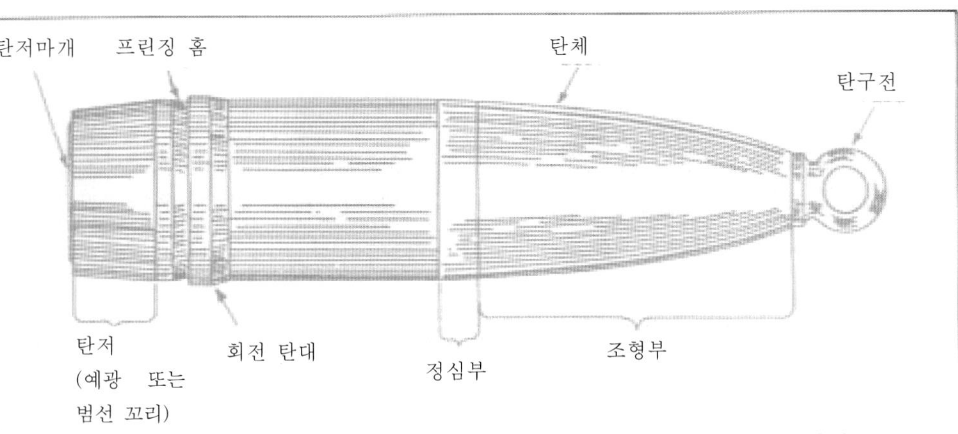

정심부의 위치를 보여주는 전통적인 포탄의 구조. 이것은 포의 포열 격장의 직경에 맞게 기계가공 된다.

BREAK-UP SHOT(붕괴탄) 발사 시, 포가 반동하고 어떤 자동 장치를 작동하게 하지만 포강 내에서 또는 포구를 떠난 직후 붕괴되어 무해하게 흩어지는 포강 내의 필요한 저항을 충분히 주는 발사체. 목적은 포를 점검 또는 훈련 목적으로 운용하는 것이고, 너무 멀리 날아가거나 어떠한 피해를 주는 발사체를 발사하려는 것이 아니다. 최초로 이들은 배에 싣기가 위험하여 평화 시에 실제 발사체를 발사할 수 없는 곳에 위치한 해안포용으로 공급된 모래나 물로 채워진 원통의 밀랍 종이였다. 무게는 반동을 증가시켜 메커니즘이 정확하게 작동하도록 보장하만 탄은 포강 내에서 쪼개져서 물과 모래 포구로 무게는 반동을 증가시켜 포 메커즘이 정확하게 작동하도록 보장하지만 탄 포강 내에서 쪼개져서 물과 모래가 포구부터 방출되어 증발되거나 몇 피트 내에 지상으로 떨어진다.

그 후 원리는 적당한 사거리를 준비할 필 없이 자동 기능을 평가하기 위해 경대공 에 적용되었다. 붕괴 탄을 사용하여 작업 공간 내에서 평가를 할 수 있었다. 이러 적용으로 인해 고운 먼지나 두꺼운 무해 체로 채워진 플라스틱 발사체가 사용된 탄은 포의 포열을 타고 올라가 포 메커니 을 정확하게 작동시키지만, 탄의 회전에

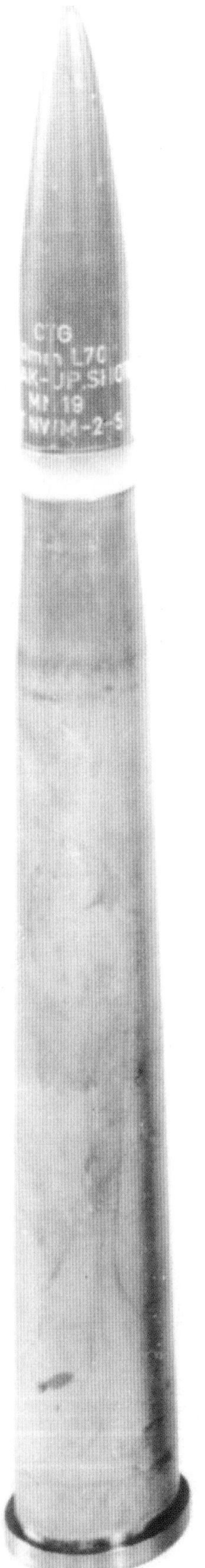

전해진 원심력이 무거운 내용물이 포탄을
ㅐ고 포구로부터 수 피트 내에 흩어져 없
ㅣ도록 한다. 붕괴 탄은 병력 수송 장갑체
ㅓ 사용되는 것과 같은 경자동 기관총으로
ㅎ 시에 사격할 수 있기 때문에 연습용 탄
ㄹ 적용되기도 하였다.
ㅣ 탄은 바람의 방향에 따라 탄이 고운 먼
ㄹ 포나 운용자를 덮어 추가적인 세탁을
ㄹ로 하게 하여 사용하는 사람들이 좋아하
않는다.

STER(작약) 백린 연막탄과 같은 파열형
ㄴ 포탄를 파열하여 개방하는데 사용되는
ㅑ약의 작약. 일반적으로 포탄 중앙에 있는
ㅔ 채워지는 가는 폭약 기둥 형태로 충전
ㄴ 적재물은 작약 주위에 채워진다.

절단된 화학폭탄의 중앙에 있는 관형 작약을 보여준다. 작약은 포탄의 첨두에 나사로 고정된 신관에 의해 격발되는 폭약을 포함하고 있다.

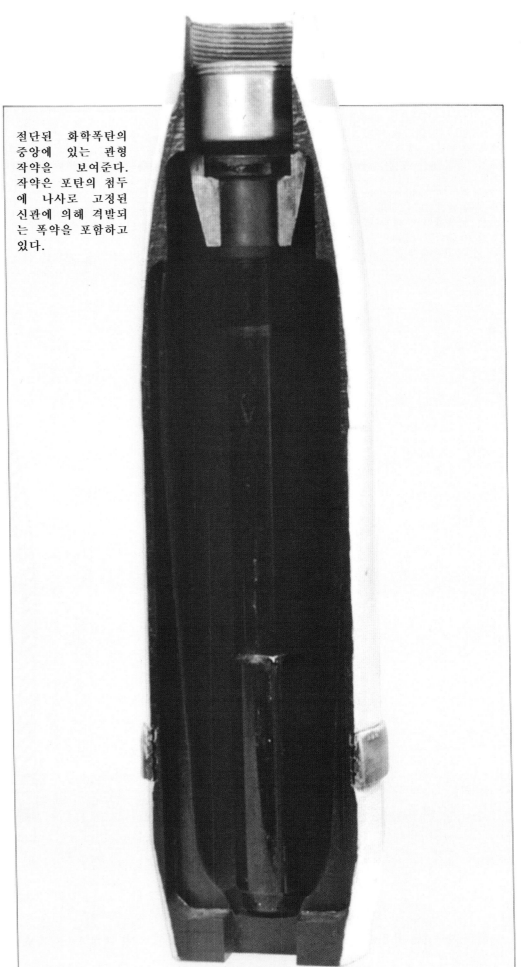

mm에서 40mm까지의 Rheinmetall 붕 탄. 이것들은 자동 장전 장치를 점검할 요가 있는데 사용되고 포구를 떠난 뒤 사체가 무해하게 붕괴된다.

BUSTING SMOKE(파열형 연막탄) 지상에 충격 시 작동하여 내용물을 방출하기 위해 파열 개방하도록 디자인된 연막탄. 일반적으로 백린이 공기와 접촉 시 자연발화 하여 어떠한 점화 장치도 필요하지 않아 충전제로 백린을 사용한다. 황 3산화물, 티타늄 4염화물 또는 chlorsulphonic 산과 같은 다른 충전제는 대기 중의 습도에 반응하여 연기를 발생시키고 역시 발화 장치가 불필요하여 사용되었다. 파열 연막탄의 주요 장점은 아주 신속하게 연막을 만들고, 시간을 설정할 시한 시관과 충분한 충격 신관이 필요하지 않고 고폭탄과 크기, 무게 및 균형이 동일하여 화기의 조준장치를 조정할 필요가 없다는 것이다.파열 연막탄의 일반적인 디자인은 표준 고폭탄과 동일한 탄체이지만 탄의 축을 따라 중앙에 폭관이 있다. 이것은 고폭약 작약을 포함하고 포탄의 첨두에 나사로 고정된 충격신관은 이작약이 표적에 부딪힐 때 기폭 시킨다.연막 물질은 탄체 내에 작약 관이 삽입되기 전에 연포탄의 첨두를 통하여 또는 충전 후에 마개를 막고 밀봉되는 측면에 있는 구멍을 통하여 중앙 작약 주위에 충전된다. 작약 안의 고폭약의 양은 포탄을 쪼개기에 충분하고 그래서 연기 혼합제를 방출한다. 그러나 혼합체를 흩뿌려 아주 넓은 지역을 덮을 만큼 크지는 않다. 그래서 연막 화약은 한 지점에 집중되고 촘촘한 연기 기둥을 발생시킨다.

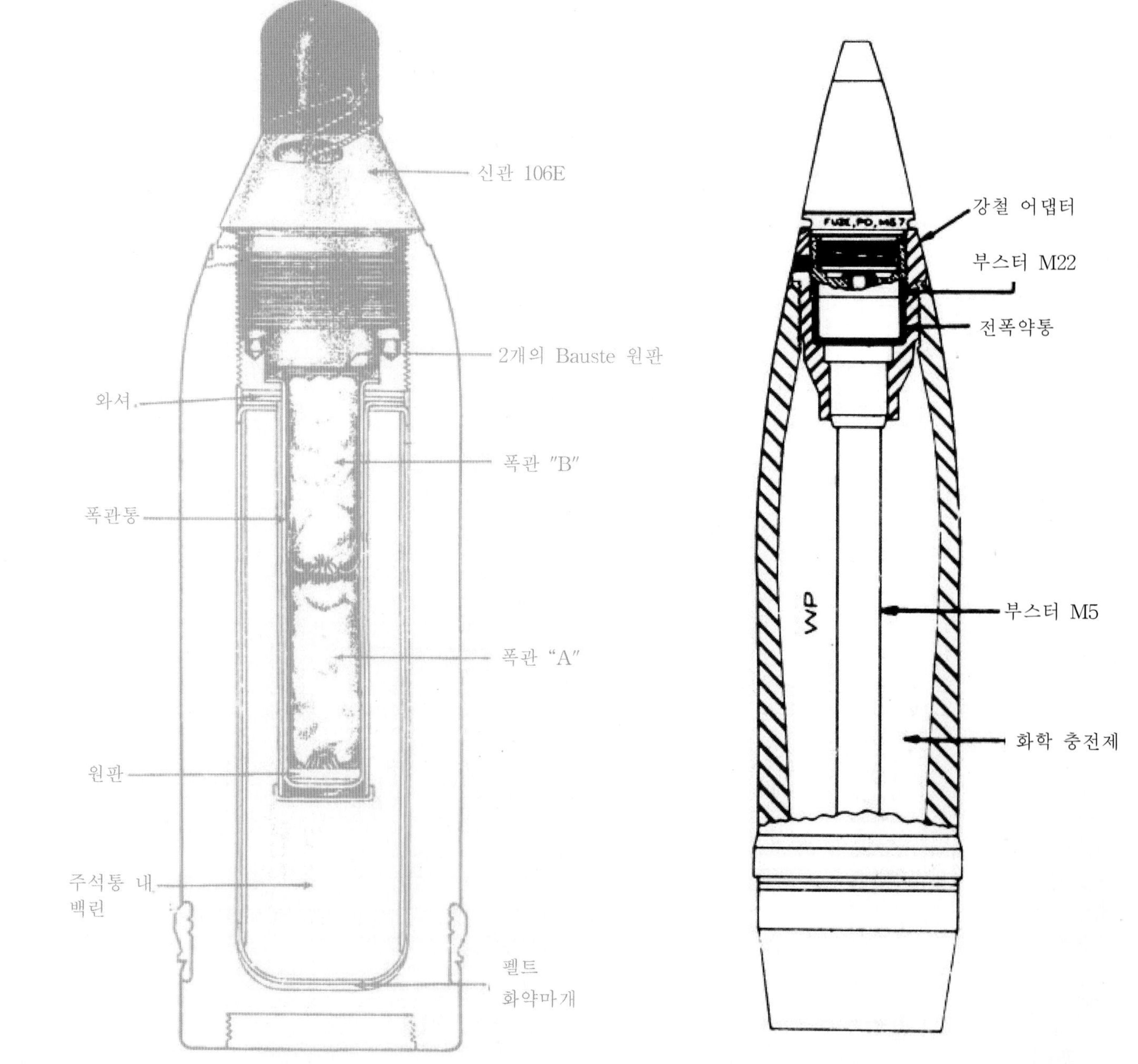

짧은 작약관을 사용한 파열형 연막탄의 초기 디자인

전 세계적으로 광범위하게 사용된 미국 M60 백린연막탄

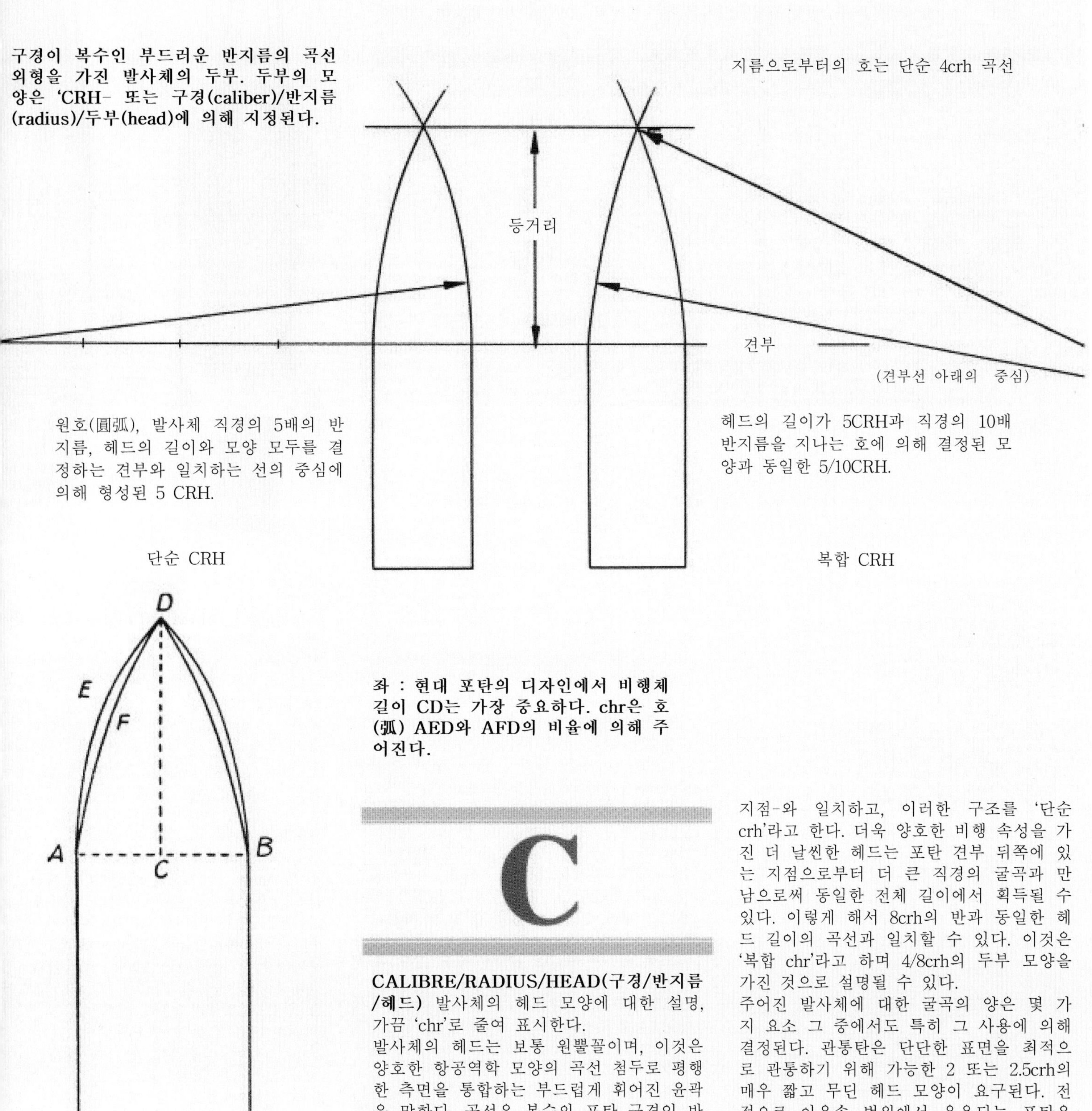

구경이 복수인 부드러운 반지름의 곡선 외형을 가진 발사체의 두부. 두부의 모양은 'CRH- 또는 구경(caliber)/반지름(radius)/두부(head)에 의해 지정된다.
지름으로부터의 호는 단순 4crh 곡선
등거리
견부
(견부선 아래의 중심)
원호(圓弧), 발사체 직경의 5배의 반지름, 헤드의 길이와 모양 모두를 결정하는 견부와 일치하는 선의 중심에 의해 형성된 5 CRH.
헤드의 길이가 5CRH과 직경의 10배 반지름을 지나는 호에 의해 결정된 모양과 동일한 5/10CRH.
단순 CRH
복합 CRH
D
E
F
A
B
C

좌 : 현대 포탄의 디자인에서 비행체 길이 CD는 가장 중요하다. chr은 호(弧) AED와 AFD의 비율에 의해 주어진다.

C

CALIBRE/RADIUS/HEAD(구경/반지름/헤드) 발사체의 헤드 모양에 대한 설명, 가끔 'chr'로 줄여 표시한다.
발사체의 헤드는 보통 원뿔꼴이며, 이것은 양호한 항공역학 모양의 곡선 첨두로 평행한 측면을 통합하는 부드럽게 휘어진 윤곽을 말한다. 곡선은 복수의 포탄 구경인 반지름으로 그려진다. 이렇게 해서 600mm 반지름과 일치하는 헤드 굴곡이 있는 150mm 포탄은 4crh의 헤드 모양을 가지고 있다고 할 수 있다. 굴곡의 중심은 포탄의 견부 - 직선 벽이 끝나고 굴곡이 시작하는 지점-와 일치하고, 이러한 구조를 '단순 crh'라고 한다. 더욱 양호한 비행 속성을 가진 더 날씬한 헤드는 포탄 견부 뒤쪽에 있는 지점으로부터 더 큰 직경의 굴곡과 만남으로써 동일한 전체 길이에서 획득될 수 있다. 이렇게 해서 8crh의 반과 동일한 헤드 길이의 곡선과 일치할 수 있다. 이것은 '복합 chr'라고 하며 4/8crh의 두부 모양을 가진 것으로 설명될 수 있다.
주어진 발사체에 대한 굴곡의 양은 몇 가지 요소 그 중에서도 특히 그 사용에 의해 결정된다. 관통탄은 단단한 표면을 최적으로 관통하기 위해 가능한 2 또는 2.5crh의 매우 짧고 무딘 헤드 모양이 요구된다. 전적으로 아음속 범위에서 운용되는 포탄은 특별한 모양이나 경사진 첨두를 필요로 하지 않는다. 그러나 고속 무기용 포탄은 공기 저항에 의해 만들어지는 지속적인 마하파에 의해 만들어지는 항력을 줄이기 위해 경사 헤드가 필요하다.

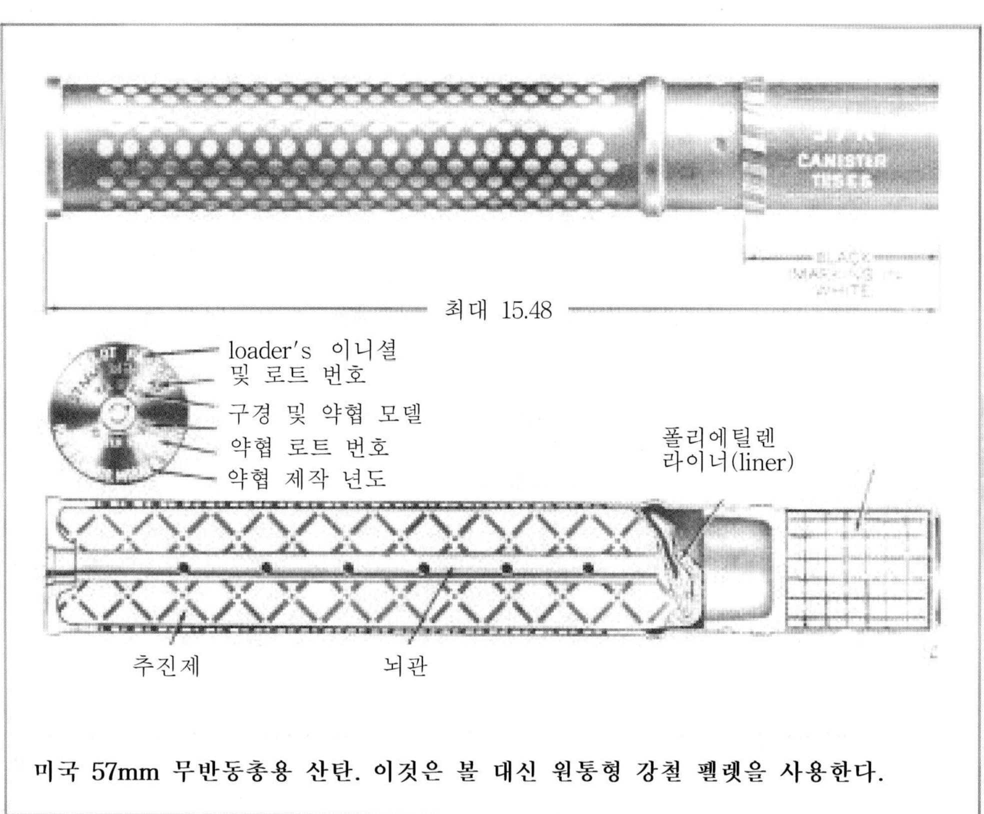

미국 57mm 무반동총용 산탄. 이것은 볼 대신 원통형 강철 펠렛을 사용한다.

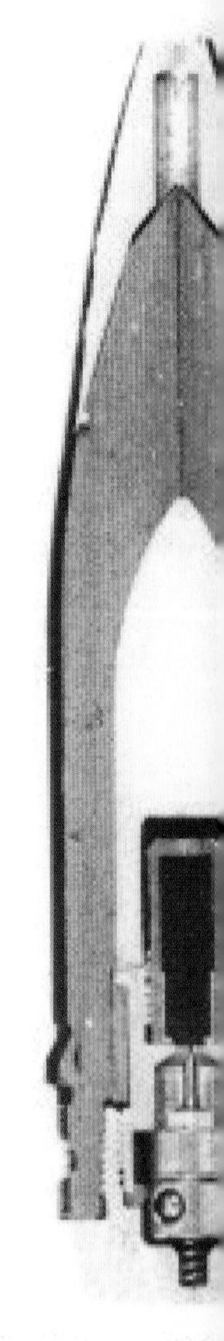

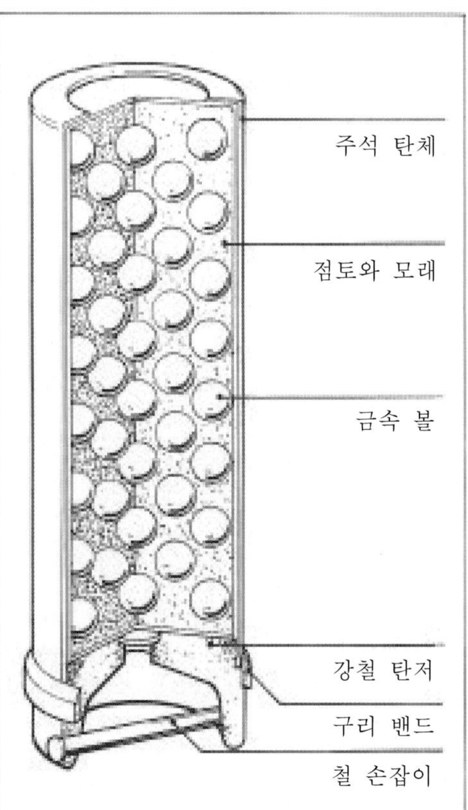

구형 캐니스터 산탄. 철 손잡이가 장전 시 사용된다. 구리 밴드가 산탄통에 있다.

CANISTER SHOT(산탄형 탄)
간단한 금속 약협 내부에 많은 구슬, 산탄, 펠렛으로 구성된 불활성 대인 발사체. 산탄은 포에 장전되고 발사되어 포강 내부에서 파열 개방되어 산탄의 나머지와 내용물이 산탄총에서 탄이 발사되는 방법으로 포구로부터 방출된다.
산탄은 최초에 '케이스 탄-case shot'이라고 불렸으며 근접 수단 무기로 수세기 동안 사용되었다. 이것은 공격에 대한 포의 위치를 방어하기 위한 야전포병용 표준 탄이었으며 상륙자를 색출하고 소형 보트에서 상륙하는 일당을 분쇄하기 위해 주구경 해안 방어 무기에 지급되었다. 19세기 후반에 포탄이 포의 포구에 인접하여 작동하도록 하는 신관이 있는 유산탄의 향상된 디자인으로 광범위하게 대체되었다. 이것은 참호를 제거하기 위한 근접 무기로 사용하기 위해 초기 전차용으로 제1차 세계대전에서 아주 짧게 부활하였다. 전쟁 후에 다시 사용되지 않았고 1950년대까지 부활하지 않았다. 한국전에서 아군 전차에 몰려드는 적 보병을 제거하기 위해 아군 전차에 발사하기 위해 영국 전차에 20-파운더 산탄이 공급되었다.
전형적인 현대 산탄은 장갑차량에서 사용된 영국의 76mm용이었다. 이것은 9mm 직경과 9mm 길이의
800개의 강철 산탄으로 포장된 주석 도금 실린더로 구성되었다. 사격 시 산탄은 원뿔에서 방출되고 포구로부터 약 150m 거리에서 치명적인 효과를 발휘한다.

CANNON AMMUNITION(캐논 탄
'캐논-cannon'은 20mm에서 30mm 구경 룹에 속하는 무기와 같은 소화기와 야포 이의 화기를 분류하기 위해 최근에 사용는 용어이다. 넓은 의미로 이들은 기관총 커진 것 같은 자동화기이며 주요 매력은 발 발사체와 활성 탄자를 발사하는 것이다 첫 번째 20mm 캐논은 독일에서 1차세계 전시 벡커(Becker)가 발명하였으며 항공를 무장할 의도였다. 전후에 그의 디자인 특허는 스위스의 오리콘 기계공구 회사 넘어가 이 회사가 디자인을 완성하고 전계에 20mm 캐논을 판매하였다. 다른 디인이 2차세계대전시에 출현하여 주요 항 및 대공 화기가 되었다. 1945년 이후 다 구경 - 23mm, 25mm, 27mm, 30mm -가 용되었으며 현재에는 소형 레이더와 전 사통장치의 완벽함 때문에 경 대공 방어 과 경보병 전투장갑차량용 무장으로 이러 무기에 대한 관심이 부흥하였다.
캐논과 함께 사용되는 탄약은 항상 고정이며 발사체는 고폭, 소이 및 철갑탄을 포 하며 보통 예광효과를 겸하고 있다. 소구 이므로 고폭탄은 피해를 주기 위해 효과 일 필요가 있으며 캐논탄은 보통 *콤포지 B, 헥소겐(hexogen)* 또는 *PETN*과 같은 우 강력한 고폭탄으로 충전된다.

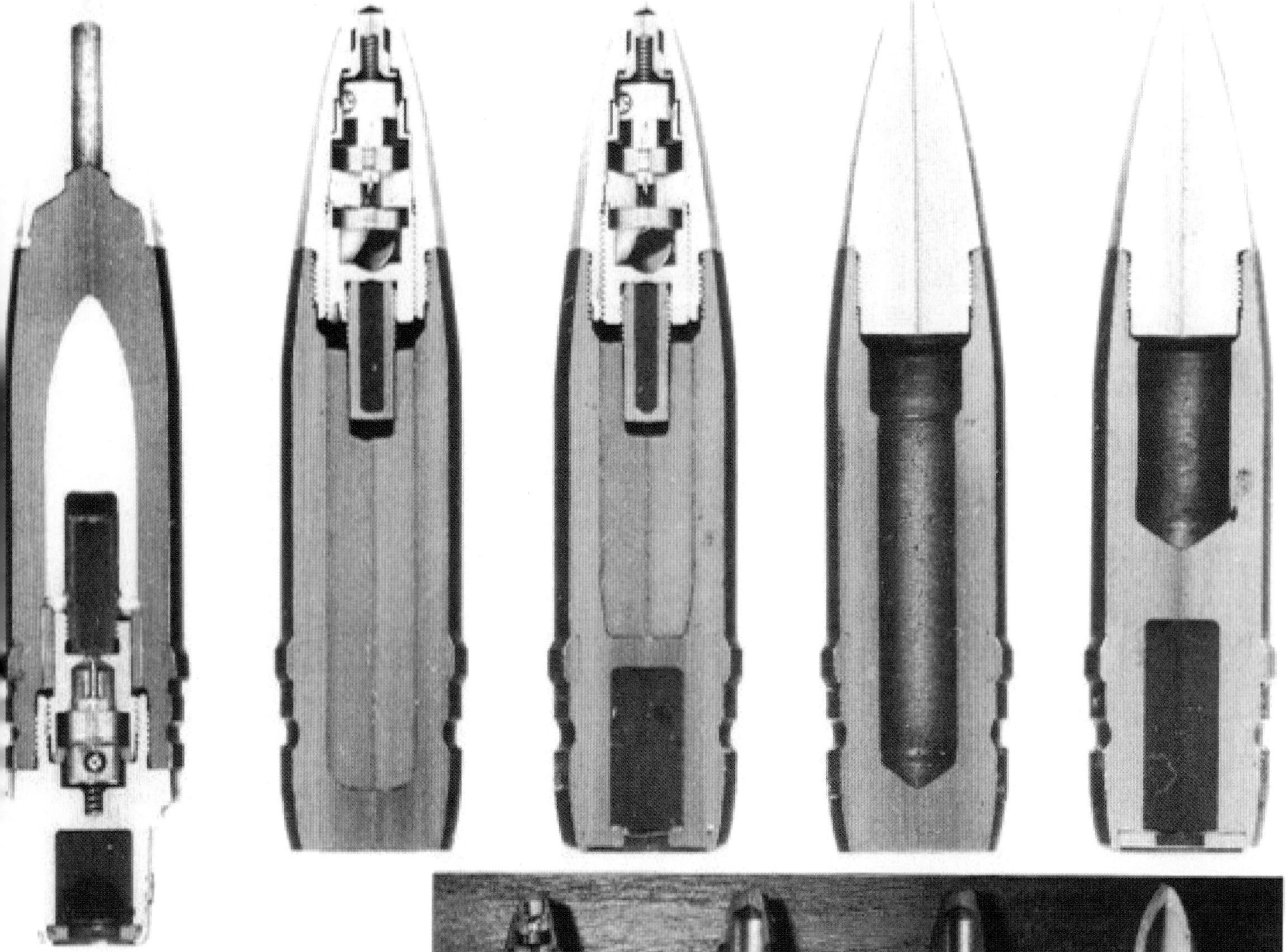

ㅓ 20mm 캐논용 오리콘(Oerikon) 탄약
좌에서 우) : 철갑 예광, 세미-철갑/고폭
소이, 세미-철갑/고폭/소이/예광,
고폭/소이, 고폭/소이/예광, 표적 연습,
표적연습/예광탄.

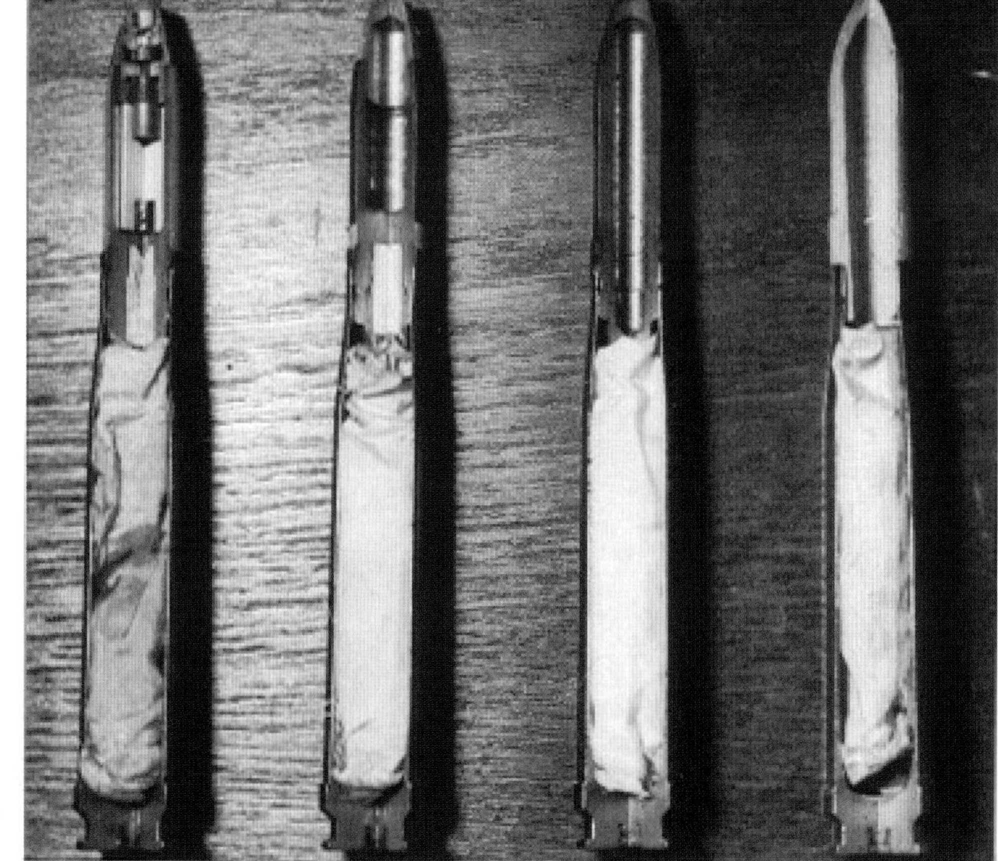

: 2차 세계대전의 독일 20mm 카트리지
좌에서 우) : 고폭/예광, 고폭/연습/예광,
활성 연습탄, 나무탄자 훈련 카트리지.

더 많은 적재물을 획득하기 위해 지뢰 폭탄(mine shell)이 캐논용으로 개발되어 광범위하게 적용되었다.

캐논탄용 기폭장치는 신관이 항공기의 얇은 기체에 충격 시 작동할 만큼 충분히 섬세해야한다는 주된 조건의 문제에 빠졌다. 다른 치명적인 조건은 탄약이 자체폭발 해야 한다는 것이다. 그렇지 않으면 위험한 상태로 아군 지역에 떨어지기 십상이었다.

캐논용 철갑탄은 보통 소형의 크기에서의 디자인과 제작 상의 심각한 문제에도 불구하고 *APDS(탄저분리 철갑)*가 여러 구경으로 생산되고 있지만 보통 *APCR(철갑, 혼성, 강체)*형이다. 이러한 고가의 탄종은 캐논에 대한 이중 송탄을 개발하는 원인이 되었다. 즉, 하나는 표준 고폭탄약이고 다른 하나는 장갑탄으로 채워진 2개의 탄띠로 장전되는 기계식이다. 말하자면 탄띠로 장전되는 고폭탄으로 대공 임무를 수행하고, 적전차가 출현하면 철갑탄으로 송탄을 전환하여 대전차용으로 무기를 사용 할 수 있다. 이 시스템은 포열을 제거하여 새로운 탄띠를 설치하는 절차 없이 신속하게 탄약을 변경할 수 있고, 사용되는 탄약의 비용을 최소화한다.

CAPPED SHOT(피갑탄) 철갑모가 적용된 모든 장갑 관통탄을 이르는 용어. *APC(철갑모탄약)* 참조.

CARRIER SHOT(운송탄) 단지 적재물을 표적에 운반하는 전달수단으로 작용하는 포탄의 탄체. 페이로드는 요구되는 전술효과를 가지고 있다. 그래서 효과가 파열용 탄체를 산산이 조각내는데 의존하기 때문에 고폭탄은 운송탄이 아니다. 그러나 파열 연막탄은 탄체가 파열하여 개방되어 필요한 전술 효과를 제공하는 연막 혼합제를 방출하기 때문에 운송탄이다. 대체로 말하면, 고폭탄 또는 장갑 파괴 탄 또는 포탄 이외의 발사체는 일종의 운송탄이다.

운송탄은 2가지 - *파열(bursting)* 또는 *탄저방출(base ejection)* - 로 분류 된다. *벌집탄(beehive)*과 최근 개발된 일종의 *원격 운반탄약(remotely delivered minitions)*처럼 이 범주에 속하지 않는 탄도 있다.

CASE SHOT(케이스 탄) *산탄형 탄(canister shot)*에 대한 오래된 용어.

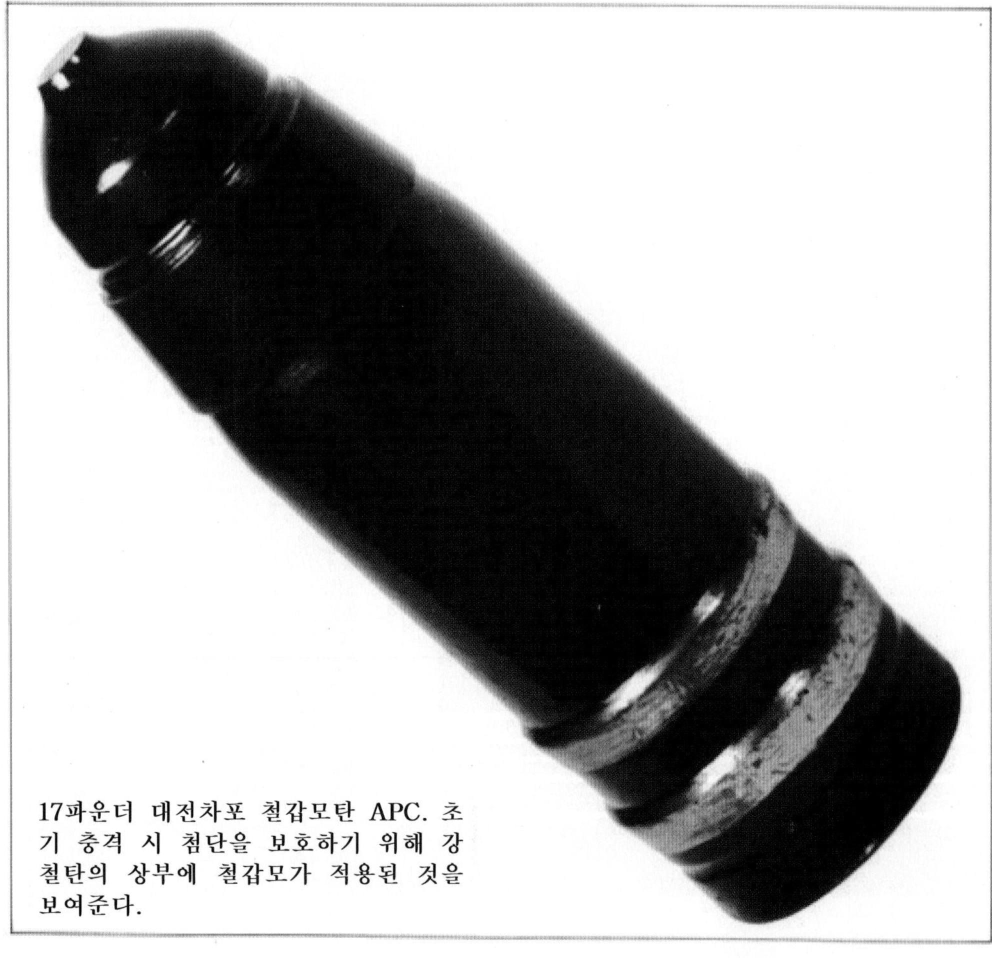

17파운더 대전차포 철갑모탄 APC. 초기 충격 시 첨단을 보호하기 위해 강철탄의 상부에 철갑모가 적용된 것을 보여준다.

105mm 경포용 탄저 방출 운송 탄이 3개의 연막 산탄을 포함하고 있다.

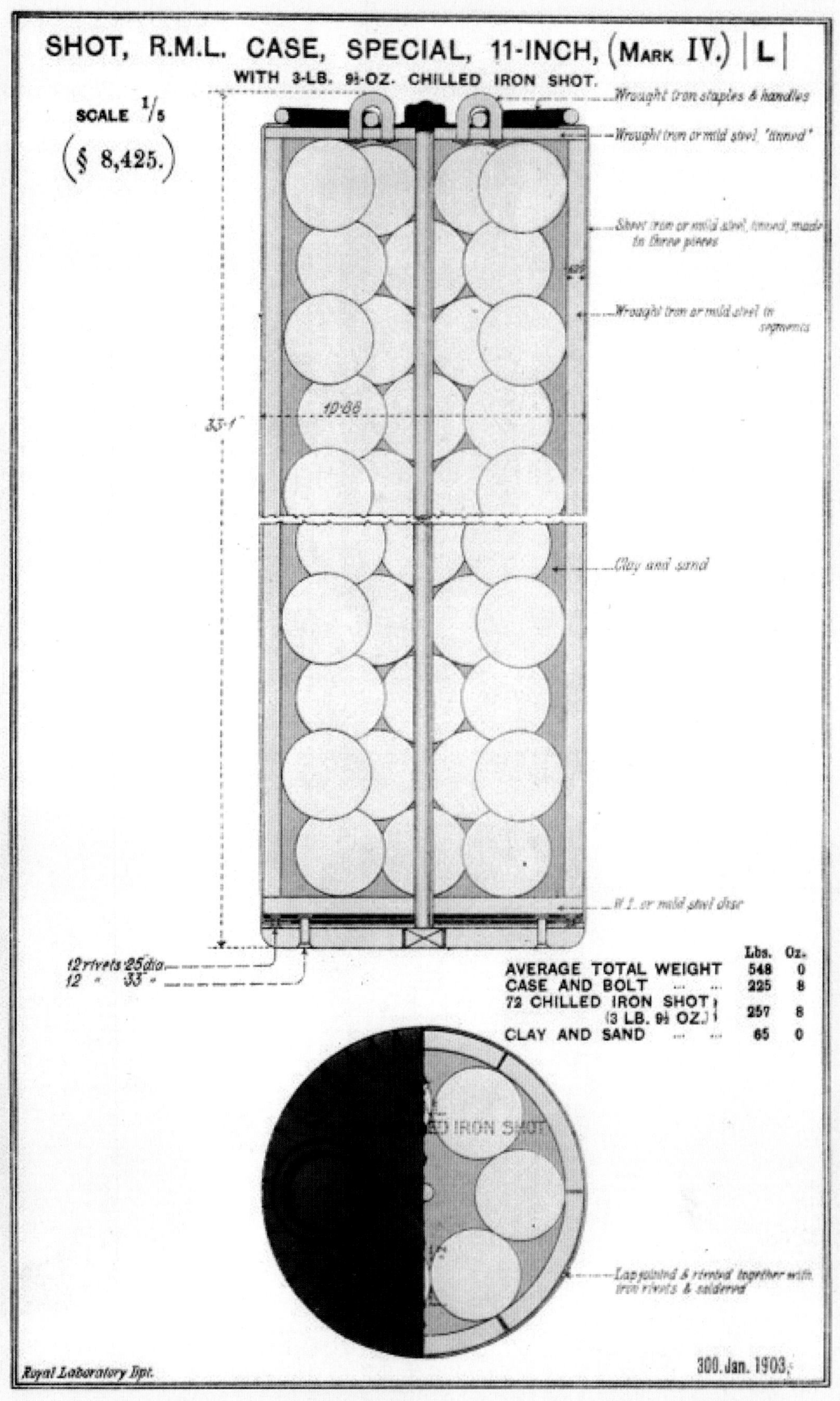

상륙 부대에 대한 해안 방어포로 사용하기 위해 디자인된 중 케이스탄. 사실상, 이것은 표적에 72개의 분리된 3파운드 캐논볼을 발사한다.

CASE CHARGE(약협 장약) 금속 약협에 채워진 추진 장약. 천 자루에 채워진 *약포(bag charge)와* 반대되는 용어.
알갱이 형태이거나 다발로 묶인 막대형일 때 추진제는 느슨하게 부어질 수 있다. 발화는 약협의 탄저에 나사나 다른 방법으로 고정되어 추진제 주위나 내부에 위치한 발화기의 도움을 받는 뇌관에 의해 이루어진다. 발사체가 약협의 입구에 고정된 고정탄약에서, 탄저와 추진 장약 사이에 마분지 간격 유지기가 설치되어 탄저의 하부에 장약을 유지하고 뇌관과 발화기를 접촉시키는 것이 바람직하다. 이러한 간격유지기가 없으면 장전 작용에 의해 추진제가 쉽게 약협 내에서 뇌관으로부터 앞쪽으로 쏠리게 하여 추진제의 발화가 어렵고 불충분하게 된다.
반고정탄(semi-fixed) 및 *분리장전탄약(separate-loading)*에서 추진제는 작은 약포에 포장되어 약협에 삽입되기 쉽다. 그래서 장약은 장전 전에 하나 또는 그 이상의 약포를 제거하여 강도를 조절할 수 있다. 분리장전의 경우에, 장약은 일종의 폐쇄 캡이나 뚜껑의 형태에 의해 약협에 유지될 수 있다. 이것은 장약의 조절을 위해 제거될 수 있고 장전에 앞서 교체된다. 고정탄의 간격 유지기로서 캡의 존재는 약협 장전이 장약으로 하여금 뇌관을 분리하지 않도록 보장한다.

2차 대전의 25파운더 화학탄. 띠는 충전제를 나타내며, 신관 접합부 근처의 반응 페인트 밴드는 누출을 감지한다.

CHEMICAL SHELL(화학탄) 일반적으로 독가스 같은 화학제로 채워진 포탄을 설명하는데 사용되는 완곡한 용어. 일부 국가는 여기에 연막 또는 소이 혼합제로 채워진 포탄도 적용시킨다.
화학제는 일반적으로 액체이며, 화학탄은 최소의 힘으로 파열 개방하여 화학제를 방출해야하는 요구 조건이 동일하여 보통 중앙 파열기와 충격 신관이 있는 파열 연막탄과 유사하다. 화학탄 디자인의 가장 큰 문제는 탄체가 비행할 때 탄체와 일치하는 화학충전제를 얻는 것이나. 포탄의 공간을 완전하게 채우는 것은 바람직하지 않다. 그리고 용적의 약 5% 공간이 팽창용으로 남겨진다. 이것은 액체가 포탄 내부에서 움직일 수 있어 가속 시 후미부로 몰려 비행 시 간헐적으로 전방으로 출렁거리고 일련의 내부 배플에 의해 포탄과 함께 회전되어야 한다는 것을 의미한다.
액체 충전제는 또한 탄저 방출 작용에 의해 분출될 수도 있다. 탄저 방출 연막탄과 유사한 소형 방출 장약은 포탄의 첨두에 있는 짧은 관에 운반된다. 신관에 의해 기폭될 때, 이 관은 갈라져서 확장되고 포탄의 원통 내부 아래로 밀려 그 앞에 있는 액체에 힘을 가한다. 이것은 탄저 판 위에 압력을 가하고 탄저판이 폭발하여 액체가 방출된다.

독일 105mm 곡사포 모델 18용 약협. 장약은 황동, 두른(wrap) 강철 또는 늘린(drawn) 강철 약협에 넣는다.

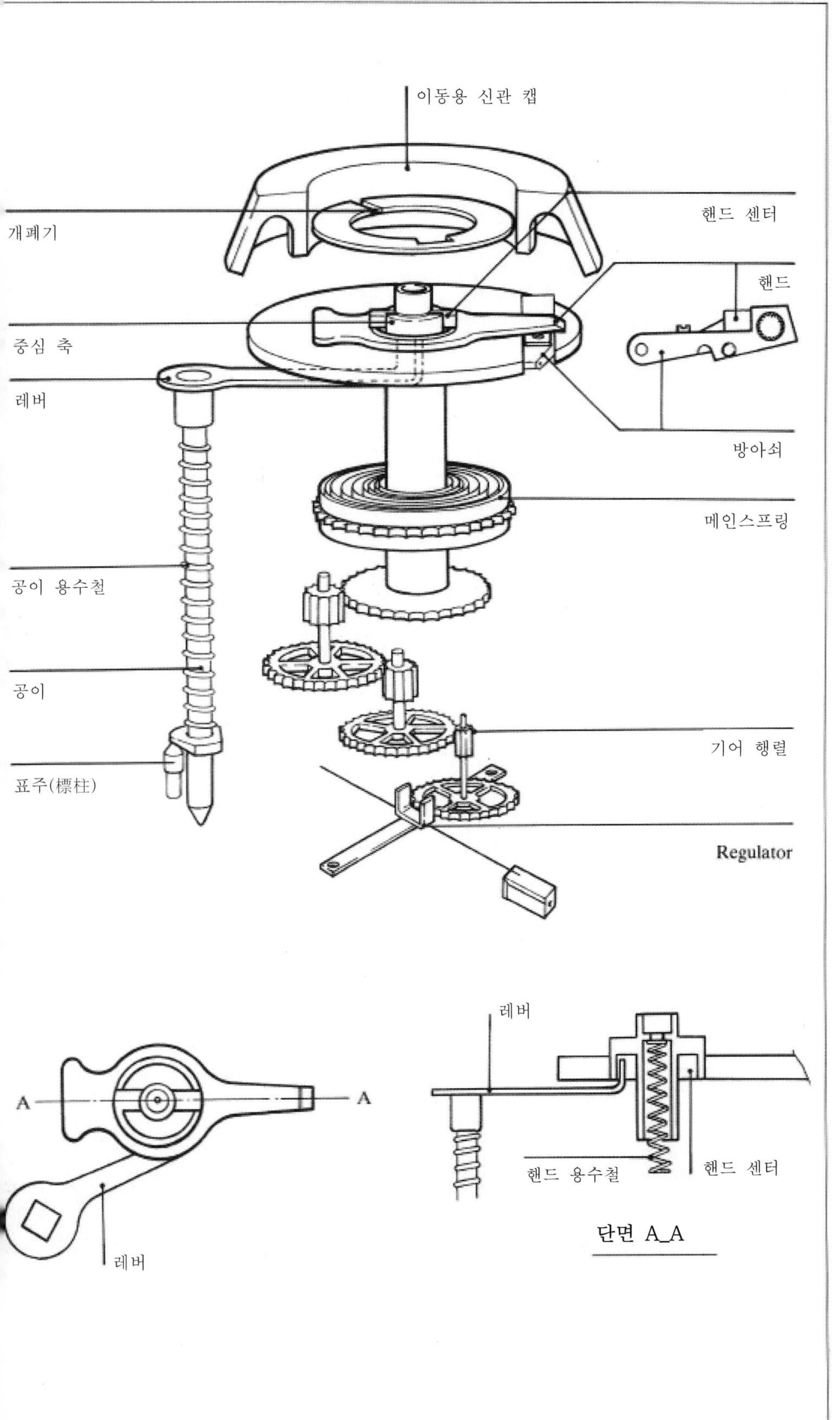

크룹-딜 태엽 시한 신관의 메커니즘. 태엽은 신관이 공장에서 조립될 때 감긴다.

포탄 공간의 후미부는 종종 간단하게 일시에 한 덩어리의 액체를 튀기는 대신 고운 분무 형태로 화학제가 방출되는 것을 보장하기 위해 쵸크나 벤추리의 형태가 된다. 액체가 회전하도록 하는 효과적인 배플을 적용하기 힘들기 때문에 이 시스템은 일반적이지 않다. 영국의 BE 디자인에서 금속 배플은 탄저판에 고정되고 공간 내부로 약간 돌출 되었다. 그러나 이것은 모든 액체가 회전하도록 보장하는 효과는 없다.
극소수의 고체 화학제는 산탄에 충전하고 탄저 방출 포탄으로부터 방출되거나 또는 간단하게 파열 포탄에서 물질이 흩뿌려지게 하는 것으로 더 쉽게 다루어 질 수 있다.
대부분의 화학제는 부식성이며, 모든 화학제는 치명적이거나 심각한 부상을 입힌다. 그러므로 발사체의 구조는 특별히 주의가 요구된다. 포탄 공간은 공기가 스미지 않는 물질이 더 쉬운 방식으로 다루어질 수 있도록 정렬되어 화학제가 금속을 부식시키지 않도록 하고 모든 접합부는 누출 방지를 위해 밀폐되어야 한다. 주요 접합부 인근의 포탄 외부에 있는 감지기 링을 도색하여 화학제가 누출될 때 감지기 링의 색이 변하여 위험을 경고하는 것은 관례적인 방법이다.

CLOCKWORK FUZE(태엽 신관)
시한 기능을 미리 감은 태엽 장치에 의지하는 기계식 시한 신관. 두 가지 주요 형태가 있으며 하나는 공장에서 신관이 조립될 때 태엽을 감는 크룹-딜(Krupp-Thiel)과 다른 하나는 장전에 앞서 작동설정을 할 때 감는 타바로(Tavaro)이다. 크룹-elf(Krupp-Thiel)을 이해하기가 더 쉽고 그림에 설명되어 있다.
메커니즘은 메인스프링과 메커니즘을 미리 판단된 비율로 작동하게 하는 레귤레이터를 포함하고 있다. 주축에는 '핸드'가 있고 그 아래에서 용추설이 위로 힘을 가하고 있다 핸드의 테(rim) 아래에는 신관 몸체에 있는 기폭장치 위에 위치한 공이치기(striker)를 제어하는 레버가 있다. 신관 몸체의 상부는 회전이 가능하고 몸체의 하부에 새겨진 시간 지표에 맞춰지는 지시기를 가지고 있다. 작동 부위의 바닥은 고도로 연마되고 메커니즘에 있는 핸드와 정확하게 동일한 모양으로 절단면을 가지고 있다. 핸드 아래에 있는 용수철은 이 연마 표면 쪽으로 핸드에 압력을 가하고 있다.
상부를 회전시켜 신관을 설정하면 개폐기 부위를 제거한다. 신관이 있는 포탄이 발사되면, 가속력은 방아쇠를 떨어뜨려 핸드와 메커니즘을 풀어 메인스프링에 의한 메커니즘의 회전이 핸드를 회전하게 한다. 정해진 시간의 끝 무렵에 핸드는 개폐기와 정렬되고 용수철은 상부로 핸드를 밀어 올린다. 이 핸드의 들어 올림은 발사 레버를 풀어 공이가 기폭 장치를 치도록 하여 신관 전폭약집(magazine)을 발화하고 포탄을 기폭한다.

COMBUSTIBLE CASE CHARGE(연소성 약협 장약) 약포가 작약 폭발 시 완전 연소하고 발사체 효과에 추가되는 실질적으로 단단한 연소 물질로 만든 약포 형태.

재래식 약포에 비해 이런 장약 형태의 유일한 장점은 약협의 견고성이 포의 약실 안으로 발사체를 밀어 넣기 위해 장전봉으로 장전할 수 있도록 장약을 사용할 수 있는 것이다. 이렇게 해서 약포에 기계식 장전 시스템을 적용할 수 있다. 이것은 기계식 장전 시스템이 있는 일부 전차포와 현대의 155mm 곡사포에 사용될 수 있다.

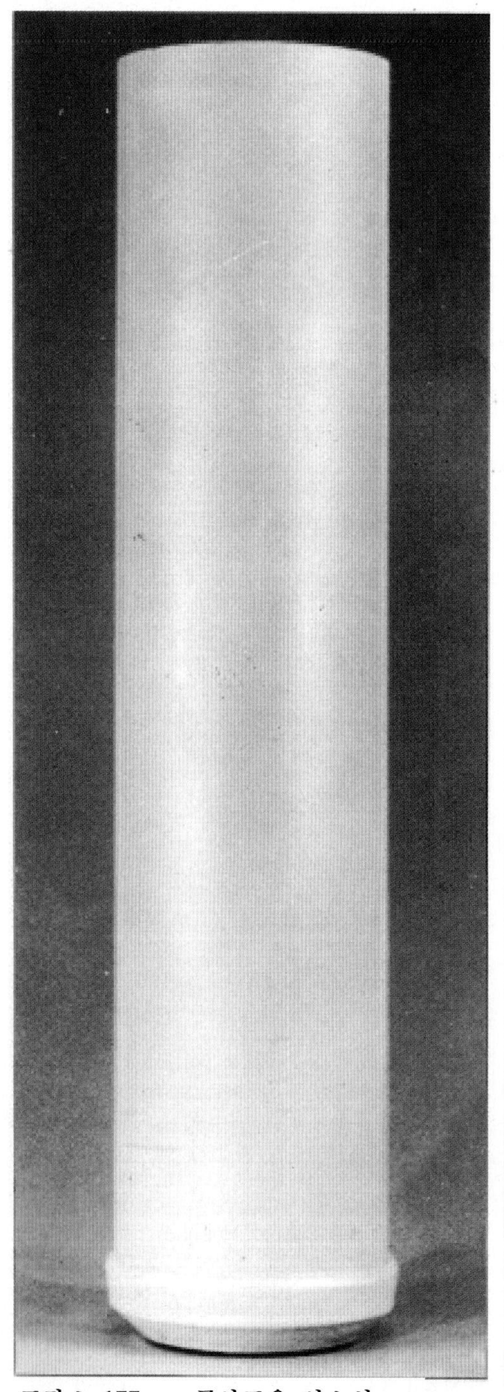

프랑스 155mm 곡사포용 연소성 약협 장약

COMBUSTION TIME FUZE(연소 시한 신관) 시간이 미리 설정된 화약의 길이나 유사한 연소 물질이 연소되면서 수행되는 시한 신관.

전형적인 연소 시한 신관은 중앙 기둥, 탄저 유닛, 각각의 영역에 320°의 화약 행렬을 가지고 있는 두 개의 금속 링, 이 모두를 고정하는 첨두 캡으로 구성되어 있다. 중앙 기둥은발화장치 -공이 위에 있는 용수철에 의해 지지되는 기폭장치- 를 포함한다. 탄저는 흑색화약을 포함한다. 두 개의 링은 중앙 기둥을 둘러싸고 첨두 캡에 의해 고정된다. 상부링은 고정된 반면 하부링은 제거가 가능하다. 이것은 탄저 유닛 위에 새겨진 시한 눈금에 맞춰지는 지시기 마크를 가지고 있다.

신관이 포로부터 발사되면, 기폭장치 가 뒤쪽으로 설정되고 공이에 의해 꿰뚫리고 화염을 발생한다. 이 화염은 상부 시한 링으로 가서 제한된 속도로 화약 충전제를 연소시키기 시작한다. 하부 시한 링은 (상부링의 화약 배열에 인접한) 상부 표면으로부터 선도되는 채널이 있다. 그리고 상부링이 이 지점까지 연소되면, 이것은 하부 배열을 점화한다. 그리고 이것은 신관의 바닥에 있는 분말 장약에 이르는 구멍을 만날 때까지 연소한 후 발화되고 주 장약 - 포탄 자체의 내용물- 을 발화한다. 상부링이 고정되었기 때문에 신관 전폭약집(magazine)에 이르는 채널처럼, 유일한 변수는 상부링에서 하부링으로 선도되는 구멍이다. 특정한 시간에 신관을 설정하면, 이 구멍이 움직여 상부링이 구멍에 닿을 때까지 더 길게 연소해야 하고 하부링은 전폭약집 통로에 닿기 위해 더 길게 연소해야 한다.

규칙성을 얻기 위해, 화약 링의 일관성과 치밀함은 특정 범위 내에 있어야 하고, 어떤 범위를 신관의 작동에 부여한다. 두 개의 시한 링으로 30초가 획득할 수 있는 최대 시간이다. 더 긴 시간을 얻기 위해 3개 또는 4개의 링이 있는 신관이 개발되었다. 그러나 기계식 신관의 출현은 이러한 복잡함을 제거하였다. 연소 신관은 저렴하고 대부분의 운송탄에 사용하기에 충분히 정확하다. 이들 타이밍의 정확성은 포탄의 비행시간의 약 4%이고, 그래서 표적까지의 비행시간이 30초인 포탄은 약 1.2초의 설정시간 내에 폭발해야 한다. 이들의 주요 결함은 대기 압력에서의 특정한 민감성이다. 그러나 이것은 주로 대공 임무 시 고도에서 발사될 때 볼 수 있으며 더 이상 중요하지 않다.

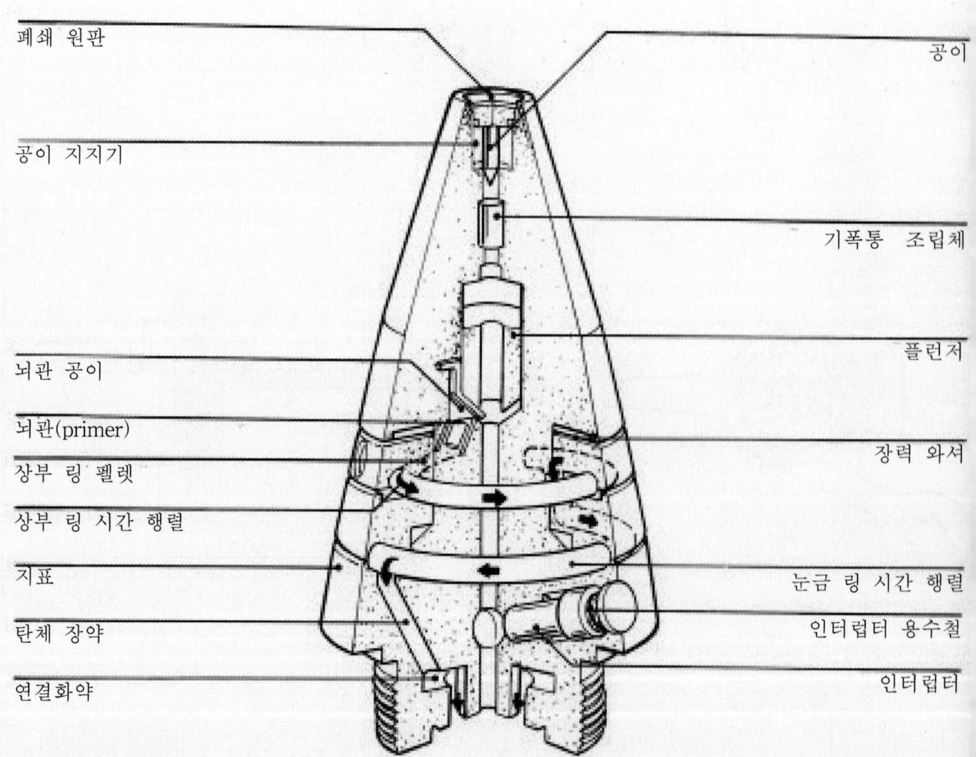

뇌관(primer)에서 연결화약까지 연소 통로를 표시하는 화살표가 있는 전형적인 연소 시한 신관.

미국 연소 시한 신관. 발사 시, 플런저가 저항 링에서 자유롭게 당겨지고 뇌관이 공이를 타격한다. 이것은 펠렛을 점화하고 상부 시한 링을 점화한다. 하부 시한 링이 연결 화약을 격발하는 2차 펠렛을 점화한다.

4개의 시한 링이 있는 일본 연소 시한 신관. 링의 홈은 화약으로 채워지고 구멍은 링에서 링으로 화염이 통과하여 결국 신관 전폭약집으로 들어가게 한다.

COMPOSITION A(콤포지션 A) 90 - 97%의 RDX와 3 - 10%의 몬탠 밀랍으로 구성된 고폭약. 영국에서 간단하게 'RDX/WAX'로 알려 졌다. 너무 민감해서 포탄 충전제로 많은 양을 사용할 수 없다. 이것은 신관 전폭약집, 부스터, 기폭 장치에 사용될 수 있다.

COMPOSITION B(콤포지션 B) 보통 60%의 RDX와 40%의 TNT인 다양한 비율의 RDX와 TNT로 구성된 고폭약. RDX는 너무 민감해서 포탄 충전제로 홀로 사용될 수 없다. 그러나 이러한 방법으로 TNT와 혼합되면, 초당 8,000미터(초당 26,240피트)의 기폭율을 가진 아주 강력한 혼합물을 만든다. 그리고 아직 포에서 발사 시 이를 견딜 수 있는 충분히 강한 포가 없다.

미국 M7A1 콘크리트 관통 신관: A. 포탄 입이 신관과 부스터를 고정한다. S1. 단단한 강철 헤드. S2. 용수철. S3. 뇌관 및 딜레이. D1. 부스터 뇌관. D2./D3. 테트릴(Tetryl) 충전제. D4. 원심 셔터.

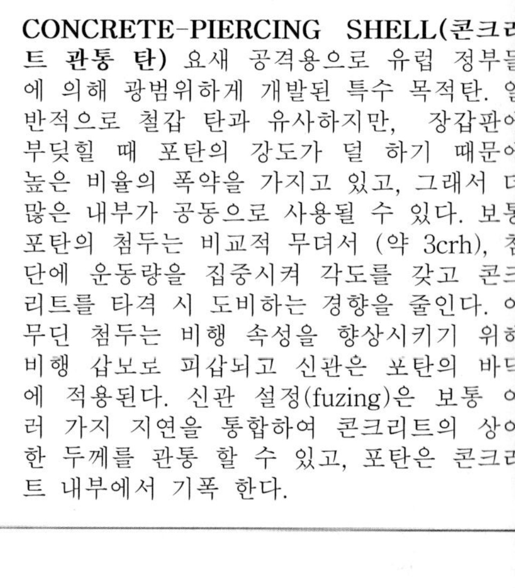

CONCRETE-PIERCING SHELL(콘크리트 관통 탄) 요새 공격용으로 유럽 정부들에 의해 광범위하게 개발된 특수 목적탄. 일반적으로 철갑 탄과 유사하지만, 장갑판에 부딪힐 때 포탄의 강도가 덜 하기 때문에 높은 비율의 폭약을 가지고 있고, 그래서 더 많은 내부가 공동으로 사용될 수 있다. 보통 포탄의 첨두는 비교적 무뎌서 (약 3crh), 첨단에 운동량을 집중시켜 각도를 갖고 콘크리트를 타격 시 도비하는 경향을 줄인다. 이 무딘 첨두는 비행 속성을 향상시키기 위해 비행 삽보로 피삽되고 신관은 포탄의 바디에 적용된다. 신관 설정(fuzing)은 보통 여러 가지 지연을 통합하여 콘크리트의 상이한 두께를 관통 할 수 있고, 포탄은 콘크리트 내부에서 기폭 한다.

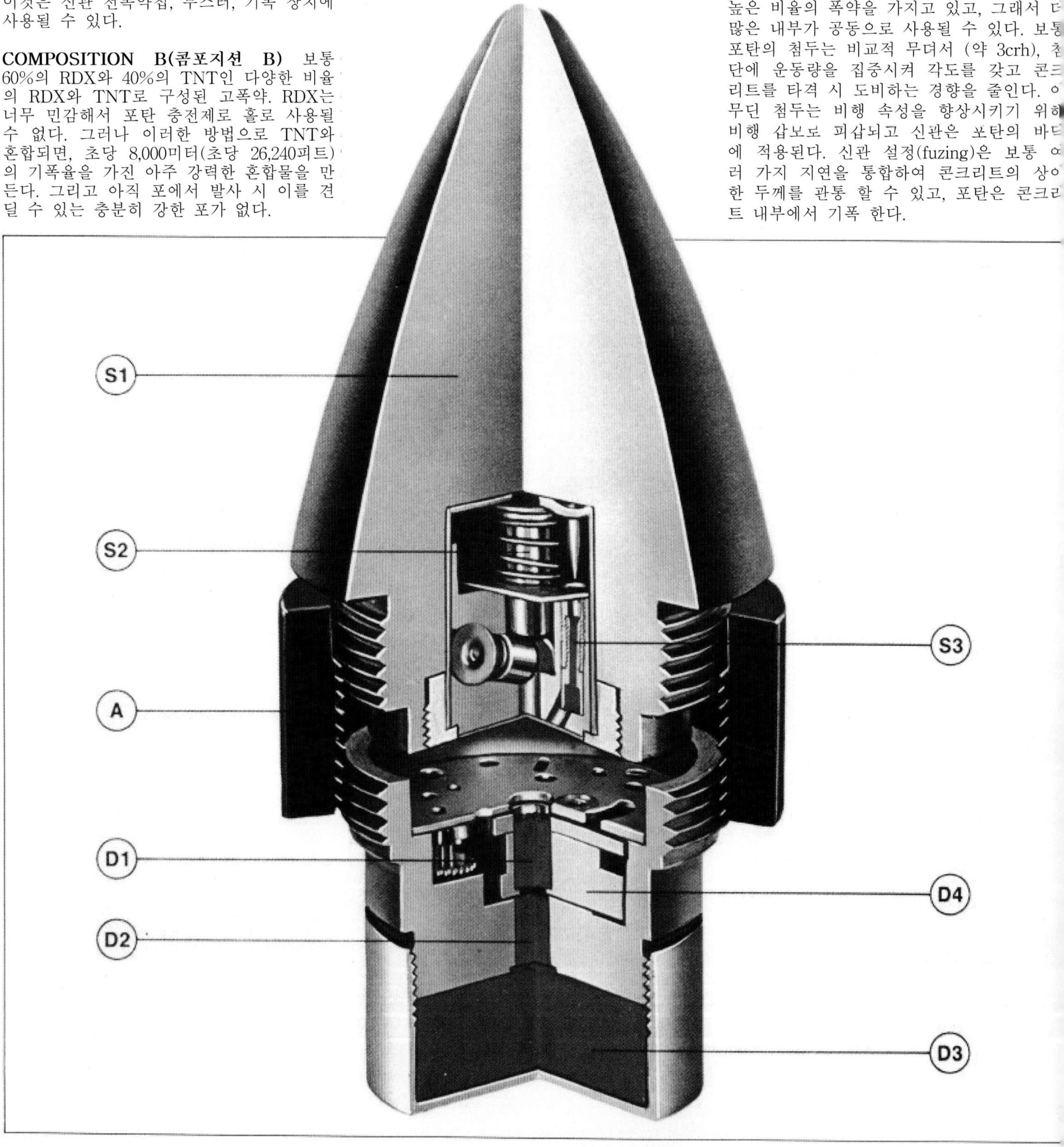

늘날 요새가 실질적으로 존재하기 않기 때에 콘크리트 관통탄은 모두 자취를 감췄. 일부 소련 포병 무기가 여전히 병기고에 직도 콘크리트 관통탄(CP)을 보유하고 있만, 2차 대전의 유물이라는 것을 이해해야 다.
ㅏ 대전 중에 미국이 개발한 흥미로운 변종이 큰크리트 관통 신관이었다. 이것은 표 신관 자리에 있는 어떤 표준 포병 신관의 두에도 나사로 고정될 수 있는 신관이며 별히 강한 강철 대용 표적에 맞춰졌다. 이게 해서 포탄을 관통탄으로 전환하였다. 크리트 관통 신관 M78'은 야전 요새에 사된 몇 가지 경우에 성공한 것으로 생각되만 메츠(Metz) 요새처럼 비교적 영구적으 축성된 요새가 아닌 한 효과가 없다.

ONED BORE(원뿔형 포강) 구경을 줄인 열의 추가 익스텐션을 사용하는 포, 또는 열에 구경을 줄인 부위가 없으면 평행한 열. 전자의 예는 '리틀존 어댑터'로 영국 2 운더와 미국 37mm 장갑차량 포에 적용었다. 후자의 예는 독일 75mm PaK44 대 차포로 약실 바로 앞에서 급격하게 경사진 뿔곡선을 가진 포열이며, 그래서 55mm로 경을 줄여 재래식 강선을 만들었다. 두 가 디자인 모두 원뿔지점을 통과할 때 구경 줄어드는 APCNR을 사용하였다. '압착 포 -squeeze-bore'이라고도 알려져 있다. *경사 강(Taper bore)* 참조.

ORDITE(코다이트, 끈모양의 무연화약) 80년대 후반에 개발되어 1950년대까지 사된 영국 포의 추진제. 이것은 니트로-셀룰스, 니트로-글리세린으로 구성되고 광물 리(바세린)가 아세틴의 작용으로 섞이고 라틴화 된다. 젤라틴화되므로써, 니트로-셀로스의 섬유 성질이 파괴되고, 물질은 편한 모양이나 크기로 만들 수 있는 얇은 조 형태로 바뀐다. 이것은 보통 긴 끈 -이름 유래된- 이나 막대 형태로 돌출된다.
초의 코다이트는 58%가 니트로-글리세린 며, 이것은 높은 폭발 온도를 제공한다. 그 고 포의 과도한 마모를 일으켜, 부정확한 격을 유발한다. 그러므로 이것은 폭발 온 를 줄이기 위해 30%의 니트로-글리세린으 바꿨고, 그래서 포의 부식뿐 아니라 강도 지 줄여 동일한 성능을 얻기 위해 장약이 커져야 했다.

YCLONITE(싸이클로나이트) RDX에 한 유럽식 명칭.

ㅏ : 장약 추진제의 상부에 탈(脫)구리 박편을 보여주는 탄약

D

DE-COPPERING CHARGE(탈구리 장약) 구리 회전탄대가 있는 포탄이 발사될 때, 마찰에 의해 탄대가 포의 내부에 구리층을 남긴다. 이어지는 연속적인 발사는 여기에 덧붙여 이층을 제거하기 위한 어떤 조치가 없는 한 포는 '구리 쵸크-copper choke'의 피해를 받고 포탄은 포강을 지나 갈 수 없게 된다. 해결방법은 철사나 얇은 박편 모양으로 금속 납의 양을 추진 장약에 추가하는 것이다. 이것은 장약 폭발 시 증발하여 포의 포강에 침점되고 구리와 융합하여 무른 합금을 형성한다. 다음 탄이 발사되어 이 합금을 일소하여 쌓인 구리를 제거한다. 모든 추진 장약에 납 박편 또는 구리의 양을 포함시켜 탈 구리 작용이 항구적이지만, 장약을 사용하는 직사포나 곡사포에서 탈구리 물질은 보통 가장 높은 장약을 포함하고 있는 약포에 있다. 이 약포가 폐기되면, 낮은 장약이 발사될 때 이루어지는 것처럼, 탈구리 물질이 사용되지 않고 구리가 쌓이기 시작한다. 이러한 경우에 있어서, 더 많은 양의 납이 첨가된 정상 장약인 탈구리 장약이 축적된 탄매를 제거하기 위해 주기적으로 발사된다.

DELAY FUZE(지연 신관) 충격 후 포탄의 기폭을 지연시키기 위해 사용되는 신관. 이것은 (1) 포탄이 도비할 수 있도록 하고 (2) 건물 내부에서 기폭하기 전에 건물 지붕과 같은 얇은 장애물을 포탄이 통과하도록 하고 (3) 또는 방호물의 측면에서 기폭하기 전에 장갑판이나 콘크리트와 같은 주요 방호물을 포탄이 통과하도록 할 수 있다. 사례(1)은 도비 신관(ricochet fuze) 이름으로 커버된다. 사례(2)는 일반적으로 지연 설정이 되지 않으면 일반 첨두 충격 신관에 지연을 설정하여 만족한다. 사례(3)은 선척적이거나 추가적인 내장 지연을 가진 탄저 신관을 사용하여 커버된다.

DETONATION(기폭) 고폭약이 점화될 때 발생하는 빠른 분자분열. 기폭파는 3,000-10,000mps(9,840-32,800fps) 사이의 속도로 이동하고 금속 장벽을 통과할 수 있지만, 공기층에 의해 차단될 수 있다. 그러므로 기폭이 필요한 탄약에서, 폭약의 배열은 연속적이어야 한다. 기폭(고폭)하는 폭약은 기폭을 만드는 발화장치 같은 기폭통(detonator)에 의해 발화되어야 한다. 일부 기폭통은 공이의 충격에 의해 기능이 작동하고 다른 것은 첫 번째 발화되는 폭약과 기폭으로 전환될 때까지 가속되는 연소에 의해 작동한다.

기폭에 대한 민감성은 대단히 다양하다. 그리고 발화가 어려운 폭약은 기폭통으로부터 비교적 작은 충격을 증폭하기 위한 폭약의 누적 배열 기폭장치(exploder system)를 필요로 한다.

DISCARDING SABOT SHEL(탄저분리탄) APDS 탄과 유사하지만 하부발사체가 고폭탄일 때 포탄은 다소 재래식 형태이다. 1930년대에 프랑스 병기 공학자인 에드가 브랜드(Edgar Brandt)가 처음 원리를 탐구하였다. 그의 목적은 105mm 포에서 75mm 하부 발사체를 사용하여 재래식 야전포용 장사거리 포탄을 개발하는 것이었다. 하부발사체의 낮은 무게와 더 작은 크기는 표준 105mm 포탄 보다 더 높은 속도로 사격 될 수 있었고 그래서 더 높은 속도로 시작하기 때문에 사거리가 더 길었다. 물론 전체적인 개념은 사거리의 증가가 발사체의 크기와 표적에서의 효과를 감소시켜 가치가 있는가라는 의문을 낳았다. 브란트의 연구는 1940년 독일의 프랑스 침공으로 중단되었고, 그의 아이디어는 독일이 탈취하여 몇 가지 연구를 시작하였다. 그들의 주요 관심은 높은 속도 때문에 비행시간이 짧아 전체 대공 사격통제 문제를 간단하게 해결하는 대공 발사체를 개발하는 것이다.

단히 말해, 이 문제는 포탄이 항공기의 는에 멀리 도달 할수록 항공기는 더 높이 행하고, 그러므로 다가오는 포탄에 비교 서 그 위치 판단이 더 어렵다는 것이다.) 은 디자인, 특히 10.5cm와 8.8cm 대공 방 또가 개발되었지만, 아무것도 제작되지 않 다.

탄저 분리 원리의 한 가지 장점은 자탄이 포강 내에서의 어떠한 요구조건을 따르지 않고 최상의 비행 성능에 맞게 설계될 수 있다는 것이다. 예를 들어 포강을 미끄러지는 정심부 또는 나란한 벽이 있는 부분을 대신하는 탄저 구성품 때문에 더 이상 필요하지 않는다. 그 결과, 포탄은 긴 조형부(ogive)와 긴 후면경사 또는 설계자들이 원하는 어떠한 형태로도 설계될 수 있다.

이러한 특성은 2차 대전 중의 독일에서 눈에 띈다.

탄저 분리탄은 하나 또는 두 개의 대전 후 대공포, 특히 영국의 5인치 구경 '녹색 철퇴-green mace'에 적용되었지만 유도 미사일의 전반적인 적용에 의해 대체될 때 이러한 형태의 발사체가 사라지기 시작하였다. 지상 포병의 영역에서는 대전후 개발이 나타나지 않았다.

여러 가지 형태의 독일 실험용 탄저분리탄으로 105mm 대공포에서 사용되는 88mm 하부 발사체를 보여주고 있다. 이것의 장점은 더 작은 포탄이 포의 포열에서 더 높은 속도에 도달하고 더 긴 사거리를 제공하는 것이다.

DISTANCE FUZE(원격 신관) 물체가 비행궤도상의 어떤 특정 지점에서 포탄이 작동하는 원인이 되어야 하는 한 시한 신관의 초기 형태는 비행시간 측정에 의존하지 않고 포탄에 의해 이동한 거리를 측정하는데 의존하기 때문에 현재와 상이하다. 1회전하는 동안에 이동한 거리를 포의 강선 회전으로부터 정밀하게 알기 때문에 회전을 계수하면 포탄의 이동 거리를 아주 정밀하게 측정할 수 있다. 계수는 항상 신관 내부에 펜던트(pendant) 무게를 갖거나 신관 위로 흐르는 기류에 의해 안정되는 바람개비를 가짐으로써 실행된다. 무게 또는 바람개비가 계속 존속되는 동안에 신관의 나머지는 그 주위를 돌게 되어서 기어가 계수 장치를 작동시키도록 한다. 원격 신관의 디자인은 1885년에서 1900년 시기에 대부분의 나라에 의해 실험되었지만 전력화된 것은 없었다. 이론상으로 완벽한 것 같았지만, 대부분의 설계자들은 발사된 포탄의 가속이 사실상 어떠한 기계장치도 단단하게 고정하는 거대한 후방 압력을 발생시켜 신관 가동의 시작이 다양한 지점에서 이루어지 이어지는 스핀이 종종 펜던트(pendant) 게 또는 바람개비가 신관과 함께 회전하 완전히 기계적 동작을 무력화시키는 강력 원심력을 발생시킨다는 사실을 간과하였 낮은 속도, 낮은 스핀의 포에서 일부 초 모델들은 더 많은 연구를 고무시킬 만큼 분히 양호하게 동작하였지만, 포가 강력해 면서 결점이 더욱 명백해지고 아이디어 서서히 폐기되었다.

1890년대의 두 개의 실험용 원격(distance) 신관. 둘 모두 포탄이 회전할 때 기류 속에 유지할 것으로 기대되는 바람개비가 있다. 그래서 지속적으로 회전한다. 둘 다 성공하지 못했다.

우 : 1910년 H.A. 베델(Bethell) 대령이 Modern Guns and Gunnery에서 초안을 그린 1904년의 미액(Mieg) 및 가드만(Gathmann) 원격 신관.

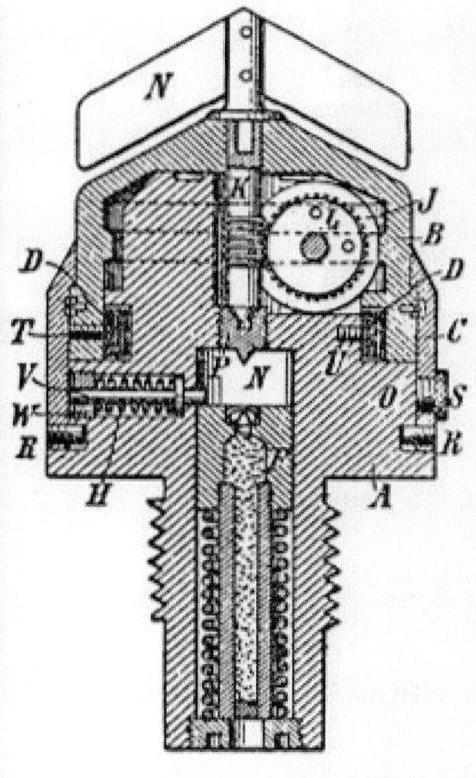

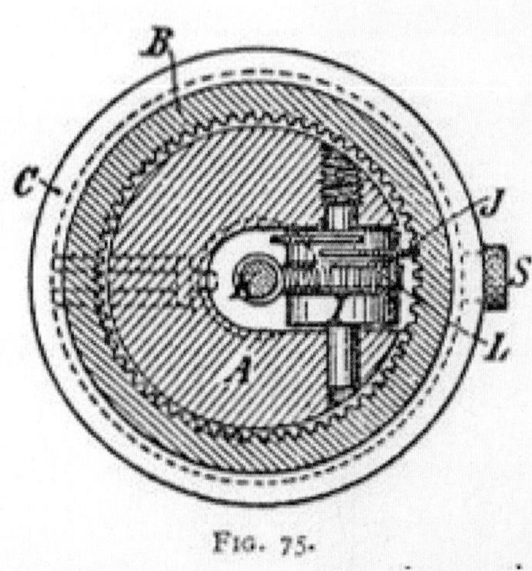

FIG. 75.

K는 스핀들로 니들 N을 운반하는 플러그 P 위에 있다. 스핀들 위에 있는 끝이 없는 스크류가 웜 휠 L과 결합한다. 이 휠의 축이 웜 J가 나사산을 한 바퀴 움직이도록 한다. 웜 J는 돔 내부에 있는 치아와 결합하고 이것이 회전하여 신관을 설정한다. 코일형 용수철 D는 신관의 한 쪽 끝에 고정되고 다른 쪽 끝은 돔에 고정되어 씨트 내에서 돔을 회전하게 한다. 돔은 링 C를 세팅시켜 자유롭게 회전하도록 아래에 고정된다. 링은 내부에 라쳇 치아가 있어 한쪽 방향으로만 회전할 수 있다. 즉, 코일 용수철을 감아올린다. 캡을 운반하는 공이 F 는 신관의 회전축 내에 있어 그 주위에 있는 나선형 용수철에 의해 작동된다. 공이는 잠금 볼트 V에 의해 아래쪽에 고정되고 용수철 W에 의해 작동되어 바깥쪽으로 압축하게 된다. 잠금 볼트는 바깥쪽으로 움직이지 못하게 되고 세팅-링의 벽에 의해 공이를 풀고 맞붙게 한다. 구멍 O가 잠금 볼트 반대편에 올 때 후자는 자유롭게 밖으로 날아 공이가 신관을 격발하도록 한다.

장전되기 전에, 구멍 O는 껄쭉한 머리가 있는 스크류 S에 의해 폐쇄된다.

용수철은 지속적으로 풀리고 돔을 회전시키지만 후자와 결합되는 웜 J에 의해 그렇게 되지 않는다. 돔이 회전하도록 하는 바람개비의 작동 하에서만 웜이 회전한다.

이렇게 해서 이 신관 내에서 기계장치의 동작은 코일형 용수철에 의해 도움을 받는다.

신관을 설정하기 위해 돔과 세팅-링은 구멍 O가 잠금볼트로부터 주어진 거리가 될 때까지(비행시의 포탄에 주어진 회전 숫자에 따라) 라쳇에 의해 허용된 방향으로 회전한다.

DRAG STABILIZATION(항력 안정) 비행시 발사체를 안정화 시키는 방법, 균형 중심을 뒤쪽에 두어 탄두가 먼저 도달하는 것으로 축의 항력(drag)에 의한 투창의 안정화와 유사하다. 거의 사용하지 않지만 단거리 활강 무기에서만 사용되었다. 현재의 항력 안정화와 유사한 적용은 칼 구스타프(Carl Gustav) 무반동 대전차포와 함께 사용된 84mm 포탄이며, 이것은 주로 스핀에 의해 안정화되는 발사체에 항력 안정 요소를 추가하는 포탄 뒤쪽 일정한 거리에 확장된 스커트가 있다.

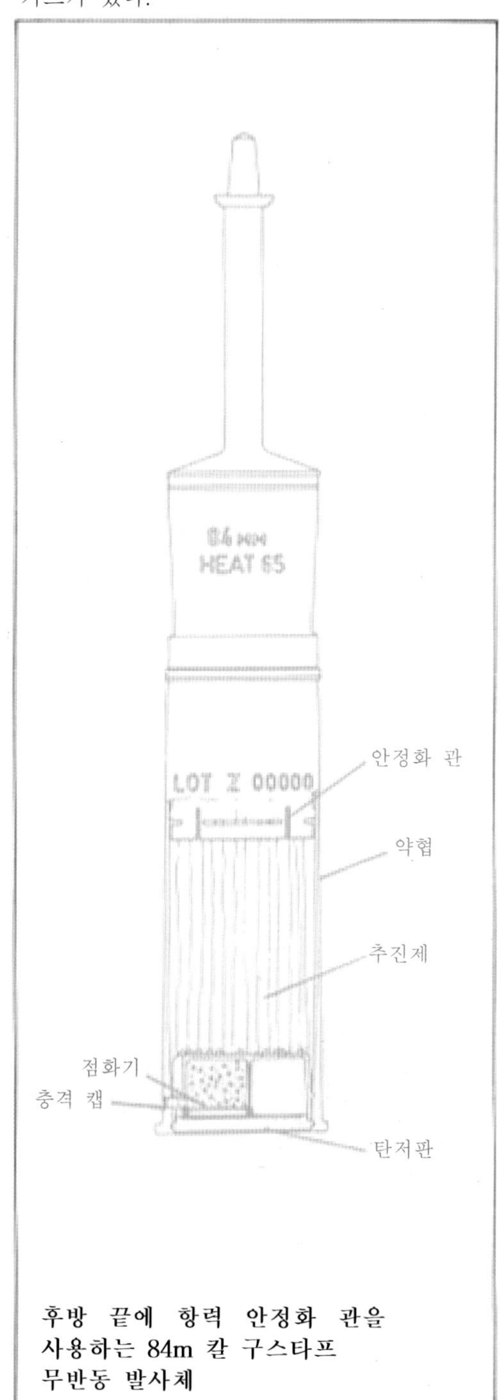

후방 끝에 항력 안정화 관을 사용하는 84m 칼 구스타프 무반동 발사체

아래 : 12파운더 해안 방어포용 빅토리안 솔리드 청동 연습탄.

우 : 25파운더 야전 직사포용 목제 및 황동 연습탄

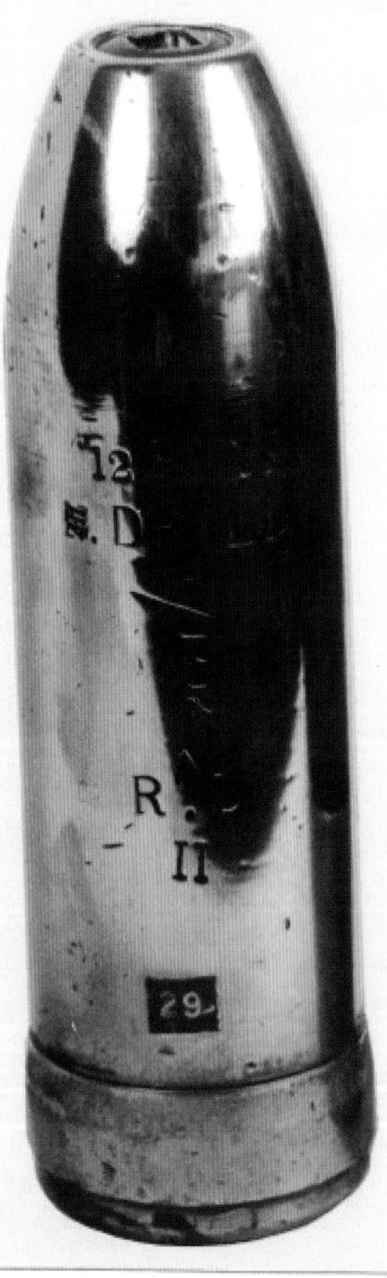

RILL AMMUNITION(훈련탄) 완전한 활성 탄. 즉 어떠한 폭약 성분도 없고 장 과 포 작동 시 부대 훈련에 사용되는 탄. 은 실탄의 모양, 크기 및 무게와 유사하지 보통 나무, 청동 또는 다른 단단한 물질 만들어 거친 반복적인 훈련용에 적합하 . 약협은 실탄용 바통이지만 약포 장약이 용된다면 이는 칸바스 또는 가죽이 될 것 고 약협에는 뇌관이 없어 포의 공이핀이 상되지 않는다.

RIVING BAND(구동 탄대) 포탄 후방 쪽으로 포탄 주변에 압착되어 있고 카트 지의 폭발력에 의해 포의 강선 홈(강저) 으로 파고 드는 연금속 띠. 강저의 곡선을 라갈 때 포탄이 회전하여 비행시 안정화 다. 미국에서는 '회전 탄대(rotating band)' 고 부른다.

늘날 알려진 것처럼 구동 탄대는 1880년 에 영국의 공학자인 바사세유(Vasasseur) 개발하였다. (자신의 발명품으로 10,000을 받았다.) 탄대는 제작 시 포탄 위 씌워지고 포탄 벽에 있는 홈 안으로 눌 는 연속적인 구리 링이다. 홈의 바닥은 여 가지 패턴 -햇처(hatchures), 물결 선, 축 향 선- 으로 조각되어 있어 구리가 이러 조각들을 따라 포탄에 단단하게 고정된 . 이것은 강선이 탄대에 맞물릴 때 회전 작이 포탄의 몸체로 전달되는 것을 보장 다.

대의 외부 표면은 보통 여러 가지 필요조 에 맞도록 모양을 낸다. 이는 탄대가 전 끝에서 경사져서 장전 시 포의 내부에 물리고 포를 고각으로 올릴 때 포탄이 후 으로 미끄러지는 것을 방지하는데 이상적 다. 이는 또한 포탄 후방이 강선 안으로 장될 수 있지만 비행시 원심력에 의해 밖 로 떨어져 나가지 않을 만큼 얇지가 않고 류에 지장을 주지 않는 것이 이상적이다. 른 재질이 사용될 수 있다. 도금 금속 (구 와 아연의 합금)은 미국에서 선호하고 반 에 2차세계대전시 독일 육군은 소결 철을 용하여 구리에 의한 비용을 절감하였다. 일론이 특히 APDS 탄대용으로 일부 현대 자인에서 사용되었지만 초창기에 크기의 정성에 문제가 있었다.

대가 강선 안으로 파고들 때 포탄에 심각 압도적인 압력을 준다. 이것은 강선으로 터 포탄에 회전을 전달하려고 시도할 때 대 자체에 커다란 전단 압력을 준다. 이러 압력이 너무 강할 경우 이중 또는 삼중 대가 적용될 수 있다. 이것은 두 가지 압 형태를 더욱 고르게 분배한다.

종 견부에 추가 구동 탄대가 있는 포탄을 수가 있다. 이것은 조사결과 항상 강선 경 이하가 되고 긴 탄두가 있는 포탄에 정된 탄대에만 적용될 것이다. 이것들은 선을 파고들지 않으며 포탄을 회전시키는 할을 하지 않는다.

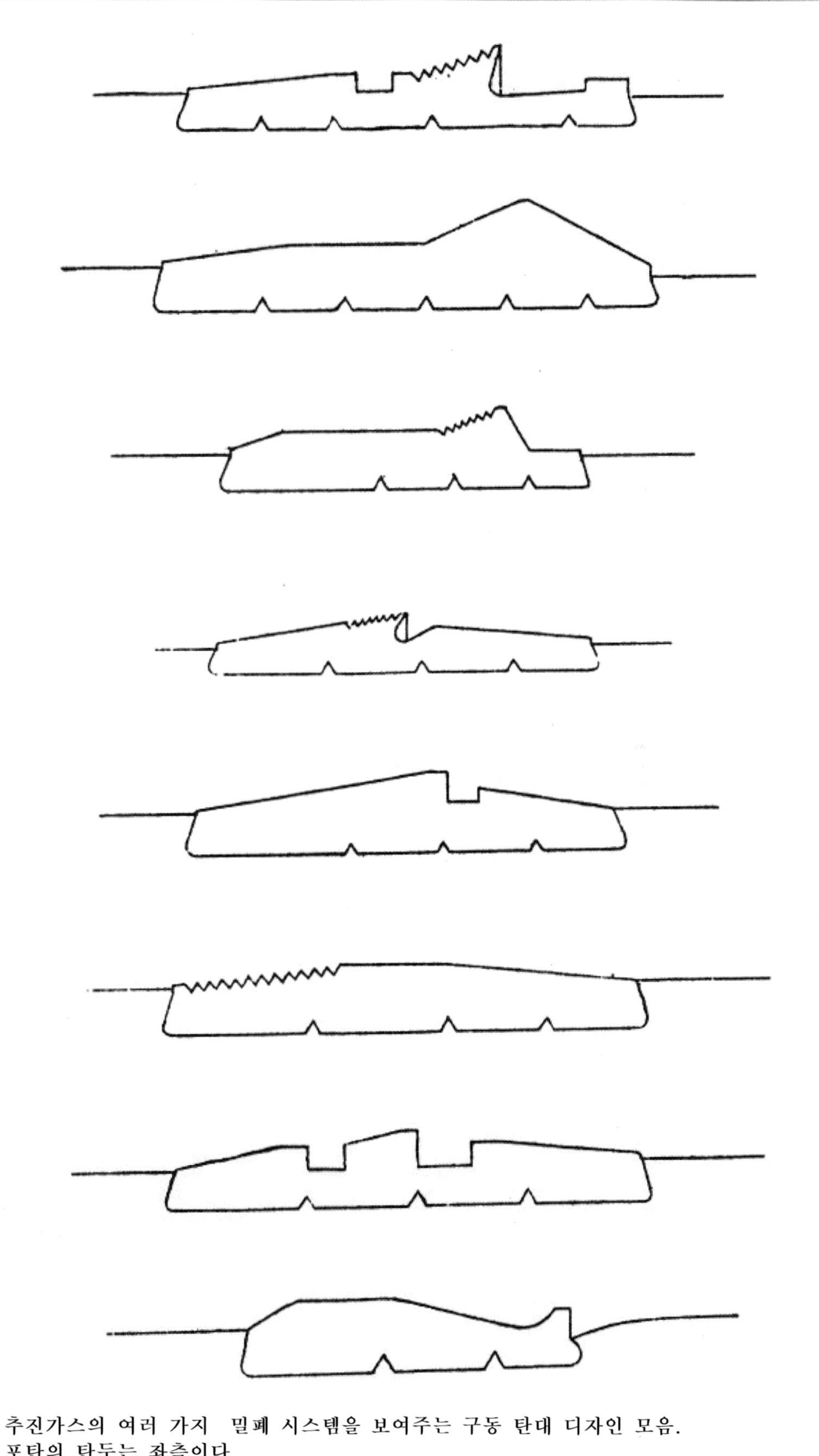

추진가스의 여러 가지 밀폐 시스템을 보여주는 구동 탄대 디자인 모음. 포탄의 탄두는 좌측이다.

DYNAMITE(다이너마이트) 다이너마이트는 노벨이 발명한 폭약이다. 다이너마이트는 단지 물질은 더욱 안정되게 하고 취급을 용이하게 하기 위해 규조토 내에 흡수된 니트로-글리세린이다.

다이너마이트는 포에서 사용할 추진제의 충전제로 한번 제안되었지만 포를 다소 사용할 수 없게 만들었기 때문에 여기서 언급된다. '다이너마이트 포'는 1883년에 시카고의 메포드(Mr. Mefford)가 발명한 것이지만 그의 아이디어를 빼앗겨 '잘린스키 다이너마이트 포 – Zalinski Dynamite gun'가 되었다. 고려된 목적은 포탄의 폭발 작약으로 다이너마이트를 사용할 수 있어야 한다는 것이었고 아주 조용한 가속이 필요하게 하는 것이었다.

그러므로 다이너마이트 포는 보통 8인치 (203mm) 구경의 거대한 대공포였으며, 날개 안정 다이너마이트 충전 발사체를 약 5킬로 미터까지 발사하였다. 많은 양이 뉴욕과 샌프란시스코 주변의 해안 방어 무기로 설치되었으며, 한 문이 영국에서 테스트되었고, 한문이 전함 USS 베수비오(Vesuvius) 호에 탑재되어 스페인-미국 전쟁에서 거의 영향을 주지 못했다. 주요 결함은 '추진제'를 준비하기 위해 대량의 공기 압축 설비가 필요하고 무기로서 재래식 포 디자인에서의 많은 개선이 적용되어야 한다는 것이었고 포탄 충전제로서의 다른 형태의 고폭탄의 사용을 숙달해야 한다는 것은 더 싸고 더 부피가 작은 재래식 포는 쉽게 다이너마이트 캐논을 작동할 수 없다는 것을 의미하였다. 1900년까지 이것들은 모두 폐기되었다.

포치대 위에 압축 공기 실린더가 있는 잘린스키 다이너마이트 포. 한 문이 USS 베수비오호에 탑재되어 스페인-미국 전쟁에서 사용되었다.

E

ELELCTORSTATIC FUZE(정전기 신관) 신관 내에서 발생되는 전기 충격에 의지하는 폭약 발사체와 함께 사용하기 위한 포탄 신관. 원리는 2차 세계대전에서 독일이 항공기 폭탄으로 폭넓게 사용하였으며 투하 전에 즉시 신관을 장전하여 하나의 축전기 플레이트를 형성하도록 하여 다른 플레이트처럼 지표면에서 작동하게 하였다. 폭탄이 지상에 근접한 지점에 도달하면 지구의 전기장에 의해 전기 충전이 균형을 잡고 폭탄이 기폭 되었다.

독일 또한 소구경 (37-75mm) 발사체용 정전기 신관을 개발하였으며 이는 종종 '먼지 신관-Dust Fuze'이라고 알려졌다. 이 신관은 속이 비었으며 많은 탤크 분말을 함유하고 있었다. 신관 탄두에 있는 홈은 포탄이 비행 시 공기가 들어오도록 하고 먼지를 흔들어 댄다. 먼지 분자가 서로 그리고 신관 케이스와 충돌하면 먼지 분자는 정전기를 발생시키고 이 정전기가 추출되어 축전기를 충전하는데 사용된다. 충격 시, 신관의 탄두에 있는 단순 접촉 스위치가 폐쇄되고 축전지가 전기 뇌관 안으로 방전하여 포탄을 기폭한다.

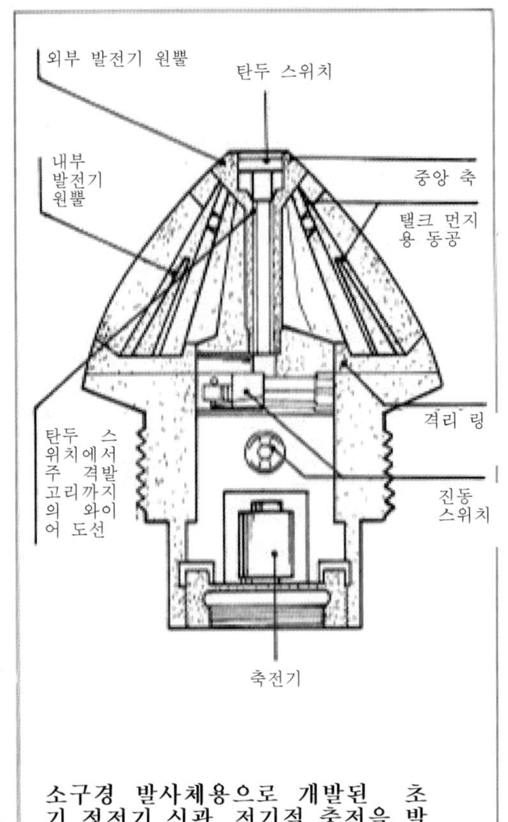

소구경 발사체용으로 개발된 초기 정전기 신관. 전기적 충전을 발생시키는 탤크 분말을 사용하는 더스트 신관.

EXPLODER(뇌관) 신관에서 기폭을 받아들이고 주 폭발 작약 쪽으로 나아가 훨씬 강력한 기폭을 하기 위해 차례로 기폭 하는 고폭탄 내의 증폭 작약 또는 매개물에 대해 사용되는 일반적인 용어.

폭탄의 주 폭발 작약은 상대적으로 감각이 둔하여 타격과 차량의 충돌 및 포탄이 포로부터 발사될 때의 격렬한 가속을 견딜 수 있어야 한다. 그러나 시스템에서 가장 민감한 부분인 신관의 뇌관은 예외적으로 작고 - 어쩌면 최소한 7 - 10 그레인(grains, 0.5-0.7그램) - 그 기폭은 수 킬로그램의 TNT에 많은 영향을 주기에는 불충분하다. 폭발은 시킬 수 있지만 신뢰할 수는 없다. 사실 신관 뇌관은 신관의 전폭약집(magazine)에 있는 폭약의 작은 작약을 폭발시키지만 이것은 주 작약의 기폭을 확신할 만큼 충분하지 않다. 그러므로 신관 아래에 있는 뇌관은 주 폭발 작약보다 더욱 민감한 물질로 신관에 의해 확실히 기폭 되고 높은 기폭속도를 가지고 있어 주 작약 전체에 필요한 충격을 가하고 효과적으로 작약을 기폭 한다. 20세기 초에 완벽하게 믿을만한 고폭탄약에서의 가장 큰 문제는 이러한 일련의 다단계 기폭 절차를 숙달하는 것이었다.

뇌관용으로 선택된 폭약은 보통 '폭발 화약, Composition, Exploding' 또는 'CE(목적이 기폭이지만 전체적인 운용 용어는 '폭발하다'라는 것에 주목한다.)라고 영국 육군에서 사용하는 '테트릴'이다.

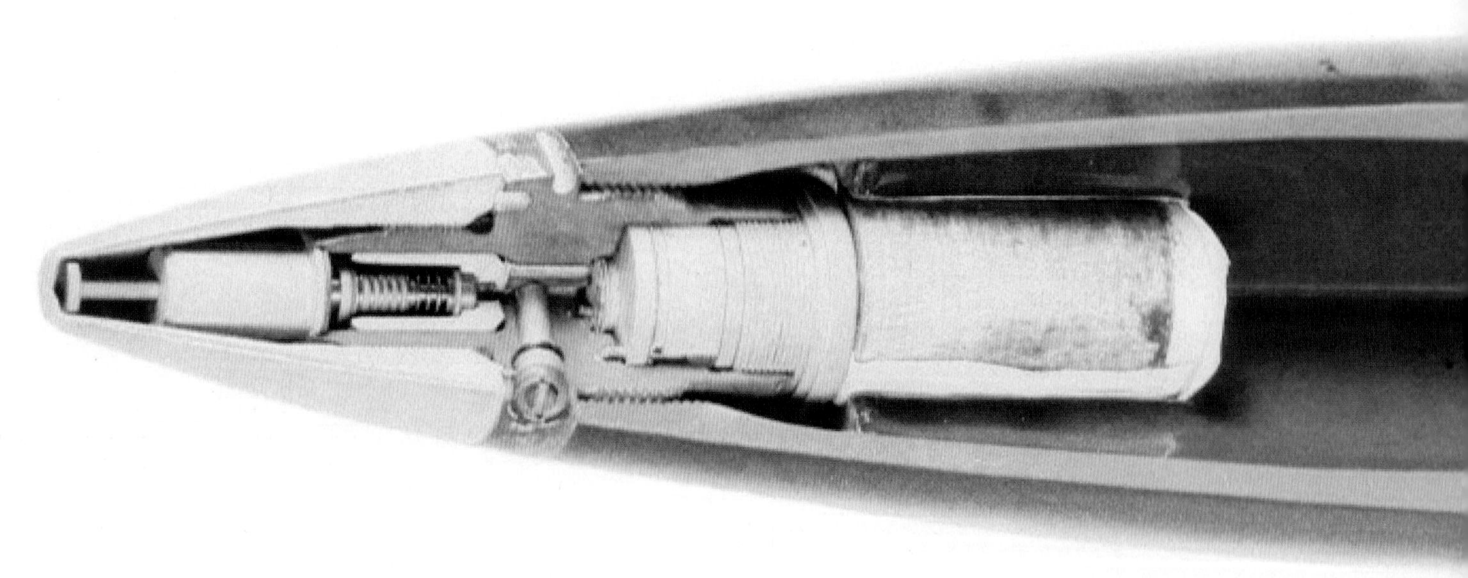

뇌관의 위치를 보여주는 절개된 고폭탄.
뇌관은 신관과 고폭 충전제 사이에 위치한다.

ᅦ트릴은 정확히 tri-nitro-phenyl methyl ıitramine이며 가장 강력한 군용 폭약 중 하 ᅡ이다. 이것은 너무 민감하여 폭발 작약으 ᄅ 사용할 수 없지만 소형 용기에 안전하게 ᄇ관하고 주 작약의 머리에 넣으면 움직일 수 없어 이러한 임무에 사용하기가 안전하 ᅡ.

ᅵ관의 초기 시스템은 피크르산 크리스털의 천 약포를 사용하였다. 이것은 불꽃으로 기 폭 될 수 있어 기폭 신관이 필요하지 않았 고 기폭 되면 연소 속도는 폭발이 될 때까 지 가속된다.

ːXPLOSIVE D(D 폭약) 피크르산염 폭약 ᅦ 대한 미국식 명칭. 발명가의 이름을 따서 ᄃ넌나이트-Dunnite'라고도 부른다. TNT 보 ᅡ 덜 강하며 특히 충격에 대한 불감성 때 ᄆ에 높이 평가되고 이것은 해안 방어에서 ᄉ용되는 철갑탄과 장갑선에서의 해군 포 ᄉ격용의 양호한 충전제가 된다. D 폭약은 포의 외부 가속 뿐아니라 포탄이 표적에 맞 ᅡ 관통하기 시작할 때 갑작스런 감속을 잘 견딜 수 있다. 결점은 내용물이 젖으면 구리 ᅪ 납의 위험스런 민감한 복합물이 된다는 것이다. 강철 부식을 방지하기 위해 포탄 내 부에 유약을 바를 필요가 있고 신관은 구리 ᅪ 납이 없는 금속으로 만들어야 한다. 신관 -포탄 접합부 또한 습기의 유입이 되지 않 도록 하고, 특히 더 많은 보호가 필요한 해 군 포탄에는 조심스럽게 밀폐되어야 한다.

EXPLOSIVES(폭약) 군용 폭약은 두 가지 범주로 구분된다. 탄약에서 저폭약의 사용은 전적으로 *추진제(propellant)*로 제한된다.

고폭약은 기폭한다. 즉, 고폭약은 3,000mps(9,840fps)를 초과한 속도에서 빠른 분자 분열을 겪는다. 사실 군용 고폭약의 보통 속도는 7,000 - 10,000mps(22,960 - 32,800fps)이다. 고폭약은 고폭탄에서 주 폭발 작약으로 사용되고 신관 전폭약집에서 *뇌관(exploder)*으로 사용된다.

주요 군용 고폭약은 TNT이다.(2,4,6-Trinitrotoluene, Trilite, Tritol, Trotyl 등으로 알려졌다.) TNT는 6,900mps(22,645fps) 의 기폭 속도를 가지고 있는 누르스름한 결정 물질이다. 군용 사용에 대한 TNT의 매력은 80.8℃의 용융점으로 이는 목욕 온도에서 안전하게 녹여 포탄에 부어 채울 수 있게 한다. 12%의 용적 상실이 있기 때문에 녹은 TNT가 응고될 때, 충전제에 구멍이 발생하지 않도록 예방이 필요하다. 이러한 구멍은 가속 시 붕괴되어 조기 기폭의 원인이 된다.

아마톨(amatol)은 TNT의 혼합물이고 암모니움(ammonium) 질산염, 소금이 융해된 TNT와 혼합된다. 소금의 첨가는 기폭 속도를 약 5,000mps(16,400fps)로 낮추어 양차 대전에 폭넓게 사용되었지만 오늘날에는 보기가 드물다.

피크르산염(2, 4, 6- Trinitrophenol. 리다이트, 멜리나이트, Schimose, Ecrasite, Pertite 등). 피크르산염은 원래 색소였지만, 7,350mps(24,100fps)의 기폭 속도를 가지고 있고 122.5℃에서 용융된다. 정상적인 형태에서 피크르산염은 결정체 또는 박판이지만 이 형태는 더욱 민감하고 물에 아주 민감하며 물에 접촉 시 다른 금속과 함께 바람직하지 않은 민감한 폭약화약을 형성한다. 그러므로 포병에 사용하기 위해 피크르산염은 증기로 용융하여 포탄에 붓는다. 그리고 이 형태에서 영국 육군은 리다이트라고 하고 다른 국가들은 위에서 인용한 여러 가지 이름으로 부른다. 피크르산염은 1차 세계대전 이후에 사용되지 않았고 완전히 다른 형태의 폭약으로 대체되었다.

PETN(Pentaerythritol tetranitrate; nitropenta, Pentaryth, Pentryle, Pentolite 등)는 8,400mps(27,552fps)의 기폭 속도를 가진 무색의 결정이며 용융점은 141℃이다. 너무 민감해서 포탄 내에서 단독으로 사용할 수 없으며, 보통 약 10% 밀랍만을 추가하여 민감성을 낮춘다. 이 형태에서 포탄 내부로 눌러서 채울 수 있으며 용융점이 너무 높아 편리하다.

헥소겐(Hexogen). (Cyclo-trimethyline-trinitramine; RDX, 사이클로나이트, T4 등)은 무색의 결정 물질이다. 헥소겐은 8,700mps(28,536fps)의 기폭 속도와 240℃의 용융점을 가지고 있다. 240℃에서 폭발하기 때문에 안전하게 녹게 하는 안전 요소가 불충분하고 고체 상태에서만 처리될 수 있다. TNT(*composition B* 참조)와의 혼합제 또는 밀랍으로 민감성을 낮춘 상태에서 보통 가장 많이 사용된다.

옥토겐(Octogen)(Tetramethyline tetranitramine; HMX, 호모-싸이클로나이트)는 더 많은 밀도와 더욱 강력함과 9,300mps(30,504fps)의 기폭 속도를 가진 것을 제외하면 헥소겐(Hexogen)과 유사하다. 사실, 이것은 헥소겐 생산물의 부산물이다. 헥소겐처럼, 이것은 단독으로 사용될 수 없고 지금까지 포탄 충전제로 사용된 적이 거의 없다. 이유는 가격이 비싸기 때문이다. 이것은 적절히 변성(變性)하여 일부 성형작약 발사체에 사용되지만, 원칙적으로 폭파 장비와 미사일 탄두에 사용된다.

콤포지션 B는 헥소겐과 TNT의 혼합물이다. TNT는 용융되고 헥소겐은 60/40에서 40/60까지의 여러 가지 비율로 섞는다. 60/40의 비율은 8,000mps(26,240fps)의 기폭 속도를 획득할 수 있다. 이것은 사실상 야전 포탄 충전제용 국제 표준이며 많은 다른 군용 폭약에 사용된다.

헥스톨(Hextol)은 콤포지션 B와 유사하지만 80%의 헥소겐과 20%의 TNT의 비율을 가지고 있다. 지금까지 이것은 포탄 충전제로 사용되지 않았다.

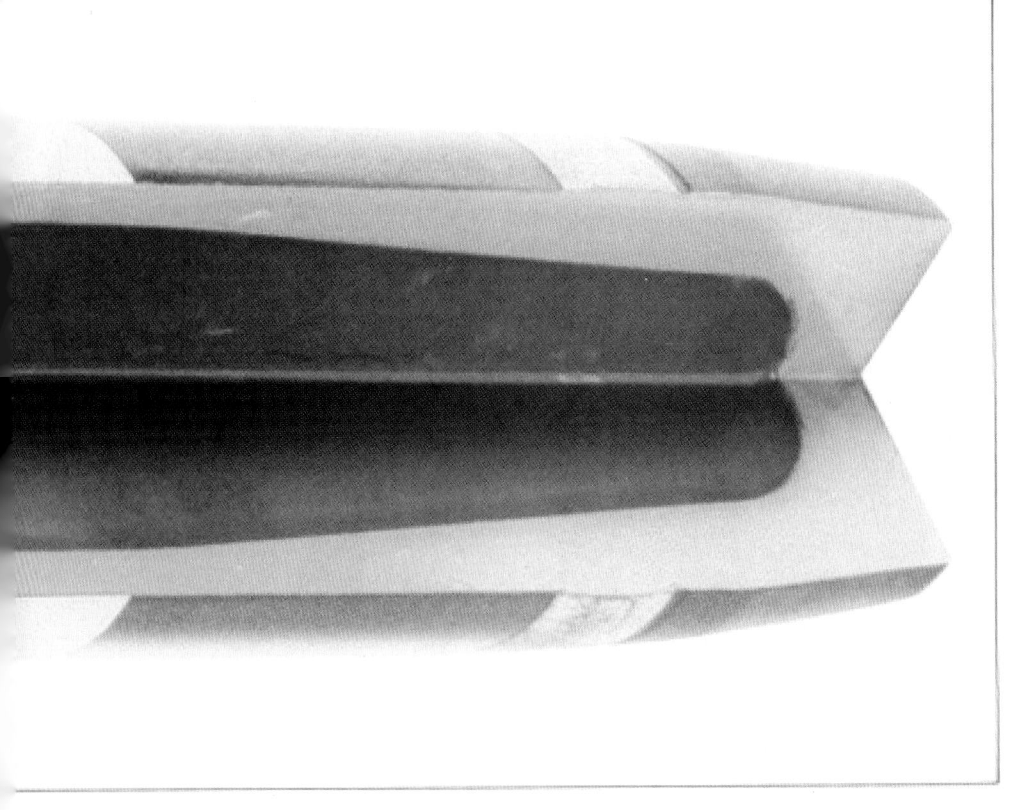

헥살(Hexal)은 밀랍으로 민감성을 낮춘 헥소겐과 알루미늄 분말의 혼합제이다. 이것은 소이 효과와 추가 알루미늄에 의해 발생된 추가 폭파의 장점을 이용하기 위해 특히 소구경과 대공 발사체에서 사용되었다.

트리날라이트(Trinalite)(트리토날-Tritonal)은 TNT와 알루미늄 분말의 혼합제이다. 이것은 헥살(Hexal)과 속성이 유사하고 아주 동일한 방법으로 사용된다.

플라스틱 폭약은 보통 적절한 연한 플라스틱 접합제에서 80-85%의 헥소겐 또는 PETN으로 만든다. 이들은 HESH(접착탄두, squash-head) 포탄과 함께 사용된다.

EXUDATION(삼출(滲出)) 초창기에 고폭탄은 TNT로 충전되었다. TNT는 여러 등급의 순도를 만들 수 있었다. 이것은 특히 1차 세계대전 중에 완성도보다 생산이 더 중요하였던 시기에 이루어 졌다. 불행히 저급의 TNT는 낮은 용융점을 가진 이성체(異性體-isomers)라고 알려진 불순물을 함유하고 있었고 열대 기온에서 기름 폭약 액체에서 TNT가 분리되었다. 이것은 삼출이라고 알려졌고 기름이 나사산 안으로 새어나오는 성질과 포탄 발사 시 달라붙어 포열 내에서 기폭 하는 원인이 되기 때문에 위험하였다. 비록 1945년 이후의 오래된 저장탄에서는 알려지지 않았지만 더 높은 순도 기준의 적용은 삼출의 위험을 종식시켰다.

F

FIN STABILIZATION(날개 안정) 비행 시 발사체를 안정화시키는 방법. 즉 후방 끝에 있는 날개를 사용하여 정확한 비행궤도상에서 탄두를 앞쪽에 유지한다. 보통 박격포 포탄에 사용하고 활강포에서 발사된다면 야포 발사체에 적용할 것을 고려하였었다. 이것은 예외적으로 비정상이었다. 그러나 2차 대전 중에 독일은 정상적인 것보다 더 긴 여러 가지 발사체를 설계하였다. 포탄을 회전시키는 것은 구경의 7배 이하의 길이일 때만 만족스럽게 안정화시킬 수 있다. 강선포에서 이 시스템을 사용하기 위해서 포탄에 견고하게 연결되지 않고 벗겨지는 구동 탄대의 형태를 개발할 필요성을 발견하였다. 이렇게 해서 이 탄대는 필요한 가스 밀폐를 제공하기 위해서 강선에 파고 들어간다. 그러나 포탄에 많은 스핀을 전달하지 않았다. 그래서 포탄이 포구를 떠날 때 날개가 작동하여 포탄이 얻은 작은 스핀은 곧 사라졌다. 양호한 안정화와 빠르게 스핀을 사라지게 하기 위해 날개는 보통 포를 떠날 때 펴지도록 조정되었다.

날개 안정화는 전쟁 후에 폐기되었지만, 115mm 전차 활강포에서 발사된 탄저분리 철갑 발사체에 적용한 소련에 의해 부활하였다. 개념은 완전하게 성공적이지는 않았고 포에는 후에 회전 안정화를 추가하기 위해 둔한 강선이 주어졌다. 그리고 발사체는 더욱 정밀하게 만들었다. 그 후 날개 안정탄은 활강 및 일부 강선 전차포에 폭넓게 사용되었다.

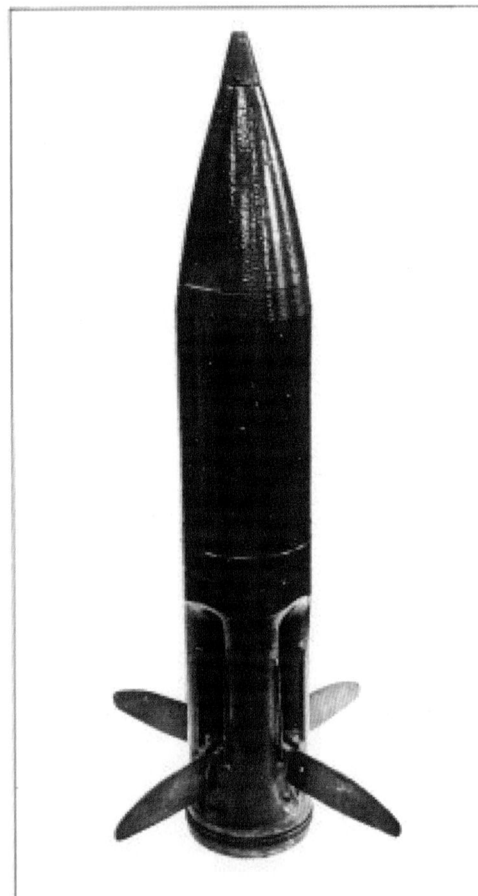

독일의 날개 안정 HE. 구동 탄대가 롤러 베어링 위에 있다.

FIXED ROUND(고정탄) 단일체에 결합되어 한 동작으로 장전되도록 하는 포병 탄약의 완성탄(포탄과 신관, 약협, 추진제와 뇌관).

고정탄의 장점은 오로지 장전의 속도에 있다. 그리고 이렇게 해서 고정탄은 이러한 것이 이상적인 - 예를 들어, 대전차 및 대공포 - 무기에서 발견할 수 있다. 비록 일부 신속한 시스템이 극도로 견고하게 포탄을 약협 안에 고정하여 장전 동작 중에 흩어지지 않게 할 필요가 있지만 이것은 기계식 장전 시스템에도 잘 적용되기도 한다. 고정탄의 단점은 추진 장약을 조절할 수 없고, 만약 무기가 다른 형태의 장약을 필요로 하면 다른 여러 가지 종류의 완성탄이 필요하게 된다는 것이다.

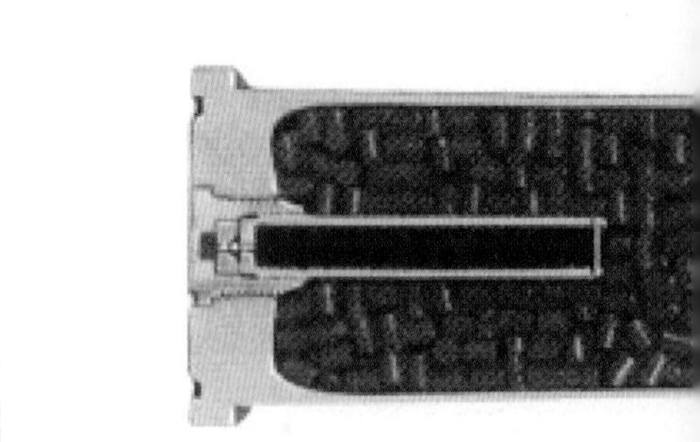

포탄피, 신관, 약협, 추

대구경에서의 고정탄은 불편할 수

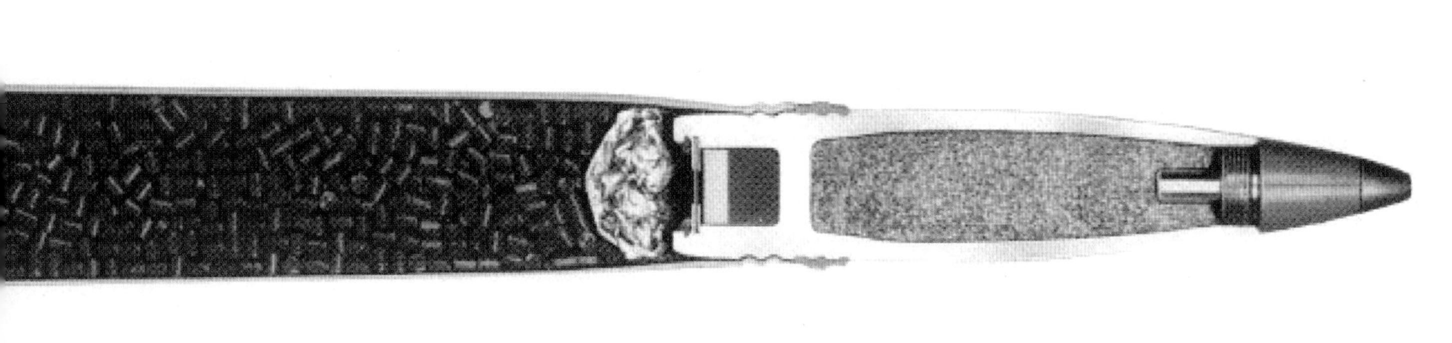

관을 포함하는 완성 고정탄.

현대의 프랑스 동판에서 15cm 구경의 탄 한발을 운반하고 있다.

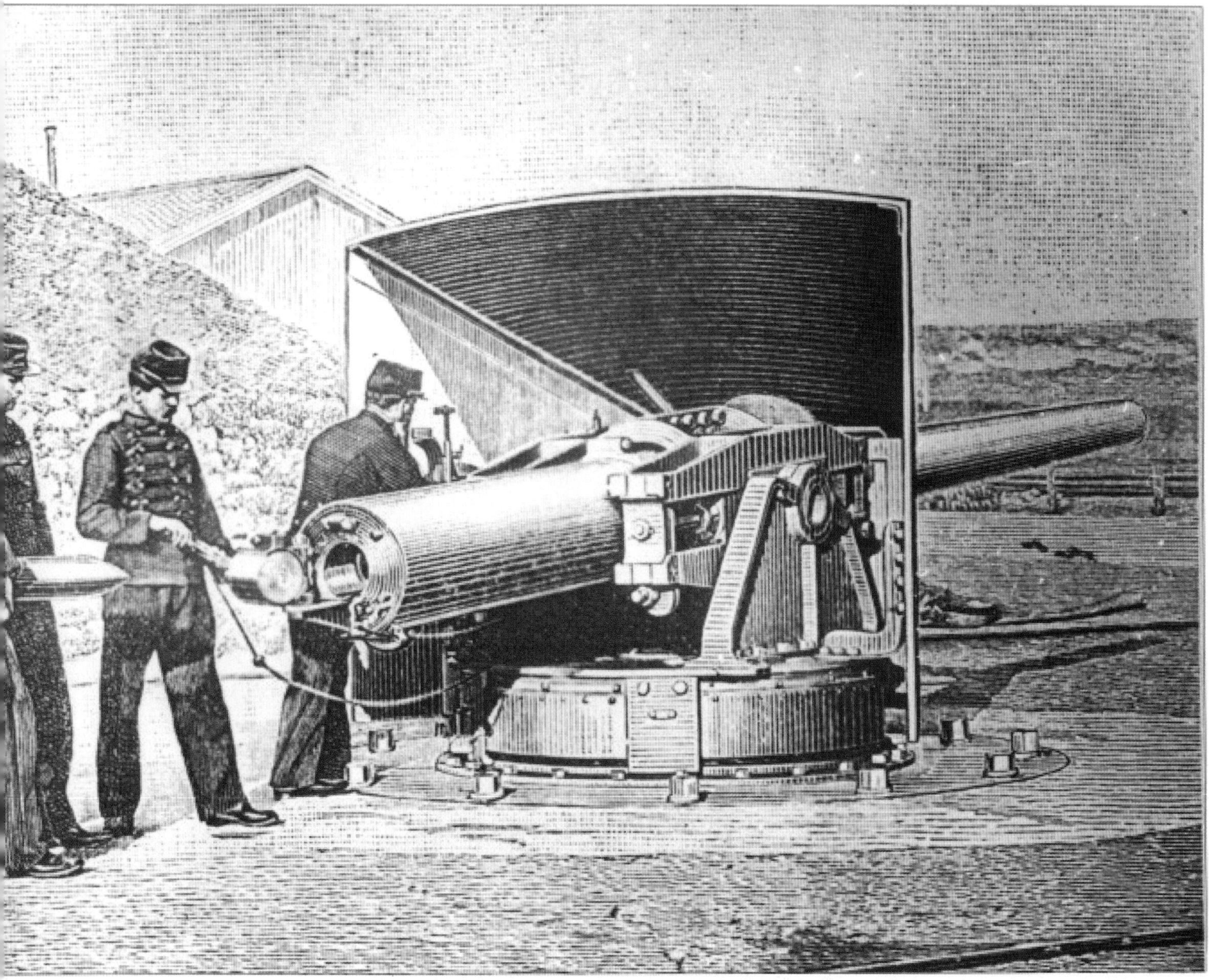

FLARE SHELL(섬광탄) 밝은 유색 화염으로 연소하는 불꽃 혼합제로 채워진 산탄을 포함하고 있는 운반 포탄. 포탄은 탄저 방출형이고 공기 중에서 지상으로 방출하기 전에 산탄을 점화한다. 항공기에 표적을 지시하거나 다른 표시 목적으로 사용된다. 한 지역에 일반적인 조명을 제공하는 조명 또는 성형(星型)탄과 혼동하지 않도록 한다.

FLASH REDUCERS(섬광 감쇠제)
포구 섬광을 줄여 포의 위치가 적 관측에 노출되지 않도록 하기 위해 추진 장약에 첨가되는 물질.
섬광 감쇠제는 두 가지 형태가 있을 수 있다. 두 가지 물질 모두 제작 시에 추진제에 추가될 수 있거나 약포에 보관하여 장전 전에 카트리지에 부착할 수 있다.

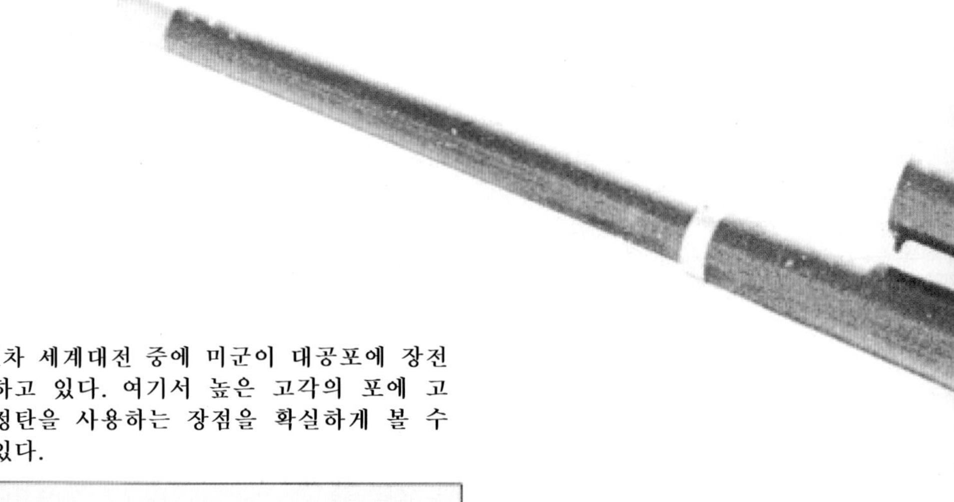

1차 세계대전 중에 미군이 대공포에 장전하고 있다. 여기서 높은 고각의 포에 고정탄을 사용하는 장점을 확실하게 볼 수 있다.

장전 속도 및 발사속도는 37인치 대공포에서처럼 한 사람이 고정탄을 운반할 수 있을 때 증가될 수 있다.

물질은 일반적으로 발사체와 함께 연소될 때 질소를 발생시키는 질산칼륨과 같은 금속성 소금이다. 이것은 다른 연소 생산품과 함께 포구에서 방출되면 비활성 가스체가 있는 방출 가스를 가리는 경향이 있다. 그래서 공기 중에 산소가 뜨거운 연소 가스와 만나 섬광을 높이는 것을 방지한다.

추진제 분말에 섞이지 않을 때는 염분이 분리 장전 장약 내부에 위치하거나 끈으로 약포 장약에 부착하는 천 약포 내에 넣는다.

현대의 추진제는 거의 모두 섬광 감쇠제를 섞거나 본래 무섬광이기 때문에 섬광 감쇠제는 오늘날 거의 볼 수 없다.

FLECHETTE(쇠화살) 벌집탄용 충전제로 사용되는 소형의 화살형 비활성 발사체. 무게가 0.5에서 1.0 그램 사이의 쇠화살은 많은 양이 높은 속도에서 발사되면 치명적인 대인 장치이며 이것은 매복자와 부대를 노출시키기 위해 관목숲에서의 사용이 유용하다는 것이 밝혀졌다.

FLYING DUSTBIN(플라잉 더스트빈) 특수 전차, 'AVRE' 또는 '영국 공병 장갑차량'에 장착된 스피갓 박격포에서 발사되는 대요새 폭탄의 별칭. 폭탄은 날개안정형이며, 무게는 약 18kg이다. 탄두는 전면이 평평하고 원통형이며 저속이다. 이 모든 것이 별칭을 얻는 요인이 되었다. 이것은 해안 방어와 유사한 방어 거점을 파괴하기 위한 특별한 목적으로 1944년의 노르망디 상륙작전에 사용하기 위해 개발되었다.

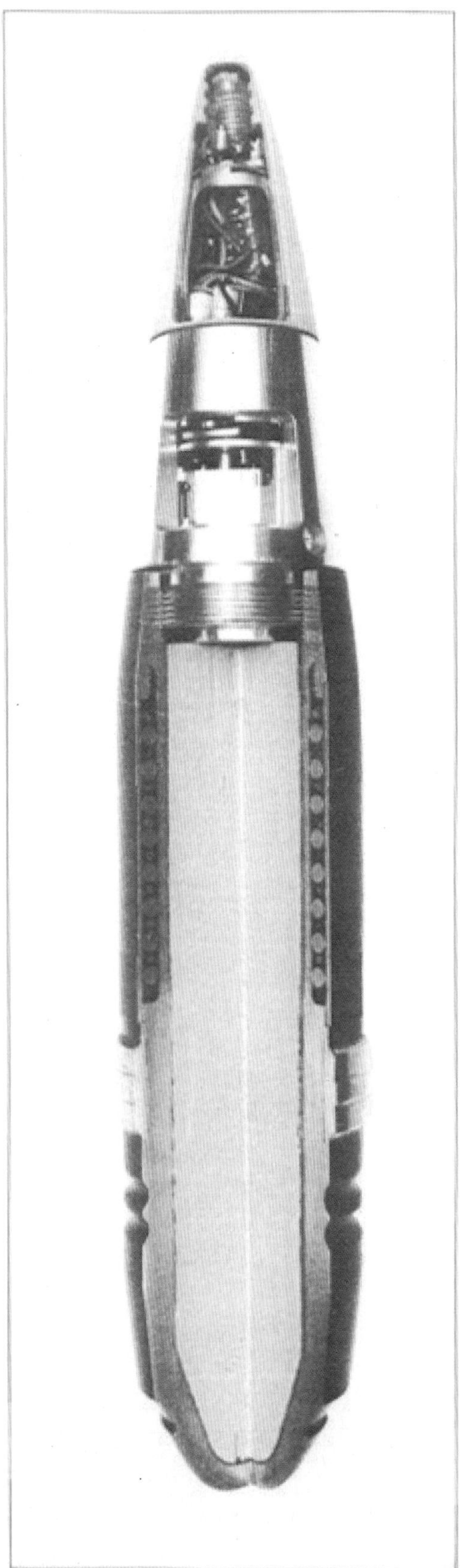

이중 외피 벽 내부에 사전 배치한 파편을 보여주기 위한 보포스 40mm 세열 포탄의 절단면.

FRAGMENTATION(파편) 고폭탄의 강철 탄체의 파편을 설명하기 위한 용어. 파편은 포탄 내의 폭약의 기폭 속도에서 방출되기 때문에 파편이 발생하여 대인 미사일이 된다. 이것은 비무장 표적에 대한 일정 양의 대물효과를 가지고 있다.

파편의 크기는 중요하다. 너무 큰 파편은 곧 속도를 잃게 되어 상대적으로 무해하게 되고 양이 너무 적으면 충분한 적용범위를 갖지 못한다. 너무 작은 파편은 충분한 적용범위를 가지더라도 각각의 파편은 충분한 피해를 주지 못한다는 것을 의미한다. 이상적인 파편의 크기는 약 2-3gm으로 생각될 수 있으며 일반적으로 최적으로 간주된다. 그리고 105mm 포탄은 이러한 크기가 수천 개 제공된다.

파편의 크기는 강철 포탄체의 장력 크기와 폭약을 조심스럽게 조화시켜 일정한 크기로 제어될 수 있다. 현대에는 이것보다 정확한 크기로 파편을 제작하고 얇은 포탄 벽에 붙이는 것을 더 선호한다. 전형적인 현대 포탄은 얇은 벽과 플라스틱 모체에 고정된 강철 구슬 또는 미리 형성된 수천 개의 내부 파편을 가지고 있다. 그러고 나서 폭약은 모체에 부어진다. 기폭 시 포탄체는 파열되고 -이 파편 조각은 중요하지 않다- 미리 형성된 파편 또는 구슬은 밖으로 날려간다. 그러나 이러한 구조 형태는 소구경에서만 경제적이다.

FUZES(신관) 원하는 시간과 장소에서 작동하도록 하는 폭약품에서의 기계장치 또는 장치.

포병 탄용 신관은 여러 가지 방법으로 분류할 수 있다. 즉, 위치에 따라(탄두 또는 탄저), 기능에 따라(기폭 또는 폭파), 운용에 따라(충격, 마찰, 시한, 진동, 근접) 또는 이러한 것들의 혼합에 의해 구분된다. 명칭은 각 나라마다 상이하게 적용되지만 일반적으로 충분하게 이해할 수 있는 일반적인 운용이 가능하도록 설명된다. 이렇게 해서 영국 용어는 '충격-percussion, 직접 작동-direct action'을 사용하고 반면에 미국은 '탄두-point detonating'를 독일은 'Aufschlagzunder-(충격 신관)'을 사용한다.

신관은 어떤 기본 필요조건을 만족해야 한다. 신관은 절대적으로 안전하고 운송, 취급, 장전, 사격 시 그리고 포열을 통과하여 지날 때에 포탄을 기폭 하는 일이있어서는 안 된다. 그리고나 서 신관은 표적에 타격 시 또는 사격 후 미리 정해진 시간에, 또는 표적의 치명적 거리 내에 도달할 때 원하는 대로 작동해야 한다. 이러한 필요조건은 안전과 효과를 모두 100% 보장하기 위해 일부 극도로 복잡한 디자인을 이끌어 내었다. 일반적으로 신관의 디자이너는 신관 '활성화-arming'라고 알려진 절차인 안전한 상태에서 기능 작동 상태로 전환되는 기계식 장치를 운용하도록 사격 시 신관을 작동시키는 독특한 힘을 이용한다.

이러한 힘들은 격발 시 발사체의 가속, 포의 강선에 의해 발생되는 포탄의 회전, 포열을 떠날 때 포탄의 비행에 대한 가벼운 점검 그리고 가속 정지, 포탄이 표적에 충격할 때의 갑작스런 감속 등이다.

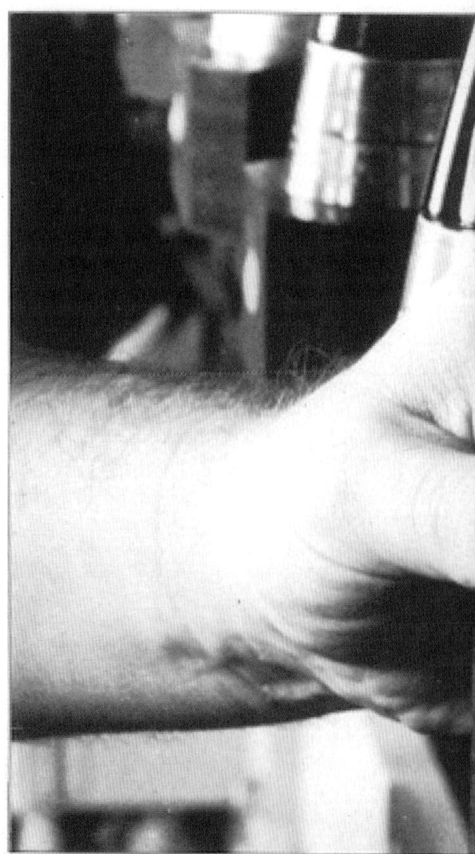

이 노르웨이 젤라(Zelar) 신관은 지연 접근 후 충격시 기능 발휘한다.

: 현대 근접 신관의 생산 라인. 첫 번째 자인은 1938년에 스웨덴에서 특허되었고 간 공습에 대해 사용하기 위해 1940년에 국에서 로켓에 처음 사용하였다.

: 신관을 즉각 사용할지 지연 후 사용 지 결정하는 안전 슬라이드에 의해 원심 으로 작동되는 것을 보여주는 독일의 Z23 충격 신관.

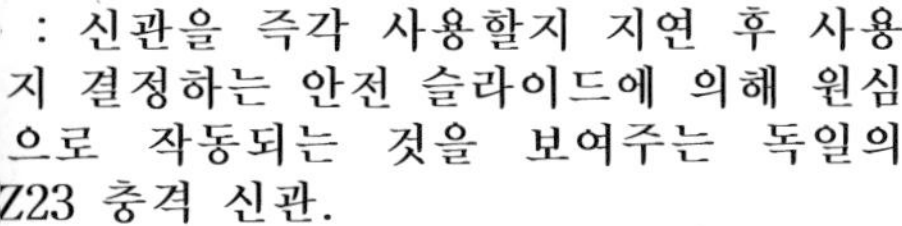

확한 순서에 의해 이러한 힘을 사용함으로 안전장치가 풀리고 신관은 포의 포구로부 안전한 거리까지 활성화된 상태로 이동한 . 사실상, 신관은 잠금장치와 강선 포에서 사되는 키의 혼합이다. 활강포 무기는 명백 스핀이 없기 때문에 복잡한 디자인과 간 한 제작 모두에 대한 약간 상이한 키 셋을 요로 한다.

전형적인 게인(gaine). 기폭장치는 수직 핀에 의해 잠기는 원심 셔터에 의해 운반된다. 사격 시 수직 핀이 떨어져 셔터가 회전하도록 한다. 이것의 움직임은 지동장치에 의해 제어되어 포탄이 포로부터 안전하게 이격될 때까지 기폭장치의 조절을 지연한다.

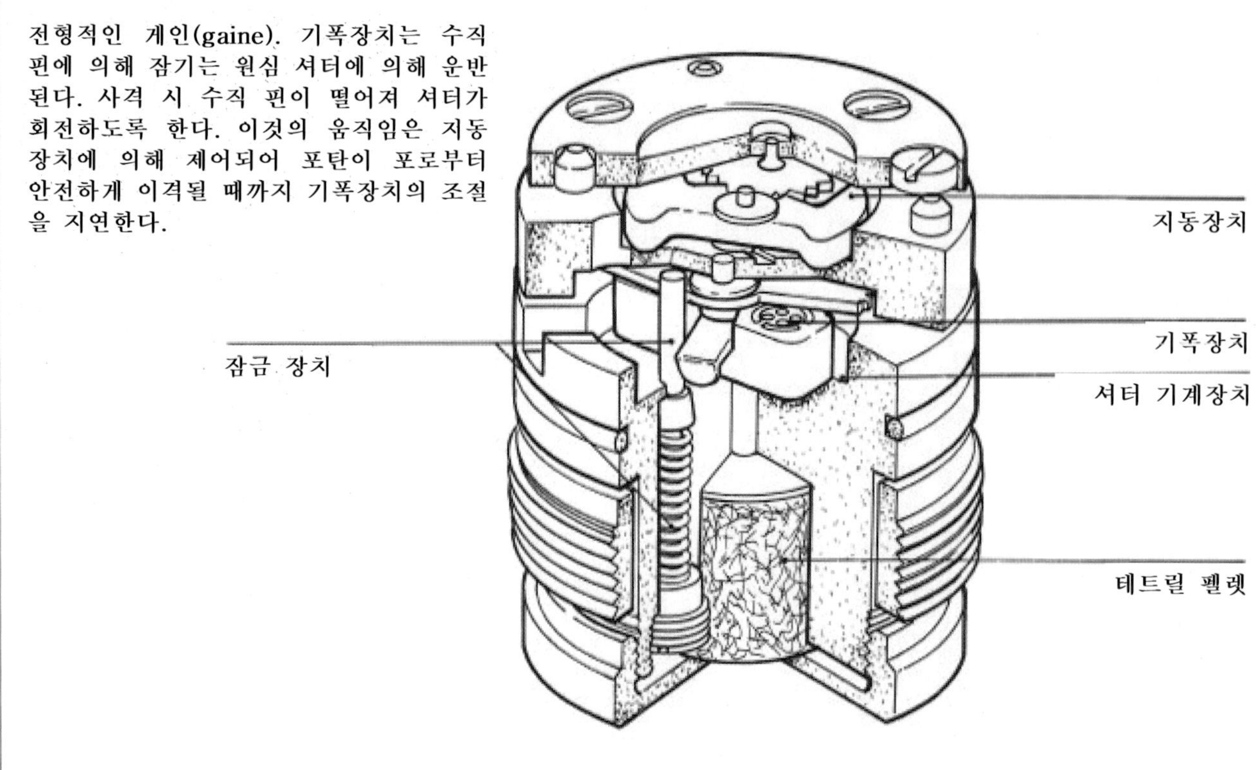

GAINE(게인) 게인은 신관 아래에 장착된 장치로 신관 기폭장치로부터 섬광을 고폭탄을 발화하기에 적절한 기폭장치로 전환한다. 이것은 또한 포강 안전장치(*bore-safety*)와 통합될 수 있다. 미국 용어로 '부터스-booster'가 '게인-gaine'과 같은 뜻이고 부스터는 이러한 주요 특징을 모두 나타낸다.

게인의 필요성은 화약이 채워진 폭약탄과 유산탄 모두를 기폭하기 위해 현존하는 신관이 전폭약집에 채워진 화약으로부터 섬광을 전달하도록 모두 설계되었을 때인 고폭탄의 초기에 나타났다. 처음에 섬광에서 기폭(flash-to-detonation)으로의 필요조건은 단지 해법을 요구하는 문제였지만, 불완전한 신관이 포강 내에서 포탄을 기폭 하여 포를 파열시키고 포수를 살상하였을 때 포강 안전 요소가 추가되었다. 충격 신관에서 게인(gaines)은 곧 유행에 뒤떨어지고 신관은 필요한 기폭을 만들어 내도록 설계되었고 또한 포강 안전을 병합하였다. 그러나 게인은 화약 연소 시한 신관이 모두 섬광을 만들어 내도록 설계되고 개조와 포강 안전 요소가 필요하였기 때문에 2차 대전 동안 내내 실전에 사용되었다. 기계식과 전기식 신관의 적용으로 원하는 특징을 병합하는 새로운 설계에 대한 장점이 얻어졌고 gaine은 결국 1945-50년에 영국에서 폐기되었다. 이것은 일반적으로 신관에 영구적으로 부착되고 더 이상 분리된 항목이 아니지만 부스터로서 미국과 다른 나라에서 사용하고 있다.

GAS GUN(가스 포) 생각하는 것처럼 가스 탄을 사용하는 총이 아니지만 비활성 가스를 추진제 시스템의 일부로 사용하는 포. 포의 구조는 약실과 강선 포열이 있는 재래식일 수 있지만, 약실은 완전하게 원통형이며 강선 부위가 시작될 때 돌연한 축받이에서 끝이 난다. 끝부분에서 가스밀폐를 빈틈없이 만드는 느슨한 피스톤 헤드가 약실 내에 있다. 이것은 발사체가 장전된 후에 삽입되고 약실 뒤쪽에 올바르게 설치된다. 그러고 나서 피스톤과 발사체 사이의 공간은 압력 하에 비활성 가스로 채워진다. 그리고서 재래식 약포 장약은 피스톤 뒤에 장전되고 폐쇄기가 닫히고 장약이 발사된다. 이것은 피스톤이 축받이를 만나 그 결과 정지할 때까지 고속으로 약실 아래로 피스톤을 민다.

그 움직임에서 이것은 넓은 약실로부터 발사체 뒤에서 좁은 포강 안으로 미는 힘에 의해 가스를 압축한다. 그 결과 본래 장약에 의해 발달된 약실 압력은 심각하게 확대되고 발사체는 아주 높은 속도에서 포열로부터 발사된다.

생각하는 것과 같이, 조심스럽게 피스톤을 맞추고 가스로 공간을 완전히 채우며 최종적으로 무기를 발사하는 발사체의 장전 절차는 시간이 소요되는 일이다. 그리고 가스포는 신속하게 발사하는 포로 생각하기가 어렵다. 사실, 이것은 무기로서 받아들이기 어려우며 순전히 1960년대 초에 고속의 연구용 실험공구로 개발되었다. 그럼에도 불구하고 이것의 탄도 성과는 인상적이었다. 이것은 일반적인 사용 외에도 포 제작업무의 한 방법의 예로 인용되었다.

GAS SHELL(가스탄) 화학전 작용제를 포함하는 포탄에 대한 일반적인 명칭 - 즉 독가스이다. 화학탄(*chemical shell*)으로 불리는 것이 더 적당하다.

GESSNER PROJECTILE(게스너 발사체) 재래식 포병에 사용되는 성형작약의 주요 결점은 원심력의 결과로 가스 분출을 분산시키는 스핀이 관통 능력을 떨어뜨리는 것이다. 게스너 발사체는 (또는 G 발사체는 이러한 결점을 보완하기 위해 설계되었다. 이것은 두 개의 발사체로 이루어 졌으며, 하나는 다른 하나의 내부에서 운반된다. 외부의 발사체는 구동 탄대가 있는 필수적인 탄도 모양의 중공(中空) 시드(SHEATH 일 뿐이다. 내부 발사체는 성형작약을 가지고 있는 원통형 이며 두 발사체는 두 개 또는 그 이상의 롤러 베어링 셋에 의해 분리된다. 이렇게 해서 포탄이 발사되면 외부 피갑은 장치에 스핀을 주어 안정화 시키고,반면에 내부 피갑은 롤러 베어링 때문에 스핀을 아주 작게 받는다. 내부 유닛은 보통 외부 포탄의 첨두에 연결되고 이것은 느슨하고 바람개비를 가지고 있든지 그렇지 않으면 내부 유닛이 가지고 있을 수 있는 어떠한 스핀도 약화시키기 위한 공기 흐름의 장점을 가지기 위해 조정되었다. 발사체가 표적에 부딪히면 외부 포탄은 아무것도 하지 않는 반면 내부 유닛은 성형 작약을 기폭하고 표적을 관통한다. 성형작약이 스핀이 아주 적거나 없기 때문에 표적에 대한 영향은 최적에 가깝다.
가스너 포탄에 대한 결점은 간단히 제작비용이 비싸고 아주 높은 가속도를 가진 무기에 사용할 수 없다는 것이다. 매우 심각한 중력 하에 있기 때문에 롤러 베어링 고장을 이끌어내고 내부 유닛이 완전한 스핀을 얻는다. 이것은 프랑스 육군이 자신들의 105mm 전차포와 야전 곡사포에 사용한다.

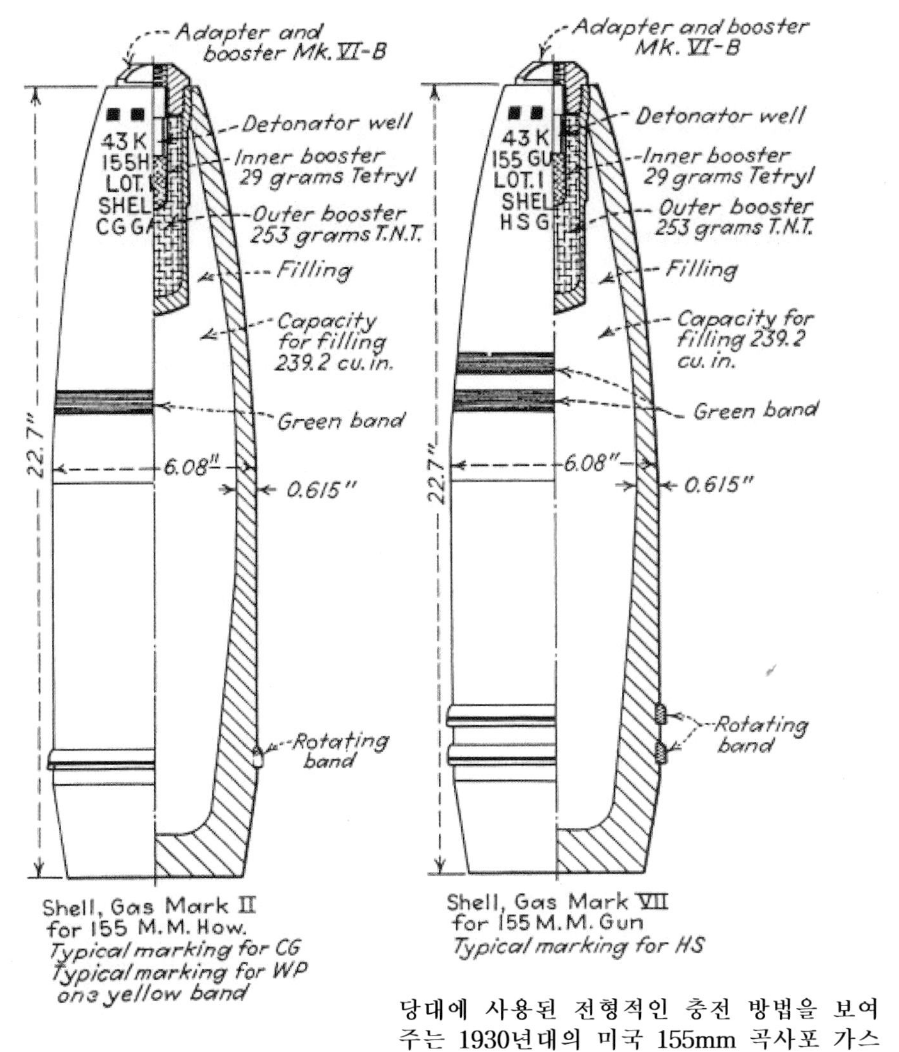

당대에 사용된 전형적인 충전 방법을 보여주는 1930년대의 미국 155mm 곡사포 가스 포탄.

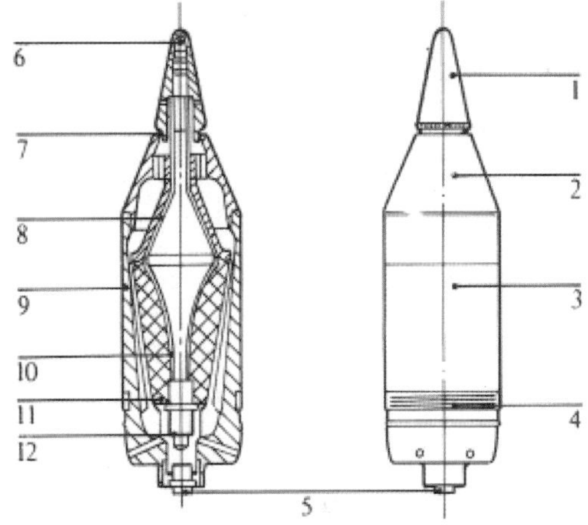

가스너 발사체의 구조 : 1. 경 비행 갑모, 2. 강철 탄두 3. 탄체 4. 구동 탄대 5. 예광제 6. 신관 7. 내부 강철 갑모 8. 유도 원뿔 9. 내부 강철 외피 10. 성형 작약 원뿔 11. 폭약 12. 신관 안정 장치

AMX-30 전차의 포에서 사용된 이 105mm 성형작약 포탄이 몇 개 안되는 사용되고 있는 게스너 발사체 중 하나이다 .

GRAZE FUZE(마찰 신관) 포탄이 표적을 스칠 때 작동하도록 한 신관. 예를 들어, 저각으로 도달하여 첨두보다 포탄의 견부로 타격한다. 신관 기계장치는 세로로 움직일 수 있는 헐거운 '마찰 펠렛'을 가짐으로써 정상적인 충격 운용을 전환한다. 이 펠렛은 무거우며 격발르핀 또는 기폭장치를 설계자의 선택에 의해 포함할 수 있다. 전방에는 기폭장치나 격발 핀이 있을 수 있고 두 개가 포탄이 비행할 때 민첩한 용수철에 의해 이격된다. 사격에 앞서, 펠렛은 정상적으로 고속의 스핀이 적용될 때 버틸 수 있는 잠금 볼트에 의해 다른 한 핀 또는 기폭장치로부터 멀리에 고정된다. 포탄이 나아갈 때 마찰 신관이 격발되고 원심력이 잠금 볼트를 지탱하고 펠렛이 자유롭게 움직이도록 한다. 포탄이 표적을 때릴 때 또는 비행 시 점검할 때조차, 불활성 펠렛은 전방으로 날아가 격발핀과 기폭장치가 만나도록 한다. 이어지는 섬광은 펠렛을 지나 신관 전폭약집과 포탄에 있는 폭약 충전제를 기폭 하는 2차 기폭장치를 타격한다.
펠렛이 전방으로 움직이고 섬광이 뒤로 움직이는 동안에 한정된 지연 시간이 감지되고 포탄은 더 멀리 이동할 수 있게 되어 마찰 신관은 지연 신관이 가벼운 장애물을 뚫고 들어가 내부에서 기폭 하도록 하는 기능을 할 것이다. 이것은 또한 포탄이 공기 중으로 되튀어 오르거나 도탄 되어 낮은 공중 폭발의 기폭 효과가 나게 한다. 탄저 신관은 표적을 직접적으로 충격할 수 없기 때문에 항상 마찰 신관이다. 많은 충격 신관은 포탄의 '소탕' 특성이 표적을 탄두로 타격해서는 안 되는 것처럼 작동하는 마찰 성분을 가지고 있다.

H

HE/AP(고폭/철갑) '고폭, 철갑 - High Explosive, Armour Piercing'의 약자이며 견고한 강철 첨두와 고폭약으로 채워져 탄저 신관에 설치된 후방에 작은 공동이 있는 포탄을 말한다. 포탄은 견고한 첨두의 충격으로 장갑을 관통하여 탄저 신관의 마찰 작용으로 장갑 뒤쪽의 표적 내부에서 기폭 하도록 한 것이다.
이러한 포탄 형태는 전함을 공격하기 위해 19세기에 처음 개발되었다. 그 후 전차에 대해 사용하기 위해 적용되었지만 현대 전차의 향상된 장갑은 경차량을 제외하고는 이러한 형태의 포탄을 거의 무용지물로 만들었다.어떤 서방 국가도 항공기나 경장갑 APC를 공격하기 위한 30mm 구경 이하의

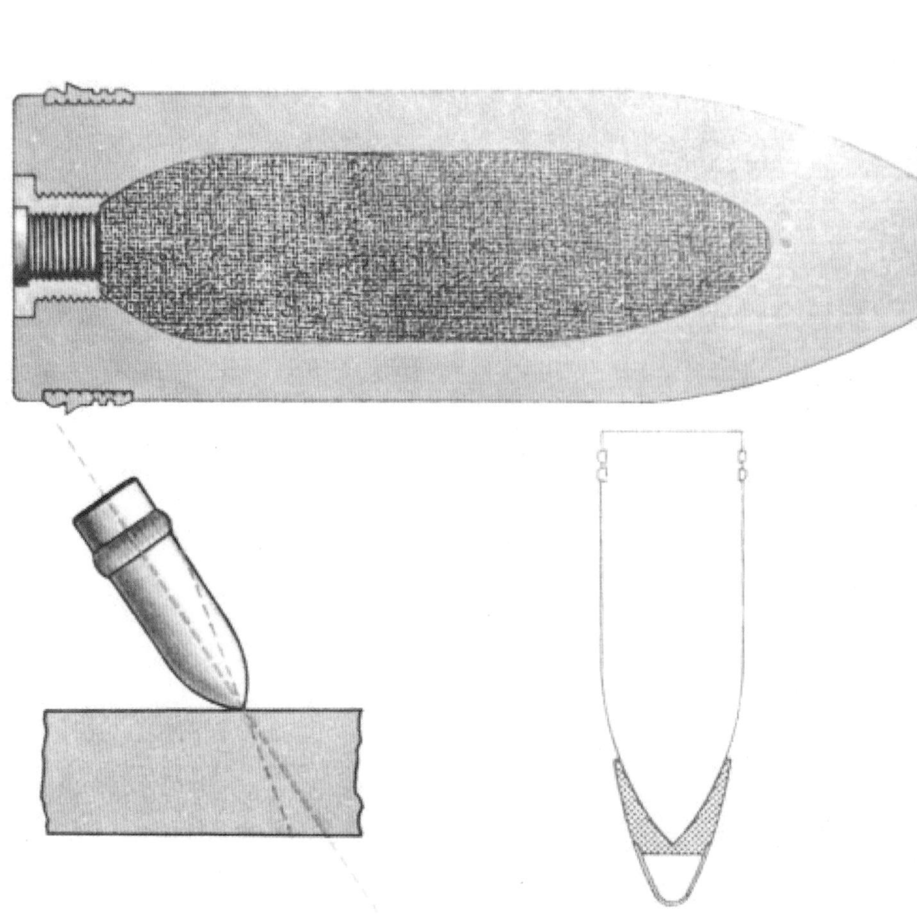

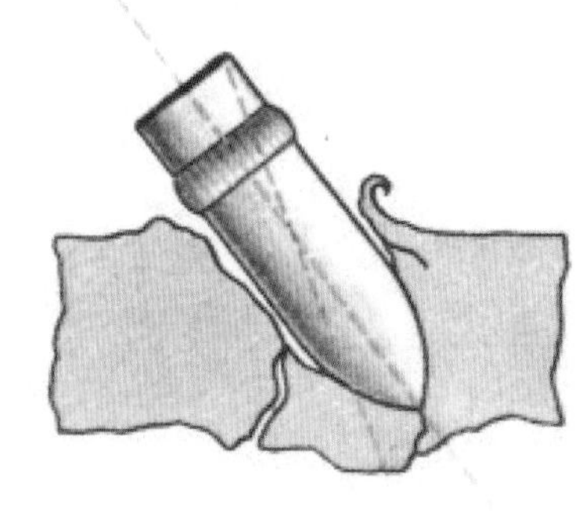

어떻게 장갑을 관통하는지 보여주고 있는 일련의 전형적인 철갑 고폭탄.

탄약 이외에 현재 HE/AP를 사용하는 나라는 없다. 아직도 러시아 육군은 포병과 전차포 구경에서 일부 HE/AP를 사용하는 것으로 믿어지고 있다.

HEAT(대전차 고폭탄) '대전차 고폭탄-High Explosive, Anti-Tank'의 약자. 항상 성형작약 탄과 동의어로 사용된다.

HE/I(고폭 소이탄) '고폭 소이탄 - High Explosive, Incendiary'의 약자. 20-30mm 항공용 캐논에 사용되는 발사체 형태.
HE/I의 초기 디자인은 탄약 내에 마그네슘 소이 물질이 있는 펠렛과 함께 고폭 충전제를 사용하여 포탄의 기폭장치가 모든 방향으로 소이 펠렛을 발산시켰다. 다른 것들은 부분적으로 HE가 채워지고 부분적으로 소이 합성물이 채워진 포탄을 사용하였다. 현대의 스타일은 단독 충전제로 알루미늄 함유 한 폭약을 사용한다. 이것은 표적을 분쇄시키는 이상적인 폭파 효과와 필요한 소이 효과를 제공하는 강렬한 열 발생을 혼합하였다.

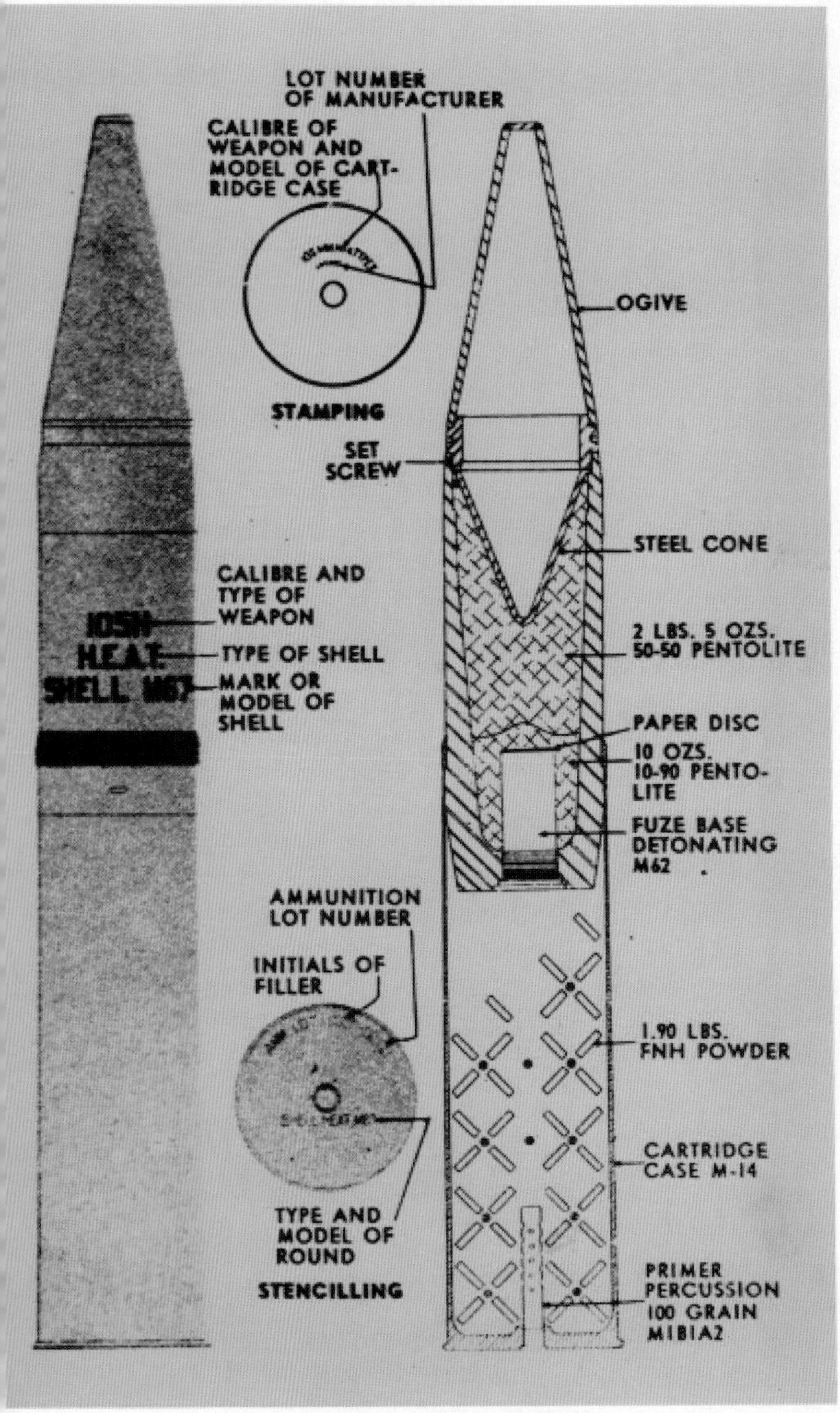

LOT NUMBER OF MANUFACTURER
CALIBRE OF WEAPON AND MODEL OF CARTRIDGE CASE
STAMPING
OGIVE
SET SCREW
STEEL CONE
CALIBRE AND TYPE OF WEAPON
TYPE OF SHELL
MARK OR MODEL OF SHELL
105M
H.E.A.T.
SHELL M67
2 LBS. 5 OZS. 50-50 PENTOLITE
PAPER DISC
10 OZS. 10-90 PENTOLITE
FUZE BASE DETONATING M62
AMMUNITION LOT NUMBER
INITIALS OF FILLER
1.90 LBS. FNH POWDER
CARTRIDGE CASE M-14
TYPE AND MODEL OF ROUND
STENCILLING
PRIMER PERCUSSION 100 GRAIN M1B1A2

1942년 형의 미국 105mm 곡사포 성형 고폭 대전차탄 구조.

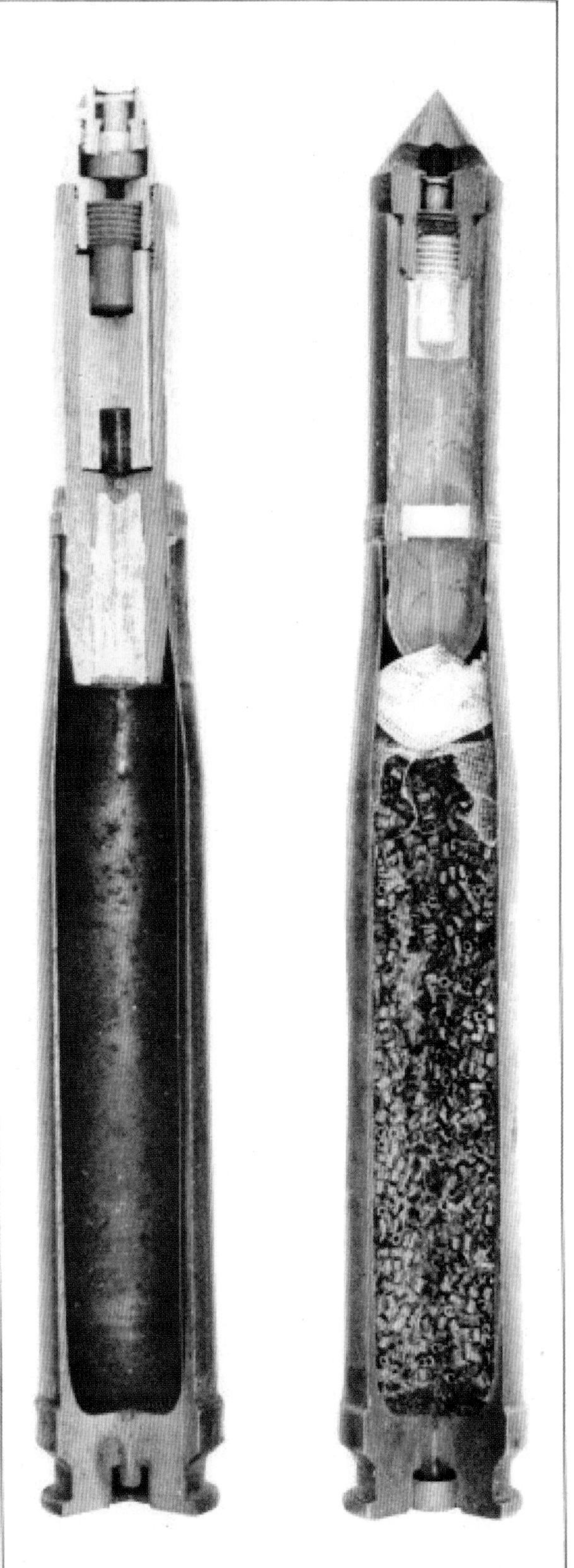

두 가지 형태의 20mm HE/I 포탄 : 자폭 기능이 있는 표준형(좌)과 연료 전차 철갑탄.

플라스틱 폭약 충전제와 탄저 신관을 보여주고 있는 120mm 전차포 HESH 탄.

HESH(점착 유탄(粘着榴彈)) '점착유탄-High Explosive, Squash-Head'의 약어. 장갑 또는 다른 견고한 표적을 공격하는데 사용되는 포탄 형태.

HESH탄은 1943년에 Denis Burney경이 자신의 무반동총용으로 설계하여 시작되었다. 당시에 포탄은 강화된 콘크리트 요새를 공격하기 위한 것이었으며 '월버스터-wallbuster'로 알려졌다. 이탄은 날카로운 첨두가 있는 얇은 강철 약협, 와이어 망사 내부 안감, 플라스틱 고폭 충전제와 탄저 신관으로 구성되었다. 표적을 타격할 때 얇은 외부 약협이 터지고 와이어 망사 자루와 폭약이 표적의 표면에서 으깨지도록 하였다. 그러고 나서 탄저 신관은 폭약을 기폭하고 기폭 파는 충격파로 표적의 조직 내로 전달된다. 그러고 나서 발생한 상황은 상당히 복잡하지만, 초기 파장이 다른 측면에 도달하고 여기서 반사될 때까지 물질이 전면으로 퍼진다는 말로 가장 잘 설명할 수 있다. 반사된 파장은 그 후 다음 충격파와 만나 효과를 증폭시키고 표적의 상당히 많은 내부 표면이 파손되게 한다. 이 파손된 부분은 파편 구름과 함께 고속으로 날아간다.

월버스터 탄은 콘크리트에 대해 성공적이었고 장갑관에 대해 시험 평가되었다. 놀랍게도 내부 표면에서 커다란 '딱지-scab'가 날아갔다. 디자인은 2차 대전 중에는 사용되지 않았고 전쟁 후에 개념이 더욱 철저히 연구되어 둥근 첨두를 사용하고 와이어 망사 자루가 없는 새로운 디자인이 개발되었다. 이것은 1950년대 초에 영국군에 도입되었고 후에 '고폭 플라스틱 - HE Plastic' 또는 'HEP'라는 이름으로 미국에서 사용하였다. 이것은 아직도 이러한 군과 독일에서 원칙적으로 전차포 발사체 뿐 아니라 일부 무반동 대전차포에서 사용하고 있다.

HESH는 전차의 외부에 아주 적은 영향을 주지만 내부 표면에서 대량의 딱지를 폭파시킨다. 이것은 전차 내부에서 수천 개의 파편과 함께 소용돌이쳐 효과적으로 차량의 내부를 파괴하고 모든 승무원을 죽이거나 부상을 입힌다. 충전제는 기폭율에 따라 선택되며 보통 콤포지션 B 또는 PETN/밀랍을 사용한다. 유일한 단점은 얇은 벽이 격발 가속 시 포탄이 얻는 힘을 제한하고 속도가 보통 약 초당 800m(초당 2,625피트)를 유지한다는 것이다. 이것은 비행궤도가 뚜렷이 휘어지고 특히 전차와 같은 작은 표적에 대한 사거리 판단의 오류가 쉽게 오탄을 유도한다. 다른 한편 성형작약 탄처럼 HESH 탄은 포탄에있는 폭약으로부터 얻어지는 장갑 파괴 능력 때문에 그 효과를 속도에 의존하지 않는다. 포탄은 콘크리트와 같은 다른 견고한 표적에 대해 사용할 수도 있고 비상시 상당한 고폭 대인 포탄을 만드는 것은 넓은 폭파를 하지만 파편이 적기 때문이다.

HE SHELL(고폭 탄) 대부분의 포병탄과 대인용 및 전장에서 주요 표적에 대한 대물 사격에 사용되는 고폭탄약.

HE 탄은 초기 포미장전 시기의 '일반 포탄'에서 이어졌다. 이것은 소위 모든 종류의 표적에 '일반적'으로 사용된 때문이다. 일반 포탄은 화약으로 채워지고 충격신관이 장착된 공동 주철 포탄이었다. 리다이트와 같은 고폭탄의 적용으로 동일한 포탄이 사용되었고 비록 폭약이 금속을 부식시키는 것을 방지하기 위해 내부에 유약을 발라야 할 필요성이 발견되었지만 드물게 새로운 폭약으로 충전되었다.TNT가 적용되었을 때, 폭발의 맹렬함이 포탄을 거의 먼지처럼 분쇄하였고 아주 적은 사용가능한 파편이 생산된다는 것이 발견되었다. 그러므로 주조 강철은 탄체 물질이 되고 더 높은 속도의 포처럼 더 큰 가속도에 저항하기 위해 포탄체에 더 큰 힘이 필요함으로써 촉진된 동작이 개발되었다.

2차 세계대전 동안에 주조 강철은 저렴하고 더 높은 등급의 강철에 대한 요구가 없어서 많은 포탄 디자인에서 습관적으로 유지되었다. 그러나 저렴한 등급의 강철사용은 자체 중량과 가속시의 첨두 신관의 무게를 모두 지지하기 위해 포탄체를 상당히 두껍게 만들었다는 것을 의미하고 이것은 폭약에 대한 공간이 상대적으로 작다는 것을 의미했다.

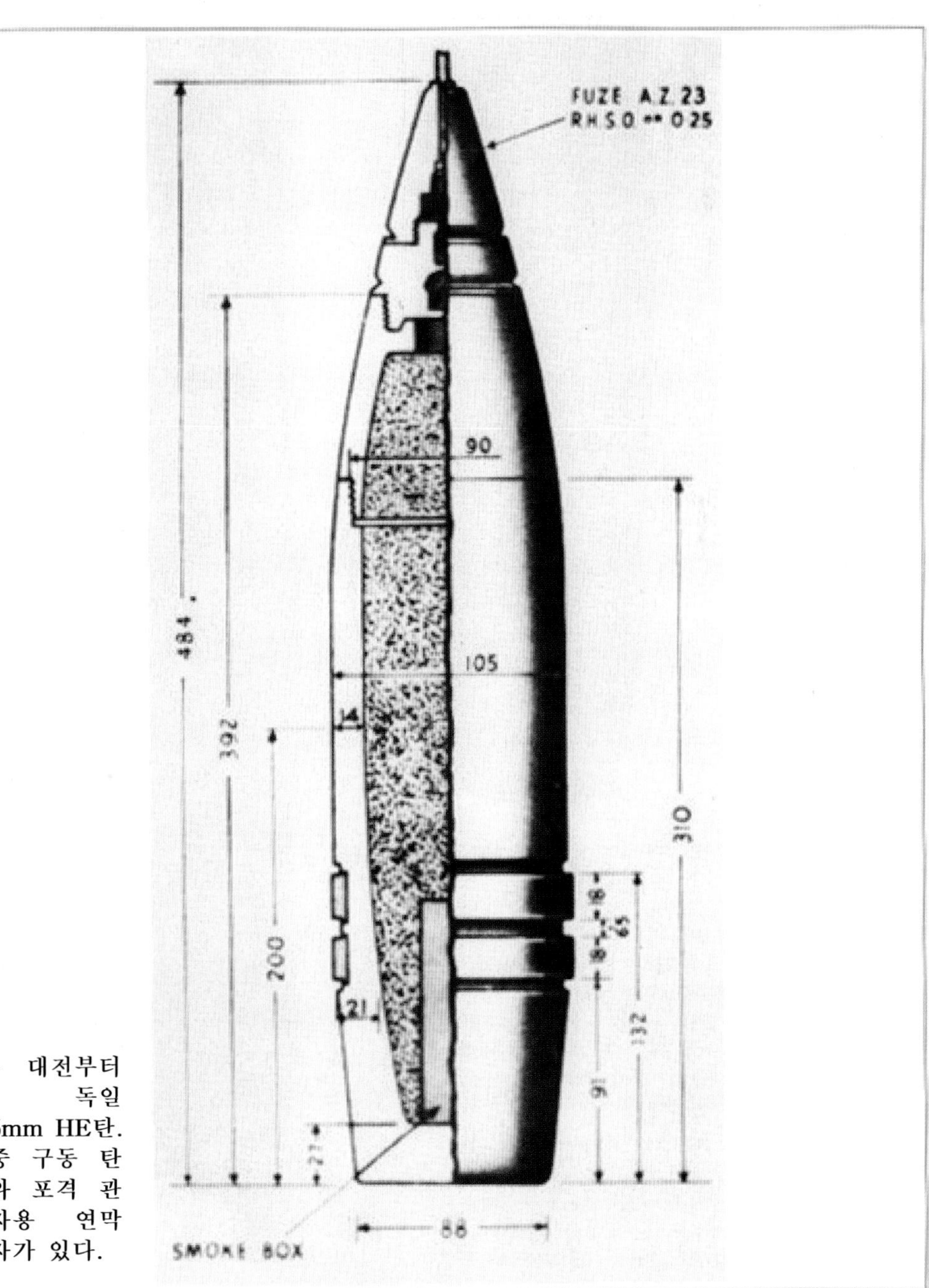

2차 대전부터의 독일 105mm HE탄. 이중 구동 탄대와 포격 관측자용 연막 상자가 있다.

FH70 155mm
곡사포용 탄약.

좌 : DM106 조명탄.
중앙 : 절개된
공동 탄저탄.
우 : DM105
BE 연막탄.

1939-45년의 보통의 고폭탄은 전체 포탄 무게의 5%에서 10%인 폭약 충전제를 가지고 있었다.
전후에 모든 포병부대에 의한 한 가지 요구는 포탄의 효과 증대였다. 그 결과 이제 더 많은 공간과 무게에 대한 더 많은 비율의 탑재량, 더 큰 장력의 단조 강철로 고폭탄체를 제작하는 것이 표준이 되었다. 포탄체는 가속 하에서 충전제의 움직임이 없어야하는 것이 절대적이기 때문에 (비록 현대 폭약에서는 바람직하지 않지만) 폭약과 강철 사이의 어떠한 상호작용도 억제하고 원칙적으로 포탄의 벽에 충전제의 양호한 부착성을 보장하기 위해 내부적으로 유약을 바른다. 폭약은 용융된 상태로 포탄에 부어지고 충전제의 전방 끝에 중공(中空)을 만들기 위하 형(型)틀이 첨두에 삽입된다. 충전제가 견고하게 설치되면 견고한 형(型)틀은 제거되고 공간은 조심스럽게 정확한 치수로 기계 절단한다. 이 중공은 뇌관용이며 공간은 알루미늄이나 밀랍 종이관과 정렬될 수도 있다. 그러고 나서 뇌관이 설치되고 포탄 신관이 제위치에 나사로 고정되거나 포탄이 트랜싯 플러그로 폐쇄될 수 있고 사격 직전까지 신관이 설치되지 않는다.

HEXOGEN(헥소겐) RDX(연구 분야 폭약 - Research Department Explosive - 영국 용어), 사이클로나이트 또는 T4 등 여러 가지로 불리는 고폭탄. 더욱 상세한 내용은 위의 폭약(*Explosives*) 참조.

OLLOW BASE SHELL(중공 탄저 포탄) 1970년대에 개발된 반구형 공간을 형성하기 위한 홈이 파진 탄저가 있는 포탄 형태. 포탄의 측면에 확장된 '스커트-skirt' 효과 때문에 공동 내에 감추어는 경향이 있는 탄저 항력에 저압지역이 생기고, 이렇게 해서 항력이 감소된다. 공동 탄저 포탄은 영국-독일-이탈리아의 FH70 155mm 곡사포와 프랑스의 GCT155와 TR155 155mm 곡사포에서 사용되고 이들은 평탄저 디자인 보다 10-12%의 사거리 증가를 가져온다.

OLLOW CHARGE(중공(中空)작약) 성형작약에 대한 대체 용어로 폭넓게 사용된다.

I

GNITER BAGS(발화기 약포) 약포와 담고 있는 화약의 한 쪽 또는 양쪽 끝을 바느질로 꿰맨 천 자루. 목적은 관 또는 뇌관으로부터 나온 섬광으로 발화하고 전체적인 추진 장약을 충분히 발화하기 위해 그 섬광을 확장하는 것이다. 발화기 약포는 포켓 안에 바느질로 꿰맨 이중 두께의 천, 화약 충전제를 담고 있는 각각의 포켓으로 구성된다. 이 시스템은 장약이 취급 중에 아무리 흔들리거나 어떠한 상태로 포 약실에 위치하더라도 화약은 항상 전체 약포로 공평하게 분배될 것이고 이렇게 해서 관 또는 뇌관에서 나온 섬광을 차단할 것이다. 그러고 나서 이 자루는 약포의 바닥에 바느질로 꿰맨다. 어떤 경우에, 실제로 약포의 바닥을 형성할 수도 있고 어떤 카트다음에 장전할 끝을 기억하지 않아도 되도록 하였다. 그리고 이것은 또한 후방 발화기로부터 섬락(閃絡)에 의해 발화되고 추진제의 전천후 발화를 보장할 추가 발화기를 제공한다.

자루끝 발화기가 훨씬 가장 일반적인 형태인 반면, 이것은 모든 약포에 나타나기 때문에 다른 특수 형태의 발화기가 있다.

추가 발화기는 (위에 설명한 것처럼) 약포의 전방 끝에 부착된 2차 발화기가 될 수 있거나 충분한 발화를 보장하기 위해 장약 내부에 포함되는 더 작은 발화기가 될 수도 있다. 이렇게 해서 '코어 발화기-core igniter'는 추진 장약의 중앙에 있는 화약을 포함하고 있는 얇은 자루 관이다. 그 바닥끝은 주 발화기와 접촉하여 중앙으로부터 장약의 신속한 발화를 보장한다. '반돌리어-bandolier 발화기'는 약포 장약 아래에 있는 작약 주위에 싸여있고 주 발화기로부터 나온 불꽃을 확장시키기 위해 유사하게 작동한다. '보조 발화기'는 주 발화기 약포와 유사하나 분리 공급되고 졸라매는 끈이 있는 넓은 가두리가 있다. 이것의 목적은 축축해진 약포에 있는 주 발화기를 대신하는 것이다. 보조 발화기는 축축해진 주 발화기 위에 위치된다. 가두리는 약포의 바닥 주위에서 당겨지고 졸라매는 끈은 단단하게 당긴다. 그러고 나서 카트리지는 장전되고 보조 발화기는 격발을 보장한다. 이것은 더 많은 연기를 발생시키지만 이것은 불발보다는 나은 것이다.

ILLUMINATING SHELL(조명탄) 탐지하거나 표적의 윤곽을 보기 위해 발사되는 발사체.

조명탄 (가끔 성형(星型) 탄이라고도 부른다)은 탄저 방출 포탄이다. 이것은 회전고리와 와이어지지 선에 의해 낙하산에 부착되는 마그네슘 합성제로 채워진 한쪽 끝이 개방된 금속 산탄을 포함하고 있다. 산탄은 개방된 끝이 탄두를 향하도록 포탄 내부에 포장되고 접힌 낙하산과 선은 그 뒤에 삽입된다. 낙하산 주변에 두 개 또는 그 이상의 휘어진 강철 판이 산탄과 포탄의 탄저판 사이에서 버팀목으로 작용하고 이것은 보통 전단 핀 또는 리벳에 의해 탄체에 고정된다.

산탄 위에는 화약으로 채워진 작은 구획이 있고 헐거운 판으로 막혀있으며 중앙에 구멍이 있는 산탄 위에 놓여 있다. 시한 신관은 포탄의 탄두 안에 나사로 고정된다.

사격 시 시한 신관은 작동하기 시작하고 정해진 시간 마지막에 신관은 포탄 안으로 화염을 내려 장약을 발화한다. 이것이 폭발하고 섬광은 헐거운 판에 있는 작은 구멍을 통해 지나가 산탄 안에 있는 마그네슘 불꽃 혼합물을 발화하고 폭발로부터 발생한 가스의 확장은 헐거운 판을 산탄 위로 누른다. 이 압력은 산탄 벽을 통해 지지 버팀목과 포탄의 탄저판으로 지나가 고정핀 또는 리벳을 파손한다. 이렇게 해서 장약에서 발생한 압력은 탄저판을 밀어내고 포탄 밖으로 산탄과 낙하산을 밀어 낸다. 지지대는 떨어져 나가고 낙하산이 개방되어 산탄이 매달리고 개방된 낙하산 아래에서 산탄 측면이 아래쪽으로 개방된다.

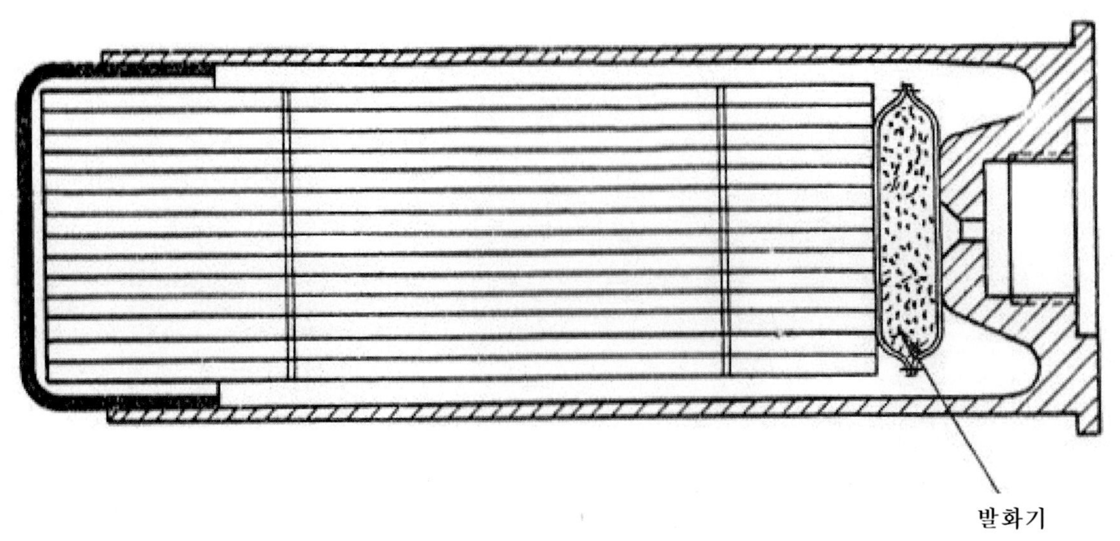

뇌관의 작동을 높이고 추진 장약의 신속한 기폭을 보장하기 위한 화약 발화기.

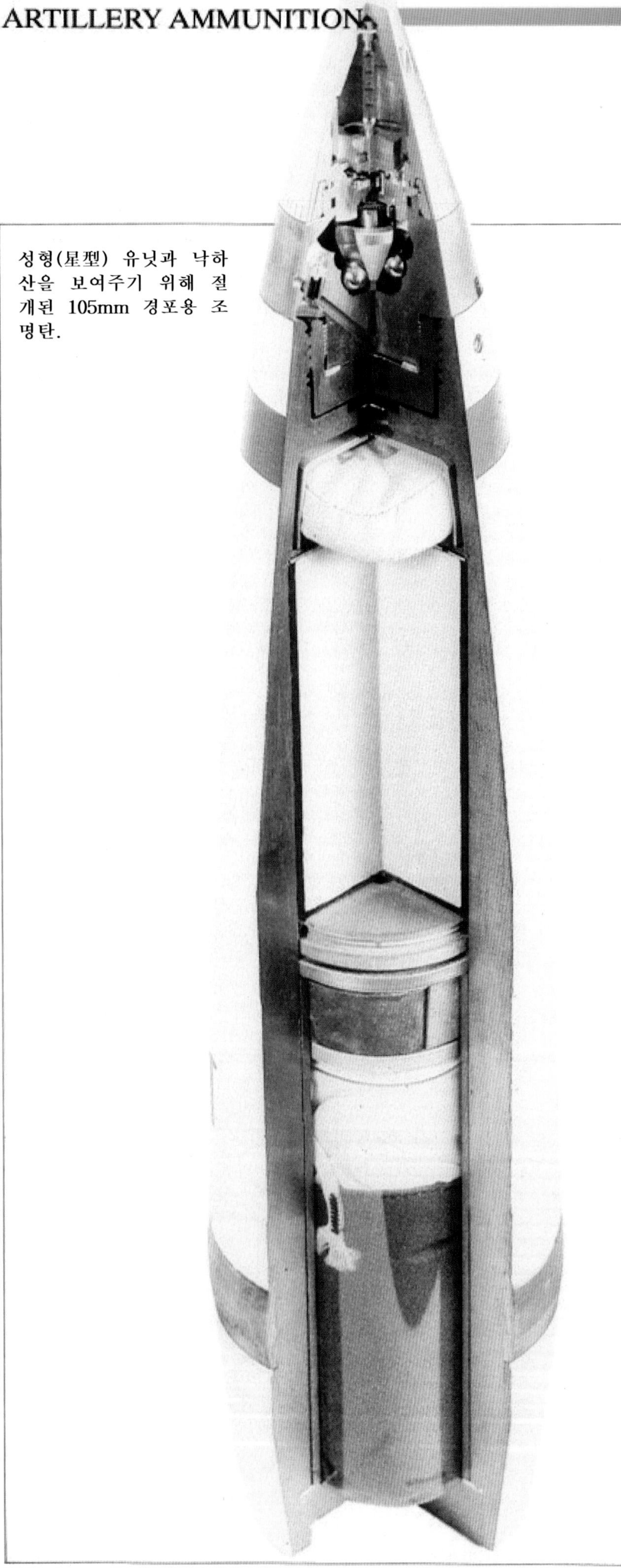

성형(星型) 유닛과 낙하산을 보여주기 위해 절개된 105mm 경포용 조명탄.

그리고 나서 조립체는 지상으로 내려가고 마그네슘 혼합제가 연소하면서 아래쪽 지역을 조명한다.
전형적인 155mm 곡사포 조명탄 유닛은 2백만 촉광의 강도를 가지고 있고 초당 4-5미터의 속도로 떨어져 약 60초 동안 연소하고 그 시간 동안에 직경 800미터 지역 위에 5룩스 수준의 조명을 제공한다.(5룩스는 보름달 보다 약간 더 밝지만 문서를 읽을수 있을 만큼 밝지는 않다.)
전차포에서 사용하기 위해 생산된 낙하산이 없는 조명탄도 있다. 이것은 빛 방사를 시작하기 전에 지상에 떨어지는 많은 조명 유닛을 간단히 방출한다. 평이한 비행궤도로 전차포에서 발사되면 포탄은 지상에서 15미터 상공에서 폭발하여 광원(한 포탄에 4개 또는 5개)이 역광으로 작동하거나 표적의 윤곽을 나타내어 전차 승무원이 보통 탄약으로 사격을 할 수 있게 한다.

IMPACT FUZE(충격 신관) 표적을 타격할 때 작동하도록 설계된 모든 신관. 정의에 의하면 이것은 첨두 신관이어야 하며 영국 용어인 '직접 작동-direct action'이 더 기술적이다.
충격 신관은 일반적으로 공이 또는 충격에 의해 뒤로해서 기폭장치 내부로 밀려나는 격발 핀에 의존한다. 사격전에 안전장치는 두 가지 사이에 물리적 받침을 설치하여 조정할 수 있었고 원심 작용이나 기폭장치 아래에 있는 기폭 도전선 안에 받침을 설치하여 이들을 물러나게 한다. 일부 충격 신관은 신관의 선단에 충격이 가해지도록 하는 일정 각도에서 포탄이 타격하도록 기폭을 보장하기 위한 보조로써 마찰(*graze*) 작용을 가질 수도 있다. 마찰 작용이 있는 충격 신관은 완전하게 새로운 충격과 마찰형태를 설계하는데 어려움을 겪지 않으며 마찰 신관을 갖기 위해 광범위하게 여러 시기에 생산되었다. 오늘날의 관례는 동일한 신관에 두 가지 작용 형태를 갖는 것이며, 직접 작용 충격 효과가 폐쇄되도록 허용하는 셀렉터 기계장치로 마찰 작용만 허용한다.

INCENDIARY SHELL(소이탄) 표적에 불을 내는 물질이 내장된 운반 포탄.
소이탄의 디자인은 테르밋이 채워진 마그네슘 산탄이 있는 탄저 방출 포탄과 네이팜이 채워진 폭발 포탄, 건물과 유사한 표적에 대한 지상 사격용 형태 모두를 포함하고 있다. 주요 구경포로 항공기 공격에 사용하기 위한 많은 소이 펠렛을 방출하는 선단 방출 운송 포탄도 있다.
오늘날 백린 연막탄이 소이 발사체로 사용된다. 이것은 특히 탄저방출 테르밋 형같은 특수화된 디자인처럼 효과가 없지만 소이탄에 대한 적용은 적어서 대부분의 군에서 병기목록상에 상당히 특수화된 포탄을 가지는 것이 가치가 있지 않다고 결정하였다.

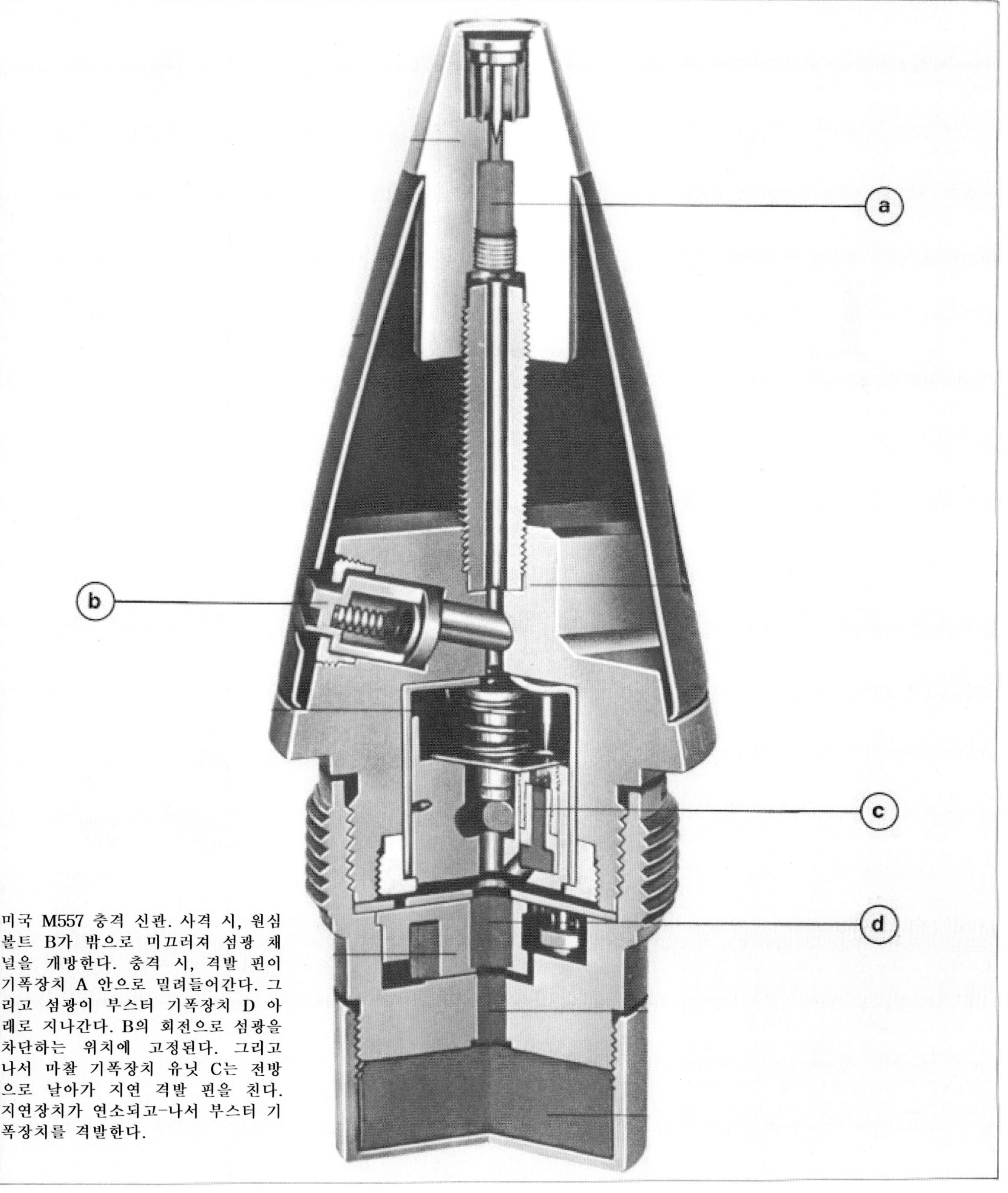

미국 M557 충격 신관. 사격 시, 원심 볼트 B가 밖으로 미끄러져 섬광 채널을 개방한다. 충격 시, 격발 핀이 기폭장치 A 안으로 밀려들어간다. 그리고 섬광이 부스터 기폭장치 D 아래로 지나간다. B의 회전으로 섬광을 차단하는 위치에 고정된다. 그리고 나서 마찰 기폭장치 유닛 C는 전방으로 날아가 지연 격발 핀을 친다. 지연장치가 연소되고-나서 부스터 기폭장치를 격발한다.

여러 경우에 소이 포탄이 만들어지면, 결코 일반적인 보급품이 되지 못하고 항상 특정 운영용으로 특별히 요구되어야 했다. 이것은 사용하기 알맞은 것하고는 거리가 멀다. 특수화된 소이 포탄의 폭넓은 사용은 2차 세계대전 중 독일 대공 포병에서만 있었다.

INITIATOR(기폭약) 폭약 반응을 시작하기 위해 사용하는 모든 물질에 대한 일반적인 용어. 예를 들어 신관 기폭장치의 민감한 폭약은 기폭약으로 분류된다.

LETHAL AREA(치사 구역) 서있는 사람의 50%가 폭발이나 파편에 의해 죽을 수 있는 폭발 포탄 주변의 지역. 지역은 발사체가 기폭 될 때 준비되는 각도에 따라 변한다. 두 가지 최대효과를 얻기 위해, 선단에 수직으로 균형 잡힌 포탄은 폭파 지점의 주변 원에서 파편을 분산한다. 반면에 지상에 측면이 닿은 포탄은 원칙적으로 옆으로 파편을 분산한다. 이 파편들은 공기 중으로 수직으로 올라가고 지상으로 수직으로 떨어져 효과가 없다. 문제는 파편에 의해 획득된 방향에 대한 효과를 가지고 있기 때문에 기폭 시간에 포탄의 속도의 영향은 더욱 복잡해진다. 초당 수백 미터 날아가면서 공기 중에서 포탄이 폭발하면 치사 구역의 방향과 모양에서 반사되는 모든 파편이 전방으로 비스듬해진다. 일반적으로 포탄이 지상에 접근할 때의 각이 가파를수록 치사 지역은 더욱 평탄하게 분포될 것이다. 이것은 높은 비행궤도가 폭탄이 거의 항상 이러한 종류의 각도로 온다는 것을 의미하기 때문에 박격포가 아주 위험한 무기가 된다는 이유 중 하나이다.

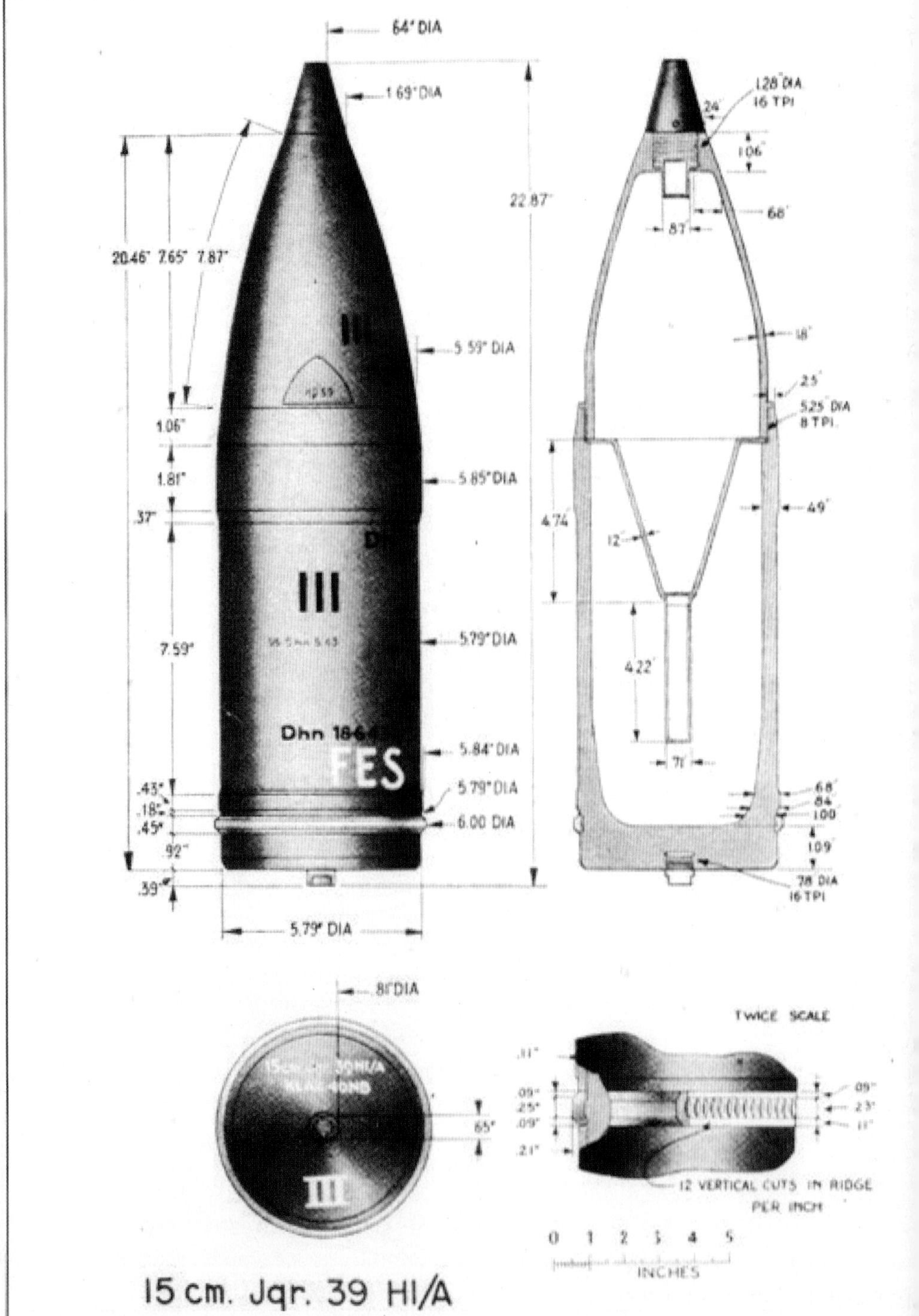

LONG-DELAY FUZE(긴 지연 신관) 고폭탄이 적용되고 파괴 행위, 폭파 또는 방해 포격에 사용되는 신관 형태. 이것은 외양이 표준 충격 신관과 유사하지만 충격 후 2시간에서 6주 동안에 언제든지 기능을 발휘할 수 있는 화학 지연장치를 포함하고 있다. 긴 지연 신관은 지역 포격에 사용할 수 있다. 포탄은 떨어질 수 있지만 기폭을 시작하기 전에 선택된 시간 동안 정지한 상태로 있다. 이렇게 해서 도로 교차점이나 잠재적 활주로가 미래의 시간에 골칫거리가 되도록 하기 위해 '황폐화'될 수 있다. 또 다른 역할은 퇴각 시 탄약 집적장의 파괴이다. 긴 지연 신관이 적용된 소수의 포탄이 탄약 더미에 설치되어 화약 반응을 시작하도록 망치로 신관을 타격한다. 안전 캡이 제거되면 재래식 신관이 있는 다른 포탄과 분간할 수 없게 된다. 선택된 시간이 되면 신관은 포탄을 기폭하고 집적장의 파괴를 야기한다. 신속한 파괴를 위해 짧은 지연 신관이 사용

15 cm. Jqr. 39 HI/A

독일 15cm 보병 곡사포용 성형작약 탄. 이것은 유선형 탄이 아니며 구동 탄대 뒤쪽에 경사가 없다.

파괴를 위해 짧은 지연 신관이 사용될 수 있다. 적의 최대 혼란을 위해 더 긴 지연 신관이 폭발하기 전에 적이 직접장을 점령하도록 보장하는데 사용된다.
이러한 형태의 신관은 1930년대의 영국에서 개발되었다. 외형적으로 이것들은 표준 신관 No. 117과 유사하다.

.YDDITE(리다이트) 고폭탄으로 사용되는 주조 피크르산에 대한 영국 명칭. 리다이트 는 1890년대에 영국에서 채택한 첫 번째 고 폭탄이었으며 켄트(Kent)의 리드(Lydd)에서 사거리에 대한 완벽한 포탄의 설계를 위한 실험이 이루어진 곳이기 때문에 '리다이트'란 명칭을 얻게 되었다. 이것은 동시에 다른 나 라에서 채택하였으며, 프랑스에서는 '멜리나 이트-Melinite', 일본에서는 '시모세 -Shimose' 그리고 독일에서는 '그라나트필링 -Granatfullung 88'이라는 이름을 사용하였 다. 더 상세한 설명은 다음의 '고폭탄-*High Explosive*'를 참조한다.

M

MINE SHELL(공뢰(空雷) 탄) 최대로 폭약 을 많이 수용하기 위해 표준 보다 훨씬 얇은 벽의 탄체를 사용하는 고폭탄. 이것은 더욱 커다란 폭파 효과를 포탄에 부여하고 파편을 사용함에도 불구하고 물질에 대한 파괴력을 증가시킨다. 공뢰탄은 항공기 표적에 대한 최대 파괴 효과를 개발하기 위해 소구경 항 공 캐논용으로 2차세계대전중 독일에서 개발 하였다. 얇은 벽으로 가속 응력을 견디기 위 해 고급 강철이 사용되었고 재료는 주조 또 는 단조보다 늘림방식을 사용하였다. 적재량 의 개선이 상당하였다. 표준 20mm 고폭 캐 논탄은 3.70gm의 폭약을 수용하는 반면에 동일한 구경의 공뢰탄은 17.0gm을 수용한다. 최대 효과를 얻기 위해 알루미늄 처리한 폭 약이 이러한 포탄에 사용되었고 4개의 30mm 공뢰는 날으는 요새인 B-17과 같은 4 엔진 폭격기를 완벽하게 파괴하기에 충분하 였다.

공뢰탄은 전후에 폭넓게 채택되었고 보통 알 루미늄 처리된 HE/소이충전제와 함께 오늘 날 거의 모든 소구경 캐논탄 제작제에 의해 사용된다.

MONROE EFFECT(몬로 효과) 1880년대 에 미국의 공학자인 몬로가 처음으로 성형작 약을 개발하였기 때문에 초기에 성형작약에 붙여진 명칭. 몬로는 강철판에 면화약으로 실험을 실시하여 면화약 표면에 만든 홈이 강철판의 표면 안에 우묵한 모양을 재현한다 는 것을 발견하였다. 몬로는 또한 강판과 폭 약사이에 나무로부터 나뭇잎을 설치하므로써 어떤 인위적 효과를 만들어내어 강판에 나뭇 잎 모양의 결 패턴을 재현시켰다. 이것은 뉴 만(Neumann)(다음 참조)이 수행한 더 진보한 실험이 있기까지 실험박물관에 보관되었다.

N

NEUMANN EFFECT(뉴만 효과) 성형작 약 효과에 적용된 두 번째 명칭. 몬로 이후 에 현상은 독일의 실험가 뉴만이 가능한 무 기로서의 개념을 찾았던 1차세계대전전까지 짧은 기간 동안에 신기함으로 남아있었다. 뉴만은 강철 안에 충격의 깊이를 증가시킨 금속 라이너를 추가하여 강철 표적을 완전 히 통과하여 절단할 범위를 판단하였다. 그 러나 전쟁이 끝날 때까지 이것을 실제 사용 에 적용할 수 없었다. 그렇지만 뉴만의 관찰 과 인쇄된 보고서는 다른 연구가들이 연구 를 시작하도록 하였고, 1930년대 후반과 1940년대 초에 성형작약 탄을 개발하도록 유도하였다.

NON-STREAMLINED(비유선형) 탄체의 평행한 측면이 탄저까지 이어지는 발사체. 구동 탄대 뒤로 경사진 부위가 없다. 오늘날, 적재물을 방출되도록 해야 하는 최대 크기의 탄저구멍을 가져야 하는 운송탄에서만 볼 수 있다. 탄저 방출 연막 탄이 보통 어느 정도 의 유선형으로 만들어지기 때문에 조명탄은 오늘날 보통으로 볼 수 있는 거의 유일한 비 유선형 탄이다. 비유선형 탄의 주요 목적은 항상 무기와 함께 사용되는 표준 유선형 포 탄과 완전히 다른 사거리를 항상 가지는 것 이다. 그러므로 계산된 사거리에 상당한 수 정이 적용되어야 한다.

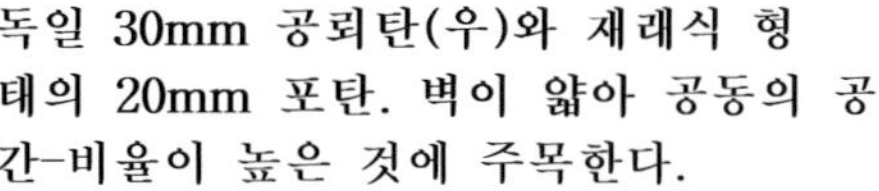

독일 30mm 공뢰탄(우)와 재래식 형태의 20mm 포탄. 벽이 얇아 공동의 공간-비율이 높은 것에 주목한다.

O

OBTURATION(폐쇄) 포가 발사될 때 추진 가스가 새는 것을 방지하기 위한 포 폐쇄기의 밀폐에 대한 기술적 용어.

폐쇄는 탄약 또는 포에 의해서 획득될 수 있다. 약협 장약을 사용하는 포는 탄약에 의해 획득된다. 금속 완성형 약협은 약협이 바깥쪽으로 확장되어 약실 벽에 대해 빈틈없는 밀폐를 형성하여 어떠한 가스도 누출되지 않도록 방지한다. 약포를 사용하는 포는 포에 의해 밀폐가 이루어질 필요가 있다. 일반적으로 폐쇄기 뭉치에 있는 탄력성 패드를 사용한다. 이것은 약실 입구로 밀려들어가 포가 발사될 때 약실 내의 압력이 패드가 바깥쪽으로 압착되도록 하여 벽에 밀폐를 만든다.

OGIVE(조형부-원뿔꼴 두부(頭部)) 발사체 두부의 곡선부. 이것은 구경-반지름-두부(calibre-radius-head, crh) 측정으로 판단한다.

P

PAPER SHOT(종이 탄) 붕괴탄의 초기 형태. 발사 시 인접한 선박에 위험하기 때문에 어떠한 발사체도 사격하기 힘든 위치에서 평시에 발사할 수 있도록 해안포에서 사용하기 위해 개발되었다.

9.2인치 해안 방어포의 개방된 폐쇄기. 막음나사식을 볼 수 있고 전방 끝에 폐쇄 패드의 검은 선이 보인다.

·이탄은 고운 모래로 채워진 두꺼운 종이 :는 카드보드 관으로 구성되었다. 종이탄은 반 발사체와 동일한 방법으로 포에 장전 고, 특수 추진 장약을 장전한다. 사격 시, ·사 충격이 종이관을 찢어 종이 파편과 모 를 포구로부터 방출한다. 그렇지만 실제 :이 발사되었다면 관을 파열하는 추진제 강도에 대한 초기 점검은 실탄이 발사된 ·면 포에 반동을 일으키기에 충분하였다. :리고 종이탄은 포의 주퇴장치가 완전히 ·동되고 있는지 점검하기 위해 주기적으로 ·용되었다. 포구에서 방출된 파편은 아주 ·은 거리 이내의 지상에 떨어 졌고

테스트 포용 종이탄의 두 가지 견본품. 짧은 것은 25-파운더 포용으로 모래가 채워져 있다. 긴 것은 105mm 전차포용으로 사격에 앞서 물로 채운다.

독일 105mm 대공포용으로 개발된 실험용 피네문데 화살탄.

그래서 사격선에 어떠한 위험 성질도 없었다. 종이탄은 또한 아주 드물게 포반원이 사격을 하기 위해 다른 곳으로 갈수 없을 때 훈련용 탄으로 사용되기도 하였다.

PEENEMUNDE ARROW SHELL(핀네문데 화살 탄) 핀네문데에 있는 독일 육군 시험소(V-1과 V-2 미사일이 개발된 곳)에서 1939-40년에 개발되었다. 발사체는 긴 하부구경 다트형태였고 그 주위에 탄저판이 있으며 K5 열차포에 장착된 31cm 활강포에서 발사할 의도로 만들었다. 발사체 몸통은 직경 12cm(4.7인치), 길이 1.91m(6.2피트)였으며 4개 또는 6개의 날개를 가지고 있었다. 첫 번째 디자인은 발사체가 포를 떠난 후 확장되는 신축형 꼬리 유닛이 있었지만 단 한차례의 실험 발사후 아이디어가 폐기되었다. 그리고 나서 공학자인 게스너(Gessner)가 포강 위로 발사체를 밀어 올리고나서 지상으로 떨어지는 날개 뒤에 내장된 밀대 피스톤이 있는 포탄을 고안하였다. 긴 탄체에 커다른 압력을 받는 포탄의 꼬리에 모든 추진력을 실어서 이것 또한 실패하였다. 그리고 나서 게스너는 중앙에 3조 분리 탄저판을 제안하였고, 이 디자인은 성공적이었다. 탄저판은 포의 전방 2km에서 지상에 떨어졌다. 31cm 포에서의 시험 발사는 최대 사거리 151km(93.8마일)를 내었고 지금까지 사용된 포와 발사체에서 얻은 가장 긴 사거리였다.
비록 디자인이 1940년에 만들어졌지만, 생산의 어려움 때문에 1944년이 되어서야 실제적인 발사체가 생산되었다. 지금까지 알려진 대로 피네문데 화살탄은 오직 몇 번의 작전에서만 사용되었다. 기록된 실례 중 하나는 1944년에 약 120km(75마일) 떨어진 패튼 장군의 미제3군에 대한 것이었다. 더 작은 버전의 디자인이 105mm 대공포용으로도 개발되었고 목적은 고속과 짧은 비행시간을 얻기 위한 것이었다.
디자인은 1960년대 후반에 확정되었고 영국-독일-이탈리아의 FH70 155mm 곡사포용 장사거리 발사체로 제안되었지만 로켓 추진 디자인의 선호로 후에 폐기되었다. 또한 1950년대에 핀란드 공학자가 장사거리 160mm 박격포 폭탄용으로 사용하기도 하였다. 개념에는 독일에서 증명한 것처럼 본래적인 결점이 없었지만, 고가와 어려운 생산 공학 문제가 있었고 길고 얇은 기둥형 폭약의 완벽한 기폭을 보장하기 어려웠다.

PERCUSSION FUZE(충격-진동-신관) 직접 작용 또는 마찰형(*graze* type)의 충격 신관(*impact fuze*)에 사용하는 영국 용어.

PETN Penta - eryithritol - tetra - nitrate; 펜타(Penta), 펜톨라이트(pentolite) 펜드라이트(Penthrite) 등으로 알려진 고폭

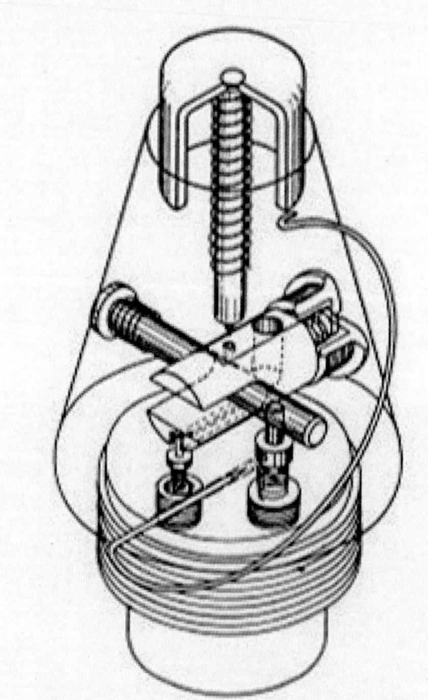

안전 와이어가 제거되면, 안전핀이 셋백 핀에 의해서만 당겨진다.

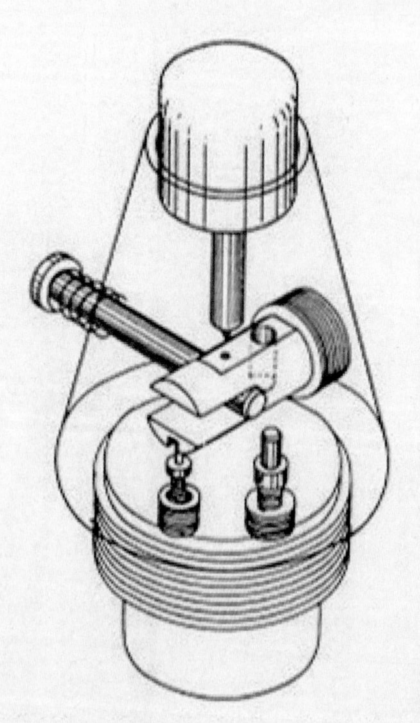

사격시, 셋백핀이 용수철의 작동에 의해 축소된 안전핀을 푼다.

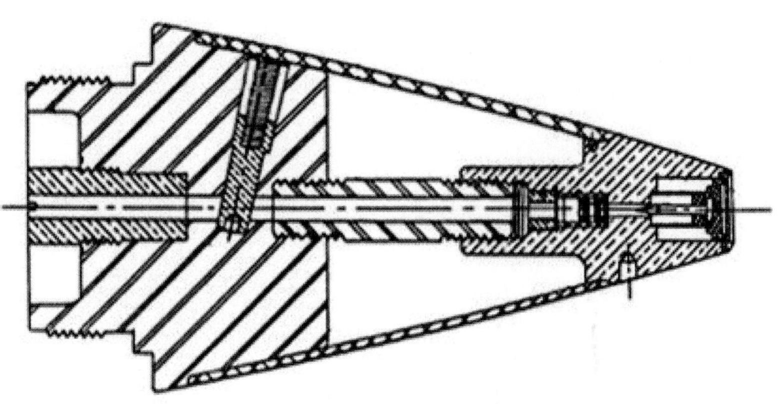

포병 탄용 간단한 충격 신관. 차단기(A)가 바깥쪽으로 회전하고 중심 통로를 정리한다. 충격 시, 격발핀(C)이 기폭장치(B)안으로 밀려들어가고 연속되는 섬광이 중심 통로 아래로 지나가 신관을 떠나 부스터를 기폭하여 작동시킨다.

신관의 격발 순서

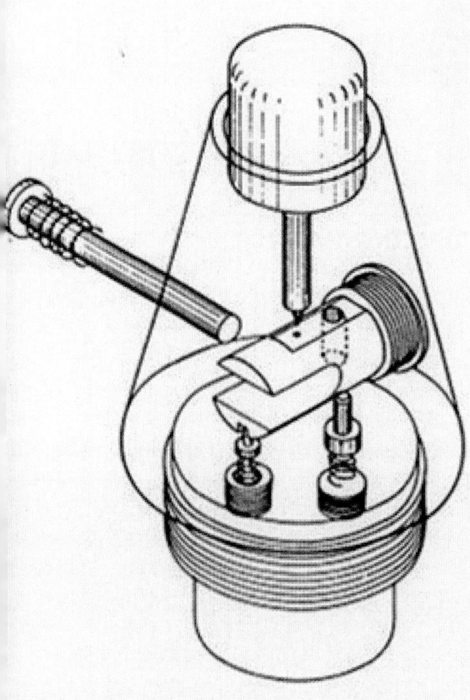

안전핀이 신관에서 자유로울 때, 슬라이더가 용수철 장력에 의해 아래로 움직인다.

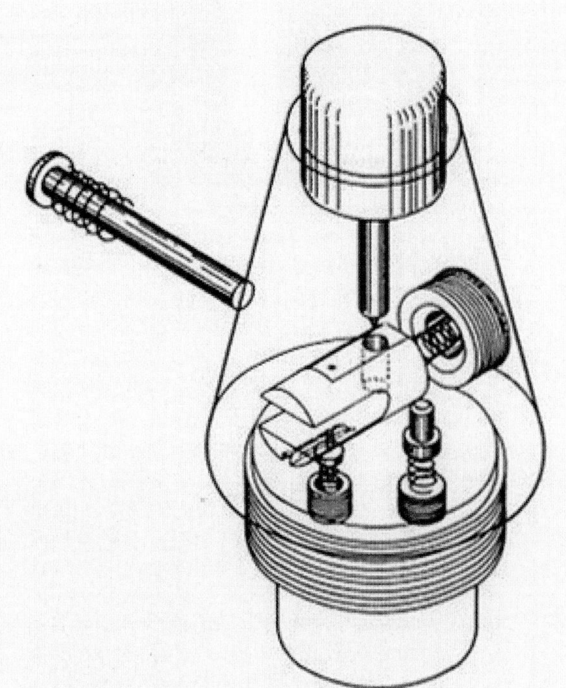

그리고 나서 잠금 핀이 용수철의 작동으로 오목한 곳으로 올라가 슬라이더를 고정한다.

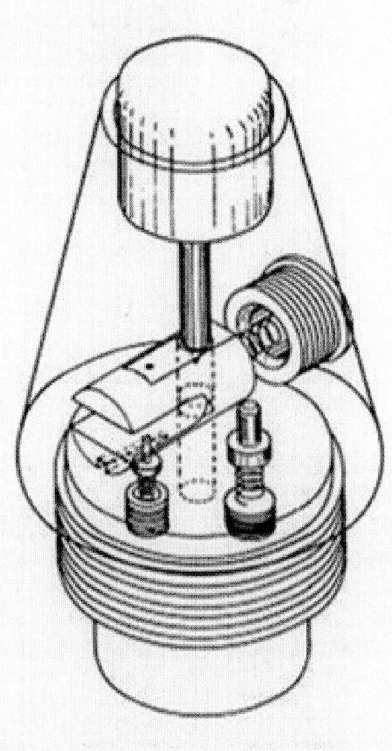

충격 시, 공이와 격발 핀이 안으로 들어가 격발핀이 상부 기폭장치를 압착한다.

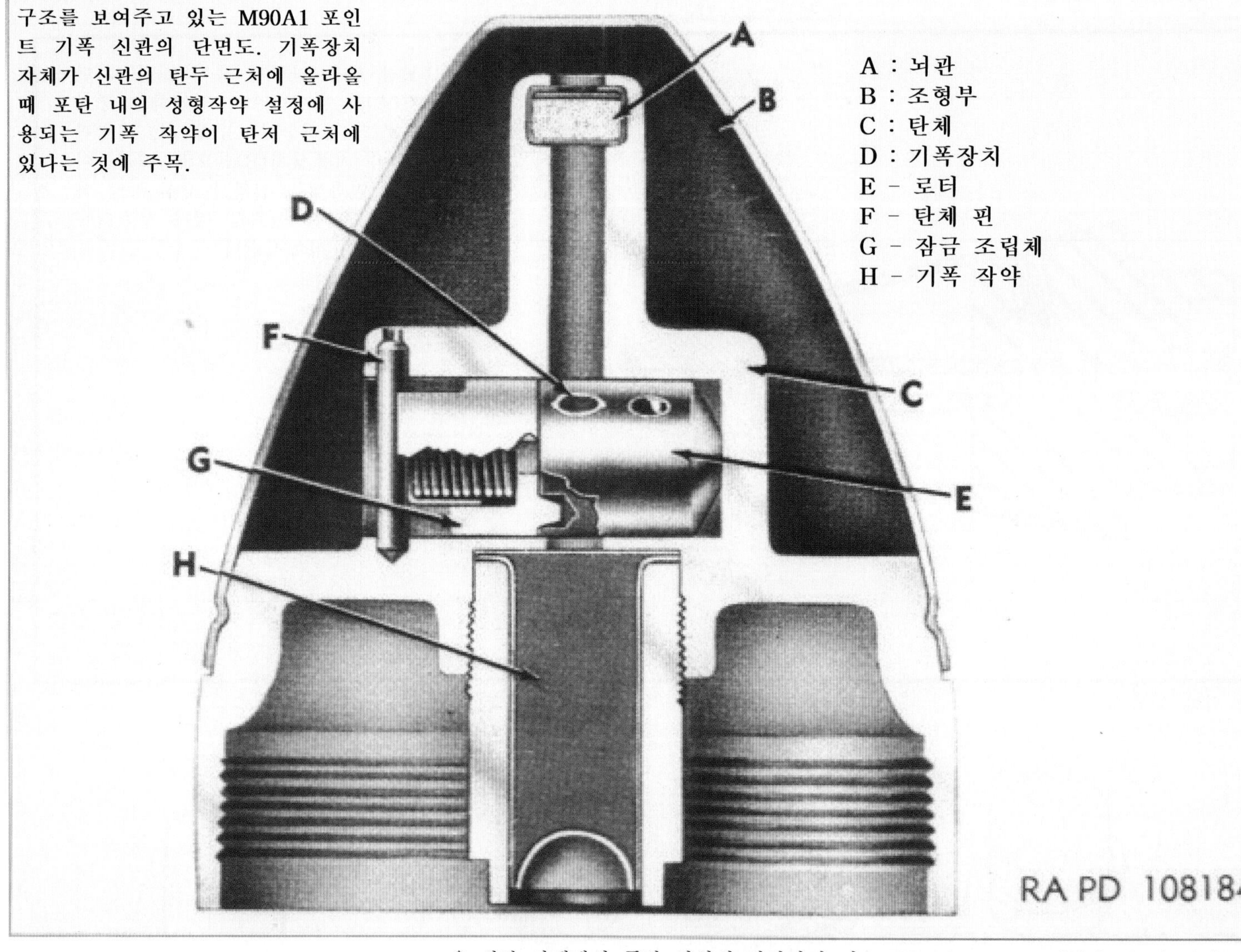

구조를 보여주고 있는 M90A1 포인트 기폭 신관의 단면도. 기폭장치 자체가 신관의 탄두 근처에 올라올 때 포탄 내의 성형작약 설정에 사용되는 기폭 작약이 탄저 근처에 있다는 것에 주목.

탄. 너무 민감해서 단독으로 포탄 충전제로 사용할 수 없었다. 보통은 감도를 줄이기 위해 10%의 밀랍을 혼합하였다. 몇 가지 종류의 뇌관과 신관 전폭약집(magazine)용 충전제로 단독으로 사용되기도 하였다. 더욱 상세한 정보는 위 폭약(*Explosives*)을 참조.

PIBD FUZE(탄두발화탄저신관) '성형 작약 발사체에 사용되는 신관에 특별히 적용된 미국 용어로 '탄두 발화, 탄저 기폭 - Point Initiating, Base Detonating'의 약자.
성형작약 발사체의 설계자가 직면한 문제는 성형 충전제의 기폭이 작약의 후방 끝에서 발화되어야 기폭파가 전방으로 움직여 특별한 성형작약 효과를 발생한다는 것이다. 그러나 명백한 해결책처럼 보이는 탄저 신관을 사용한다는 것은 신관의 구조 때문에 항구적 지연(*탄저 신관- Base Fuze*참조)이 있다는 의미이고, 이 지연은 포탄이 기폭되기 전에 표적에 너무 가깝게 접근하도록 한다. 이 개념은 발사체 탄두의 첨두에 충격 신관을 설치해야 하는 것이다. 그러나 이것은 신관 자체에서 폭발 작약의 바닥까지 기폭을 전환하는 문제를 만들어냈다.전시의 미국과 영국 설계자들이 도입한 해법은 신관의 바닥에 작은 성형작약 자체를 주는 것이었다. 이는 표적에 대한 신관의 충격에 의한 기폭이 일어날 때 포탄 안으로 폭발 제트류를 발사하고 관을 통하여 포탄의 주 성형작약 충전제의 중앙으로 내려가 후방에 있는 테트릴 뇌관까지 간다. 그리고 나서 이것은 성형작약을 기폭하고 작동하도록 한다. 그러므로 탄두 발화(신관 내의 작은 성형작약에 의해), 탄저 기폭(주 작약 뒤에 있는 뇌관에 의해)이다.
영국 설계자들은 이러한 형태의 신관에 특별한 명칭을 부여하지 않았다. 이것은 단지 '충격 신관 No 233'이고 3.7인치 산악 곡사포용 성형작약 포탄에만 사용하였다. 미국형 디자인인 '신관 PIBD M90'은 57mm 무반동용 HEAT 탄과 함께 사용하였다. 이 무기는 여전히 남미의 한 두 나라에서 사용하고 있으며 미국 디자인인 PIBD의 복제품을 아직도 사용하고 있을 것이다.

PIERCING CAP(철갑 갑모) 특히 전면 강화 장갑판에 대한 관통력을 증가시키기 위해 철갑탄 또는 철갑 포탄의 첨두 위에 설치한 강철 갑모. 판판한 강철 발사체는 853mps(2,800fps) 이상의 충격 속도에서 산산이 부서지기 쉽지만 관통에 필요한 그 이하 속도로 발사한다. 첨두에 갑모를 적용하므로써 포탄의 견부에 고정되도록 설계되었고 첨두에 압력을 가하지 않는다. 충격력은 탄두 끝에 집중되기보다 발사체의 견부에 실린다. 그리고 갑모는 분리되고 발사체의 첨두가 관통하기 시작하도록 하며 고속에서 용융되어 관통을 도와주는 윤활제로서 작용한다. 게다가 붕괴된 갑모는 관통이 시작되도록 짧은 시간동안 발사체를 지지한다. 그래서 관통력을 줄이는 어떠한 불안정함도 방지한다.
철갑탄이 그 운용에 있어 다른 시스템에 의지하기 때문에 오늘날 잘 볼 수 없지만, 일부 갑모 발사체는 여전히 소련군에서 사용하고 있다. 철갑모탄(*APC*) 참조.

철갑 갑모가 제거된채 옆에 놓여 있는 17-파운더 대전차포 철갑탄.

PIEZO-ELECTRIC FUZE(압전 신관) 현대 성형작약 탄약과 함께 사용되는 신관 형태. 위의 'PIBD 신관'에서 설명한 것처럼, 설계자들은 충격 신관이 장약 전방 일정한 거리의 포탄 첨두에서 기폭 하는 것에 반해 후방으로부터 성형작약을 기폭 해야 하는 문제에 직면한다. 압전 신관은 격렬하게 압착될 때 전류를 발생하는 어떤 결정 형태와 결합된 전기 현상에 의지한다. 충격신관은 이러한 결정을 담고 있으며 와이어는 포탄의 벽을 따라 성형작약 후방에 있는 뇌관 안의 전기식 기폭장치로 흐른다. 포탄이 표적에 맞을 때, 신관은 터지고 결정을 으깬다. 이것은 전기충격을 와이어 아래로

첨두에 설치된 압전기를 보여주고 있는 전형적인 성형작약 발사체가 후방 끝에서 작약을 기폭 하는 전기 기폭장치에 연결되어 있다.

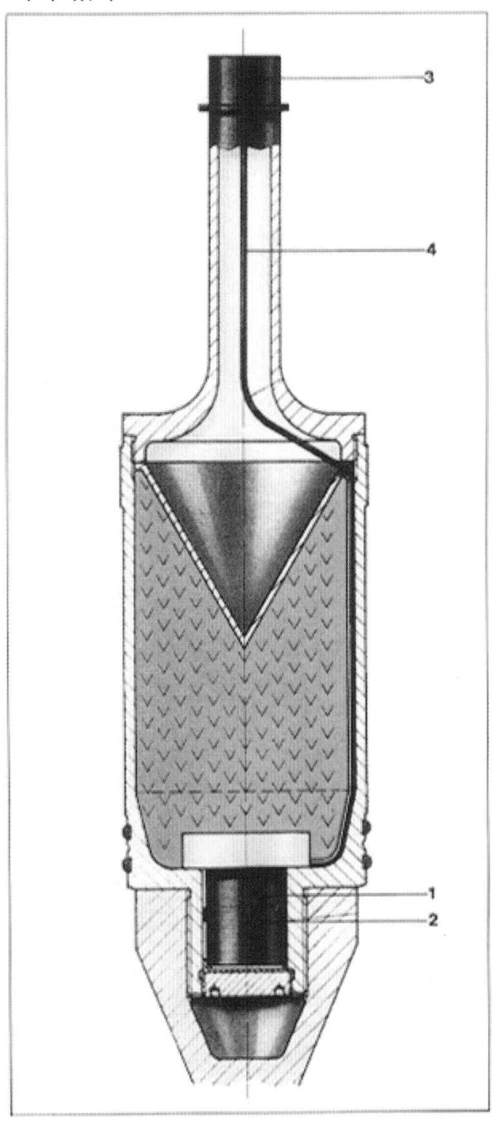

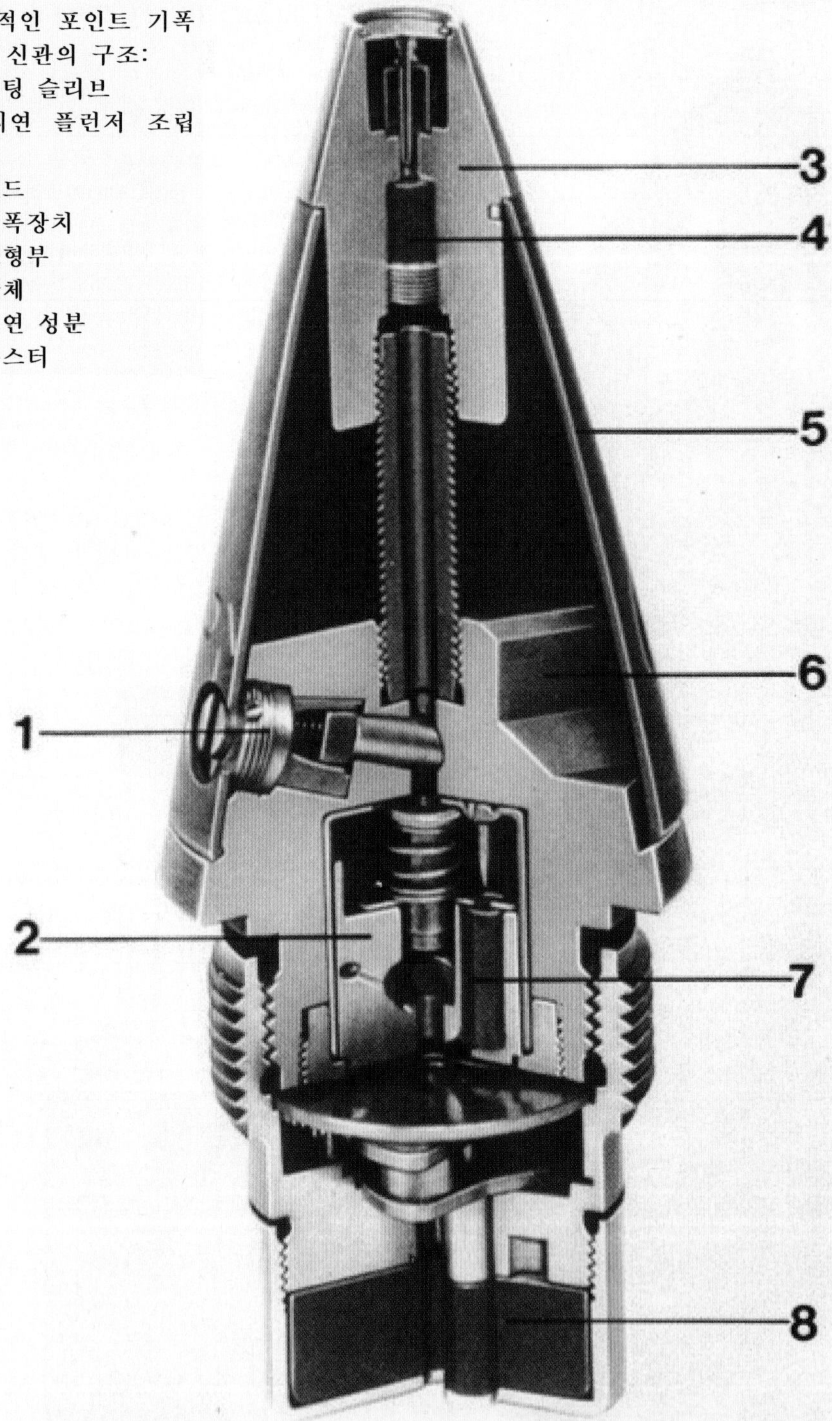

전형적인 포인트 기폭 장치 신관의 구조:
1. 세팅 슬리브
2. 지연 플런저 조립체
3. 헤드
4. 기폭장치
5. 조형부
6. 탄체
7. 지연 성분
8. 부스터

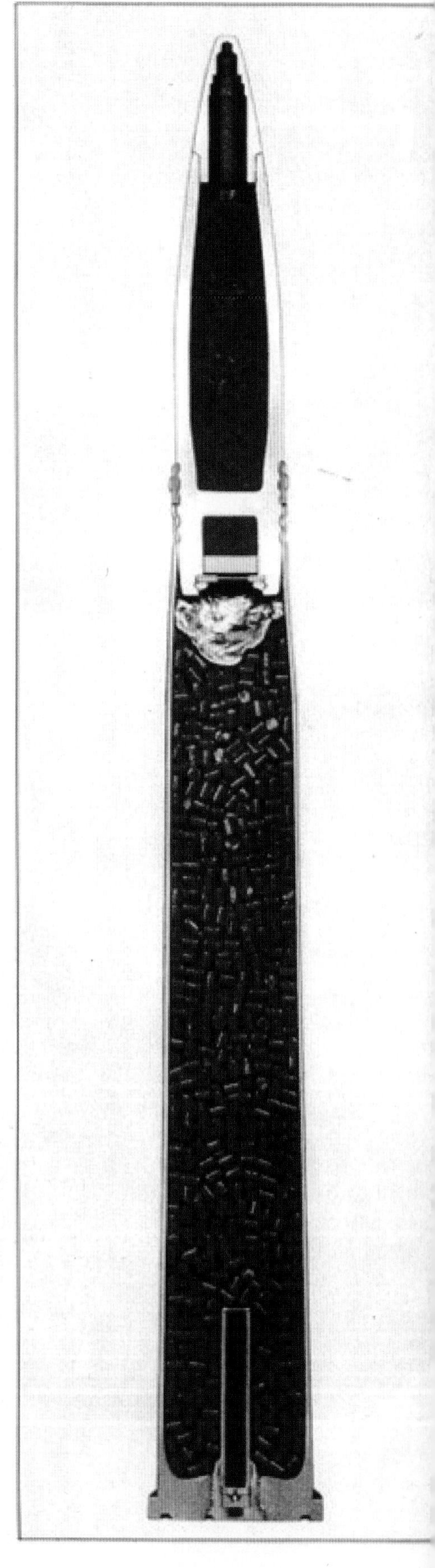

보내어 전기 기폭장치를 격발하여 뇌관과 성형작약을 발화한다. 신관에서 온 충격이 전기 속도로 움직이기 때문에 충격과 작약 기폭 사이의 지연은 무시해도 되며 성형작약은 포탄의 탄두가 어떠한 중대한 각도로 붕괴될 기회를 갖기 전에 성형작약이 폭발한다. 이러한 형태의 신관은 포탄을 취급하는 중에 불의로 떨어뜨리거나 충격을 주어 입을 수 있는 어떠한 피해도 초월하는 전류를 충격에 의해 발생하므로 기계식 안전장치의 요구가 최소화되는 장점을 가지고 있다. 그렇지만 이것은 주의 깊은 일정한 회로가 요구된다. 초기 디자인은 한 개의 버팀대 회로를 가진 발사체 탄체를 사용하였고 치킨와이어로 표적을 차폐하는 것이 전선이 포탄 탄체와 연결될 때 전류가 지상으로 흐를 만큼 충분히 신관을 단락시켰다는 것을 알게 되었다.

)INT DETONATION FUZE(탄두 기폭 관) 포탄의 탄두에 실리는 충격 신관 *npact fuze*)에 대한 미국의 기술적 용어. :저 기폭 신관-base detonation fuze'과 구 된다.

ℛACITCE SHELL(훈련용 포탄) 훈련에 용하기 위한 발사체. 특정 포에 대한 표준 폭탄과 유사하지만 고폭약 충전제를 포함 고 있지 않다. 대신에 이것은 충분한 불활 물질 충전제를 가지고 있지만 연기를 내 기에 충분한 작은 '폭발 작약'을 가지고 있 충격 시 화염을 발생한다. 훈련용 탄의 탄 는 실제 표준 발사체와 정확하게 동일해야 일한 조준과 사격통제 산출이 가능하다. 준 고폭탄을 훈련에 사용하는 것이 더 저 하고 효과적이기 때문에 훈련용 탄은 쉽게 수 없다. 실탄은 대량 생산된다. 그리고 련용 탄을 생산하기 위한 특별 생산 라인 만드는 것보다 이들 실탄을 사용하는 것 더 경제적이다.

RACTICE SHOT(훈련용 탄) 훈련용 포 과 같이 훈련용 탄은 철갑탄 대신 훈련에 용하는 연습탄이다. 이 경우에 이들은 실 탄저 분리 탄의 비싼 열화우라늄이나 텅 텐 카바이드 탄심을 사용하지 않아 경제적 기 때문에 또는 재래식 탄의 경우에 고급 철로 만들지 않아 훨씬 더 일반적이다. 련탄의 주요 문제는 부분적으로 고속의 PDS와 APFSDS에서 하부 발사체가 표적 놓치거나 도탄 되면 지상에 떨어지기 전 아주 먼 거리로 날아 갈 수 있다는 것이 . 초기 APDS 탄은 10km(6마일)까지 날아 는 경향이 있었다. 현대의 APFSDS는 착 하기 전에 60-80km(37-50마일)까지 도비 고, 이것은 도비를 포함할 만큼 충분히 큰 거리 범위를 판단하여 민간인 거주 지역 변에 위험이 발생하지 않도록 해야 하는 다란 문제가 제기된다. 현재에 도입된 대체 법은 비행하는 동안에 탄도를 줄여 훈련탄 만드는 것이다. 그래서 모양에 영향을 주 공기 저항에 영향을 받도록 하여 더욱 짧 거리에서 지상에 떨어지도록 하였다. 독일 딜(Diehl) 회사에서 만든 디자인은 핀으로 로 고정된 두 개의 하부 발사체를 가지고 다. 폭발작약은 포로부터 500-400m(3,800-4,500야드)의 지연 시스 에 의해 격발되고 이것은 결합부를 파 하여 하부 발사체를 두 조작으로 분리 다. 전방 부위는 비안정되었고 매우 르게 지상으로 굴러가고, 반면에 날개

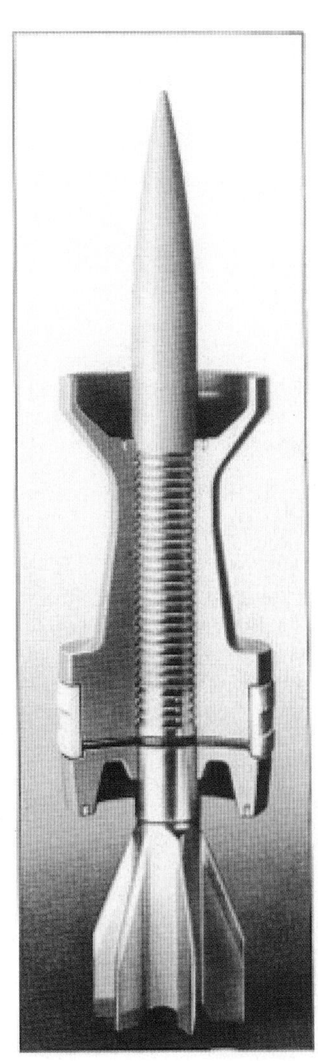

: 연습용 탄. 신관이 비어 있고 충전제 비활성이지만 예광탄이 사용되어 비행 를 관측할 수 있다는 것에 주목.

연습용 APFSDS 발사체의 격발 절차.
아래 : 탄저판 안에 있는 모습
우 : 최초 비행 시
맨 우 : 지연에 의해 기폭 된 소형 폭발 작약이 관통자를 분해하고 발사체의 비행판을 분리시켜 안전한 거리 내에서 지상으로 떨어지게 한다.

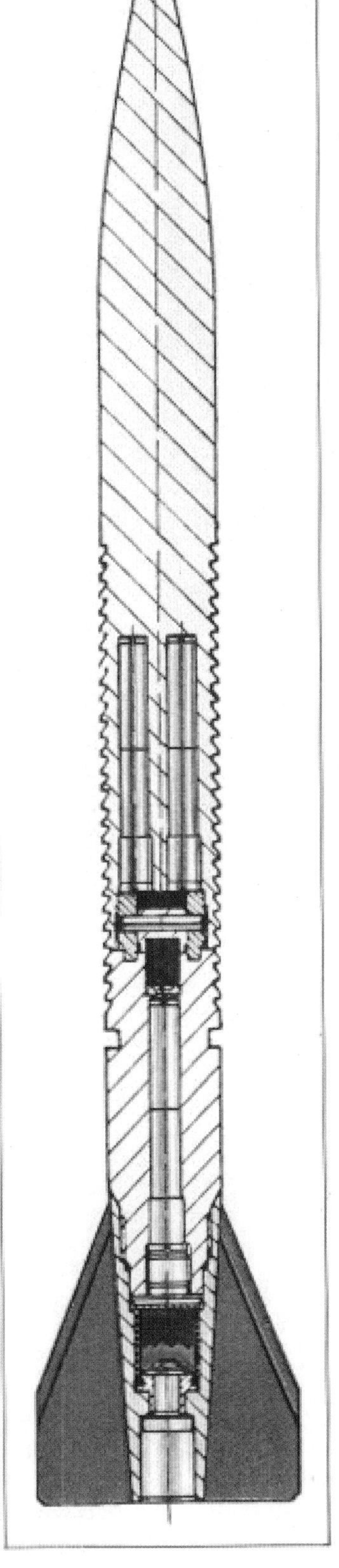

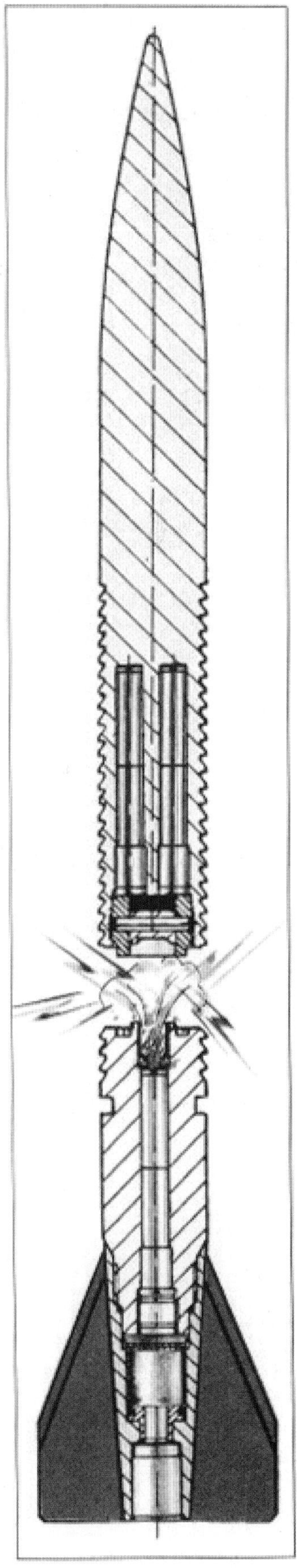

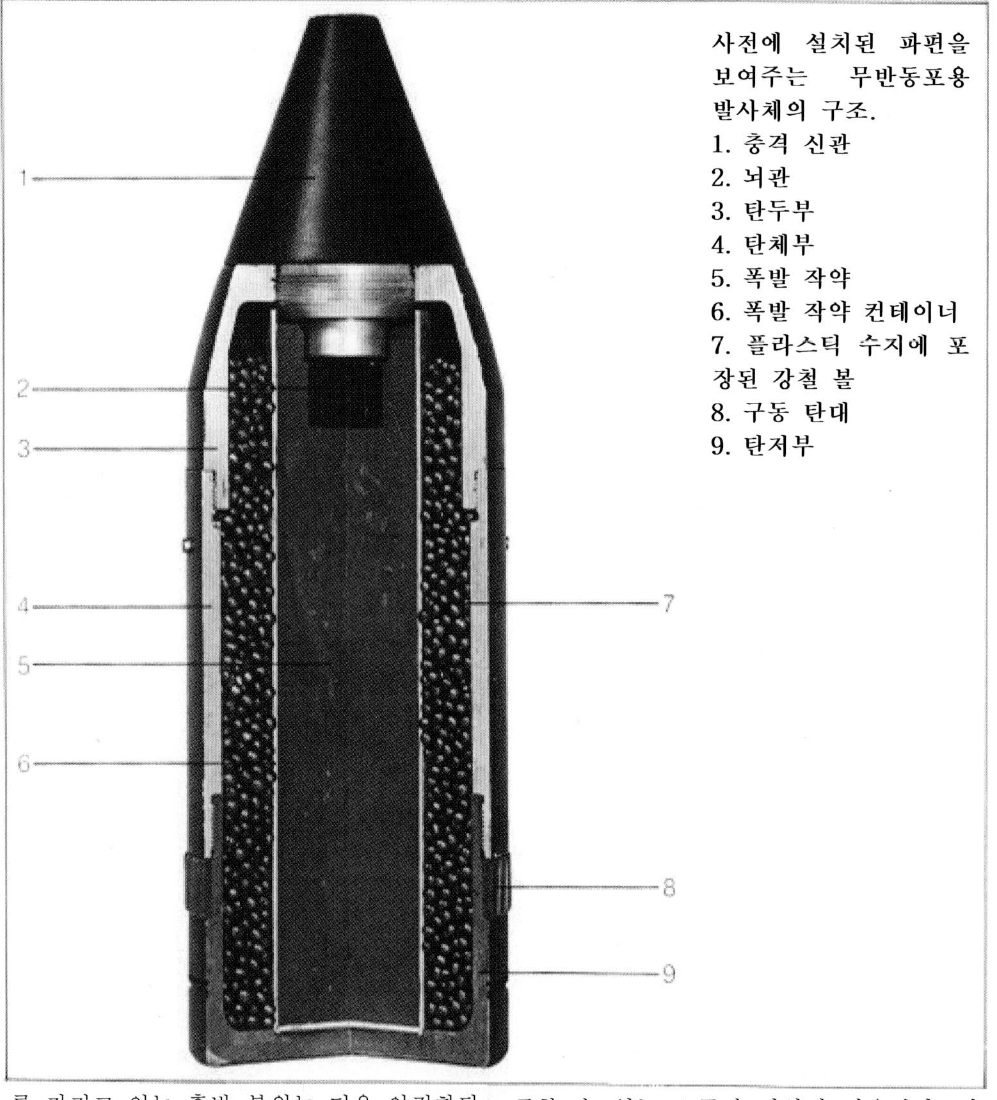

사전에 설치된 파편을 보여주는 무반동포용 발사체의 구조.
1. 충격 신관
2. 뇌관
3. 탄두부
4. 탄체부
5. 폭발 작약
6. 폭발 작약 컨테이너
7. 플라스틱 수지에 포장된 강철 볼
8. 구동 탄대
9. 탄저부

를 가지고 있는 후방 부위는 더욱 안정화되어 지상에 떨어지기 전에 2,000에서 3,000m(2,200-3,300야드)까지 날아간다. 어떠한 환경에서도 전체 탄은 포로부터 7.5km(5마일) 사거리 이내에 착지하고 이것은 필요한 사격 지역의 크기를 줄인다.

PRE-FORMED FRAGMENTS(사전 설정 파편) 폭약이 기폭 될 때 폭발 지점 주위로 날아가 분산되도록 하려는 대인 탄에 포장된 작은 강철 조각으로 살상자를 내기 가장 적절한 무게이다. 이들의 형태는 규칙적이거나 비규칙적인 모양의 금속 조각, 소형 강철 볼, 필요한 파편 조각으로 깨뜨리기 위해 사전에 조치한 적절한 새김금이 있는 강철 와이어 코일, 원하는 모양의 새김금이 있는 내부 슬리브가 있는 금속 또는 디자이너의 취향에 맞게 다른 어떤 방법일 수 있다. 목적은 기폭 시 포탄체의 우연한 깨짐에 의존하기보다 규칙적이고 정밀한 파편을 생산하려는 것이다. 사전 설정된 파편은 원칙적으로 포탄 탄체가 규칙적으로 파편에 의존할 수 없는 소구경 탄약에 사용된다. 이러한 경우에 포탄 탄체는 상대적으로 경량이지만, 파편 시스템에 의해 내부적으로 강화된다.

PREMATURE(조발(早發)) 엄밀히 말해, 의도된 폭발 지점 이전의 모든 비행궤도의 위치에서 폭발하는 것을 의미하는 포병 용어. 그러나 실제로 조발은 포열 내에서의 폭발에 보통 적용되고 비행궤도에서의 폭발은 종종 '근탄-short bursts'이라고 부른다. 포강 조발은 여러 가지 요인으로 발생할 수 있지만, 가장 흔한 원인은 탄약의 결함이다. 신관의 오결합 또는 포탄의 충전제 오류가 가장 많은 원인일 것이다. 포수에 의한 잘못된 훈련 수행 -즉, 잘못된 추진 장약을 사용한 포탄에 대한 잘못된 신관 결합- 도 조발을 발생시킨다. 최종적으로 포의 기계적 결함이 원인이 될 수 있지만 거의 일어나지 않는다. 어떠한 원인이 조발을 만들던지 조발은 보통 일부 포반원에게 치명적이고 포를 완전히 파괴한다.

포강 내부에서 포탄이 조기 기폭한 후의 75mm 포. 절단된 포열의 너덜해진 끝을 포가의 전방에서 볼 수 있다. 그리고 포의 전체적인 폐쇄기 끝이 포열의 무게중심 상실로 거의 수직이다.

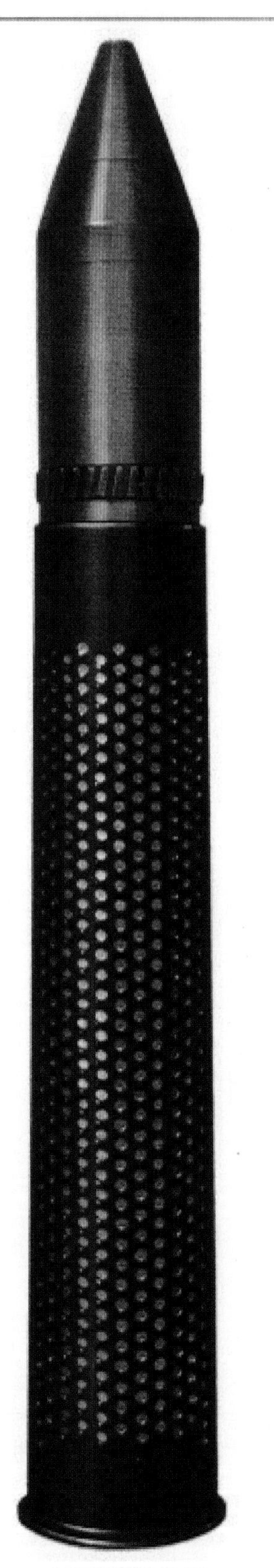

무반동총에 사용되는 사전 강선이 만들어진 포탄.

PRE-REFLED SHELL(사전 강선 이 만들어진 포탄) 포의 강선과 일치하도록 구동 탄대에 미리 홈이 파여진 발사체.

정상 발사체에서 구동 탄대는 홈이 파여져 있지 않고 추진 장약에 의해 - 같은 홈이 되도록 압력을 가한 - 발생된 가스의 압력에 의해 홈이 파여진다. 그렇지만, 일부 무반동총에서 구동 탄대에 홈을 파는데 필요한 압력은 반(反)-반동 가스 분출의 균형으로 간섭을 받는다. 그래서 발사체에 사전에 홈을 파 내부 압력을 정밀하게 예측할 수 있고 무반동 효과는 항상 획득된다. 물론 구동 탄대에 사전에 강선을 제작한다는 것은 발사체가 장전되어 강선과 탄대의 홈이 일치해야 한다는 것을 의미하고 포수는 포를 장전할 때 약실 전방 끝에 있는 강선을 볼 수 없기 때문에 규정된 장치가 사용되어야한다. 약실 내의 홈 안에 위치한 포탄의 스터드 또는 약실의 홈 안에 일치하는 완성형 약협(artridge case)의 돌출된 부위가 사용될 수 있다.

사전에 강선이 만들어진 발사체는 2차 세계대전에 미국의 57mm와 75mm 무반동총에서 처음 사용되었고 현재는 칼 구스타프 84mm 무반동포에 사용된다.

PRIMER(뇌관) 포 기계장치로부터 어떤 충격을 받아 약협을 격발하는 기폭장치. 영국의 기술용어에서 뇌관은 캐트리지 약협 내의 격발기일 뿐이지만 다른 나라에서는 약포와 함께 사용하는 기폭장치를 포함한다.

완성형 약협(cartridge case)에서 사용하는 기폭장치는 탄저의 중앙에 나사로 고정하거나 압착하여 고정하지만, 무반동총용의 한두 가지 비정상 카트리지는 예외이다. 발화는 포의 폐쇄기에 있는 격발 핀을 이용한 충격식 또는 뇌관에 압착된 폐쇄기 뭉치에 전기 접촉을 이용한 또는 유도 코일을 이용한 전기식으로 이루어진다.

충격식 뇌관의 경우, 민감한 화약을 잡고 있는 얇은 구리 캡이 뇌관 바닥에 있는 캡 챔버 안에 설치된다. 이 캡은 노출되거나 뇌관 내에 숨겨질 수 있다. 탄저는 얇아서 격발핀이 금속을 변형시키도록 발사되어 캡을 타격한다. 캡 챔버로부터 화염 통로가 보통 화약으로 채워진 뇌관의 몸체 안으로 유도된다. 뇌관 몸체의 크기는 발화되는 카트리지의 크기와 사용되는 추진제의 형태에 따라 결정된다. 큰 카트리지 또는 발화하기 어려운 추진제가 있는 약협은 장약의 중앙 안으로 쉽게 확장되는 커다란 뇌관이 필요하다. 더 작은 장약은 완성형 약협(cartridge case) 안으로 단 몇 밀리미터만 비어져 나오는 작은 뇌관을 사용한다. 장약의 발화는 종종 약협 내부에 있는 기폭장치의 사용으로 확보된다. 일단 캡으로부터 나온 발화 불꽃이 화염통로를 통해 지나가 화약과 추진 장약을 발화하면, 포 내부의 압력은 수톤이 되며, 이 압력은 화염통로를 통해 뒤로 지나가 연한 구리 캡을 폭발시키고 포의 격발 장치 내부로 화

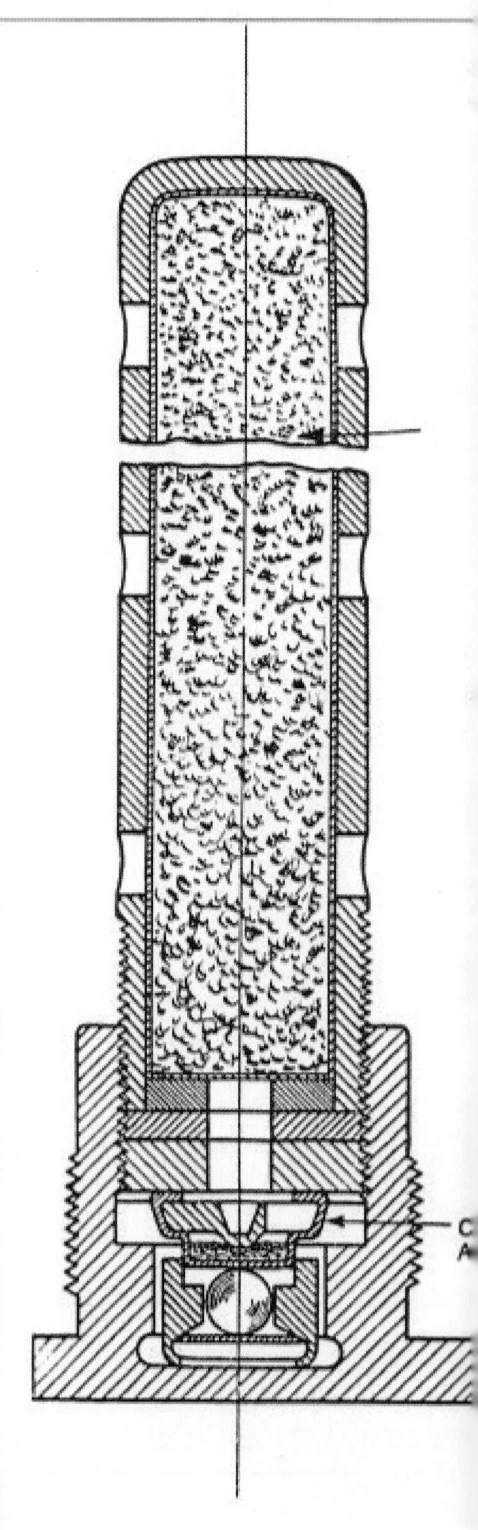

독일의 충격식 뇌관인 이것은 단단한 탄저와 격발 핀을 캡에 전달하여 폭파하는 볼 씰을 사용한다.

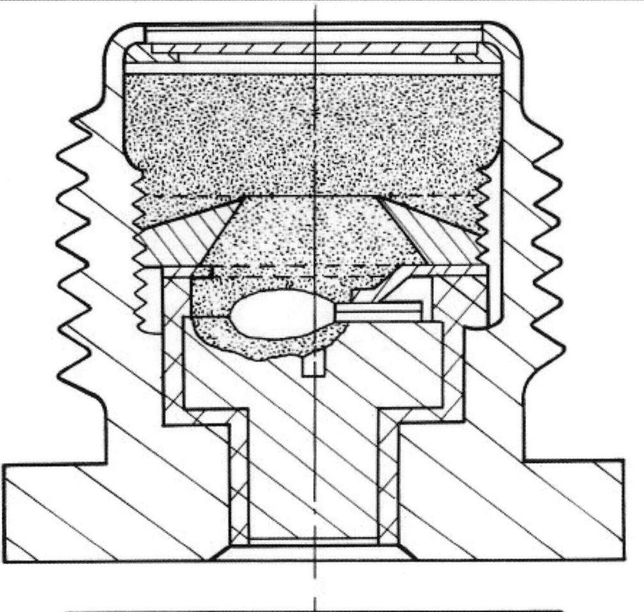

독일 C/23 전기 뇌관. 이것은 전극에 직접 연결되어 격발된다.

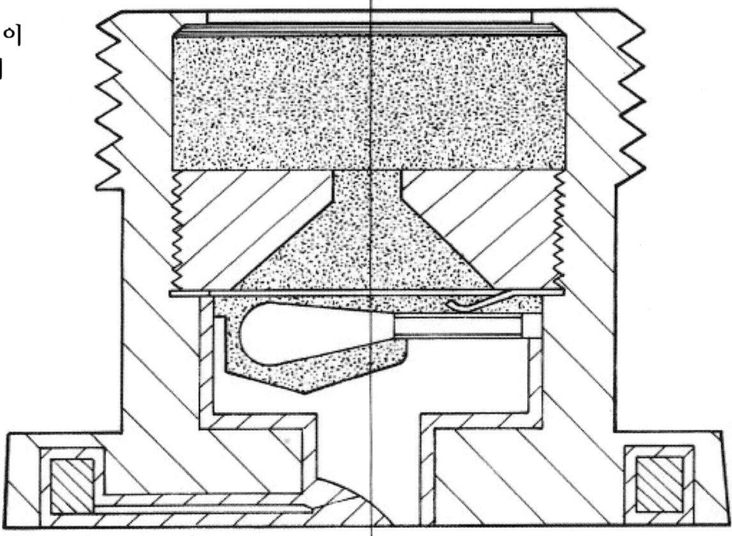

유도격발 뇌관. 폐쇄기 뭉치의 코일이 뇌관 코일에 전류를 발생시키고 전기 뇌관 헤드를 격발한다.

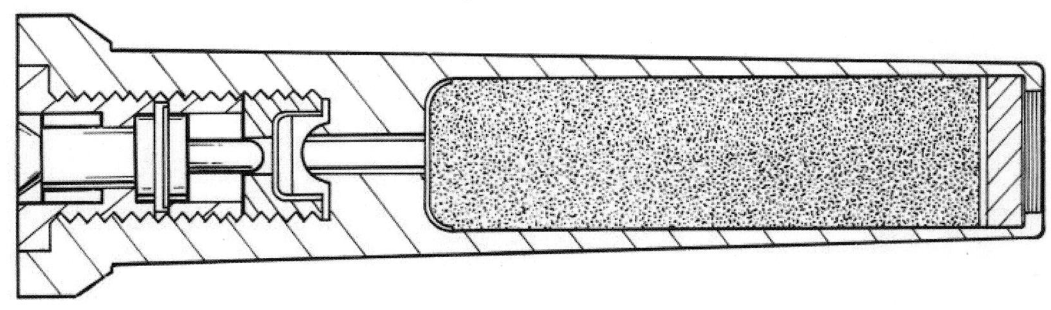

포와 함께 사용되는 뇌관. 포의 격발 핀은 공이를 치고 전단 와이어를 부수고 공이가 캡을 치도록 한다. 약가루가 폭발하면 약실 내의 카트리지를 기폭시킨다.

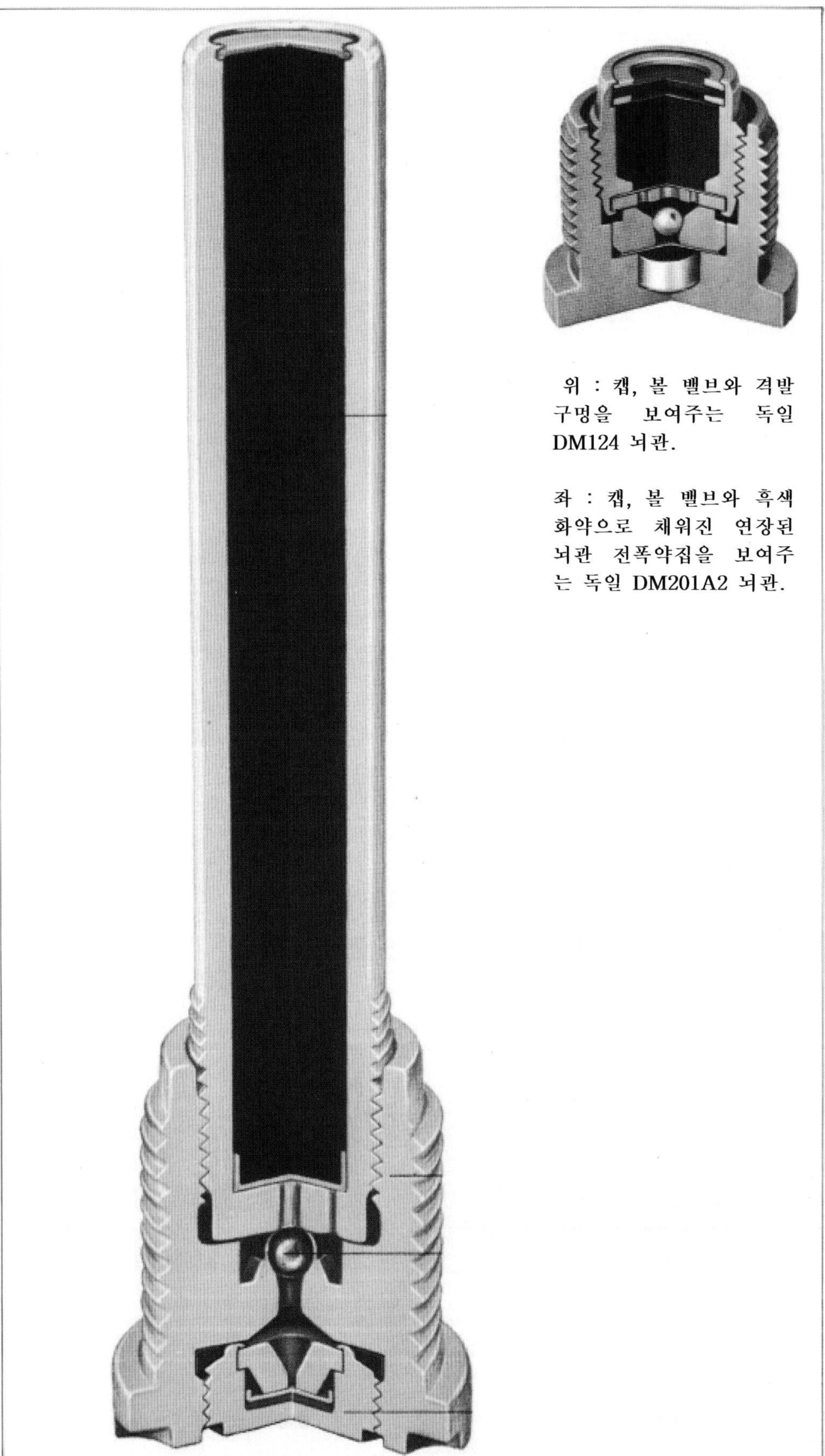

위 : 캡, 볼 밸브와 격발 구멍을 보여주는 독일 DM124 뇌관.

좌 : 캡, 볼 밸브와 흑색 화약으로 채워진 연장된 뇌관 전폭약집을 보여주는 독일 DM201A2 뇌관.

염과 파편을 방출하는 심각한 위험이 있다. 이것으로부터 보호하기 위해 보통 간단한 화염 및 압력 배출장치가 있다. 화염 통로 위에 헐거운 볼은 캡 화염에 의해 밖으로 날아가지만, 반대 방향의 압력이 발생하면 뒤로 견고하게 밀려 화염 통로를 막고 압력이 더 이상 지나가지 않도록 한다.

전기 뇌관은 일반적인 구조가 비슷하지만 캡이 없다. 대신에 중앙은 뇌관의 몸체로부터 절연된 '극판, pole-piece'으로 채워져 있다. 이것으로부터 얇은 와이어가 보통 면화약 다발인 얼마간의 열 감지 폭약으로 둘러싸인 훨씬 얇은 필라멘트로 지나간다. 필라멘트의 다른 측면으로부터 와이어는 계속해서 뇌관의 몸체로 이어진다. 필라멘트와 그 주변의 면화약인 '도화폭관-squib'은 화약 충전제이다. 카트리지가 장전되면, 폐쇄기 장치 내에 있는 용수철 작동 접촉 핀이 극판에 대해 압력을 가해 전류가 이것을 통과해 필라멘트에 열을 가한다. 이것은 면화약 그리고 화약과 추진 장약을 발화한다.

유도 코일의 사용은 아주 드물다. 이것은 필라멘트와 도화폭관에 의지하지만, 극판과 접촉자를 가지고 있는 대신에 뇌관의 몸체에 파묻혀 필라멘트에 연결된 와이어 코일이 있다. 포의 폐쇄기 뭉치는 더 크지만 전원에 연결된 유사한 코일을 가지고 있다. 이 코일에 전원이 들어가면 뇌관에 있는 코일에 의해 얻어지는 '역장-force field'을 만들어 도화폭관을 격발하기에 충분한 전류를 뇌관 코일 안에 발생시킨다. 시스템은 간단한 변압기의 형태이며 이것은 폐쇄기와 일직선상의 두 개의 코일이 폐쇄되지 않는 한 카트리지를 격발할 위험이 없다는 장점이 있다.

약포 뇌관은 전체적으로 카트리지로부터 분리된 구성품이며 크기와 모양이 소화기용 공포탄과 유사하다. 내부적으로 이것은 캡, 볼, 가스 저지기 및 화약 충전제를 가지고 있는 약협용 장약 뇌관과 유사하다. 그렇지만 충전제는 일반적으로 압축 화약 펠렛과 고운 분말의 혼합물이다. 약포 뇌관은 폐쇄기 나사의 후방에 있는 격발 장치에 설치되고 '구멍-vent' 또는 축선으로 나사를 통해 약실로 통과하는 통로를 통해 발사한다. 대구경 포병에서 이 구멍은 25cm(9.8인치) 또는 그 이상이 될 수 있다.

그리고 화염이 확실히 들어가게 하기 위해 약실은 충분히 강하며 압축 분말 펠렛이 사용된다. 이것들은 고운 분말에 의해 발화되고 구멍 아래로 재어져 약실 안으로 도달한다. 그리고 여전히 강렬하게 연소되고 있는 동안에 약포의 후방을 타격한다. 이것은 더 많은 화약이 약포 장약의 후방에 있는 발화 장치 내에 있다는 것을 상기시키게 되고 발화를 더 쉽게 만든다.

약포 장약 뇌관은 위에서 설명한 유사한 시스템들을 사용하여 충격식 또는 전기식 일 수 있다. 그리고 충격식과 전기식 시스템 모를 혼합한 뇌관이 있어 여러 가지 형태의 기에서 사용할 수 있다. 혼합 뇌관은 본래 면 중앙 지점으로부터 제어할 수 있기 때 에 주요 격발 방법으로 전기를 사용한 해 방어 또는 해군용이었다. 그렇지만 만약 기 시스템이 고장 나면, 충격식 격발이 뇌 을 제거하여 교환할 필요 없는 대체 수단 될 수 있었다.

도 격발 시스템은 현재에는 프랑스의 CT155 155mm 곡사포에서 사용되고 있다. 경우에 뇌관이 없고 유도 코일과 도화폭 이 약포 장약의 바닥 내부에 설치되어 있 포의 폐쇄기 뭉치에 있는 전도 코일에 반응한다. 이것은 폐쇄기에 장전할 뇌관이 필요 없다는 장점이 있고 이것 때문에 특정 무기가 원격 조종 기계식 장전 시스템을 사용한다. 분리 뇌관의 부재가 기계적 설계를 간단하게 한다.

PROBE FUZE(탐침 신관) 신관의 주 몸체 밖으로 부착된 길고 민감한 성분을 가지고 있는 발사체 신관에 대한 일반적인 용어. 목적은 포탄이 실제로 표적과 접촉하기 전에 신관이 작동을 시작하는 것을 보장하는 것이다. 본래 기폭 되기 전에 땅에 묻히지 않고 상공에서 폭발하도록 곡사포탄에 제안되었으며, 취급 중에 탐침이 손상되는 위험이 있고 포탄 장전이 너무 복잡해 거의 사용되지 않았다. 현대의 HEAT 탄에서 탐침신관의 형태가 발사체의 균형을 깨는 커다란 비행 캡을 사용할 필요 없이 필요한 이격 거리(standoff)를 획득하기 위해 종종 사용된다.

견착사격식 무반동 무기용 날개 안정 성형작약 발사체.

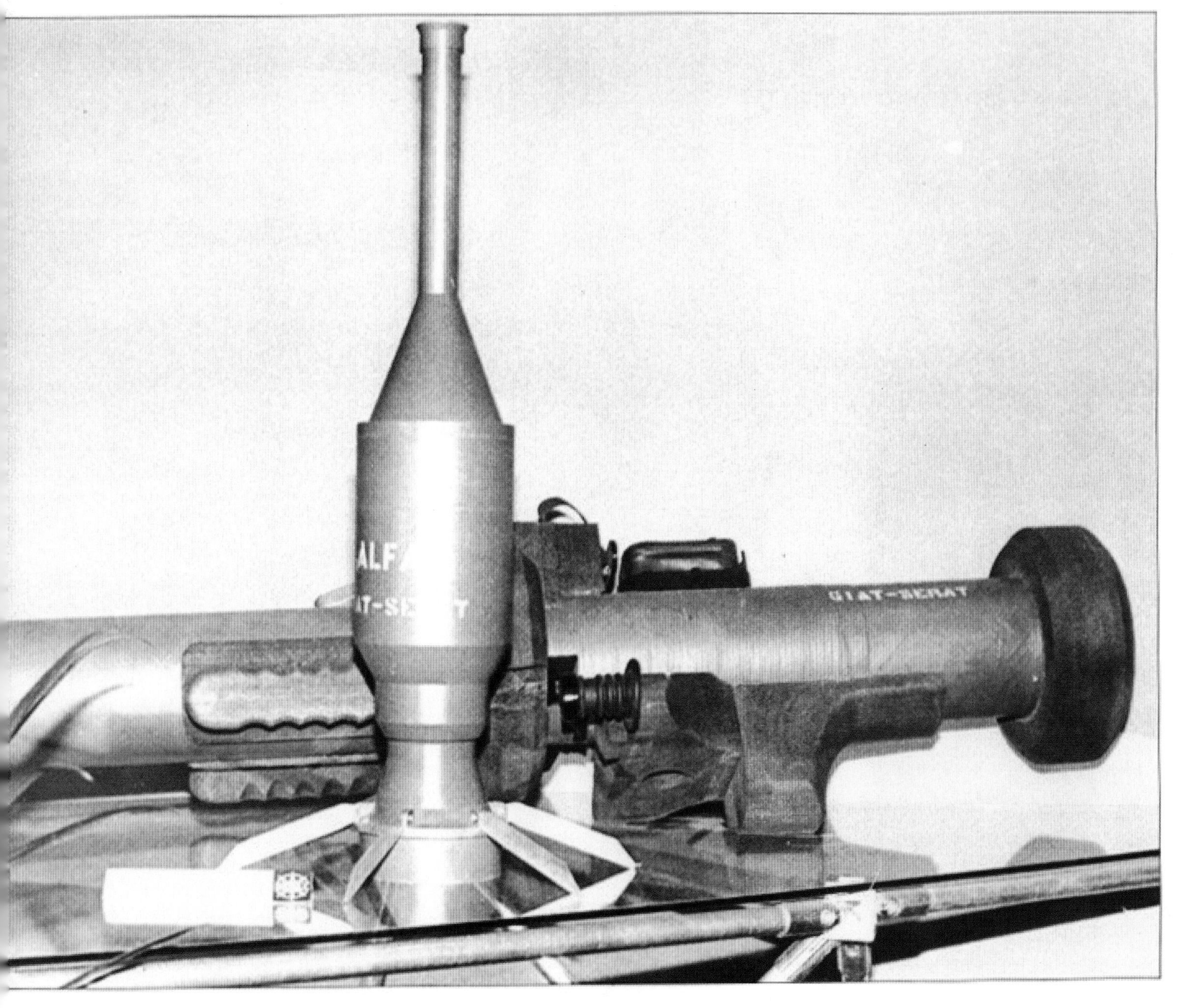

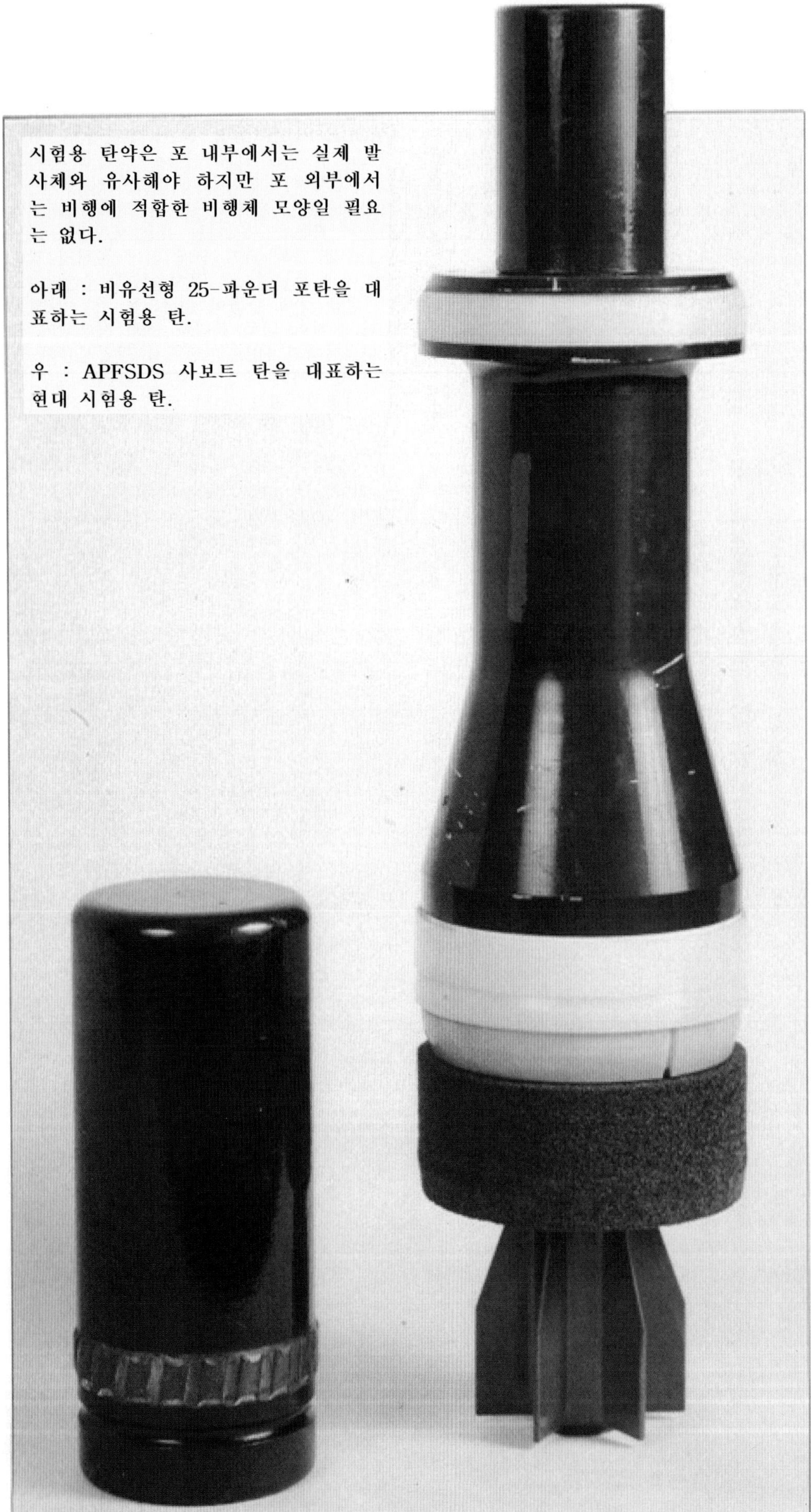

시험용 탄약은 포 내부에서는 실제 발사체와 유사해야 하지만 포 외부에서는 비행에 적합한 비행체 모양일 필요는 없다.

아래 : 비유선형 25-파운더 포탄을 대표하는 시험용 탄.

우 : APFSDS 사보트 탄을 대표하는 현대 시험용 탄.

이러한 경우 포탄 탄두는 탐침으로 형성되고 첨두에는 압전 신관(*piezo-electric fuze*) 성분이 있다.

PROOF SHOT(시험용 탄) 제작 후 및 전력화 전에 테스트용 포에 사용된 불활성 발사체. 시험용 탄은 유일한 기능이 정상적인 작동 제한 이상으로 포에 압력을 가하여 취약점을 노출시키는 것이기 때문에 어떠한 비행체도 필요로 하지 않는다. 그러므로 이것은 정확한 형태의 구동탄대와 포에 사용하는 실탄 이상의 특정 비율의 무게를 가지고 있는 간단한 원통형의 강철 또는 철이다. 이 무게는 보통 10%이며 특별한 과압의 추진 장약과 함께 포 내부의 압력을 정상적인 사용에 예상되는 것 이상으로 얻도록 한다. 포는 시험용 탄이 장전되고 '예방 하에서' 즉, 전기적으로 원격 제거되거나 방화벽 뒤에서 아주 긴 방아끈을 잡아 당겨 격발된다. 포가 격발된 후에 아무런 피해를 입지 않았는지, 포열이 확장되지 않거나 강선이 파손되지 않았는지 주의 깊게 점검한다. 많은 시험용 탄이 일반적으로 격발되고 각 탄 발사 후 마다 점검을 하고 포가 '증명'되는 것과 동일하게 공인한 후 전력화 될 수 있다. 시험용 탄은 보통 단거리에서 지상의 정지 표적에 발사된다. 그리고 평평한 전면이 너무 깊이 들어가지 않도록 방지하고 밖으로 빼내고 다시 띠를 두르고 재사용 할 수 있다.

PROPELLANT(추진제) 추진제는 약협을 형성하고 포 밖으로 발사체를 추진하는 저폭약이다.

원래의 추진제는 화약이었으며, 이것은 일정한 결점이 있었다. 이 화약은 습기에 아주 민감하고 우발적으로 쉽게 발화되며 파손되기 쉬운 결정 때문에 실질적으로 일단 발화되면 제어가 불가능하였다. 이 화약은 격발되면 백색 연기구름을 발생시키며 포강 내에 고약한 냄새와 연소 부산물을 남긴다.

이것은 현대 화학에 바탕을 둔 추진제에 대한 일반적인 표현으로 사용되는 이름인 '무연 화약'으로 대체되었다. 기본적인 무연 화약은 니트로-셀룰로스(NC)로 무명 또는 나무와 같은 섬유소 물질에 있는 산의 활동으로 얻어진다. 니트로-셀룰로스는 상대적으로 무연이며 콜로이드 물질이며 단단하고 물, 공기, 빛 등이 스며들지 않기 때문에 폭발 절차 중에 제어할 수 있는 특정 방법으로 연소할 수 있도록 모양과 크기를 만들 수 있다. 예를 들어, NC 분말의 사각형 블록은 발화되면 모든 표면이 연소하여 블록은 그 모양을 유지하지만 서서히 작아진다. 그렇게 되기 때문에 이것은 가스 발생이 적고, 포 내부에서의 압력 증가율이 점진적으로 감소한다. 그러므로 포탄은 가스의 최초 폭발력으로부터 갑작스런 가속을 받게 되고 그리고 나서 압력이 떨어지며 가속율도 함께 떨어진다. 다른 한편, NC 조각이 중공관 형태이면 모든 표면이 연소한다. 그러나 외부 표면이 감소하면서 내부 표면 지역이 증가하여 가스 발생율이 항상 유지되어 포탄의 가속율도 역시 유지된다. 만약 NC의 조각('결정')이 작으면 신속하게 소모되고 아주 신속히 모든 장약이 가스로 전환되어 아주 빠른 가속을 주게 된다. 만약 결정이 크면 연소하는데 더 많은 시간이 걸려 가스 발생에 더 많은 시간이 걸려 가속율이 느려지지만 가속을 지속한다. (이 서적에서의 '빠른'과 '느린'이란 수백 만분의 1초라는 것을 알아야하고 관찰자에게 있어 분말 장약이 빠르거나 느리게 연소하는 것에 상관없이 포는 큰 소리를 내며 발사된다.) 크기와 모양을 조작하므로 써 설계자는 어떤 포/포탄의 조합으로부터의 요구되는 성능도 정밀하게 만들어 낼 수 있다.

니트로-셀룰로스만으로 만든 추진제 분말은 '단기 추진제 화약-single-base powder'이라고 한다. 더 많은 에너지를 위해 니트로-글리세린과 니트로셀룰로스를 혼합하여 '복기 화약' 분말을 만들어 낼 수 있다. 이것은 부피가 클수록 훨씬 강력하다. 그러나 또한 훨씬 뜨겁기도 하고 포열 내부에서 '부식'이라고 부르는 절차인 강철을 녹여버리는 경향이 있다.

'삼기 화약'은 니트로-셀룰로스, 니트로-글리세린과 니트로구아니딘으로 만들어진다. 후자의 물질은 폭발 값을 가지고 있지만 화염 온도를 낮추어 이중 요소가 획득하는 만큼의 강력한 분말이 된다. 그러나 포의 부식은 훨씬 적다.

'글리콜 화약-Glycol powders'은 나이트로 글리세린 대신에 디글리콜(diglycol) 이질산을 사용한 이중 요소 분말이다. 디글리콜이 동일한 양의 NC 또는 NG 보다 더 많은 가스를 생산하기 때문에 효과적이지만 역시 냉연(cool-burning)이며 부식을 적게 만들어 낸다.

모든 형태의 분말은 기본 폭발물에 추가하여 여러 가지 물질을 포함하고 있다. 이것들은 무기물 젤리, 아카다이트-Akardite, 칼륨염, 다이페닐아민과 장뇌와 같은 물질들을 포함한다. 칼륨염은 포구에서의 과도한 화염을 방지하는데 도움을 주는 불활성 질소 가스를 발생시키다. 다른 물질들은 저장 중 추진제의 화학적 안정을 유지하거나 제작 시 도움을 주기 위해 추가된다.

PROXIMITY FUZE(근접 신관) 표적을 타격하거나 사격전에 설정된 어떤 시간설정 기계장치 대신에 표적의 인근에서 반응하고 포탄을 기폭 하는 신관.

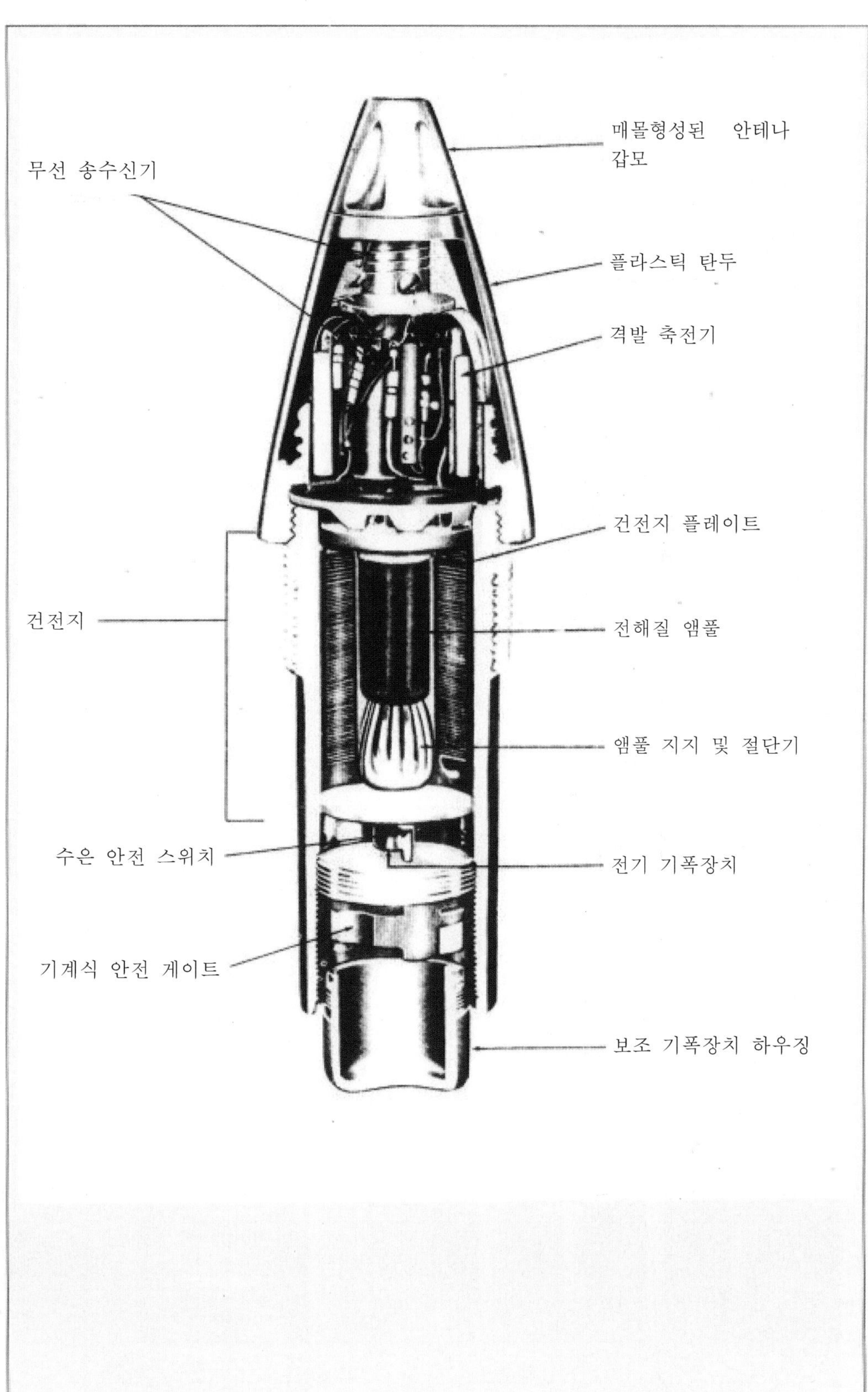

2차대전형 미국 근접 신관. 무선 송신기가 표적에서 반사되는 신호를 보낸다. 수신기는 반사 신호를 받고 신호 크기가 표적이 가까운 것을 알려줄 때 기폭장치가 격발되고 포탄이 폭발한다.

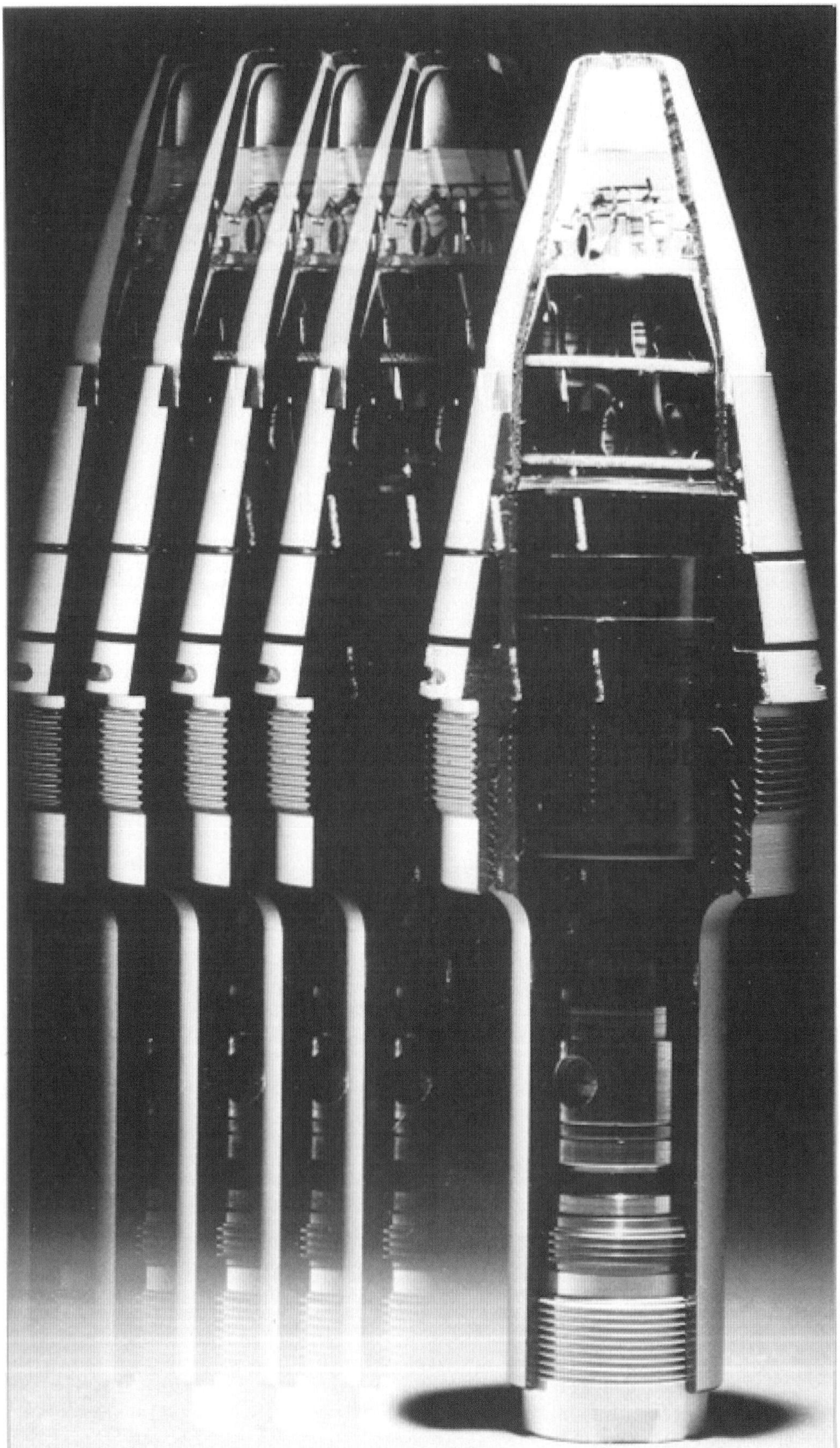

좌 : 톰슨-CSF 해군용 근접 신관

처음 발표된 근접 신관은 광원과 몇 개의 광전 전지를 포탄 탄체에 정렬할 것을 제안한 1938년의 스웨덴 디자인이었다. 광원은 광빔을 사출하고 이것이 표적으로부터 반사되어 광전 전지로 들어가면 포탄이 기폭을 하게 되었다. 아이디어는 특허를 받았지만 생산은 되지 못하였다.

1940년에 영국은 로켓용 광전 신관을 개발하였다. 이것은 표준 일광에 조정되었다. 그리고 만약 어떠한 그림자라도 포탄 위에 투사되면 신관이 작동하여 로켓 탄두를 기폭 한다. 이것은 대공 로켓에 사용하기 위해 채택

위 : 톰슨-CSF 근접 신관 모음. 각각은 특정 적용을 위해 설계되었다.

되었고, 주간 공습에 대해 성공적으로 사용하였다. 그러나 독일이 공격을 야간 시간으로 변경하였을 때 신관은 무용지물이 되었다.

동시에, 레이더 개발을 연구 중이던 과학자들은 신관에 레이더 수신기를 부착하여 적 항공기에서 나오는 사격통제 레이더 셋의 반사를 탐지할 것을 제안하였다. 이것은 레이더 개발 단계에서 곧 선보였고 그러한 배열은 물리적으로 포탄 신관 안에 설치하기가 불가능하였다. 그러나 이때부터 신호를 송신하는 간단한 라디오를 만들자는 아이디어가 나왔다. 이것은 항공기에 반사되어 신관의 수신기로 돌아 왔다. 이 신호 크기가 측정되고 포탄이 표적의 치명적 거리 내에 있다는 것이 표시되면, 기폭장치가 격발되고 포탄 자체가 기폭 하였다.

실험은 아이디어를 실행할 수 있음을 보여주었다. 그러나 당시의 전쟁 단계에서 영국에서 그러한 신관을 개발하고 제작할 가능성이 없었다. 그래서 아이디어는 미국으로 전달되었다. 이것은 이스트만 코닥 회사와 계약을 한 미 해군이 손에 쥐게 되었다. 신관이 개발되고 태평양에서 일본 항공모함을 침몰시킨 USS 헬레나에 의해 1943년에 처음으로 사용되었다. 근접 신관은 1944년에 V1 비행폭탄에 대해 영국에서 광범위하게 사용되었다. 상당한 양이 보급되어 성공적인 방어를 하였다. 근접 신관은 아르덴 전투 기간 중이었던 1944년 12월에 지상 표적에 처음으로 사용되었다.

그 당시의 근접 신관은 상당히 큰 장치로 포탄 안에서 몇 센티미터에 이르렀다. 이것은 일정양의 폭약을 제거하게 하였고 신관을 사용하기에 비경제적인 최소 크기의 포탄이 되었다.

신관의 돌출부는 소형 안테나가 삽입된 플라스틱이었다. 돌출부 내부에는 송수신기 회로가 있고 작은 유리 밸브를 사용하였다. 신관 몸체의 나머지는 액체전지 배터리가 있었다. 이것은 내부에 산을 함유한 유리 앰플이 있는 링형 플레이트 더미로 구성되었다. 사격 시, 앰플이 뒤로 나와 박살나고 포탄의 회전이 산을 플레이트 전체에 뿌려서 필요한 전기를 발생시킨다. 배터리 아래에는 기계식 및 전기식 안정 장치가 있고 전기식 기폭장치와 신관 전폭약집은 테트릴로 채워진다.
현대의 근접 신관은 전자 기술의 발전으로부터 혜택을 받아 트랜지스터, 인쇄 기판, 마이크로 칩 및 콤팩트 배터리를 사용한다. 이들은 재래식 신관과 크기와 가격을 비교할 만하다.
다른 기술을 사용하는 근접신관이 유도 미사일에 사용되며 사용하지 않는 곳이 없다. 이것들은 레이저, 레이더, 전자광학 및 음향 기술에 바탕을 둔 신관을 포함한다.

R

RADAR ECHO SHELL(레이더 반향 포탄) 짧은 길이의 은박지 또는 와이어를 포함한 몇 개의 꾸러미가 내장된 탄저 방출 운반 포탄. 이것들은 특정 레이더 주파대역의 파장 길이를 반으로 줄여 높은 효과의 레이더 반사장치로 작동한다. 포탄은 시한 신관이 설치되어 있고 작동 시 포탄의 탄저판을 폭발시키는 소형 방출 장약을 격발하고 꾸러미를 방출한다. 이들은 개방되어 다수의 반사장치가 형성된다. 작은 크기와 무게 때문에 반사장치는 지상에 떨어지는데 오랜 시간이 소요되고 낙하 하는 동안에 레이더 신호를 반사한다. 그러므로 이들은 자신들의 주파대역과 방향을 사용하는 어떠한 레이더 셋도 '장님'으로 만든다. 이들의 사용은 육안 관측에 대항하는 연막의 사용과 유사하다.

RAMJET ASSISTANCE(램젯 보조) 간단한 형태의 램젯 모터를 통합하여 포탄의 비행을 보조하는 방법. 2차 대전 중에 트롬도르프-Tromsdorff 교수에 의해 독일에서 실험적으로 개발되었고, 두가지 형태가 제안되었다. 링형은 포탄 탄체 주변에 있는 고리 모양의 공간에 공기를 들어가게 하는 일련의 구멍들을 가지고 있었다. 여기서 흡입되는 공기는 탄소 이황화물과 혼합하여 발화되고 고리형 배출구를 통해 배기가스를 내보낸다. 이것은 비행 시 포탄에 추력을 더해준다. 다른 형태는 관형으로 공기가 들어와 후방으로 나가며 추력을 만들어내는 포탄

독일의 시험용 도관제트(램제트) 포탄. 공기가 조형부에 있는 구멍으로 들어가 제트가스가 중간 지점의 스커트-skirt를 통해 배기된다.

탄체를 관통하는 중앙 관이다. 몇 개의 시험용 포탄이 만들어지고 발사되었으며 이론적인 계산이 28cm 램젯 포탄이 400km(2418마일)의 사거리를 낼 수 있다고 시사 하였다. 대부분의 독일 작품은 대공 포탄이 발사 될 수 있는 효과적인 고도를 증가하기 위한 것이었다. 그러나 전쟁은 만족스러운 포탄의 개발이 이루어지지 않은 채 끝이 났다. 아이디어는 그 후 지속적인 시도가 있었지만 실제적인 개발품은 나오지 않았다. 어떤 보고서에는 '도관 제트-athodyd'라고도 부른다.

RANGING SHELL(사거리 측정 포탄) 표적을 맞추기 위해 필요한 사거리와 고각을 판단하기 위해 사용되고 효력사에 사용되는 발사체 대신에 사용되는 발사체.

오스트리아 부대가 106mm 무반동총을 장전하고 있다. 폭발반동 가스가 빠져나갈 수 있도록 한 특징적인 구멍난 약협에 주목.

거리 판단용 포탄의 적용은 핵 발사체의 경우에만 있다. 사거리를 판단하기 위하여 핵을 연속적으로 사용할 수 없기 때문이다. 사거리 판단용 포탄(미국에서 '위치 측정 포탄-spotting shell' 라고 함)은 동일한 탄도 특성을 가지고 있지만, 고폭탄과 섬광 화약으로 채워져 있어 아주 뚜렷한 충격을 만들어 낸다. 핵폭탄에 필요한 정확한 거리에 사거리 판단 포탄이 떨어질 때까지 관측자에 의해 사격이 조절되고, 그 후 핵 포탄이 장전되고 동일한 지점을 명중시킨 동일한 제원으로 발사된다.

RDX (연구 분야 폭약-Research Department Explosive) 보통 헥소겐으로 더 잘 알려진 폭약에 대한 영국 용어. RDX는 영국에서 개발되고 있을 때인 1930년대에 채택된 비밀 명칭이었다. 더욱 자세한 내용은 '폭약-*Explosives*'을 참조.

RECOILLESS(무반동) 사격 시 반동 없이 완벽하게 유지되는 포.
첫 번째 무반동포는 1차 세계대전 중 미 해군 사령관 데이비스에 의해 개발되었고 서로 반대 방향을 향하고 있는 두 개의 포열과 하나의 약실로 구성되어 있었다. 한 포열은 실탄을 장전하고 다른 포열은 동일한 무게의 납탄과 그리스를 장전하였다. 카트리지는 중앙 약실에 장전되어 발사되고 두 발사체는 동일한 속도로 자신들의 포열로 밀려나 서로의 반동이 상대 반동을 없애 무반동을 이루었다. 실탄은 표적으로 날아가고 반면에 납 '대응탄-countershot'은 포의 바로 뒤 공기 중에서 분산되었다. 아이디어는 영국 해군 항공대에서 채용하여 대잠용의 여러 가지 구경으로 항공기에 장착하였다. 그러나 지금까지 알려진 대로 전쟁에 너무 늦게 도입되어 전투에 사용한 것은 하나도 없었다.

위 : 아주 큰 후방 화염을 볼 수 있는 야간 사격중인 영국의 120mm BAT 무반동총.
아래 : 미 육군의 75mm 무반동 대전차포용 중공(中空) 작약 포탄 및 카트리지.

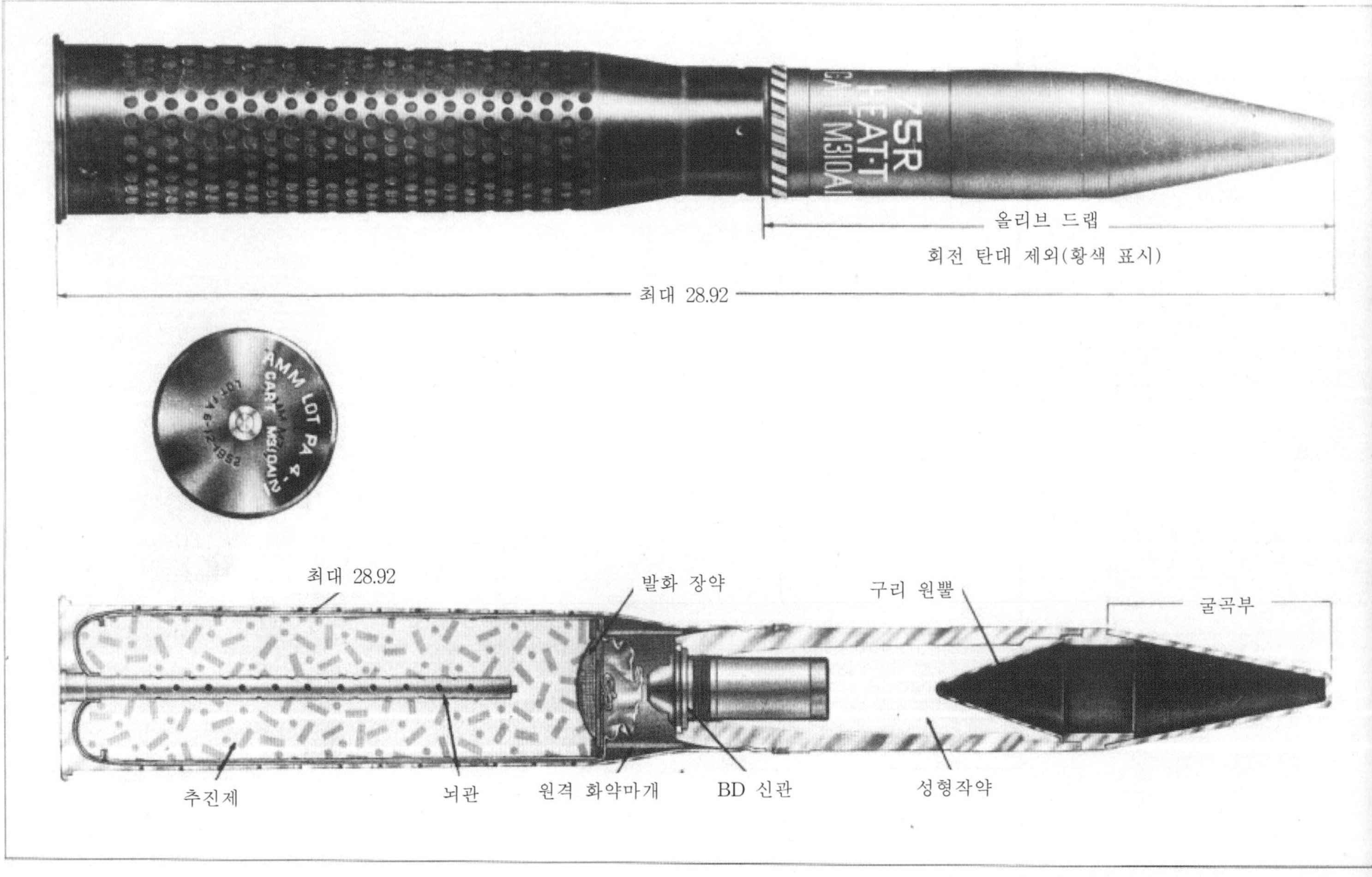

올리브 드랩
회전 탄대 제외(황색 표시)
최대 28.92

최대 28.92
발화 장약
구리 원뿔
굴곡부
추진제
뇌관
원격 화약마개
BD 신관
성형작약

두 개의 같은 중량이 동일한 속도로 발사될 수 있으면, 무게의 반을 대응탄으로 사용할 수 있으며 두 배의 속도로 발사할 수 있다는 것을 알 수 있을 것이다. 중량×속도의 결과가 동일하게 유지된다면, 무기는 반동이 없을 것이다. 이것을 최대화 할 때, 충분한 속도를 가지게 된다면 아주 가벼운 가스 흐름을 대응탄으로 사용하는 것이 가능하다. 그리고 이것이 모든 현대 무반동총의 원리이다.

두 가지 디자인이 현재 사용되고 있다. 첫 번째는 1940년의 공수분야 포에서 독일이 처음 시도한 것으로 탄저가 절단되고 두꺼운 플라스틱 원반으로 대체된 완성형 약협(cartridge case)을 사용하였다. 뇌관은 이 원반 안에 있을 수있거나 약협의 측면 안으로 삽입될 수도 있었다. 약협 뒤에 있는 포의 폐쇄기 뭉치는 벤츄리와 노즐로 마무리된 구멍으로 뚫려있다. 사격시 원반은 구동 탄대가 강선에 묻힐 만큼 충분한 시간 동안 완전히 남아 있으며 포탄은 움직이기 시작한다. 그리고 나서 원반은 파손되고 가스 흐름이 약협의 탄저, 폐쇄기의 구멍, 가스 흐름을 가속시키는 벤츄리를 통해 분출되고 노즐을 통해 후방으로 방출된다. 질량에 의해 배가되고 속도가 가속된 가스는 포탄의 속도 × 질량이 동일하고 포는 반동하지 않는다. 이 시스템은 현대의 칼 구스타프 84mm와 영국 BAT 120mm 포에서 사용한다.

다른 시스템은 미국의 90mm와 106mm 무반동총에서 사용하는 것으로 견고한 탄저가 있는 완성형 약협을 가지고 있지만 측면에 구멍이 관통되었다. 이것은 내부적으로 얇은 금속 덮개와 정열되어 있다. 포의 약실은 후방에 있는 벤츄리관과 노즐로 유도되는 고리모양의 공간으로 둘러싸여 있다. 사격시 내부 덮개는 파열되고 가스가 고리모양의 공간 안으로 흐르게 하여 벤츄리관 밖으로 나가게 한다. 이 디자인에서 사전에 강선이 만들어진 포탄이 사용되어 압력을 만들어 내도록 하기 위한 아주 두꺼운 라이너를 만들 필요가 없다.

이 모든 것의 목적은 중량을 줄이기 위한 것이다. 정상적인 포의 반동을 흡수하는 장치는 복잡한 유압 실린더의 배열이며 아주 무겁다. 게다가 포 장치대 또한 무거워야 하며 반동력을 버틸 수 있을 만큼 강해야 한다. 반동 없이 작동하면 반동 시스템과 무겁고 강력한 포가에 대한 요구가 없을 것이다. 설계하는데 필요한 포가에 대한 압력은 야지를 이동하는 이동압력뿐이다. 이렇게 해서 무반동포는 아주 가벼운 차량에 장착되거나 견착식으로 사격을 할 수도 있다.

결점은 두 부분으로 하나는 무반동포는 4/5의 추진 장약이 분출 가스로 소모되기 때문에 재래식 포보다 훨씬 많은 추진제가 요구되는 것이고 두 번째는 포의 후방으로부터

후방에 벤츄리 사출기가 보이는 1945년에 제작된 영국 3.45인치(87mm) 견착식 무반동총.

독일 28cm 철도포용 골이진 포탄. 뼈대는 포의 강선과 동일한 피치로 만들었다.

나온 폭발 화염과 가스가 사격과 동시에 그 위치를 넓게 하고 포는 조심스럽게 위치를 선정하여 화염이 포반원에게 반사되지 않도록 해야 한다.

RIBBED SHELL(골이진 포탄) 포의 특정 강선 홈에 묻히는 탄체에 경사진 뼈대가 있는 발사체. 극도록 커다란 추진 장약을 가진 장사거리 포에서만 사용하였기 때문에, 골이진 구조는 뒤에 있는 아주 높은 압력으로 인해 재래식 구동 탄대가 강선과 만나면서 전단되기 때문에 적용되었다. 특정한 깊은 홈에 미리 맞도록 만들어진 뼈대의 사용은 구동 탄대가 묻힐 때 아무런 저항이 없도록 한다. 그리고 포탄은 압력의 양에 관계없이 스핀을 높인다. 추진 장약이 포탄의 뒤에 고정되도록 하기 위한 뼈대의 후방에 연한 밀폐용 밴드를 설치할 필요가 있지만, 이 밴드는 비록 밀폐를 형성하기 위해 강선 안으로 묻히지만 어떠한 스핀도 포에 전달하지 않고 전단되지 않는다.
골이진 포탄의 첫 번째 실제적인 사용은 최대 사거리 약 120km(75마일)을 가지고 있는 21cm 구경 무기인 1차 세계대전의 독일 '파리 포-Paris Gun'에서 였다. 동일한 원리가 1940-41년에 프랑스 해안에서 영국을 포격하기 위해 독일에 의해 사용된 21cm K12(E) 철로 포에 적용되었다.
이 포는 115km(72마일)의 사거리까지 8개의 뼈대를 가진 107kg(237파운드) 포탄을 발사하였다. 동시에 343mm(13.5인치) 포열 내부에 203mm(8인치) 라이너를 사용하는 영국의 실험포가 개발되었다. 이포는 최대 사거리 110km(68마일)까지 16개의 뼈대를 가진 116kg(256파운드) 포탄을 발사하였지만 실제로는 사용된 적이 없고 실험용 무기로만 개발되었다.

RICOCHET FUZE(도비(跳飛) 신관) 포탄이 지상을 타격한 후에 공중으로 도비(되튐)한 후 기폭 되도록 한 신관. 이것은 참호에 숨은 적 부대에 대해 효과가 있는 저고도 공중 폭발 효과를 주거나 벽과 같은 보호 장벽을 지나 포탄이 되튀도록 하는데 사용되어 벽 뒤에 있는 인원에 대한 살상을 하기 위해 기폭 할 수도 있다. 이것은 시한 신관을 절약시키지만 기술은 포탄이 아주 낮은 각으로 도달하여 어깨 높이의 지상을 타격한 후 되튀어 오를 때만 효과가 있다. 만약 급경사각으로 타격하게 되면 땅 속으로 파고 들어가 되튀어 오르지 않기 때문에 타격 시 기폭하게 된다. 도비 작용을 하게 하려면 포탄에 *마찰(graze)* 신관이 있어야 하며, 그래서 신관이 충격 시 작동하기 시작하도록 한다. 그러나 마찰 지연은 기폭이 일어나기 전에 포탄이 되튀도록 한다. 기술은 2차 세계대전 중에 미국 포병에서 폭넓게 사용되었다.

ROCHLING SHELL(뢰수링 포탄) 2차 대전 중 독일 뒤셀도르프의 뢰수링 아이젠운드 슈탈-베르케(Rochling Eisenund Stahl-werke)가 개발한 특수 형태의 대콘크리트 포탄.
이 시기의 재래식 대콘크리트 포탄은 끝이 무딘 완전 구경 포탄이었다. 뢰수링 설계자들은 더 양호한 관통력이 소구경 포탄에 의해 획득된다는 추론을 하였다. 정상 보다 훨씬 긴 힘으로 무거운 포탄을 발사하면 더 작은 접촉 지점에 중량을 집중할 수 있다. 따라서 이들은 견부에 분리 탄저판이 있고 4개의 신축성 날개 셋이 끼워져 있는 후방에 하나의 탄저판이 있는 긴 하부 구경 포탄을 설계하였다. 발사 시 포탄은 포구를 떠나고 두 개의 탄저판을 분리하여 날개기 용수철에 의해 튀어 나와 안정화를 이루도록 한다. 이것은 21cm 강선포에서 발사되지만 날개는 곧 스핀을 감소시킨다.
뢰수링 포탄은 사용할 필요가 없어서 1940년 프랑스 침공 시 마지노선에 대해 사용되지 않았다. 프랑스와 벨기에 점령 후 많은 시도가 요새에 대해 실시되었고 이러한 테스트들 중의 한 기록이 3m의 지상 36m의 콘크리트, 부서진 돌 더미, 지하실의 지붕을 지나 지하실 바닥을 거쳐 바닥 아래 지하 5m까지 지나간 포탄에 대해 보고하였다. 이것은 불활성 포탄에 대한 시험이었다.

뢰수링 대콘크리트 포탄. 전면 탄저판이 부분적으로 분리되어 있고 꼬리날개 뒤에 구동 피스톤이 있다. 둘 다 포탄이 포를 떠나면서 깨끗이 떨어져 나간다.

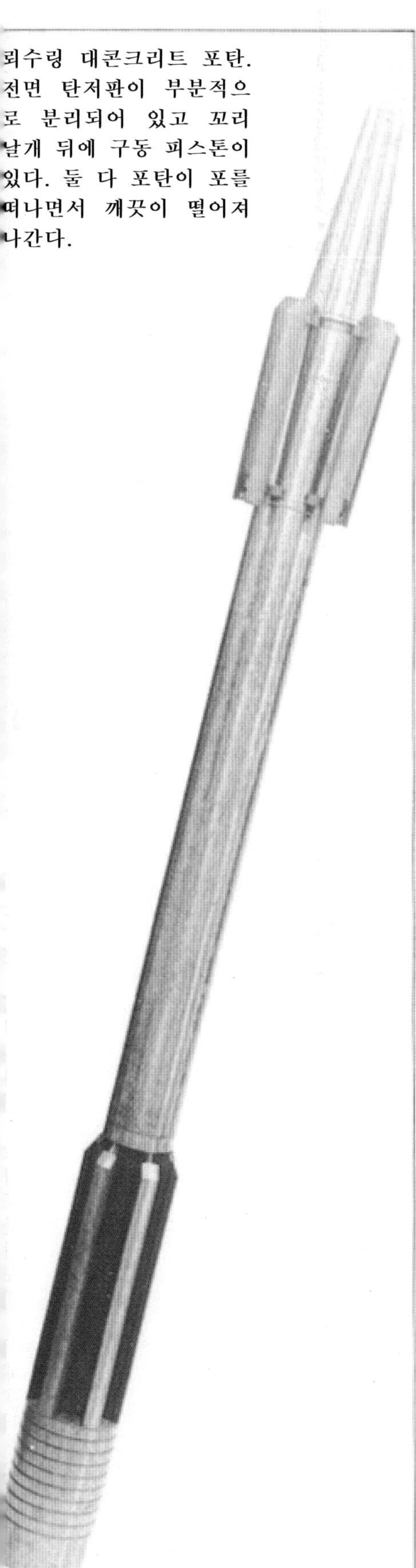

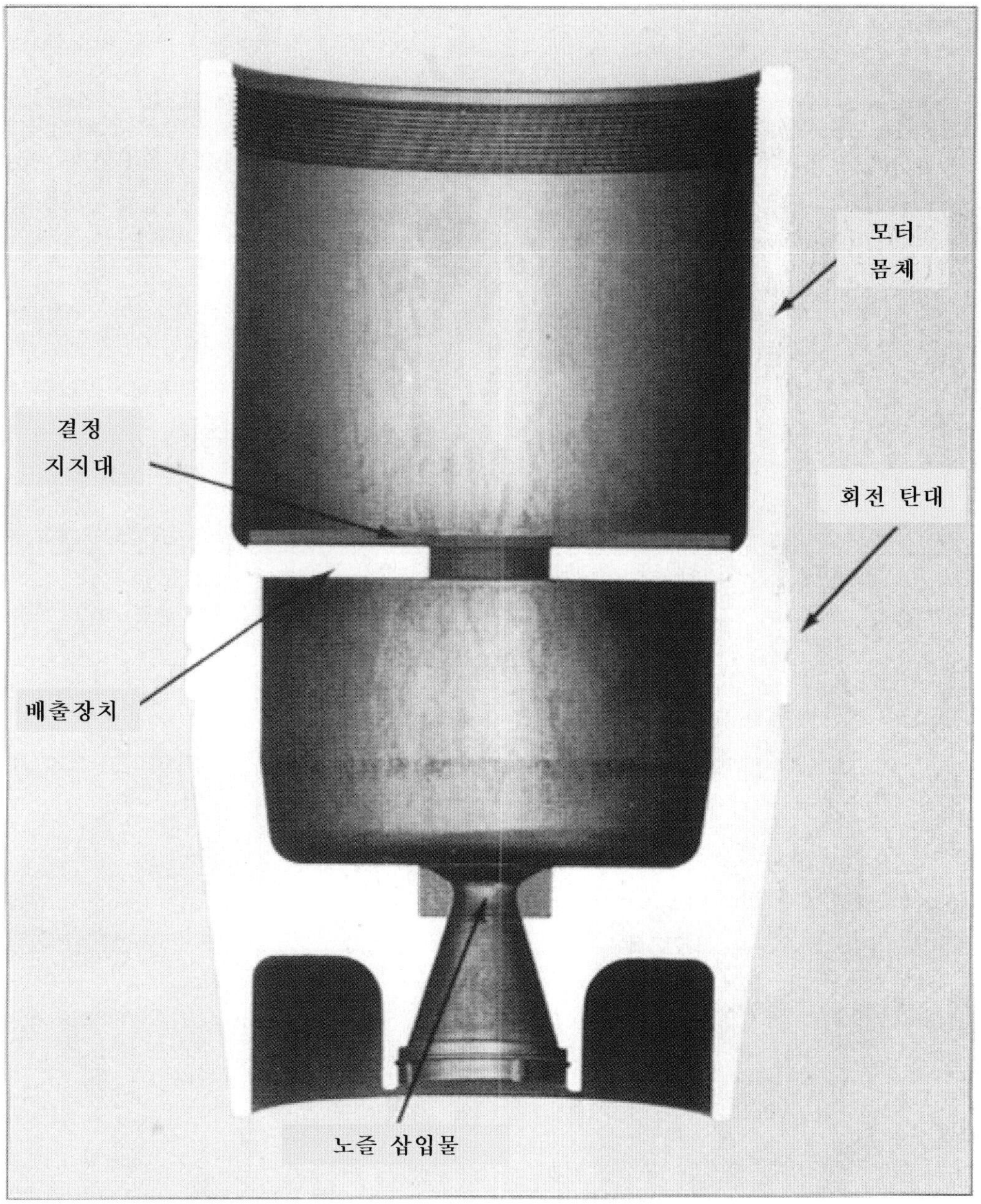

모터 몸체

결정 지지대

회전 탄대

배출장치

노즐 삽입물

155mm 로켓보조 포탄의 추진제 공간과 로켓벤추리.

실탄은 정확하게 신관이 작동하면 지하실에서 기폭 한다.
이러한 종류의 성능 획득은 높은 등급의 포탄에 크롬-바나듐 강철을 요구한다. 그리고 정밀하게 제작된다. 8,000발의 포탄이 제작되었고 비축되었다. 하지만 그 후 사용하기가 어려웠다. 단 몇 발만이 1941년의 러시아 침공 기간 중에 브레스트-리토프스크의 요새에 대해 발사되었다. 그러나 뢰수링 포탄의 사용은 한 표본이 적의 손에 떨어져 복제되어 독일에 대해 사용되었기 때문에 히틀러에 의해 지상에 대한 사용이 금지되었다. 그 후 포탄은 히틀러의 승인에 의해서만 사용할 수 있었다. 그리고 이것이 거의 지시되지 않았고 허가도 아주 드물었기 때문에 포탄의 존재는 서서히 잊혀졌다.

ROCKET ASSISTANCE(로켓 보조) 탄체에 로켓 모터를 결합하고 비행 중 발화하여 포탄의 사거리를 증가시키는 방법. 배열은 디자이너의 아이디어에 따라 달라지지만 전통적인 시스템은 포탄의 전방 절반에 고체 연료 로켓 모터를 고정하고 탄체의 나머지 중앙 아래로 폭파 파이프를 내려 탄저에서 배기한다. 배기구는 단단히 고정되고 정상적인 추진 카트리지로부터 나온 화염은 로켓 모터를 발화하지 않는다. 시한 신관이 비행궤도의 일정한 상승 지점에서 모터를 발화한다. 폭발은 플러그를 폭파시키고 로켓 배기는 포탄을 가속하여 상당한 거리까지 위로 지속시킨다.

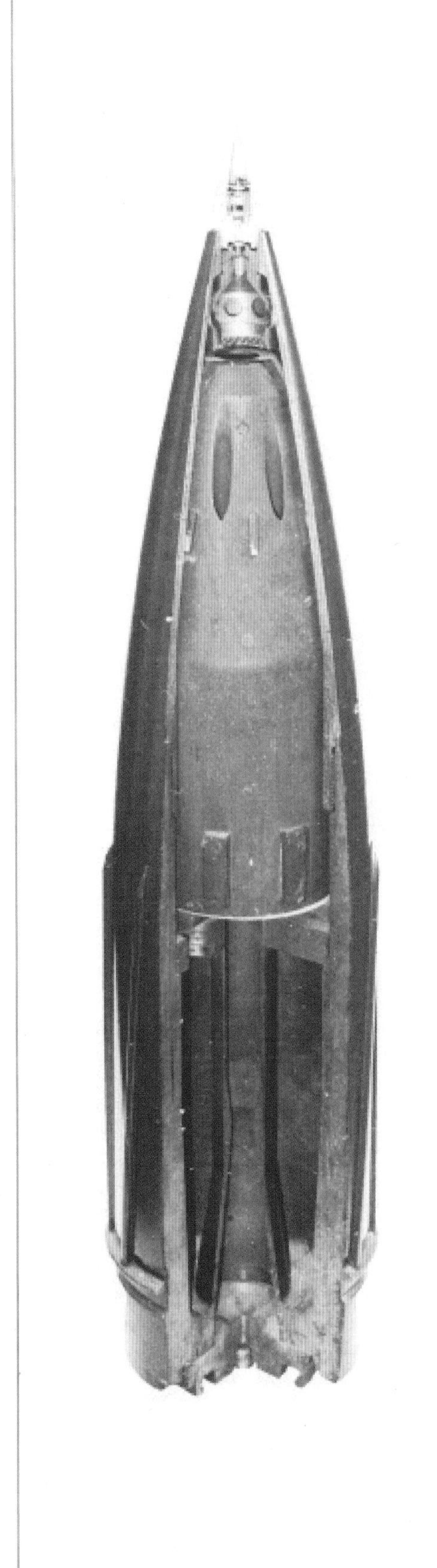

이렇게 해서 사거리가 증가된다. 포탄 내의 충격 신관은 표적에서의 기폭을 보장한다. 이러한 방식의 로켓 포탄 디자인은 2차 세계대전 중에 독일 28cm K5(E) 장거리 철도포용으로 개발되었다. 이 포에 대한 표준 포탄은 사거리가 62km(38마일)이었으며, 반면에 로켓 보조 포탄은 사거리가 86.5km(53마일)까지 되었다. 로켓 보조 포탄은 오늘날 미국과 독일에서 155미리 곡사포에 사용된다.

로켓 보조 포탄의 주요 결점은 포탄이 로켓이 발화되는 순간에 계획된 비행궤도로부터 흔들린다면, 추력은 흔들린 각으로 보내지 상하좌우로 방향을 바꿀 수 있고, 정확한 비 행궤도를 고수할 수 없다는 것이다. 그 결과 로켓 보조 포탄의 정확도는 재래식 포탄과 비교될 수 없다.

RODDED BOMB(장전봉으로 장전되는 폭탄) 아주 큰 탄두, 포의 구경 보다 훨씬 큰 직경으로 구성되고 포구 안으로 장전되는 봉에 지지된 성형 작약 발사체 형태. 이후 추진 장약은 격발되고 이것은 봉과 탄두

좌 : 모터와 폭발 파이프를 보여주고 있는 28cm 로켓 보조 포탄.

포구 밖으로부터 표적까지 민다. 안정화 날개에 의해 이루어지고, 날개는 보통 폭이 장전될 때 포열의 외부 위로 활주하는 리브 위에 배열된다. 2차 대전 중에 독일 의해 개발되고 표준 발사체가 더 이상 연군 전차에 어떠한 충격도 줄 수 없을 때 과적인 발사체를 만들기 위해 37mm 대전포에 사용되었다. 유사한 디자인이 15cm 사포용으로 개발되었지만 사용은 거의 하 않았다. 이러한 발사체의 형태는 단거리서 사용되었다.

S

SALUTING CHARGE(예포 장약) 예포용과 다른 의식 행사에 사용되는 공포 장약의 한 형태. 많은 경우에 표준 공포 장약이 만족스런 소음을 만들어내기 때문에 사용되지만, 가끔 이것은 특별한 예포 장약을 생산할 필요가 있다. 가장 좋은 사례 중 하나는 예포용으로 설계된 3개의 공포 카트리지가 있는 영국 25파운더 포였다. 표준 공포탄은 훈련용과 대부분의 예포 목적으로 사용되었다. 그러나 다른 두 가지가 제작되었다. 하나는 '도버 특수-special to Dover'로 도버에 있는 예포부대가 성에 있었고 방문하는 귀빈들이 사용하던 부잔교가 상당히 떨어져 있어 아주 커다란 소리가 확실히 들릴 수 있어야 하기 때문에 보통 이상의 커다란 장약 화약을 가지고 있었다. 역으로, 두 번째는 '지브롤터 특수-special to Gibraltar'로 예포 부대가 부잔교에 아주 근접하였기 때문에 표준 보다 훨씬 약하였고 이것은 방문자가 도착 시 귀청을 터지게 하지 않으려는 것이었다.

SCHARDIN EFFECT(샤딩 효과) 만약 폭발 장약이 그 표면에 오목하게 꺼진 형태이고 이 표면이 동일한 곡선의 무거운 강철판으로 정렬되었다면, 폭약이 기폭 될 때 판이 편평하게 펴지고 고속으로 전방으로 추진된다. 이것은 2차 대전 중에 독일 병기 공학자인 샤딩-Schardin에 의해 발견되었고 일부 작품이 그에 의해 탄약으로 발전하였다. 그의 아이디어는 원칙적으로 상당한 거리에서 장갑을 관통할 수 있는 커다란 원형 강철판을 폭파시키는 대전차 지뢰에 관심이 있었다. 그리고 몇 가지 인상적인 결과를 얻게 되었다. 그러나 그의 아이디어가 실현되기 전에 전쟁이 끝났다. 원리는 전후 수년간 연구되었고 첫 번째 작품이 '클레모아 지뢰-claymore mine'로 나타났다. 이것은 폭약판 을 사용하여 날개 모양의 띠에 있는 수백 개의 강철 볼을 추진한다. 발사체에 대한 이 효과의 적용은 아직 일반적이지 않지만 실제로 미국에서 부분적으로 여러 가지 원격 포탄에 대한 연구가 수행되고 있다. 더 상세한 것은 'New Development' 절의 '무유도 파편 – *Self-forging Fragments*' 참조.

SELF-DESTOYING(자폭) 특정된 비행시간 끝에 자체적으로 기폭하고 파괴되는 발사체. 공기 중에서 기폭 하여 지상에 실탄이 떨어져 아래에 있는 인원에게 피해가 가지 않도록 공대공 및 지대공 발사체에서 사용되었다. 아래에 있는 인원은 아군이다.
자폭은 보통 한 가지 또는 두 가지 방법으로 획득된다. 시한장치로서의 예광 발사체를 이용하거나 신관을 이용하는 것이다. 예광을 이용하는 것은 강철 벽으로 발사체를 두 구획으로 구분하고 전방에는 폭발 장약을 뒤에는 예광 장약을 충전한다. 구멍이 벽을 통해 뚫려 있고 이것을 통해 기폭 하도록 연소하는 발화장치가 있는 소형 강철 캡슐이 채워진다. 포탄이 발사되면, 예광 장약에 불이 붙고 보통의 방법으로 연소한다. 연소가 끝나면, 마지막 층이 타고 있는 캡슐 내의 발화장치를 발화한 후 기폭 한다. 그리고 기

래 : 포구에 장전된 결이진 중공(中空) 작약을 가지고 있는 대전차포.

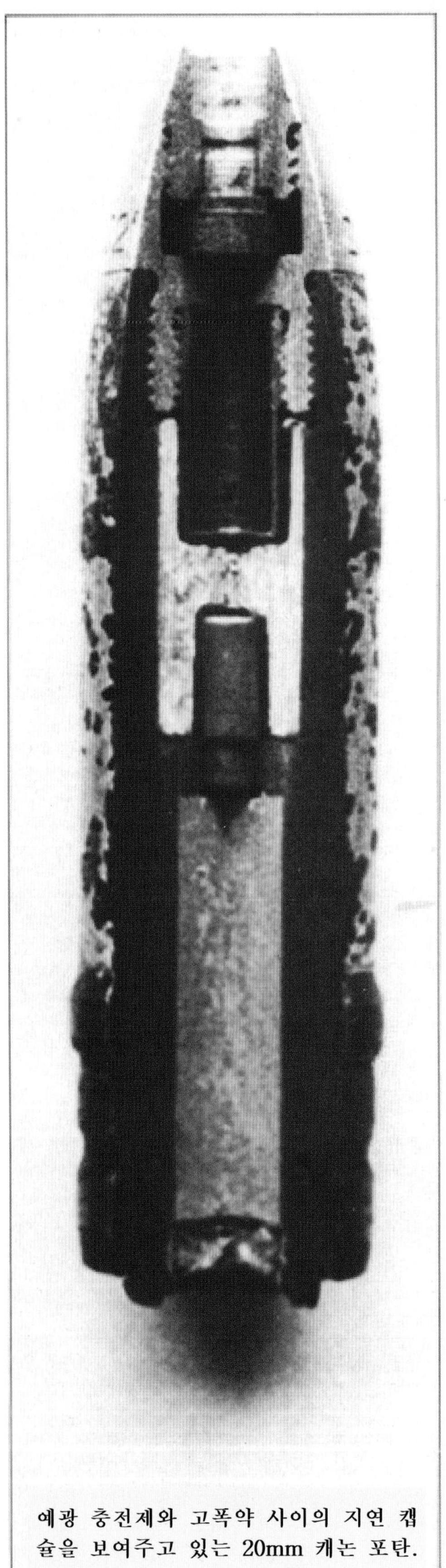

예광 충전제와 고폭약 사이의 지연 캡슐을 보여주고 있는 20mm 캐논 포탄.

폭장치를 지나 주 장약으로 가서 기폭 하여 발사체를 파괴한다. 캡슐을 사용하는 목적은 예광에 결함이 있으면 추진제 화염이 그 주변을 지나도록 하기 위한 것이다. 캡슐 내용물은 포탄이 포열 밖으로 나와 안전한 거리까지 이격할 때까지 연소와 기폭을 완료하는데 아주 짧은 시간이 걸린다.

발사체 신관을 사용하는 자폭은 두 가지 중 한 가지 방법으로 수행될 수 있다. 첫 번째 방법에서 발사체가 발사 될 때 발화되는 짧은 분말 지연 도화선이 있다. 이것은 사전에 판단된 속도로 연소하고, 연소가 끝날 때 포탄을 파괴하는 주 충전제를 기폭 하는 기폭장치를 발화한다. 두 번째 방법은 발사체의 스핀이 일정 속도 이상이면 격발 핀을 기폭장치에서 이격시키는 신관 내에 기계장치를 가지고 '스핀 감쇠-spin decay'를 사용하는 것이다. 비행 수초 후, 스핀 속도는 감소되고 원심력이 더 이상 기계장치를 작동할 만큼 충분히 강하지 않아 격발 핀이 기폭장치를 타격하고 포탄의 충전제를 기폭 한다. 두 가지 경우 모두 신관의 자폭 성분이 정상

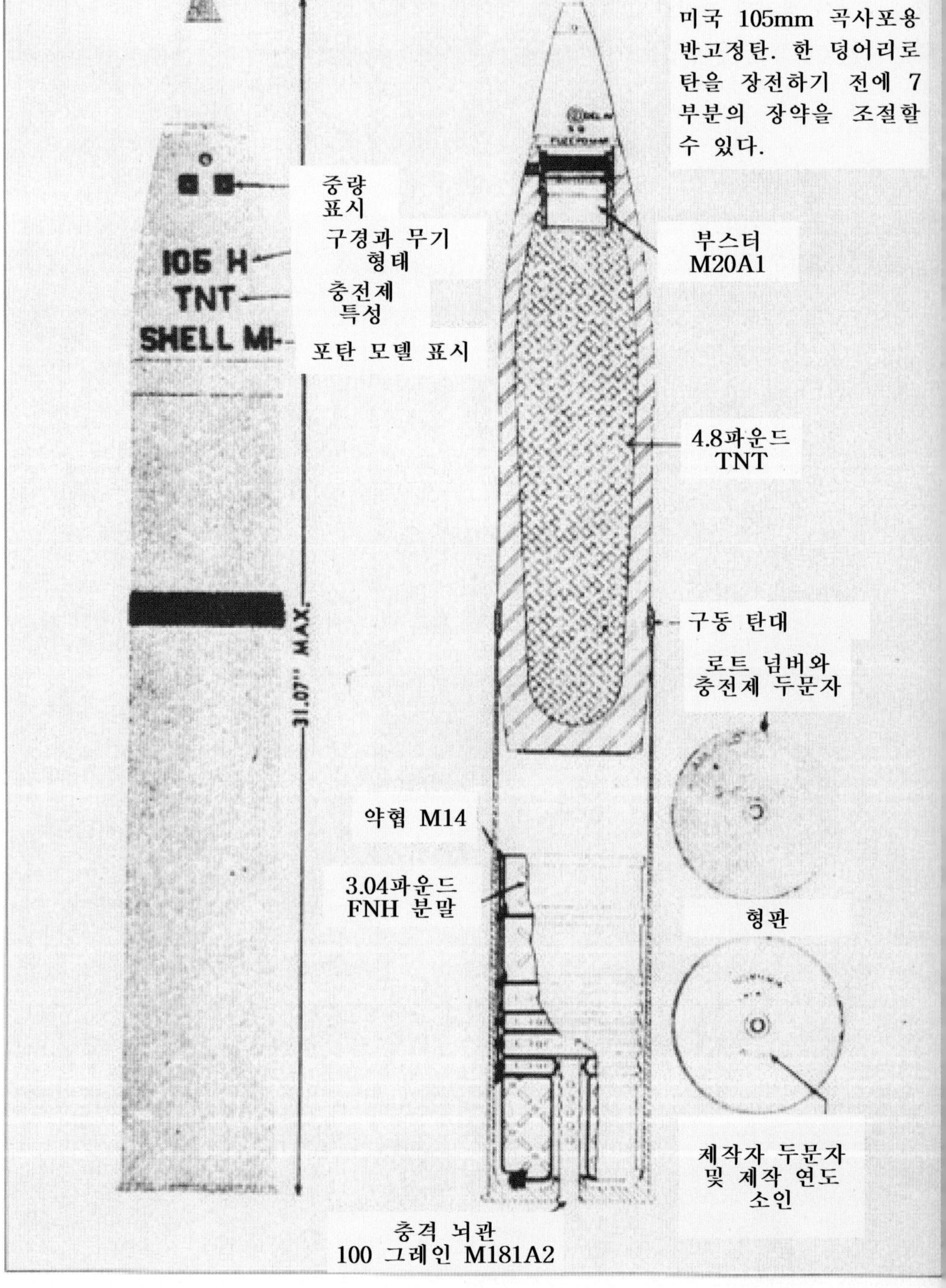

105 H
TNT
SHELL MI-
31.07" MAX.
중량 표시
구경과 무기 형태
충전제 특성
포탄 모델 표시
부스터 M20A1
4.8파운드 TNT
구동 탄대
로트 넘버와 충전제 두문자
약협 M14
3.04파운드 FNH 분말
형판
제작자 두문자 및 제작 연도 소인
충격 뇌관 100 그레인 M181A2

미국 105mm 곡사포용 반고정탄. 한 덩어리로 탄을 장전하기 전에 7 부분의 장약을 조절할 수 있다.

격 작용으로부터 독자적이기 때문에 만약 탄이 자폭 시간 전에 표적을 타격하면 정적인 방법으로 기폭하게 된다.
에서 윤곽을 그린 시스템은 소구경 캐논 탄에 사용되는 것들이다. 시한 신관에 사 되는 주 구경 대공 포병 탄은 특정시간을 정하여 신관에 설정된 시간에 도달하면 표 에 도달하던 안하던 상관없이 자동적으로 폭이 발생된다. 근접 신관의 경우, 근접 작 이 발생하지 않으면 신관과 포탄을 기폭 는 전기 안전 스위치 중 하나에 병합된 스 감쇠 형태가 있다.

SEMI-FIXED ROUND(반고정탄) 두 개의 유닛이 -포탄과 신관, 약협, 추진제 및 뇌관- 보급되지만 장전 전에 고정탄처럼 하나로 결합되는 포병의 완성탄. 목적은 사격 전에 추진제 약포를 제거하여 추진 장약을 조절하기 위한 것이다. 그러나 한 사람에 의한 한 동작으로 하나의 완성탄을 장전할 수 있는 장점이 있다. 반고정탄으로 가장 잘 알려진 탄약은 미국의 105mm 곡사포용 탄일 것이다.

SEPARATE LOADING AMMUNITION (분리 장전 탄약) 두 개의 유닛으로 보급되어 두 개의 유닛으로 장전되는 포병의 완성탄. 약협용 장약 탄은 분리장전 될 수 있고, 약포 탄약은 항상 분리 장전된다. 분리 장전은 추진 장약이 장전(약협 장약의 경우)에 앞서 변경 할 수 있도록 하거나 또는 단순히 고정탄 또는 반고정탄이 너무 커서 취급하기 힘들거나(역시 약협 장약의 경우) 또는 고정탄약을 제작하기 (즉, 약포 탄 안에) 힘들기 때문이다.
취급에 제한이 되는 크기는 전적으로 중량에

구성품이 크고 무거울 때 분리 장전이 필요하다. 아래의 경우에, 네 명이 미국 240mm 곡사포용 164kg(360파운드) 포탄을 운반하고 있다. 약포 무게는 35kg(77파운드) 이상이다.

장전 중인 독일 24cm 철로 포. 무거운 포탄은 크레인으로 포의 장전 플랫폼까지 올려야 한다.

바탕을 둔 것은 아니다. 물론 이것도 중요하기는 하다. 일반적으로 약 40kg이 시간에 상관없이 탄약수가 쉽게 취급할 수 있는 최대 중량이다. 예를 들어, 영국 114mm(4.5인치) 대공포는 39kg의 고정탄을 사용하고, 반면에 더 큰 무기인 113mm(5.25인치)는 포탄 무게가 36kg이고 약협이 21kg인 분리 장전탄을 사용한다. 그러나 부피도 역시 크게 고려되어야 한다. 제한된 무게로 고정탄을 제작하는 것이 가능하지만 탄약수가 취급하기 어색하다는 것을 곧 알게 된다. 게다가 길고 얇은 약협 끝에 있는 무거운 발사체의 긴 탄은 약협 결합부에 상당한 긴장을 주어, 포탄이 떨어질 수 있고 취급 시 배열에서 이탈 할 수도 있으며 장전 시 방해 받을 수도 있다.

분리 장전 약협 장약은 약협이 뒤에서 장전되기 전에 손으로 포 안으로 삽입되어야 하기 때문에 설계된 것일 수 있다. 또는 약협 입구가 단단한 캡으로 강화되어 전체 약협

독일 105mm 곡사포 모델 18용 분리장전탄. 약포 안에 있는 추진 장약이 약협 안으로 들어간다.

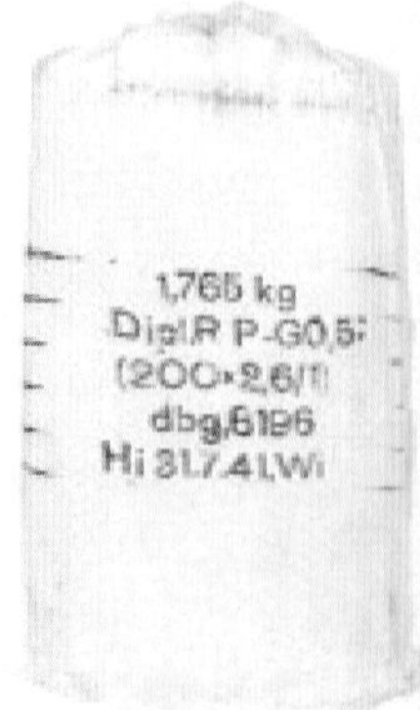

이 포탄을 정 위치로 삽입하도록 사용될 수도 있다. 후자의 시스템은 장전속도가 가장 중요한 대공포와 대전차포에 사용되었다. 천자루를 사용하는 분리 약포 장약은 포탄에 분리 삽입될 필요가 있고, 그 후 자루가 약실에 장전된다. 그러나 단단한 플라스틱 물질의 가연성 약협 장약을 사용하는 것들은 포탄 장전기로서 약협을 사용할 수 있다.

152mm 포를 장전하고 있는 이탈리아군. 한 사람이 포탄을 약실로 들어올리고 다른 사람이 장전봉을 들고 기다리고 있다. 세 번째 사람이 완성형 약협을 포로 운반하고 있다.

포탄과 두 개의 약포 장약이 장전 준비된 영국 5.5인치 포의 완성 탄약.

75mm 성형작약탄에 의해 만들어진 사입구. 장갑판의 평판은 250mm 두께와 폭이 약 300mm이다.

SHAPED CHARGE(성형작약) 중공(中空) 작약(*hollow charge*), 몬로 효과(*Monroe Effect*), 뉴만 효과(*Neumann Effect*), *HEAT* 등으로 알려졌으며 독일에서는 'Hohlladung', 프랑스에서는 'Obus á Charge Creuse'라고 한다. 폭발을 '집중'시키기 위해 폭발 작약에 틀을 만들어 장갑이나 다른 단단한 표적을 파괴하는 방법.

기본 성형작약 포탄은 포탄의 원통형 탄체 내부의 주 폭발 작약으로 구성된다. 이 작약의 전방 끝은 원뿔 형태의 중공(中空)으로 이 원뿔은 구리 원뿔과 다른 금속과 정렬되어 있다. 원뿔 전방에 포탄의 틀이 신관의 첨두에 있는 중공(中空) 조형부(ogive)에 또는 신관 장치용 압전 발화기에 의해 연소된다. 성형작약의 정확한 작동을 보장하기 위해서는 폭약이 중공(中空)원뿔로부터 먼 끝단에서 발화되어야하고, 표적에 대한 충격이 이 폭발로 이동될 수 있도록 적용되어야 한다. 이러한 발화의 국면에 대한 상세한 정보는 압전(*Piezo-electric*) 및 *PIBD*를 참조한다. 재래식 탄저 신관을 사용할 수 있지만 몇 가지 문제가 있다.

성형작약의 운용은 다음과 같다; 발사체가 목표물을 타격하면, 장약의 기폭장치가 탄저로부터 발화된다. 기폭파는 폭약 전체에 퍼져 중공(中空) 원뿔 주변을 통과하기 시작한다. 그래서 원뿔이 공동의 축 쪽으로 붕괴된다. 그 결과, 라이너의 용융된 금속이 기폭파와 폭발 가스에 더하여 축에 모아져 제트 기류 형태에서 10.000mps(32,8000fps)의 고속으로 전방으로 움직여 장갑을 타격하고 그 힘으로 쉽게 관통한다. (제트 가스 구조와 성능의 실제 기계장치는 복잡하여 어느 정도 간단하게 설명할 필요가 있다.) 제트류는 형성과 가속에 일정한 공간이 필요하다. 이것은 대략 원뿔의 2배내지 3배가 되며 '이격 거리-stand-off distance'로 알려졌다. 이 거리 이하에서 작약을 격발하면 이격 거리를 초과하여 작약을 격발하는 것과 마찬가지로 최적의 결과 이하를 얻게 된다. 이것이 탄저 신관을 사용하지 않는 한 가지 이유이

75mm 성형작약 탄이 250mm 장갑판을 관통한 후 만든 사출구.

다. 신관의 본래적 지연은 포탄의 빈 조형부가 뭉개지고 작약의 기폭이 발생하기 전에 결정적 형상 이하로 줄어들도록 한다. 이것에 대한 유일한 답은 상당한 길이의 임시 첨두를 사용하여 기폭이 발생할 때 정확한 이격거리까지 압착하도록 하는 것이다. 그러나 분명히 이것은 탄도학상 결함이다. 이것이 PIBD와 압전 신관이 적용된 이유이다.

작약의 중공(中空) 전면은 다른 형태, 즉 반구형, 원뿔형 반구가 될 수 있지만, 경험상 약 100°의 각이 포함된 원뿔이 가장 좋은 결과를 낳는다. 이 시스템의 한 가지 결점은 높은 스핀 속도에서 적용되는 원심력 때문에 제트류가 흩어지는 것이다. 그래서 효과적으로 관통하지 않는다. 이러한 이유로 성형작약은 날개 안정형 로켓 추진 발사체에서의 사용이 선호되고 있다. 그러나 최근의 연구는 원뿔 각이 130°에서 140° 사이에서 스핀하는 성형작약이 충분히 획득될 수 있음을 알아내었다. 이것은 소위 '평평한 원뿔 -flat cone'이라고 한다.

성형작약은 다른 효과와 혼합하여 사용할 수 있다. 한 초기 실험은 무거운 철갑탄의 탄도캡 내부에 작은 성형작약을 장착하여 성형작약이 초기 구멍을 만들어 무거운 발사체가 이 구멍을 활용하게 하였다. 다른 변형품은 성형작약 유닛의 성형작약 포탄 내부에 있는 소형 발사체를 실은 '관통 탄-follow-through shell'이다. 충격 시 성형작약은 표적에 구멍을 내고 발사체의 나머지 힘이 제트류에 의해 만들어진 구멍을 통해 표적 안으로 소형 발사체를 발사하고 내부에서 기폭한다. 이것들은 다른 탄에서도 사용할 수 있다. 동일한 기본 원리를 이용하는 성형작약 수류탄, 지뢰와 폭파 장치가 있다.

SHELL(포탄) 적재물이 있는 포나 곡사포에서 발사되는 중공(中空) 발사체. 광범위하게 두 가지 그룹 즉, 고폭탄과 운반탄(carrier shell)으로 분류된다. 전자는 적재물로 고폭탄을 싣고 있으며 폭발과 파편으로 대인 및 대물 효과를 제공하도록 기폭한다. 후자는 불활성이지만, 포탄에서 방출될 때 전술적 효과를 내는 적재물 즉, 연막, 소이 충전제, 가스, 전단광고, 조명탄 등을 운반한다.

SHOT(탄) 운동 에너지로 단단한 표적을 극복하기 위해 포로부터 발사되고 폭약이나 다른 충전제가 없는 단단한 발사체.
기본 탄은 끝이 뾰족한 단순한 경화 강철 원통이다. 충격 시 질량과 속도가 결합하여 목표물에 폭발이 전달되어 방호물을 파괴한다. 이것은 장갑선과 콘크리트 요새를 공격하게 위해 개발되었다. 그 결과 표적은 더 견고해지고 장갑 기술, 건설 기술이 발전하고 여러 가지 세분된 탄이 출현하였다. 철갑모탄(APC)은 전면 경화판을 극복하기 위해 19세기에 발명되었다. 복합탄(APCR, APCNR)은 2차 세계대전 중에 훨씬 두꺼운 균일판을 파괴하기 위해 출현하였고, 강철이 파괴하기 힘든 금속을 관통하기 위해 훨씬 단단한 텅스텐 카바이드를 사용하였다. 분리 탄저탄(APDS, APFSDS)이 아주 작은 충격 지역 안으로 운동 에너지를 집중하기 위해 포로부터 가능한 최대 속도를 추출하기 위해 나중에 나타났다. 현대에는 복합장갑(쵸밤 장갑 - Chobham armour)의 최근 도입으로 상부에 방호력이 증가하였지만 기술 발전으로 이를 극복할 수 있는 탄이 도입될 것은 자명하다.

SHARPNELL SHELL(유산탄) 보통 표적 쪽으로 방출되는 짧은 길이의 강철(막대 유산) 또는 납 볼 형태의 많은 하부 발사체를 적재물로 가지고 있는 운반 탄.
유산탄은 발명가의 말에 따르면 적에게 케이스 탄의 효과를 전달하기 위해 '구형 케이스 탄'이라는 이름으로 1784년에 앙리 샤프넬(Henry Shrapnel)(1761-1842) 중위(후에 소장)에 의해 발명되었다. 최초의 형태에서 이 탄은 화약, 머스킷 볼 그리고 시한 신관으로 둘러싸인 중공(中空) 구형 포탄으로 구성되었다. 신관이 화약을 발화하면 포탄은 폭발하여 개방되고 볼이 뿜어져 나간다. 그러나 저속에서 모든 방향으로 비산하지 않고 포탄의 비행궤도를 따른다. 개활지의 부대 전면이나 약간 높은 곳에서 폭발하면 아주 효과적인 대인 무기가 된다. 이탄은 1804년 수리남 공성전에서 처음 사용되었고 반도 전쟁에서 명성을 얻었다.

OS 9-20
229

ORDNANCE SCHOOL

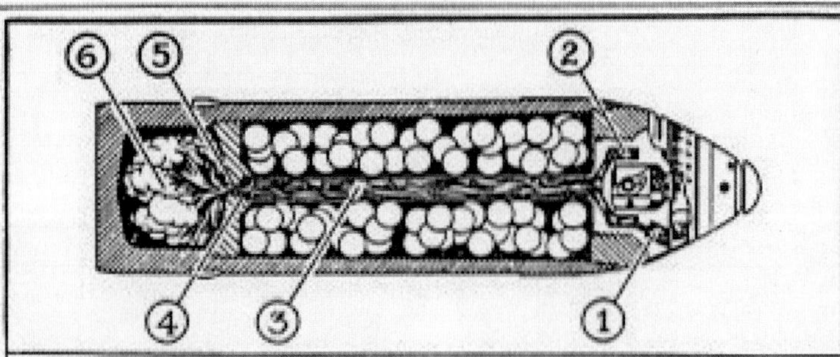

ACTION OF FLAME THROUGH CENTRAL TUBE AND IGNITION OF BASE CHARGE

(a) The setting of the time-train ring (not shown) determines the length of time the fuse will burn before exploding the base charge. Flame from this time train reaches the ignition pellet (1), exploding the magazine charge of black powder (2), whose flame flashes through the central tube (3), burning the fiber cup (4) and the cloth disc (5), and ignites the base charge (6) of loose black-powder.

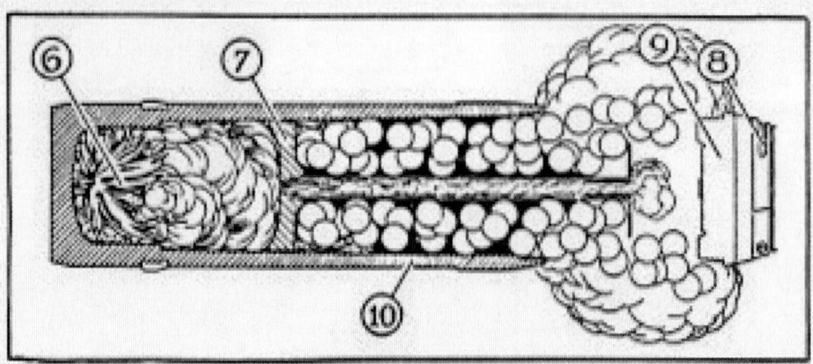

ACTION OF BASE CHARGE AND FORMATION OF SMOKE BALL FROM MATRIX

(b) The ignition of the base charge and the generation of the explosive gases ejects the diaphram (7) and the balls with a velocity equal to the remaining velocity of the projectile plus 350 feet per second (the bursting velocity). This action forces the entire fuse (8) and the head (9) to strip the threads which attach them to the case (10) and fly forward. The matrix of resin, in which the balls were imbedded, is ignited and forms the smoke ball.

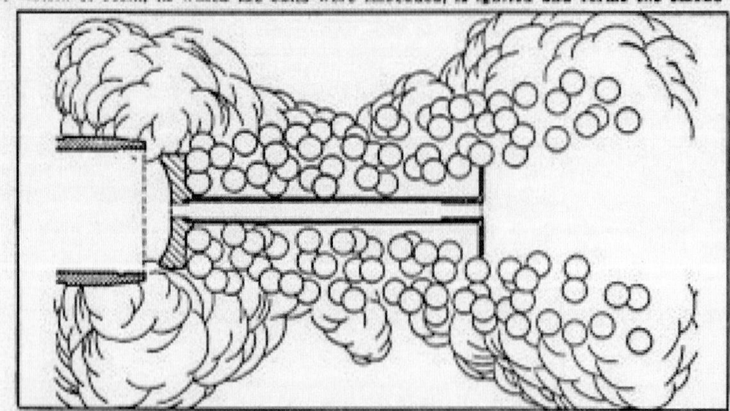

ACTION OF BASE CHARGE COMPLETED. SMOKE BALL AUGMENTED BY BASE CHARGE. SHRAPNEL BALLS SPREADING TO FORM CONE.

(c) At this point, the fuse and head have been thrown forward, and the diaphragm, tube, and balls are being acted upon by the forces of forward movement and centrifugal force to form the shrapnel cone; the empty case is retarded by the action of the bursting charge, and the smoke cloud is augmented by the white smoke from the base charge.

FIGURE 74. - ACTION OF SHRAPNEL AT TIME OF BURST.

1942년의 미국 병기학교 교재의 한 페이지. 유산탄이 어떻게 작동하는지 보여주는 삽화식 설명이 있다.

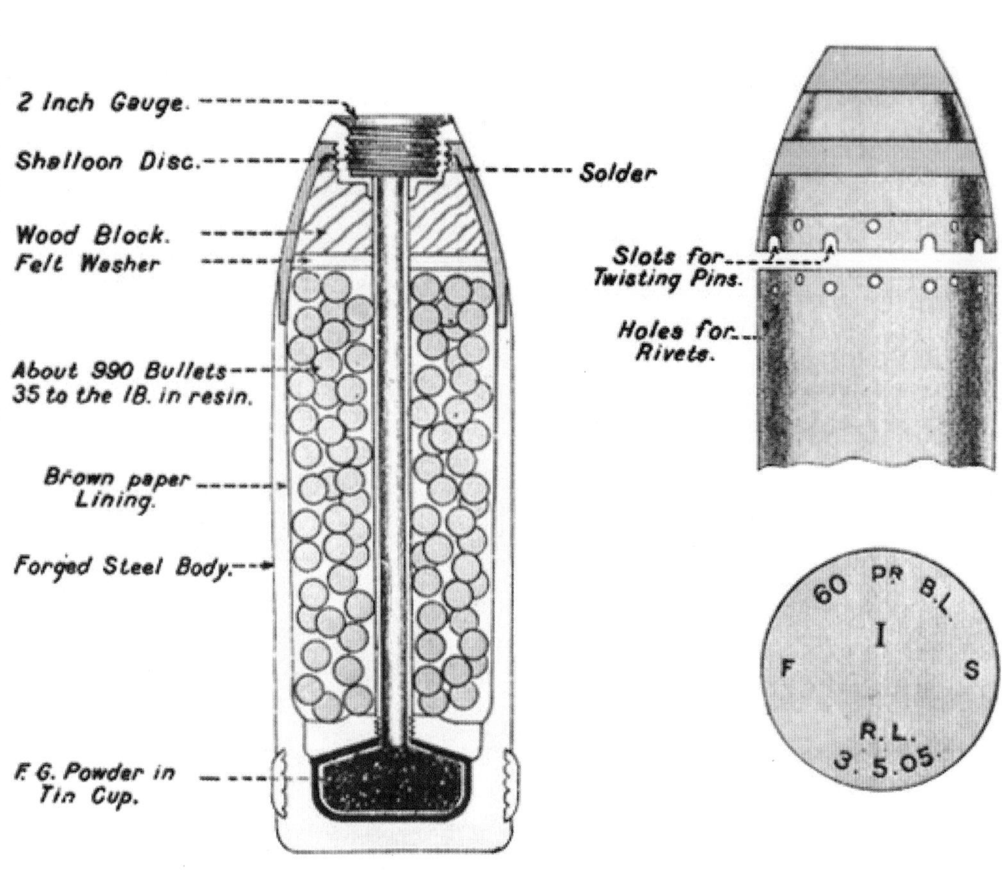

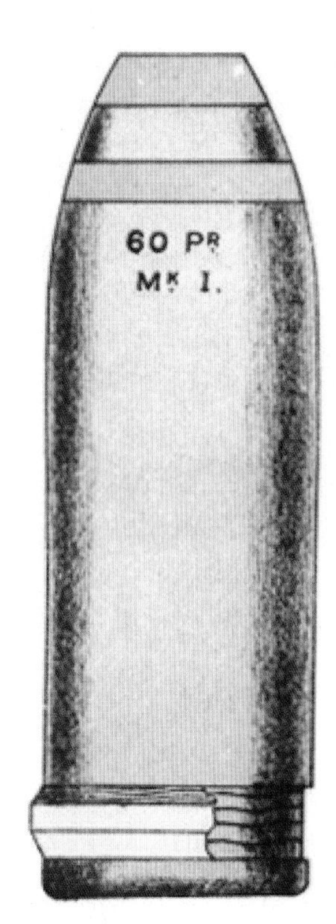

1차세계대전형 영국 60파운더(127mm) 유산탄. 상세한 구조를 보여주고 있다.

포미장전 포가 출현하면서, 디자인은 울위치 병기창에 있는 왕립 실험소의 감독자인 박서(Boxer) 대령에 의해 변경되었고 그 후 아주 적은 수정만 이루어졌다. 원통형 포탄은 소형 분말 장약을 포함하고 있는 탄저에 빈 중공이 있다. 그 위로는 포탄에서 입구로 이어지는 얇은 관을 고정하는 중앙 구멍이 있는 헐거운 '밀판 – pusher plate'이다. 관 주위로는 머스켓 볼 적재물이 쌓여있고 보통 송진에 고정된다. 이 송진은 볼을 견고하게 고정하여 위치를 이동시키지 않고 비행 시 포탄의 안정화를 방해하지 않는다. 그리고 폭발지점을 표시하는 가시 연기를 만들어내기 위해 화약으로 발화된다. 포탄의 원뿔형 두부는 약한 나사산이나 리벳으로 원통형 탄체에 고정된 분리 구성품이다.

포탄은 중앙 관에 직접 연결된 시한 신관에 의해 둘러싸인다. 설정된 시간에 신관이 작동하면 화염이 포탄의 바닥에 있는 분말 화약을 발화하는 관을 타고 내려간다. 이 폭발과 압력은 느슨한 판, 볼 충전제와 포탄의 두부로 밀려가 탄체를 산산조각 낸다. 이렇게 해서 볼은 최소의 힘으로 포탄 밖으로 밀려나가고 포탄의 비행궤도를 계속 따라 표적까지 간다. 이제 불안정한 포탄 탄체는 공기 항력에 의해 느려지고 지상으로 떨어진다.

유산탄은 19세기 후반의 야전 포병용 표준 발사체가 되어 1차 세계대전까지 유지되었다. 이 분쟁은 참호전을 만들었고 참호에 의해 보호된 부대는 유산탄에 거의 또는 전혀 위험이 되지 않았다. 그래서 고폭탄이 훨씬 중요하게 되었다. 전 후 수년 내에 유산탄은 비록 재고품이 사용을 위해 관리되었지만 서서히 고폭탄에 의해 대체되었다. 영국 야전포병에 의해 발사된 마지막 유산탄은 1943년 버마에서 60파운더 포에 의해 발사된 것으로 알려져 있다. 그때까지 유산탄은 대공포로 저공 항공기에 대한 단거리 방어용으로 남아 있었다. 소련군은 1940년대까지 막대 유산탄을 보유하고 있었다.

현대 고폭탄약이 기폭 될 때, 파편을 만들어 내고 유산탄은 만들어 내지 않는다. '유산탄'이란 용어가 전술한 것처럼 아주 제한된 의미인 것이 명백하기 때문에 유산탄은 고폭탄, 지뢰, 유탄, 테러용 폭탄 또는 실제 적절한 유산탄 이외에 다른 것으로 생산할 수 없다.

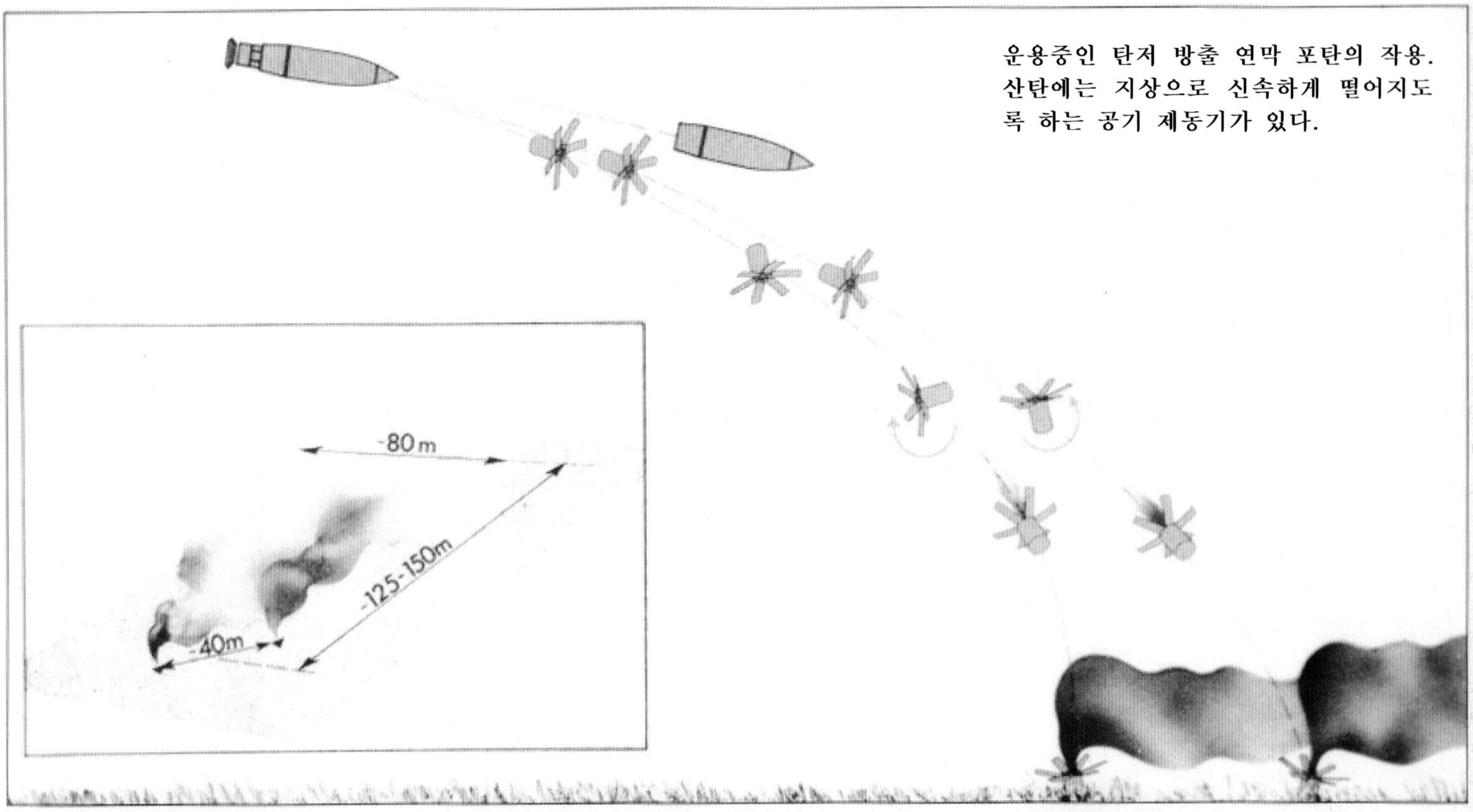

운용중인 탄저 방출 연막 포탄의 작용. 산탄에는 지상으로 신속하게 떨어지도록 하는 공기 제동기가 있다.

SMOKE SHELL(연막탄) 연기를 내기 위한 발사체. 화학연기를 만들어내는 적재물을 운반하는 탄. 폭발 또는 탄저 방출 형태이다. 발생된 연막은 연막차장 또는 신호용이다. 차장용 연기는 백색이며 이 때문에 강력한 차장력을 가지고 있다 그리고 적으로부터 움직임을 차폐시키려는 의도가 있다. 신호용 연기는 배경과 폭넓게 대비되어 쉽게 볼 수 있는 색이며 항공기에 표적을 지시하고 전진 지역을 표시하며 다른 여타 목적으로 관측이 성공하였는지 실패하였는지 신호를 할 수 있다.

SPIN DECAY(스핀 감쇠) 비행 시 전진하면서 스핀 안정화 발사체의 스핀 속도가 서서히 줄어드는 것. 공기 저항과 중력 때문에 속도가 떨어지면서 스핀의 속도도 떨어진다. 이 스핀 감쇠는 여러 가지 목적으로 신관내의 기계장치를 운용할 수 있을 것이다. 그러나 대부분은 보통 자폭(*self-destroying*) 장치 운용에 적용된다.

SPIN STABILIZATION(스핀 안정) 고속으로 회전하면서 발사체의 첨두를 표적 쪽으로 유지하는 것. 효과는 정렬된 회전 자이로스코프와 동일한 원리 때문이며 방향의 변화에 저항하는 원인이 된다. 일단 포탄이 발사되면 글자 그대로 자이로스코프가 되어 정해진 비행궤도로부터 어떤 방향 전환 시도도 저항을 받게 된다. 비행 시 안정화를 위한 발사체가 요구하는 스핀 양은 계산될 수 있으며 가장 중요한 요소는 길이이다. 길이가 약 6구경장을 초과한 발사체(즉, 15cm 포탄의 6구경장은 90cm가 된다)는 쉽게 스핀 안정화되지 않는다. 그리고 이 보다 더 긴 발사체는 보통 날개 안정형이다. 다른 것에 못지않게 무기체계에 맞게 설계

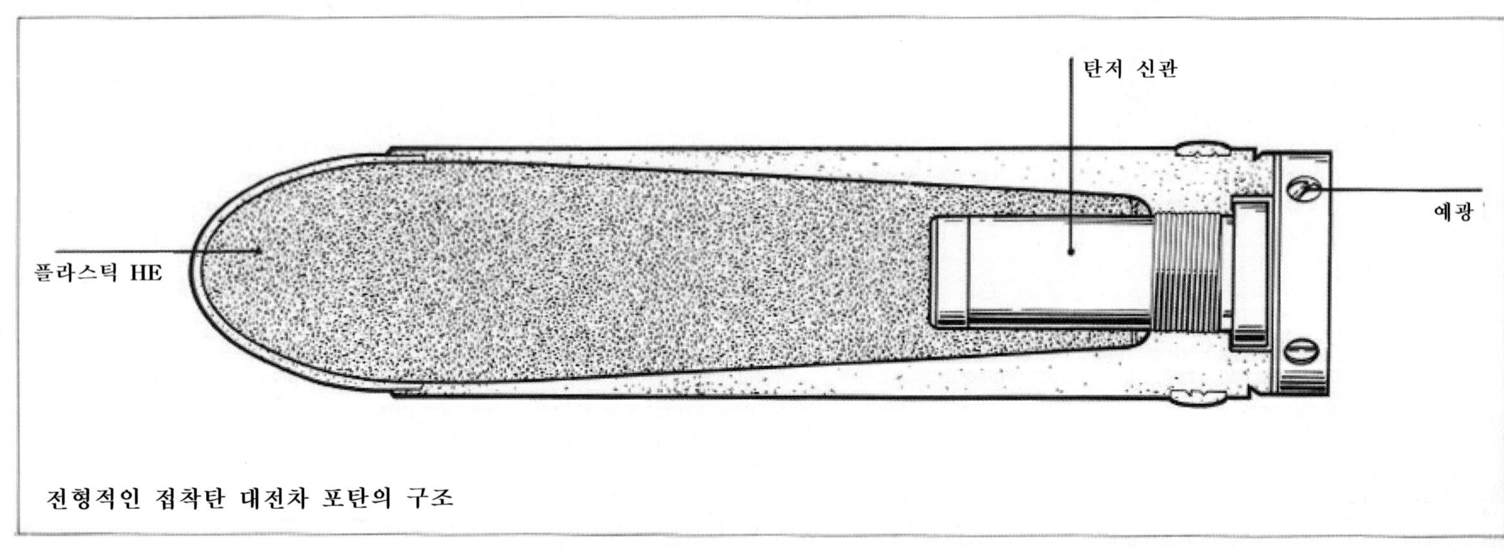

전형적인 접착탄 대전차 포탄의 구조

되어야 할 첫 번째 것이 발사체인 이유가 발로 이것 때문이다.일단 발사체가 결정되면, 포는 발사체를 발사하도록 설계될 수 있다. 스핀은 포탄이 편류하도록 한다. 즉, 강선의 비틀림의 방향 상에서 공기를 통해 좌우로 움직인다. 이것은 주변 공기에 따라 회전하는 발사체의 빠르게 움직이는 표면의 영향 때문이다. 간단하게 말해, 발사체 한쪽 측면의 공기는 희박해 지고 다른 편에서는 증가한다. 그래서 압력이 공기가 열은 쪽으로 포탄을 민다. 편류는 포 조준장치의 설계로 보상될 수 있지만 상이한 장약은 상이한 속도를 만들어 내어 상이한 스핀 속도를 만들어 냄으로서 여러 가지 추진 장약을 사용하는 무기에 수정될 수 있어야 한다.

SPITBACK FUZE(스핏백 신관) 작은 성형작약에 통합된 PIBD 신관에 대한 다른 명칭. 이 소형 장약은 폭발 제트류를 포탄의 중앙 아래로 '되토해내어' 주 장약의 중앙에 있는 관을 통해 주 장약의 후방에 위치한 뇌관을 발화한다.

SPLINTER(파편) 폭발하는 고폭탄약으로부터 방사되는 파편(fragment)에 대한 다른 명칭. 보통 '파편 방지 차폐물'과 같은 방호에 대한 설명에서만 사용한다.

SQUASH HEAD SHELL(접착탄 포탄) 플라스틱 폭약 충전제를 포함하고 있는 대전차 포탄의 한 형태인 HESH 포탄에 대한 유사 명칭. 포탄은 충격력에 의해 표적에서 으깨지고 장갑과의 빈틈없는 접촉에서 플라스틱을 폭발한다. 이후 폭약이 기폭 되어 강렬한 충격파를 플레이트를 통해 전달하여 내부 표면으로부터 플레이트의 커다란 '딱지-scab'를 진동시킨다.

여러 가지 구성품을 갖춘 105mm 탄저 방출 연막 탄.

압착 포강 포에 사용하기 위한 독일의 실험용 포탄. 최초 구경은 105mm로 시작하여 88mm까지 압착한다. 스터드는 속이 비었으며 압착 중에 스커트와 스터드는 충분히 크기를 줄일 만큼 연하다.

압착 포강 포용 발사체.
아래 : 독일 28/20 대전차포용 포탄.
우 : 독일 75/50mm 대전차 포탄.

SQUEEZE BORE(압착 포강) 포열의 직경이 포강 중 어느 지점에서 갑자기 줄어드는 형태의 포로 발사체의 직경이 유사하게 줄어든다. APCNR 탄 발사에 사용되고 압착 지점을 통과하면서 더 작은 직경으로 압축될 수 있는 가벼운 합금 몸체에 설치된 단단한 금속 또는 텅스텐으로 구성된다. 고속을 획득하기 위해 일부 2차 대전 중의 대전차 무기에 사용되었다. *경사 포강(Taper Bore)*과 비교.

STAR SHELL(성형(星型) 포탄) 조명(*illuminating*) 포탄의 다른 명칭. 야간에 표적을 밝게 비추는 밝은 불꽃을 포함하는 포탄. 초기 성형(星型) 포탄은 지상에 발광체를 가라 앉혔다. 현대의 성형(星型) 포탄은 더 양호한 빛의 확산을 위해 지상 위에서 발광체를 뜨게 하는 낙하산을 이용한다.

STAR SHELL CHARGE(성형(星型) 포탄 장약) 낙하산 조명 포탄이 최적의 높이에서 포탄을 개방하고 성형(星型) 유닛과 낙하산을 방출하므로써 기능을 발휘한다. 만약 이 지점에서의 포탄 속도가 너무 높으면, 낙하산의 개방이 너무 격렬할 수 있어 낙하산과 성형(星型) 유닛과의 사이의 연결을 느슨하게 강제로 비틀만큼 낙하산이 날아가서 성형(星型)이 지상으로 곧장 떨어진다. 조절 장약이 있는 일부 무기에서는 최대 장약이 너무 높아 안전한 방출이 되지 않고 다음 단계의 장약은 너무 낮아 최적의 개방 높이를 획득할 수 없다. '성형(星型) 포탄 장약'은 정상적으로는 절대 만질 수 없는 작은 약포의 추진제이지만, 최대 장약 구조로부터 제거되면 방출 속도를 안전하게 하기위해 속도를 충분히 낮추지만, 운용에 적합한 최대 높이를 가능하게 한다.

STREAMLINED(유선형) 굴곡부가 경사지고 포탄 탄체 뒤의 구동 탄대가 경사져서 포탄 주변의 기류가 합병하고 탄저 항력의 양이 줄어드는 포탄에 대한 설명. *'범선 꼬리- Boat-tailed'*가 동일한 미국 용어이다.

SWEDISH ADDITIVE(스웨덴 첨가제) 카트리지 약포의 내부 또는 완성형 약협(cartridge case)를 정렬하는 데 사용되는 금속염분과 다른 물질을 스며들게 한 섬유질 슬리브. 이것은 장약의 폭발에 의해 소모되지만 화학제는 폭발 온도를 낮추어 포의 부식 마모를 줄인다. 1960년에 일부 고속 전차포에 적용되었다.

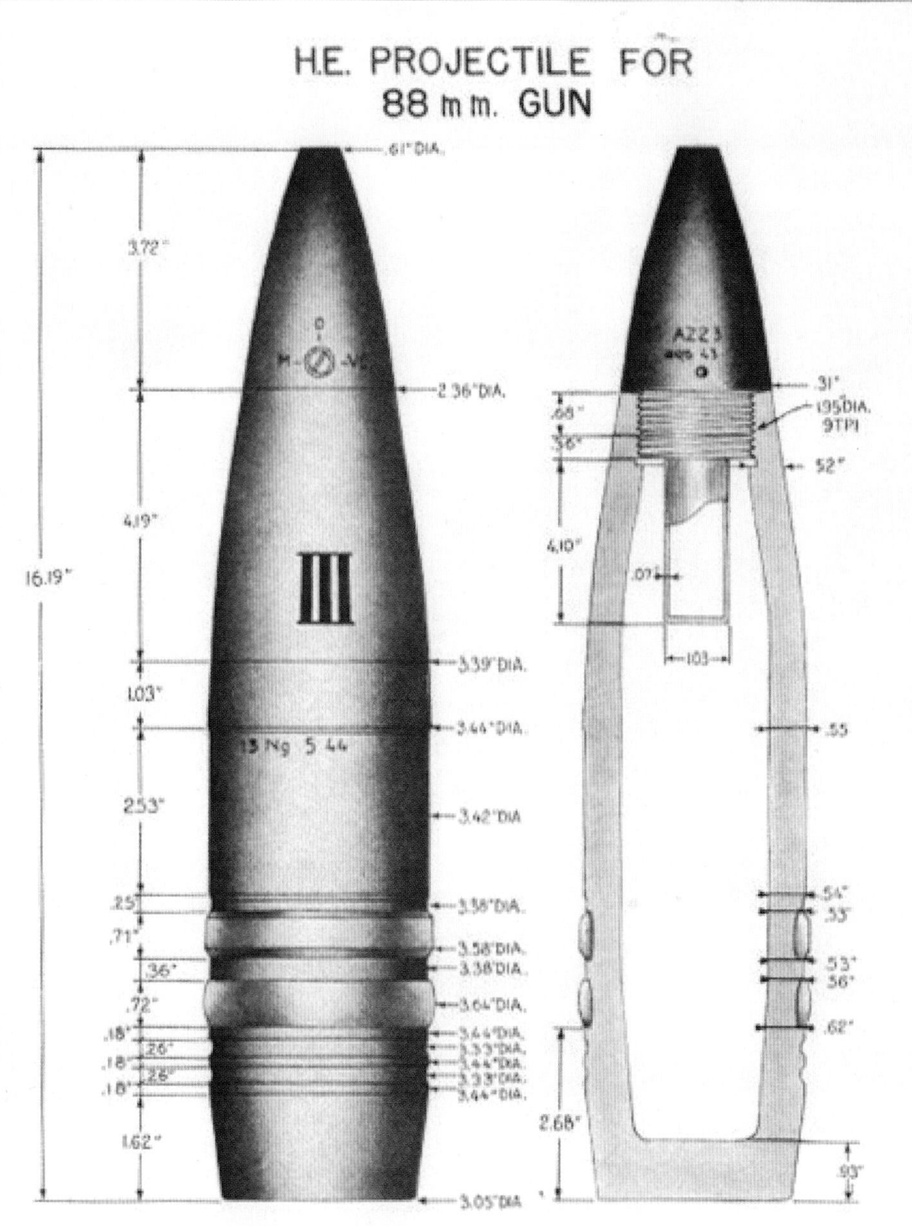

유명한 88mm 독일 대공포용 유선형 포탄. 굴곡부와 구동 탄대 뒤쪽의 탄저가 모두 경사진 것에 주목.

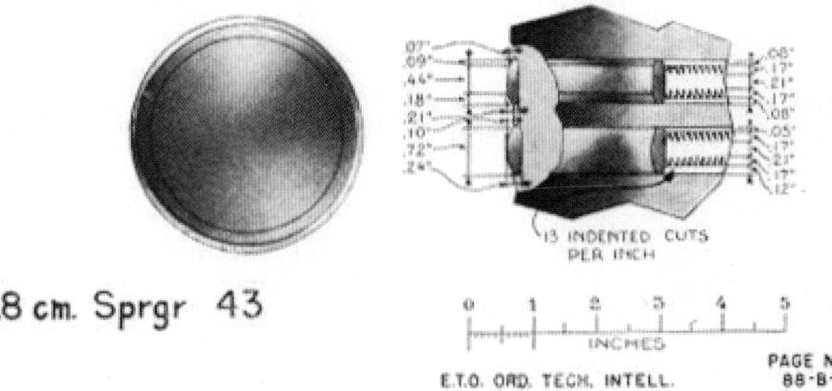

포탄이 발사될 때 압착되는 자락이 있는 구동 탄대를 보여주는 경사-포강 발사체의 후면 모습.

T

TAPER BORE(경사 포강) 약실에서 포구까지 구경이 서서히 줄어드는 포의 형태. APCNR 탄에 사용되며 경사진 포경을 통과하며 탄이 줄어들어 추진가스 압력이 동일하게 유지되는 동안에 탄저가 감소되는 곳에서 표면 지역 때문에 속도가 증가한다. 전체 포열 길이에 걸쳐 일정하게 감소하는 것이 압착 포강(squeeze bore)과 상이하다. 반면에 압착 포강은 짧고 급격하게 감소하고 다른 곳은 무기와 평행한 구경이다.

TARGET SHELL(표적 포탄) 표준 고폭탄과 일치하는 고폭탄이지만 고폭탄과 함께 혼합된 유색 염료가 있어 기폭 시 쉽게 판별할 수 있는 분명한 유색 연막 구름이 있다. 정상적인 포탄 폭발이 쉽게 빗맞는 험준한 지역에서 관측을 보조하기 위해 사용되거나 목표 지역이 몇 가지 다른 포들로부터 포격 받을 때 특정 포의 사격을 구분하기 위해 사용된다.

THINKING FUZE(지능 신관) 자체적으로 여러 가지 지연 작동을 하도록 설계된 탄저 신관(*base fuze*)용 일상용어.
단단한 표적에 대해 발사되는 탄저 신관은 타고난 지연이 있다. 그리고 종종 추가적이고 선택적인 시간 지연이 내장된다. 어려움은 표적의 두께와 포탄의 실제 타격 속도를 정확하게 알지 못하는 한 필요한 지연 양을 평가할 수 없고 설정은 어림짐작으로 해야 한다.

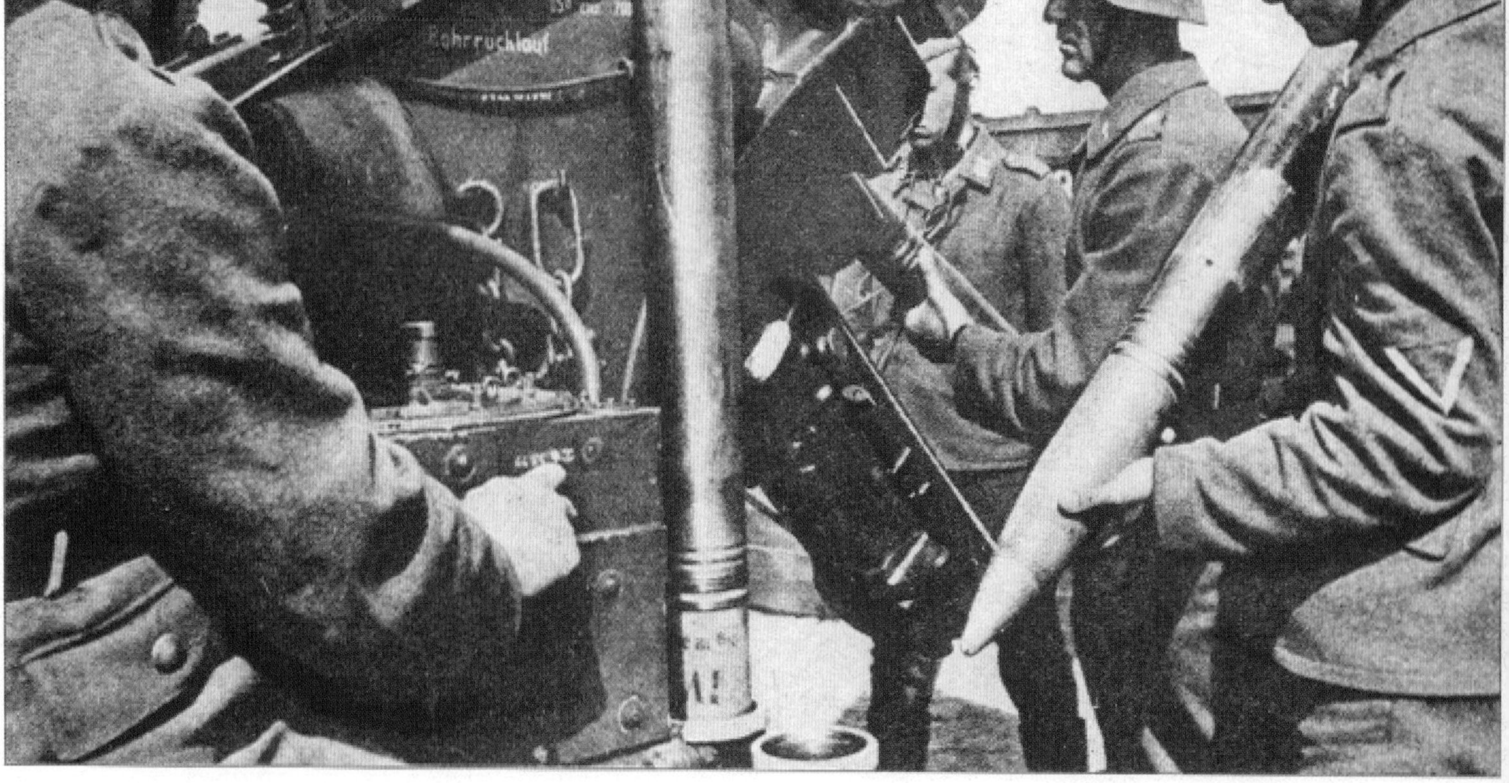

위 : 88mm 대공포를 장전하고 있는 독일군. 먼저 탄이 삽입되고 설정된 장치로 탄두를 내린다.

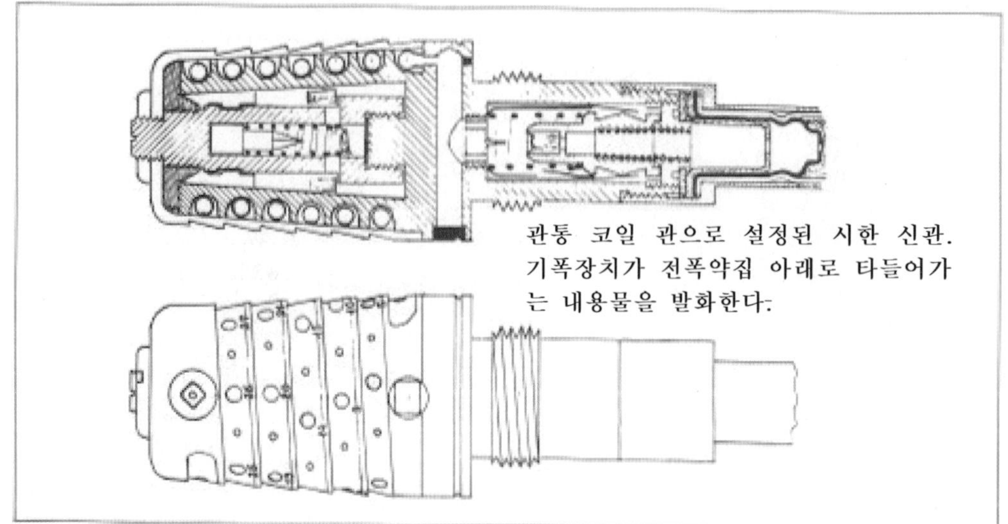

관통 코일 관으로 설정된 시한 신관. 기폭장치가 전폭약집 아래로 타들어가는 내용물을 발화한다.

'지능 신관'은 플레이트와 충돌할 때 의 감각으로 신관을 활성화시키는 기계장치를 사용한다. 그리고 표적의 내부에서 플레이트가 자유롭게 당겨지면서 포탄의 가속을 감지할 때 기폭한다. 이렇게 해서 지연 시간이 완전히 제어되고 포탄은 표적의 두께와 상관없이 항상 정확한 지점에서 기폭하게 된다.

지능 신관을 전함 공격용 주 구경의 함정 또는 해안 방어용으로 만들려는 시도는 수년 동안 시도되었지만 성공하지 못했다. 비록 이들 디자인에 대한 정보가 거의 인쇄되지 않았지만, 오늘날 항공기와 헬리콥터 장갑에 대한 소구경 캐논과 함께 사용하려는 디자인이 나타나 더욱 성공적이었다.

TIME FUZE(시한 신관) 포로부터 발사된 순간에 작동하도록 설정된 신관. 미리 설정된 시간이 경과할 때까지 포탄의 발화가 지연된다.

한 신관은 전통적으로 두 가지 명확한 형가 있다. 세 번째 형태인 최근의 디자인은 자원리에 바탕을 두고 있으며 아직 숫자가 지만 실전에 배치되기 시작하였다.

소 시한 신관의 운용은 위에서 설명되었 . 이것은 미리 정해진 속도로 연소하는 압 흑색화약을 포함하는 링에 의지하고 시간 동은 링을 한 바퀴 회전시켜 조절할 수 있 . 2링 신관은 링을 채우는데 사용된 화약 형태에 따라 다르지만 최대 연소 시간이 30초이다. 더 긴 연소 시간을 획득하기 해 3개, 4개 심지어 5개까지의 링이 개발 었으며 이들은 일반적이지 않으며 시간은 뢰할 수 없다.

l간 조절용으로 사용되는 화약의 대체 방법 일반적으로 프랑스에서 75mm M1897에 사 하였다. 이것은 한 길의 화약이 납관에 포함 어 중앙 기둥에 나선 모양으로 감아진 모양 다. 이것은 기폭장치로부터 나온 화염을 발 하여 구멍 난 지점에 있는 관내의 화약에 을 붙인다. 그리고 전폭약집(magazine)을 발 할 때가지 아래로 연소하여 내려간다. 시간 정은 전폭약집으로부터 가깝거나 먼 거리에 구멍을 간단히 타격하여 획득한다.

l계식 시한 신관은 미리 감은 태엽 장치를 용할 수 있거나 포탄의 회전으로부터 추출 원심력에 의해 구동될 수 있다. 용수철 구 기계장치는 아래의 '태엽 시관'에서 설명 고 여기서는 반복하지 않는다. 원심력 구동 계장치는 일반적으로 (발명가의 이름을 따) '융한스(Junghans)' 기계장치로 알려졌으 기어와 레귤레이터의 행렬을 구동시키기 해 스핀 하에서 밖으로 회전하는 두 개의 량물을 사용한다. 기어 열은 둘레에 있는 폐기를 사용하는 '시간 원반-timing disc'을 전시킨다. 이 개폐기가 용수철 내장 암과 렬되면, 암은 개폐기 부 안으로 이동하여 관을 풀어 기폭장치를 격발한다. 신관 설정 기어 구동기와 관계된 시간 원반을 회전 는 신관 캡의 회전에 의해 획득한다. 포가 사되면, 역행력이 세팅 캡을 원반으로부터 리하고 클러치와 결합하여 원반에 의해 기 가 원반을 구동하도록 한다.

l기식 시한 신관은 1940년대 초기부터 실 대상이었다. 이들은 모두 저항-축전기 지 회로로 잘 아려진 것에 모두 바탕을 두고 다. 여기서 축전지(콘덴서)는 저항기를 통 전원이 충전된다. 전원의 전압과 저항기의 항이 축전지가 충전되는 시간을 제어하여 간을 제어하게 된다. 축전지가 완전히 충전 면 자동적으로 전기식 기폭장치를 통해 방 하여 포탄을 격발한다. 초기에 이 시스템에 한 원리적 결점은 방해가 되는 전원과 신 에 연결하는 방법이었다.

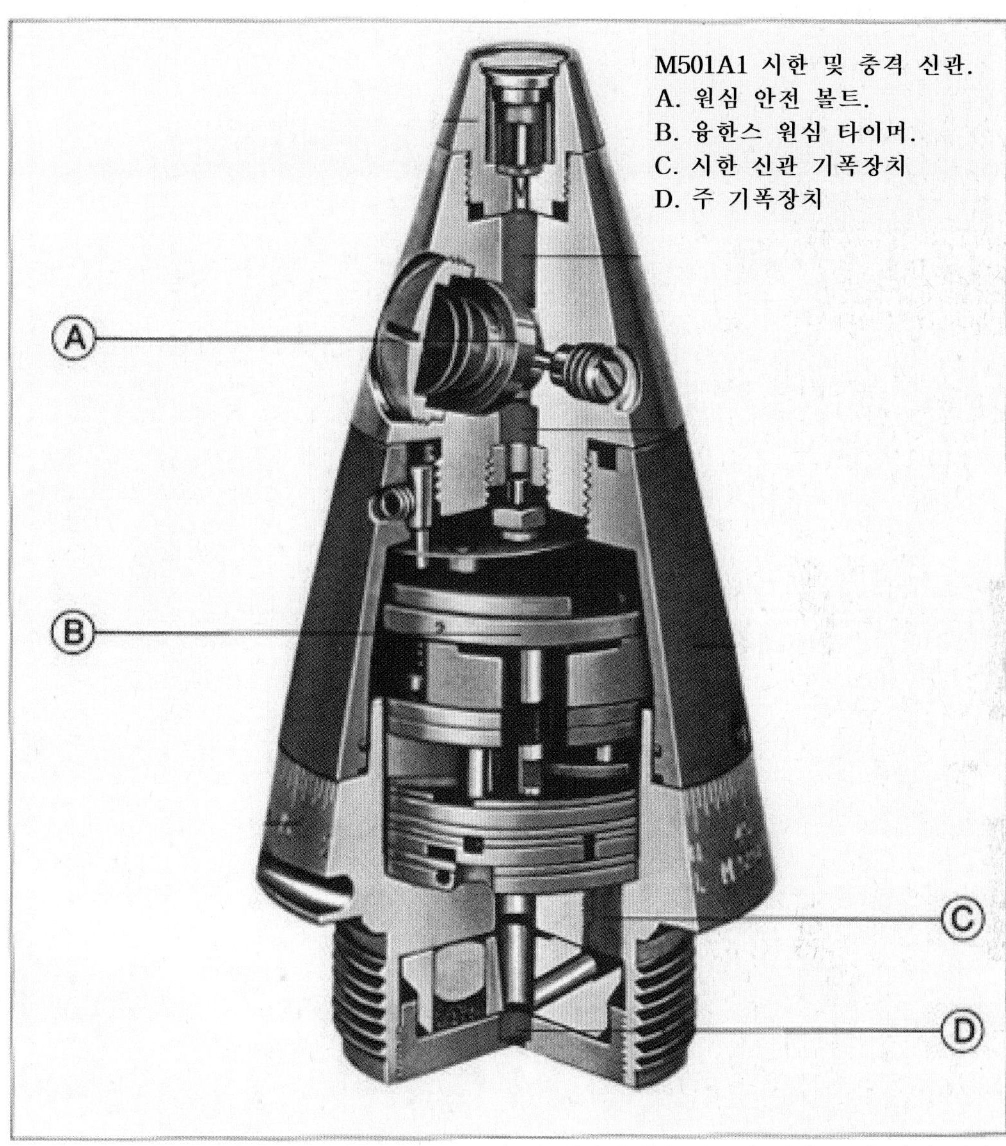

M501A1 시한 및 충격 신관.
A. 원심 안전 볼트.
B. 융한스 원심 타이머.
C. 시한 신관 기폭장치
D. 주 기폭장치

일반적인 개념은 포가 발사될 때 신관이 가볍게 스치며 회로부를 충전하는데 충분한 접촉 시간을 만드는 포구 밖에 매달린 헐거운 와이어를 사용하는 것이었다. 더 양호한 개념은 단순히 포에 건전지를 설치하고 장전 절차 중에 신관에 직접 플러그를 연결하는 것이다. 주요 어려움은 초기 전자 구성품의 물리적 크기와 허약함이었다. 그러나 1970년대에 마이크로 회로와 반도체를 이용한 장치의 출현으로 이것은 극복되었고 정밀하고 신뢰성 있는 몇 가지 전자 시한 신관이 개발되었다.

TIME AND PERCUSSION FUZE(시한 및 충격 신관) 충격 성분에 병합되어 신관이 잘못 설정되거나 시간 작동이 실패하면 의도된 폭발 점으로 통과하는 시한 신관. 최소한 지상을 충격하게 되면 기폭하고 적에게 피해를 준다. 본래에 대공 신관이 의도된 표적에 도달하거나 지나거나 상관없이 공중에서 폭발하였기 때문에 지상 포병 사격 사용에 거의 전적으로 제한되었다. 그러나 경험은 곧 낮은 비율의 대공포 시한 신관이 작동하는데 실패하였고 지상에 떨어 질 때 기폭에 실패하더라도 20-30kg의 강철 충격과 수천 피트로부터 떨어지는 폭약은 상당한 피해를 준다는 것을 보여주었다. 그래서 충격 '소탕' 성분이 단독 시한신관에 추가되어 오늘날 단독 시한신관은 드물다.

TNT 트리-니트로-톨루엔(Tri-nitro-toluene)(트로틸-Trotyl,트리놀-Trinol, 트리톨-Tritol, 트릴라이트-Trilite 및 많은 유사한 명칭). 포탄 및 지뢰와 폭파 장약 충전제로 군사용으로 가장 폭넓게 사용되는 폭약중 하나. 충격에 강하기 때문에 선호하며 돌발적으로 발화되면 기폭하기 보다 연소하는 경향이 있고 물에 강하며 탄약 충전제를 쉽게 만들 수 있도록 낮은 용융점을 가지고 있다. 더욱 상세한 정보는 고폭약(*High Explosives*)을 참조.

좌 : 스위스 전차에서 조명탄을 발사 하고 있다.

위 : V1 미사일에 대한 대공 사격을 보여주고 있는 1944년의 예광탄 사용.

TRACERS(예광탄) 비행로가 보이도록 발사체 뒤에 부착된 불꽃장치. 직사화기(즉, 표적을 볼수 있는 무기)에서만 사용하기 때문에 표적을 놓칠 경우 관측자가 표적에 대한 사격을 수정할 수 있다.
예광탄은 발사체(보통 고체 AP 탄으로만 된)의 탄저에 구멍을 뚫어 직접 충전할 수 있거나 (보통 여러 가지 형태 즉, APDS, APCR 등, 복합탄으로) 발사체의 탄저에 있는 나사산이 깎인 돌기에 나사로 고정한 관안에 채울 수 있다. '평 탄저' 예광탄은 원반의 폭으로 이어져 중앙에서 만나는 평원반이다. 이것들은 장전기로 장전되어야 하는 분리 장전 탄약용 발사체에 사용된다. 그리고 포 탄저로부터 돌출되는 관형 예광제는 장전 시 파손될 수도 있다.
예광탄에 사용되는 화약은 보통 마그네슘에 바탕을 두고 있어 원하는 색을 제공하는 여러 가지 염류와 함께 밝은 불꽃 -보통 스트론튬 질산염이 불꽃을 제공한다- 을 제공한다. 이것은 대부분의 배경 종류에 대한 양호한 대조를 보여주는 경험이 있다. 화약은 관 또는 중공에 상당한 압력으로 압착되어 층층이 연소하는 아주 단단한 충전제 더미를 형성한다. 혼합제를 압축하는데 실패하면 타격을 강하게 할 수 없고 너무 빨리 연소한다. 그래서 예광제가 표적에 도달하기 전에 빠져나간다. 이 단단한 압축은 화약을을 발화하기 힘들게 하고 보통 흑색화약 형태인 '스타터 화약'의 층은 상부에서 압축된다. 이것은 추진제 화염에 의해 발화되고, 발화를 예광제로 전달한다. 포구로부터 일정한 거리에서 예광의 개시를 연기하기도 하며, 이것은 포

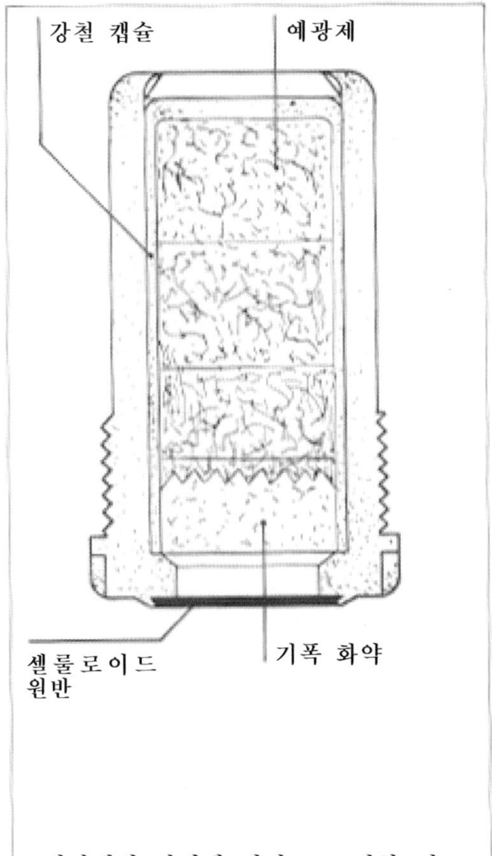

발사체의 탄저에 나사로 고정한 전형적인 예광제 유닛. 셀룰로이드 원반이 내부 방수를 한다.

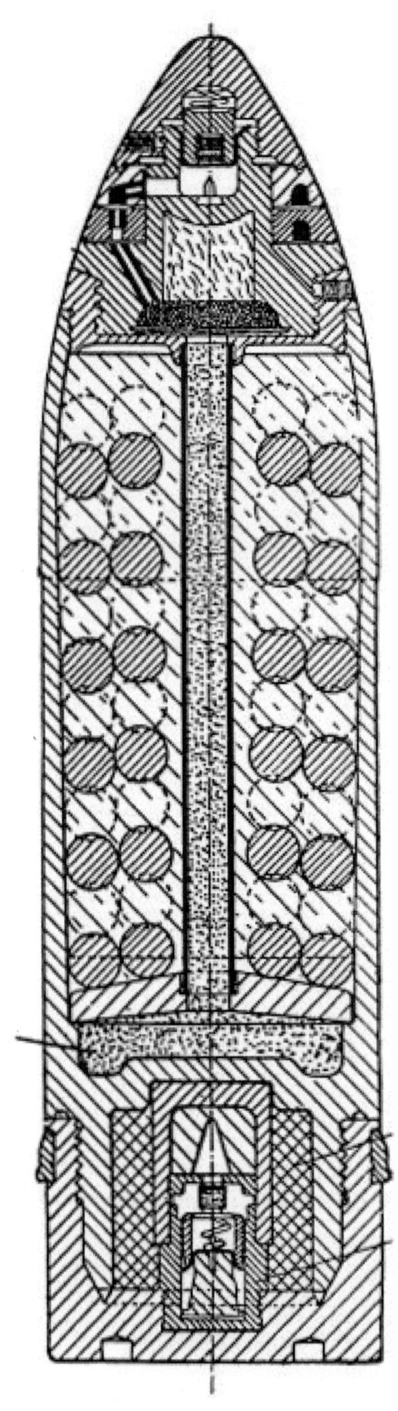

약 1910년경의 Krupp 유니버설 포탄. 이 버전은 정상 유산탄용으로 탄두에 시한 신관을 사용한다. 그리고 마찰 신관이 탄저에서 탄환 주변에 쌓인 TNT를 기폭한다.

탄이 포구로부터 떠날 때 조준수의 눈을 가리지 않게 하고, 적이 포의 위치를 탐지하기 위해 원래의 출발점을 추적하는 것을 방지한다.

U

UNIVERSAL SHELL(유니버설 포탄) 1900년대 초에 독일의 크룹이 개발한 야전 직사포용 포탄 종류. 이것은 본질적으로 송진 대신 TNT 행렬 안에 고정된 볼로 구성된 유산탄(*shrapnel shell*)이다. 신관은 시한 및 충격 신관이다. '시간' 작동으로 설정되면 신관은 일반적인 방법으로 방출 장약을 격발하고 볼과 TNT를 방출한다. TNT는 연소하며 하늘에서 검은 연기를 내기 위해 방출 장약에 의해 발화된다. 신관이 '충격'으로 설정되면, 포탄은 지상을 타격하고 충격 행위가 TNT를 기폭하여 포탄 약협과 유산탄 볼에 의해 발생되는 고속 의 파편들이 있는 고폭탄이 된다. 비록 성공적인 디자인이지만, 1차 세계대전 중에 고폭탄을 더 일반적으로 사용하여 유산탄이 퇴색하면서 오래가지 않았다.

WALLBUSTR(월버스터) 본래 강화된 콘크리트 방어를 파괴하는 수단으로 설계되고 1944년의 노르망디 상륙작전 시 대서양 방벽에 대해 사용하기 위한 것이었기 때문에 *접착탄*(*squash-haed*)에 대한 초기 명칭. 상륙작전이 시행되면서 상륙부대는 월버스터 포탄을 적용한 어떠한 무기도 사용하지 않았다. 그리고 월버스터 포탄은 대장갑 발사체로 다시 개발되었다.

WATER SHOT(물 탄) 장전에 앞서 모래로 충전되는 대신 물로 충전되는 *종이탄*(*paper shot*)의 종류. 사격 시 종이 약협이 파열하여 개방되고 물이 포구로부터 방출되어 많은 증기와 연무를 형성한다. 포의 반동을 일으키는 움직임에 대한 충분한 저항을 준다.

초기 월버스터 포탄. 이것은 2차 버전이다. 첫 번째는 플라스틱 폭약을 운반하는 망사 내부 용기가 있다.

새로운 개발
NEW DEVELOPMENTS

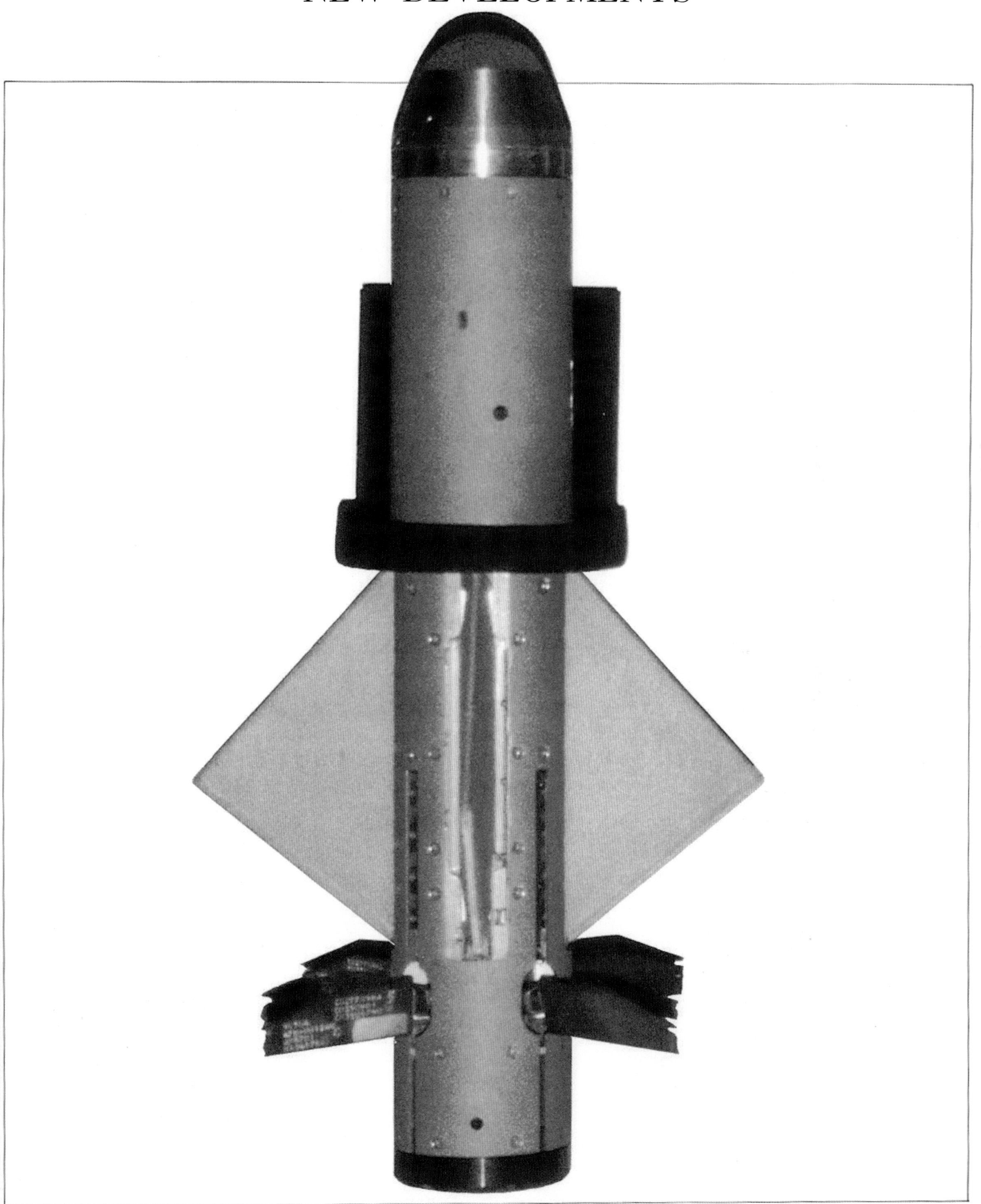

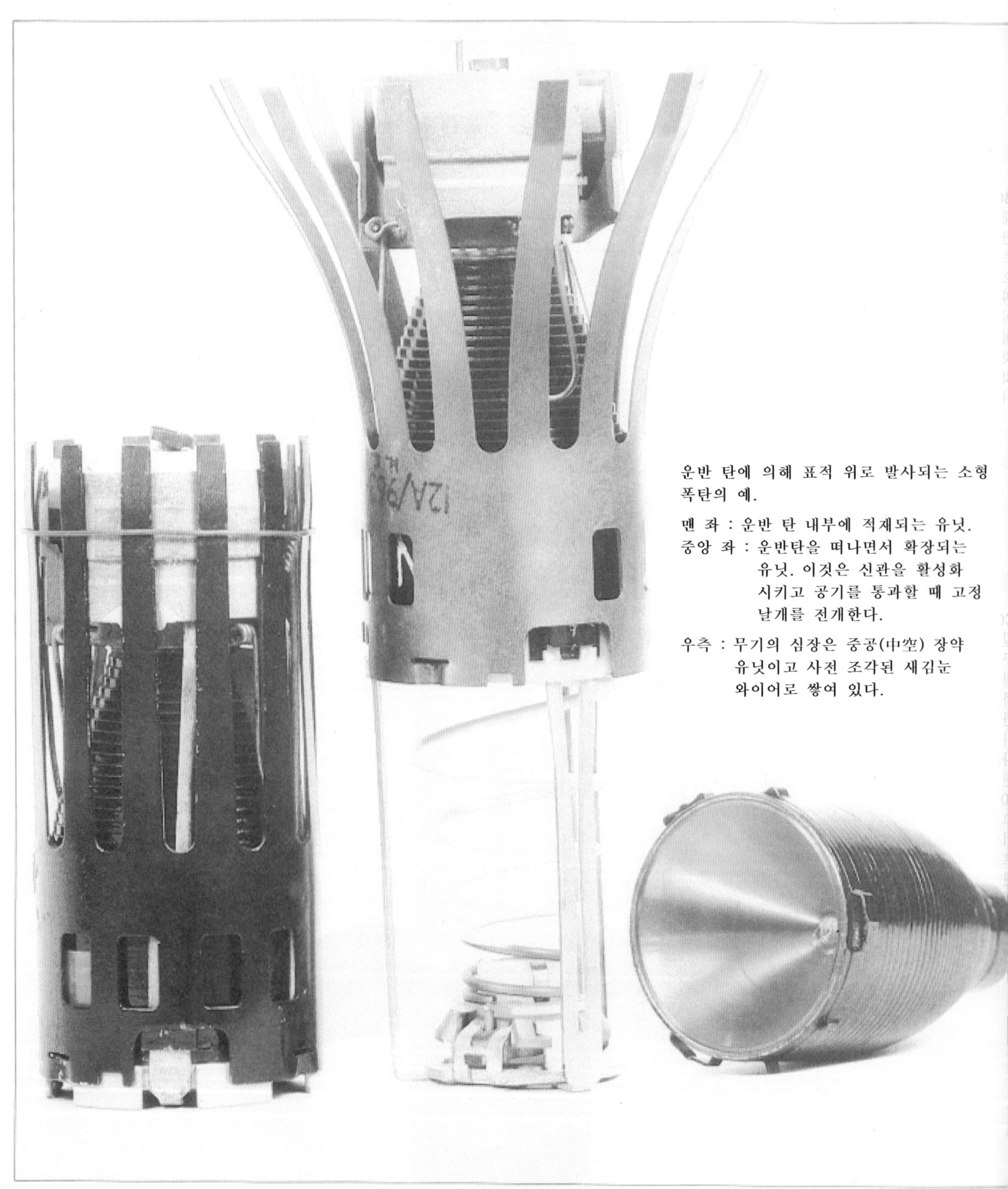

운반 탄에 의해 표적 위로 발사되는 소형 폭탄의 예.

맨 좌 : 운반 탄 내부에 적재되는 유닛.

중앙 좌 : 운반탄을 떠나면서 확장되는 유닛. 이것은 신관을 활성화 시키고 공기를 통과할 때 고정 날개를 전개한다.

우측 : 무기의 심장은 중공(中空) 장약 유닛이고 사전 조각된 새김눈 와이어로 쌓여 있다.

B

3OMBLET(소형폭탄) 운반탄의 형태에 적 재되어 표적 위에서 방출되는 자탄. 소형폭 탄은 발사체가 아니고 포탄의 비행궤도를 따 르기보다 자유롭게 낙하한다. 이것은 일반적 으로 일종의 사전 제작된 파편에 의해 둘러 싸인 성형작약을 포함하는 탄두가 있는 구조 이다. 이렇게 해서 소형폭탄은 기본적으로 철갑탄이지만 대인 효과도 가지고 있다. 이 것은 장거리에서 장갑 부대에 사용하기 위한 것이며 대인 성분은 협조 보병부대에 대해 사용하기 위한 것이다.

C

CONTINUOUS ROD(연속 봉) 대공 미사 일에 사용되는 탄두의 종류. 고폭 산탄으로 구성되며 산탄의 벽은 직각으로 조립한 고장 력 강철봉으로 만들어 졌고 끝을 서로 용접 하여 한 봉의 끝이 다른 봉 측면에 연결되고 한 봉의 바닥이 다른 봉이 측면에 연결되었 다. 폭약이 기폭하면 봉을 밖으로 날려 보낸 다. 용접된 끝은 연결된 채로 유지되어 연결 된 봉이 지그재그 형태로 확장되어 약 0-15m 직경으로 연결된 강철 원을 만들어 고속으로 공기를 통과하여 비행한다. 만약 이것이 항공기를 타격하면, 항공기를 직선으 로 절단 낸다. 1950년대 이후 서방 대공방어 탄두에 사용되었고 일부 권한에 따라 1960년 에 Sverdlovsk 상공에서 Powers U2 첩보기 를 추락시킨 소련 탄두에 사용되었다.

COPPERHEAD(카퍼헤드) NATO에 적용 하기 위해 마틴 마리에타 회사에 의해 미국 에서 개발된 155mm 곡사포용 종말 유도 포 병 발사체.

카퍼헤드는 공식적으로 M712 캐논발사 유 도 발사체(CLGP)로 알려졌다. 이것은 정상 적인 추진 장약을 사용하고 재래식 155mm 곡사포에서 발사해 재래식 탄도 비행궤도를 얻는다. 전방 관측자가 선택한 표적은 관측 자가 운용하는 레이저 빔에 의해 조사되거 나 원격조정기(RPV)에 운반된다. 카퍼헤드 의 전방부는 레이저 탐색기이다. 이것은 표 적으로부터 레이저 반사 신호를 탐색하고 꼬리 날개를 펼쳐 표면을 제어하여 레이저 탐색기가 카퍼헤드를 조향시켜 표적과 충돌 시킨다.

탄두는 HESH 형이며 직접 충격 센서와 탄 두가 충격을 가하지 못하더라도 기폭을 보장 하는 6개의 마찰 센서를 가지고 있다. 발사 체 무게는 63.5kg(140파운드)이며 최대 사거 리는 16km(10마일)이다.

카퍼헤드의 생산은 1980년부터 시작되었지 만, 생산 모델이 표준 정확도에 도달하지 못 해 초기 조달은 보류되었다. 철저한 생산 시 설 조사를 거친 후 1983년에 90% 이상의 성 공율을 획득하여 1984년 초까지 미 육군이 5,000기를 요구하여 30,000기가 배치되었다. 그러나 영국 육군은 표적에 레이저를 조사 하는 것이 비현실적이라고 판단하여 결정을 번복하였다.

D

DISCRETE ROD(불연속 봉) *연속봉 (continuous rod)*과 유사한 대공 방어용 미사 일 탄두의 종류. 하지만 개별 봉들이 탄두의

꼬리날개
날개
제어부
탄두부
유도부

과급된 탄두의 위치를 보여주는 카퍼헤드(Copperhead)의 단면도.

벽을 만들고 실린더는 결합되지 않는다. 그러나 플라스틱 물질의 행렬로 간단히 서로 고정된다. 그 결과, 폭약 내용물이 기폭 되면, 개별 봉들은 분리 자탄으로 바깥으로 폭발하 여 항공기 표적에 상당한 피해를 줄 수 있다.

F

FLAT CONE CHARGE(평 원뿔 장약) 장 약의 중공(中空) 면과 그 원뿔 라이너가 약 130°의 각으로 개방되는 성형작약(*shaped charge*) 형태. 이것은 스핀에 의한 난반사를 줄이고 표적에 더 큰 구멍을 내는 더 두껍고 더 접착성이 강한 제트류를 만든다. 하지만 재래식 날카로운 원뿔형만큼 깊은 관통을 만 들 수 없다. 평 원뿔 장약은 장갑 항공 표적 에 심각한 손상을 주기 위해 필요한 소구경 캐논 포탄용으로 개발되었지만, 아주 두꺼운 판을 관통할 필요는 없다. 이들은 경장갑 APC와 유사한 지상 차량에 유용하며, 탑어 택(*top-attack*) 대전차 무기에 사용이 고려된 증거가 있다.

FUEL/AIR EXPLOSIVE(연료/공기 폭약) 정교하게 분리된 연소 물질과 공기로 구성된 폭약. 이것은 정밀한 연소물이며 공기 중에 서의 살포가 폭발 효과를 만들어낸다. 그러 므로 물질은 폭약일 필요가 없다. 우연히 나 타난 연료/공기 폭약의 주 실례는 사람이 살 지 않는 곡물 저장소에서 폭발하는 것으로 알려진 바다 먼지와 공기의 혼합이며, 우연 한 불꽃과 화염으로 발화된다. 그러나 정확 한 비율로 공기와 혼합하면 상당한 파괴력을 가지게 된다. 석탄 먼지와 공기의 혼합으로 부터의 갱도 폭발은 기록이 아주 많다.

연료/공기 폭약(FAE)의 군사적 사용은 2차 대전에 시작되었다. 어떠한 문서 증거로도 확인되지 않았지만 독일의 Luftwaffe가 일부 FAE 폭탄을 레닌그라드 전선의 소련군에 사용하였다는 끊임없는 소문이 있었다. FAE 폭탄이 건물에 대한 상당한 파괴력을 보여주 었기 때문에 영국과 미국 모두 FAE 포탄에 대한 실험을 하였다. 적절히 설계된 FAE 폭 탄은 건물을 관통하고 먼지 적재물을 분산시 켜 건물 내에서 공기와 혼합하여 FAE 혼합 물을 기폭한다. 이것은 벽에 대한 강력한 융 기 효과를 발휘하고 건물을 폭파시키고 건물 전체를 붕괴시킨다.

레이저 표적 지시기. 이 기재에서 발생된 레이저가 표적을 향한다. 유도 발사체는 반사 레이저 광을 탐지하고 반사 광원을 자동 추적한다.

이것은 분명히 재래식 고폭탄의 응집력보다 커다란 바닥면적을 가진 공장과 유사한 건축물에 대해 훨씬 강력한 효과를 가지고 있다. 그 후, FAE는 여러 가지 역할과 여러 가지 탄약에 제안되었다. 상당히 호소력 있는 한 가지 아이디어는 지뢰지대 위에서 FAE 발사체를 발사하여 기폭이 아래쪽으로 느리지만 상당한 압력을 발휘하여 모든 지뢰의 압력판을 작동시킨다. 이렇게 하여 단 몇 발로 어떠한 형태의 지뢰지대에서도 넓은 통로를 만든다. 그러나 아직 실제적인 FAE 탄이 존재하지 않는다.

L

LASER GUIDANCE(레이저 유도) 여러 가지 원격 조종 탄약(*remotely-delivered munitions*)에 대해 제안된 유도 형태. 시스템은 전적으로 지상 관측자 또는 항공 - 즉 헬리콥터, 지원항공기 또는 원격 조종기(RPV)로부터 운용되는 레이저 투사기에 의해 '조사된' 표적(보통 전차)에 의존한다. '레이저 지시기'는 레이저 빔을 보내 표적에 맞추고 일반적인 백색광처럼 여러 방향으로 반사시킨다. 이 반사는 날아오는 미사일 또는 탄약에 의해 탐지되고 유도 기계장치에 대한 신호로 작동하여 미사일이나 탄약이 조향하여 표적에 명중하도록 한다. 레이저 방사는 암호화되고 대응 탄약은 암호로 미리 설정하여 탄약이 정확한 레이저 반사파에만 반응하도록 하고 다른 표적에 대한 다른 레이저 운용에 의해 잘못 유도되지 않도록 한다.

이론적으로 확실하지만, 이 시스템에 대한 논쟁은 항상 편리하다거나 실제로 레이저 지시기를 운용할 사람을 배치하기 힘들다는 것이다. 그 결과 절차상에 제3자가 필요하지 않고 표적에 대한 탐지와 조향을 하는 무기의 고안이 상당히 진행되고 있다.

LIQUID PROPELLANT(액체 추진제) 재래식 무연 화약 대신 폭약 액체를 사용하는 포 추진제.

액체 추진제의 매력은 이들이 능력 대비 용적 면에서 무연 화약보다 더욱 효과적이라는 것이다. 이것은 발사 후에 포강에 탄매를 남기지 않고 공포탄이 없다. 그리고 군수 보급선에서 적은 면적을 차지한다.

만만찮은 몇 가지 반대 논쟁 즉, 이에 적절한 모든 액체는 휘발성이거나 부식성이 있어 취급하기 위험하다는 것, 포의 밀폐가 무역 화약의 폭발에 대한 밀폐보다 어렵다는 것, 액체의 정밀한 측정이 아주 어렵다는 것과 혼합 액체의 발화 절차가 불규칙하다는 것이 약실에서의 최대 초과 압력을 받아들이기 어렵다는 것을 유도하였다.

여러 가지 아이디어가 제안되었고 일부는 시험용 무기에서 시도되었다. 가장 쉬운 방법은 적당한 액체를 발사체 뒤에서 포 안에 주입하여 자동 스파크 플러그로 격발하는 것이다. 다른 방법은 섞이면 폭발하는 개별적으로 무해한 두 가지 물질을 포 약실에 동시에 주입하는 것이다.

세 번째 방법은 재래식 무연 화약을 사용하여 사격전에 즉각적으로 약실에 연료 형태로 주입하여 강도를 높이는 것이다.
직면한 더 실제적인 문제들은 이러한 위험한 액체를 포나 전차에 실어 안전하게 전장으로 이송하고, 모든 각도에서 포에 공급하고 필요시 재공급하는 것이다.
분명한 것은 액체 추진제가 실제적인 계획이 되기 전에 해결해야 할 것들이 많다는 것이다.

MILLIMETRIC WAVE RADAR(초단파 레이더) 원격 조종 탄약을 표적에 유도하는 방법. 초단파 레이더는 재래식 마이크로파 레이더와 유사하지만 아주 높은 고주파(10-400gHz)에서 운용된다. 주요 차이점은 실제적인 강력한 출력을 생산할 방법이 없다는 것이다. 현재의 기술은 약 100와트를 생산하지만 이는 곧 상당히 개선될 것으로 믿고 있다.
그러나 초단파는 '방사선 측정'이라고 알려진 기술인 수동 임무에 사용될 수 있다. 유도를 필요로 하는 장치는 높은 주파수의 초단파는 원적외선 스펙트럼에서 접근하고 일부 가시 주파수 특성을 갖는 장점을 취하기 때문에 어떠한 레이더 신호로도 방출할 필요가 없다. 이러한 주파수에서, 지상 물체는 하늘색 온도의 반사율에서 기인하는 복사 에너지를 방사한다. 지구는 상당히 규칙적인 형상을 방사하지만 전차와 같은 더 큰 반사율의 물체는 주변으로부터 쉽게 구분할 수 있고 초단파 기술로 쉽게 탐지할 수 있다.

MULTIPLE-SHAPED CHARGE(다중 성형작약) 모든 방향에 대한 효과를 제공하기 위해 여러 각도로 바깥을 향하고 있는 아주 많은 소형 성형작약이 장착된 원뿔 기둥으로 구성된 대공 미사일 탄두 형태. 이 미사일이 작동하도록 의도된 고도에서 희박한 공기는 성형작약으로부터 발생한 제트류가 아주 멀리 이동하고 항공기나 미사일 표적을 손상시킬 만큼 충분하게 에너지를 유지한다는 것을 의미한다. 탄두가 기폭 되면(근접 신관에 의해), 모든 성형작약이 동시에 격발되고 폭발 지점 주변에 '고슴도치형상-porcupine'을 발생시킨다.

NUCLEAR PROJECTILE(핵 발사체) 폭약으로 핵장치를 포함하고 있는 포병용 포탄.
핵포탄은 일반적으로 2킬로톤 핵출력 영역에 있다. 즉, 폭발이 2,000톤의 TNT와 맞먹는다. 상세한 구조는 밝혀지지 않았지만, 핵물질의 준위험-sub-critical 질량을 결합시킨 간단한 폭발 제어 기술에 의존하고 있다는 것을 상상할 수 있다. 이러한 발사체의 주요 디자인 문제는 표적에 대한 작동시의 완벽한 확실성과 함께 운송, 취급, 발사 시 절대적인 안전을 보장하는 것이다. 핵포탄의 신관 시스템은 포탄 내에서 여러 가지 작동 절차를 제어하는 3개 또는 더 많은 기계식 내부 연결 시한 신관과 표적 상공의 정확한 위치에서 포탄을 기폭 하는 근접 신관으로 이루어진 지극히 복잡한 것으로 알려졌다. 다기능 근접 신관이 사용되어 전술적 필요에 따라 폭발 높이 또는 충격 폭발을 변화하도록 조정할 수 있다.
파괴 반경과 함께 핵포탄의 복잡성은 최소

핵탄두를 미국 280mm 핵 대포 'Atomic Annie'에 장전하고 있다.

위 : 대전차 지뢰가 탑재된 미국 155mm 운반탄. 아래 : NATO 곡사포용으로 개발된 발사체. 소형 성형작약 폭탄이 장전되어 있고 장거리에서 장갑에 대해 발사할 수 있다. 아래 발사체는 최대 사거리를 위해 탄저블리드 모터가 있다.

155mm 소형 폭탄 발사체 RB63

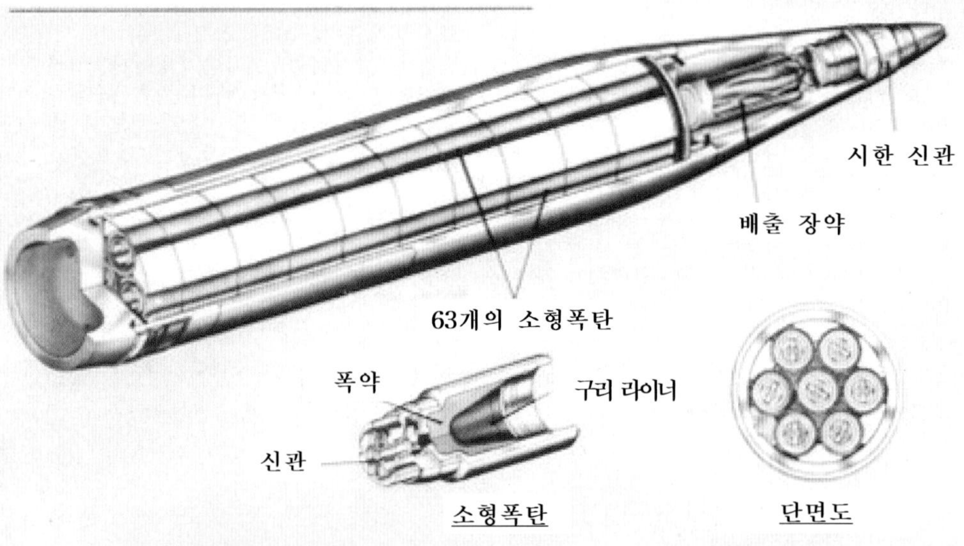

155mm 장거리 소형폭탄 발사체 Rh49

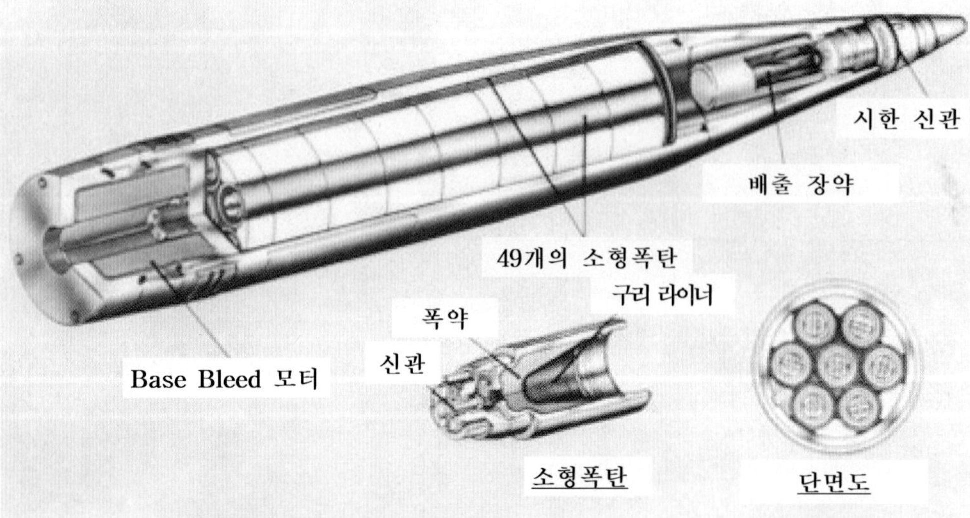

구경이하로는 실행할 수 없다는 것을 의미한다.현재에는 그림에 있는 155mm 및 많은 NATO와 바르샤바 조약의 155mm무기와 더 큰 구경이 핵 발사체로 제공된다고 이해되고 있다.

R

REMOTELY-DELIVERED MUNITIONS(RDM)(원격 조종 탄약) 운반탄에서 표적에 발사되어 포탄으로부터 방출되어 자신의 표적을 탐색하고 찾는 탄약. 대부분의 RDM은 장거리에서의 전차 공격 수단으로 발명되었다. 성형작약, 유도 성형작약 장치를 탑재한 소형폭탄이 전차의 상부와 장갑을 공격하거나 대전차 지뢰나 대인 지뢰를 살포하는데 사용된다. 소형폭탄과 지뢰는 간단하게 포탄으로부터 방출되고 무작위로 낙하한다. 소형폭탄은 아래쪽에 있는 어떠한 전차도 타격할 수 있으며 지뢰는 지상에 뿌려져 나중에 지나가는 전차가 치게 된다. 유도 장치는 보통 열이나 다른 반사파로 전차를 탐색하여 자탄을 충격하도록 조향하는 적외선 또는 초단파 탐색기에 의존한다.

S

SADARM(사담-장갑 탐색 및 파괴) 'Seek and destroy Armor'의 약어로 장거리에서 전차를 공격하기 위해 설계된 미국 RDM. 3개의 SADARM이 하나의 203mm 또는 155mm 운반탄에 장착될 수 있고 표적 인근에서 탄저를 통해 방출된다. 각 탄은 산탄을 항상 수직에 대한 30°로 유지하도록 연결된 낙하산을 전개한다. 초당 약 9미터 속도로 낙하하면서 산탄은 초당 4회 회전하여 초단파(*millimetric wave*) 센서가 나선형으로 낙하하며 지상을 정밀 조사한다. 전차 표적의 특정 대조 특징이 기억회로에 내장되어 있어 센서가 전차처럼 보이지 않는 것은 모두 무시한다. 일단 표적으로 탐색되면 센서는 그 위치를 고정하고 표적에 단조 파편(*self-forming fragment*)을 방출하기 위해 폭약 탄두를 발사하는 스핀 주기 동안에 정

에어로젯 사담(Aerojet Sadarm) 자탄이 기폭하고 표적 위에서 아래쪽으로 무유도 파편을 발사한다.

무유도 파편이 전개하여 장갑판에 손상을 주는 모습을 보여주는 모델.

확한 지점을 계산한다. 탄약이 표적을 탐지할 수 없으면 지상으로 떨어져 전차가 지나가면서 부딪치는 성형작약 지뢰로 작동한다. SADARM 시스템의 개발은 시험 무기의 사격에서 이루어졌지만, 조달은 다른 대장갑 시스템의 연구가 완료될 때까지 중단되었다.

SELF-FORMING FRAGMENT(SFF) MUNITION(단조 파편탄) 단조 파편은 샤딩 효과(*Schardin effect*)의 개발품이다. 이것은 평 원뿔 성형작약이지만, 재래식의 얇은 성형작약 라이너보다 아주 무거운 판 라이너가 있다. 기폭 시, 라이너는 제트류로 기화되지 않지만 운동 에너지 발사체로 초당 약 1,200미터(3,900fps)로 발사되는 총탄형 미사일로 전환된다. SFF 탄은 단거리(보통 50m 이하)에서 사용되도록 제안되었고, 거의 속도 상실이 없다. 주의 깊게 설계된 탄저분리 자탄처럼 충분하지는 않지만 관통이 양호하고 장갑 내부에서의 파괴 효과는 상당하다. 포병 탄약에서의 SFF의 기본적 적용은 여러 가지 형태의 원격 조종 탄약용 탄두 유닛이다. *SADARM* 참조.

SUB-MUNITIONS(자탄) 원격 조정 탄약을 형성하고 표적까지 운반탄 내부에 탑재되는 폭약 장치용 일반 용어. 종종 최종 운용 순간에 유도되기도 한다. *SADARM*, 원격 조종 탄약(*Remotely-Delivered Munitions*)과 소형폭탄(*Bomblet*) 참조.

T

TERMINAL GUIDANCE(종말 유도) 비행 마지막 단계에서 유도되는 무기. 최초 비행 단계는 재래식 탄도를 따른다. 예를 들어 카퍼헤드(*Copperhead*)유도 발사체는 궤도의 마지막 부분까지 포탄으로 날아가지만 그 후 유도 모드로 적용된다.

TOP-ATTACK(탑-어택) 보통 전차의 차체와 측면보다 얇기 때문에 전차 차체의 상부 표면과 포탑의 상부 표면에 대한 직접적인 공격을 하는 장갑 공격 방법. 전차에 대한 주요 위협은 항상 지상무기로부터이며 그래서 설계자들은 전면과 측면에 방호를 집중한다. 그 결과 새로운 무기의 디자인은 이러한 두꺼운 곳을 피하게 되고 더 얇은 상부 표면으로 옮겨간다. 이러한 공격에 대한 방어는 현재 어느 정도 어려움이 있다. 간단히 추가 장갑을 덧대는 것은 중량을 초과하게 되고 변속기와 현수장치에 기계적 문제를 야기한다. 그리고 불균형한 전차를 초래한다. 다음 세대의 전차 즉, 21세기의 전차는 무기 설계자들이 다른 대안을 생각할 때까지 상부 방호를 채택하게 될 것이다.

W

WARHEAD(탄두) 미사일 또는 자탄의 폭약과 신관 내용물에 대한 일반 용어.

마이크로파 센서가 발사체 행궤도 아래의 독특한 표적 징을 자세히 조사한다.

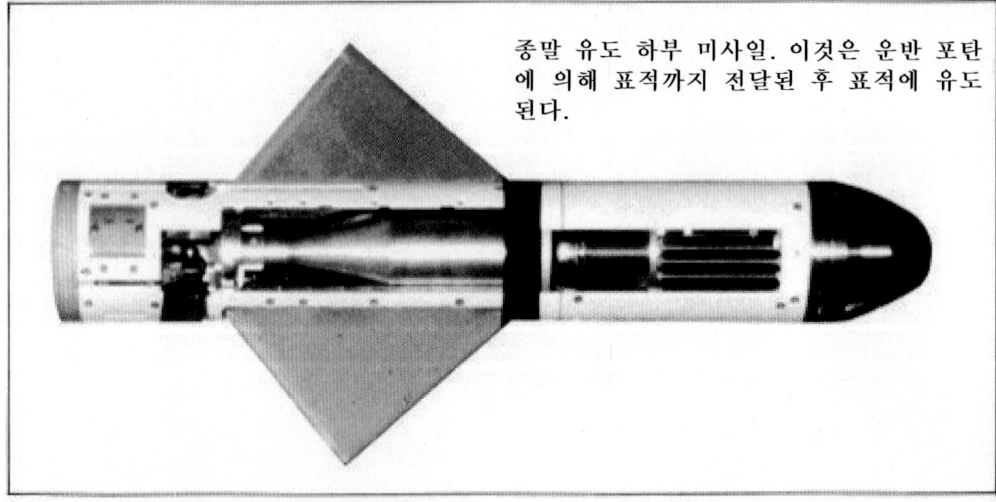

종말 유도 하부 미사일. 이것은 운반 포탄에 의해 표적까지 전달된 후 표적에 유도된다.

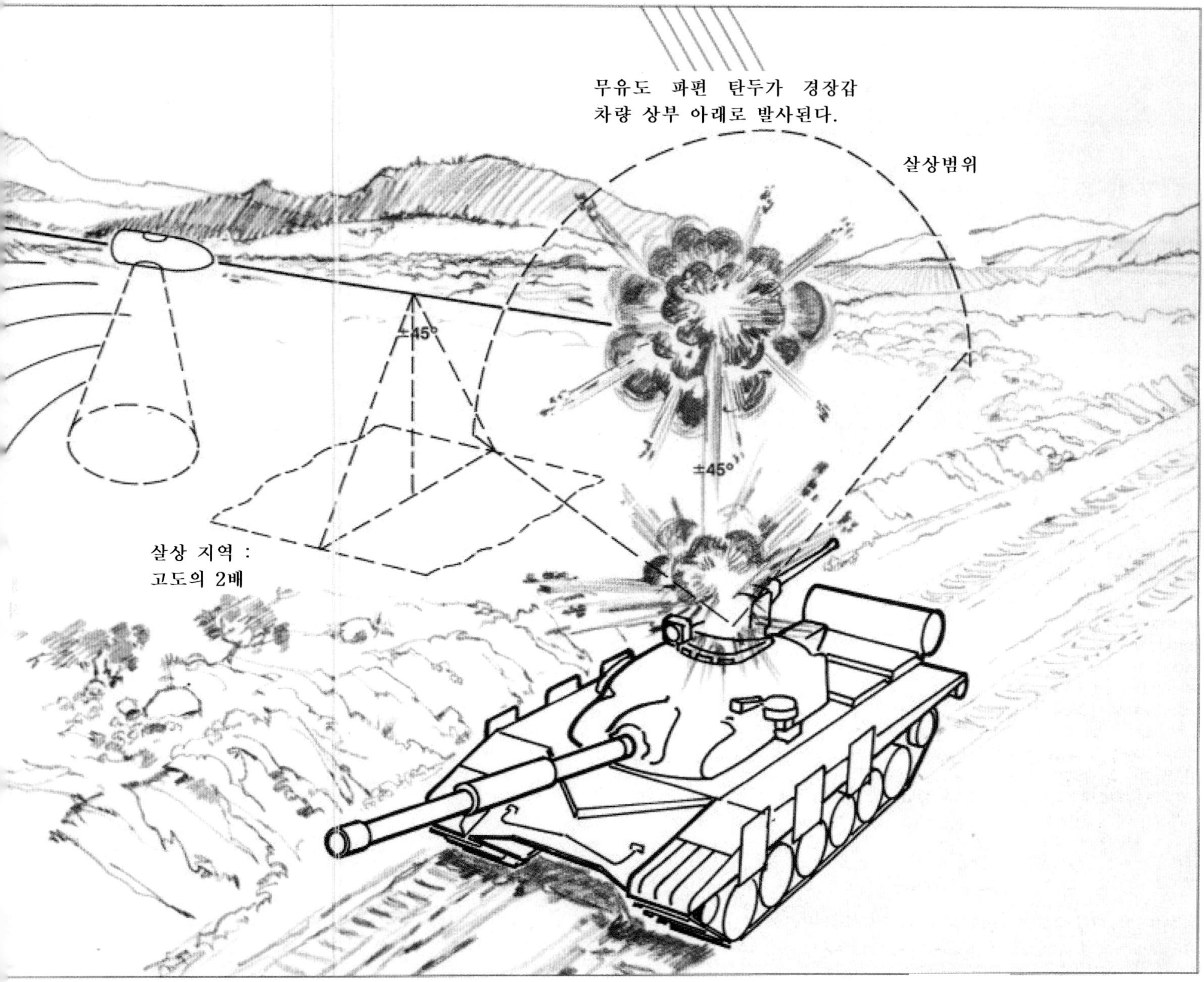

무유도 파편 탄두가 경장갑
차량 상부 아래로 발사된다.

살상범위

±45°

±45°

살상 지역 :
고도의 2배

고속의 무유도 파편으로 스마트 탑 어택 화이어 앤 포겟(Smart Top Attack and Forget) 발사체가 상부에서 어떻게 전차를 공격하는지 보여주고 있다.

개발 중인 미국 종말 유도 발사체. 유도 시스템이 첨두에 있다.

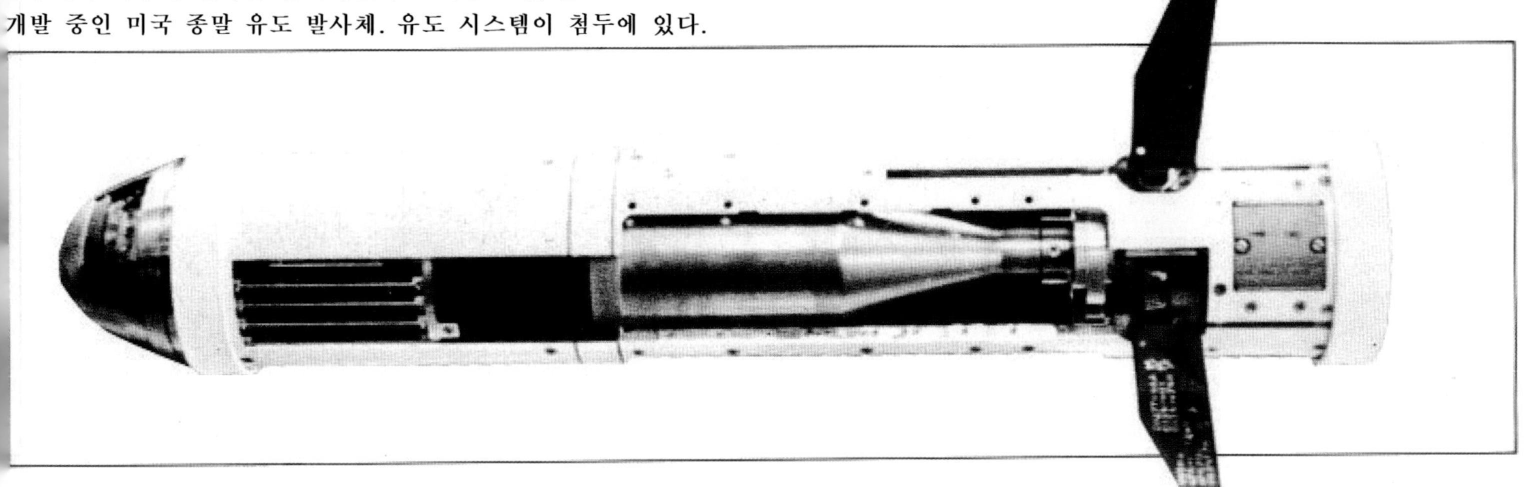

색인

【소화기】

【박격포 및 유탄】

가나다 순

【소화기】

【박격포 및 유탄】

【신개발】

■ 역 자

최시영

· 현재 : 호원대학교 국방기술학부 교수
· 대덕대학 총포광학과 교수
· 모스크바 말리노프스키 기갑아카데미「러시아 전차 / 장갑차 탄약관리」실무과정 수료

노우주

· 현재 : 육군 종합군수학교 화력장비학처 교관(육군 준위)
· 국방대학교 국방정책 석사과정
· 미 육군병기학교 사격기재과정 수료(1993년) / 궤도차량과정 수료(1997년)

이영욱

· 현재 : 호원대학교 국방기술학부 교수(예비역 육군 중령)
· 대덕대학 특수무기학과 학과장
· 충남대학교 메카트로닉스 박사수료

한호석

· 현재 : 호원대학교 국방기술학부 교수(예비역 육군 대령)
· 대덕대학 유도탄약과 교수
· 대전대학교 군사학 박사과정

이기수

· 현재 : 이오시스템 상무(예비역 육군 대령)
· 육군 종합군수학교 화력장비학 처장
· 국방과학연구소 자문위원
· 국방부 군수국 탄약과장

문종철

· 현재 : 제2보병사단 정비대대 정비통제과장(육군 소령(진))
· 육군 종합군수학교 화력장비학 교관
· 국방대학교 안보정책 석사과정

도 해 탄 약 백 과 사 전

발행일 : 2011년 7월 30일
펴낸곳 : 노드미디어
발행인 : 박승합
주 소 : 서울시 용산구 갈월동 11-50
전 화 : 02-754-1867, 0992
팩 스 : 02-753-1867
홈페이지 : http://www.enodemedia.co.kr
출판사 등록번호 : 제 106-99-21699호

역자 : 최시영, 노우주, 이영욱,
한호석, 이기수, 문종철

ISBN : 978-89-8458-242-2 93550

정가 35,000원

이 저서는 Quarto Publishing과 한국의 NODE MEDIA[(구) 도서출판 골드]간의 협약에 의하여 번역출판 되었음.

■ 군사계열 분야 전문도서 발행

지은이 : 이영욱, 최창규
판매가격 : 22,000원

지은이 : 조필군 · 권호영 · 조현주
판매가격 : 30,000

지은이 : 이영욱 . 최시영 공저
판매가격 : 22,000

지은이 : 이영욱 · 권호영
판매가격 : 15,000

지은이 : 이영욱 · 권호영
판매가격 : 15,000

지은이 : 강길구 · 권호영
판매가격 : 30,000

지은이 : 이강복 · 한호석
판매가격 : 15,000

지은이 : 이영욱 · 최시영
판매가격 : 19,000

지은이 : 조현주
판매가격 : 15,000원

지은이 : 이영욱 · 최시영 공저
판매가격 : 18,000원

지은이 : 전유성 · 강경종 · 김기홍
판매가격 : 30,000

특수지원장비학 II

지은이 : 전유성 · 강경종 · 김기홍
판매가격 : 25,000

지은이 : 조필군, 노우주 역
판매가격 : 35,000

지은이 : 조남진
판매가격 : 22,000

軍, 副士官 그리고 leadership

지은이 : 김병도 · 김호용 · 이영욱